JN060350

司法試験 予備試験

2025 年版

完全整理
択一六法

司法試験&予備試験対策シリーズ

Constitution

憲法

はしがき

★令和6年の短答式試験＜憲法＞の分析

　司法試験では、総論・人権分野から12問、統治分野から8問出題されました。例年どおり、総論・人権分野に出題バランスが傾いた形となっています。また、主として最高裁判所の判例についての知識・理解を問う問題が6問、基本的事項に関する知識・理解を問う問題が6問、両者の融合問題が5問、見解問題（一方の見解が他方の見解の批判あるいは根拠となっているか否かを問う問題）が3問出題されました。例年では、判例に関する知識・理解を問う問題が数多く出題される傾向にありますが、今年は極端に少なく（昨年は14問も出題されていました）、その分基本的事項に関する知識・理解を問う問題や肢が多く出題された結果、全体の平均点は、令和元年からみて最も低い「28.1点」となり、最低ライン（40％）に到達しなかった受験生も、令和元年からみて最も多い「317人」となりました。このことから、今年の憲法科目の難易度は、令和元年からの直近6年間の中で、最も難しかったものと思われます。

　予備試験では、全12問が出題され、そのうち、予備試験オリジナル問題は4問出題されました。出題分野及び問題数は、総論・人権分野から8問、統治分野から4問であり、例年どおり、総論・人権分野に出題バランスが傾いた形となっています（昨年は総論・人権分野から6問、統治分野から6問出題されていましたが、元の傾向に戻った模様です）。また、全体の平均点については、令和元年から順に、「14.7点」（令和元年）→「21.5点」（令和2年）→「16.7点」（令和3年）→「19.8点」（令和4年）→「15.2点」（令和5年）→「13.6点」（令和6年）と推移しています。これらのデータから、今年の憲法科目の難易度は、令和元年からの直近6年間の中で、最も難しかったものと思われます。

　憲法で安定した高得点をマークするには、最高裁判例の正確な理解は当然のことながら、代表的な基本書に記載されている重要事項や論点上の見解の対立についても正しく理解しておく必要があります。

★令和6年の短答式試験の結果を踏まえて

　今年の司法試験短答式試験では、採点対象者3,746人中、合格者（短答式試験の各科目において、満点の40％点［憲法20点、民法30点、刑法20点］以上の成績を得た者のうち、各科目の合計得点が93点以上の成績を得たもの）は2,958人となっており、昨年の短答式試験合格者数3,149人を191人下回りました。昨年から法科大学院在学中でも受験が認められることになり、在学中受験資格に基づいて受験した方が参入した結果、昨年は合格者数が大幅に増加しましたが、今年は3,000人を割り込む形となっています。

　まず、「合格点」についてですが、平成29年から令和元年までの「合格点」は「108点以上」と高い水準でした。これらの年度の短答式試験では、各科目の6割（合計105点）を正答しても、わずかに合格点には到達できないことになりま

す。一方、令和2年から今年にかけて、近時の「合格点」は「93点以上」～「99点以上」の間で推移しており（今年の「合格点」は「93点以上」でした）、各科目の6割（合計105点）を正答すれば、一応、合格点には到達できることになります。そのため、来年以降も、短答式試験を突破する最低限の目安として、「各科目の6割」を下回らない水準での得点を意識するとよいでしょう。

また、「合格率」（採点対象者に占める合格者数の割合）についてですが、令和元年から令和3年までは70％台を超えており（令和元年：約74.22％、令和2年：約76.23％、令和3年：約78.77％）、更に直近では2年連続で80％台に到達していました（令和4年：約81.50％、令和5年：約80.81％）が、今年の合格率は約78.96％となり、再び80％を割り込む形となりました。仮に、来年以降も今年と同水準の合格点が継続すると考えた場合、70％後半～80％前半の合格率も同様に維持されるものと考えられます。

次に、今年の予備試験短答式試験では、採点対象者12,469人中、合格者（270点満点で各科目の合計得点が165点以上）は2,747人となっており、昨年の短答式試験合格者数2,685人を62人上回りました。

まず、「合格点」についてですが、過去の直近5年間（令和元年～令和5年）の合格点は「156点～168点以上」という幅のある推移となっており、特に昨年（令和5年）の合格点は、令和元年以降最も高い「168点以上」となっていました。このような近年の状況において、今年の合格点は「165点以上」と高い水準を維持する形となりましたが、来年の合格点については、引き続き「156点～168点以上」の間で推移するものと予測されます。

また、「合格率」（採点対象者に占める合格者数の割合）についてですが、昨年（令和5年）の合格率は、予備試験が実施されるようになった平成23年から見て最も低い約20.26％でしたが、今年は約22.03％となり、約1.8％上昇しました。このように、予備試験短答式試験の合格率は、おおよそ20％台にあるといえますが、司法試験短答式試験の今年の合格率が約78.96％（採点対象者数：合格者数＝3,746：2,958）であることと比べると、予備試験短答式試験は明らかに「落とすための試験」という意味合いが強い試験だといえます。

そして、受験者数・採点対象者数は、令和2年を除き、平成27年から微増傾向にあり、昨年（令和5年）の受験者数は、予備試験史上最も多い13,372人を記録していましたが、今年の受験者数は12,569人となり、一転して減少することとなりました。採点対象者数についても、昨年（令和5年）は13,255人と予備試験史上最も多い数字でしたが、今年は12,469人となり、増加傾向に歯止めがかかった形です。

受験率については、直近2年連続で80％台を維持していましたが、今年は「79.7％」となり、わずかに80％を割り込みました。もっとも、来年以降も同様の「受験率」が維持されるものと考えられ、合格者数も2,500～2,800人前後となることが予想されます。

予備試験短答式試験では、法律基本科目だけでなく、一般教養科目も出題されます。点数が安定し難い一般教養科目での落ち込みをカバーするため、法律基本科目については苦手科目を作らないよう、安定的な点数を確保する対策が必要と

なります。

　このような現状の中、短答式試験を乗り切り、総合評価において高得点をマークするためには、いかに短答式試験対策を効率よく行うかが鍵となります。そのため、要領よく知識を整理し、記憶の定着を図ることが至上命題となります。

★必要十分な知識・判例を掲載

　憲法では、司法試験・予備試験ともに、判例を素材にした問題が非常に多く出題されます。また、肢ごとに正誤を解答させる問題や、3つの肢の○×を全部正解しなければならない8択の問題など、消去法が使えない問題がほとんどであることから、安定的に点数を取るためには、判例の結論はもちろん、理由付けについても正確な理解が必要となります。そして、判例を理解する際には、判例を1つずつ独立して覚えるのではなく、判例相互の関連性を意識するとより効率的です。

　本書では、重要判例については事案を的確にコンパクト化して掲載しつつ、判旨をかなり長めに掲載しています。また、その際、類似判例との違いを意識できるように編集しています。さらに、類似判例の関係や判例の流れを表にまとめ、判例相互間の理解を深めることができる工夫も施しています。

　加えて、近年の司法試験・予備試験の短答式試験では、一般的な学説の整理・要約を問う肢も出題されます。本書では、そうした出題傾向も踏まえ、合格に必要と思われる学説の紹介・整理も収録しています。

★司法試験短答式試験、予備試験短答式試験の過去問情報を網羅

　本書では、司法試験・予備試験の短答式試験において、共通問題で問われた知識に共マーク、予備試験単独で問われた知識に予マーク、司法試験単独で問われた知識に司マークを付しています。複数のマークが付されている箇所は、各短答式試験で繰り返し問われている知識であるため、より重要性が高いといえます。

★最新法改正対応

　本書では、常に法改正の動向に注目しています。最新の情報をいち早く皆様に提供するために、令和6年8月末日までに公布された法改正を盛り込んでいます。

★最新判例インターネットフォロー

　短答式試験合格のためには、最新判例を常に意識しておくことが必要です。そこで、LECでは、最新判例の情報を確実に収集できるように、本書をご購入の皆様に、インターネットで随時、最新判例情報をご提供させていただきます。

　アクセス方法の詳細につきましては、「最新判例インターネットフォロー」の頁をご覧ください。

2024年9月吉日

株式会社東京リーガルマインド
ＬＥＣ総合研究所　司法試験部

司法試験・予備試験受験生の皆様へ

LEC司法試験対策　総合統括プロデューサー
反町　雄彦　LEC専任講師・弁護士

はしがき

◆競争激化の短答式試験

　短答式試験は、予備試験においては論文式試験を受験するための第一関門として、また、司法試験においては論文式試験を採点してもらう前提条件として、重要な意味を有しています。いずれの試験においても、合格を確実に勝ち取るためには、短答式試験で高得点をマークすることが重要です。

◆短答式試験対策のポイント

　司法試験における短答式試験は、試験最終日に実施されます。論文式試験により心身ともに疲労している中、短答式試験で高得点をマークするには、出題可能性の高い分野、自身が弱点としている分野の知識を、短時間で総復習できる教材の利用が不可欠です。

　また、予備試験における短答式試験は、一般教養科目と法律基本科目（憲法・民法・刑法・商法・民事訴訟法・刑事訴訟法・行政法）から出題されます。広範囲にわたって正確な知識が要求されるため、効率的な学習が不可欠となります。

　本書は、短時間で効率的に知識を整理・確認することができる最良の教材として、多くの受験生から好評を得ています。

◆短答式試験の知識は論文式試験の前提

　司法試験・予備試験の短答式試験では、判例・条文の知識を問う問題を中心に、幅広い論点から出題がされています。論文式試験においても問われうる重要論点も多数含まれています。そのため、短答式試験の対策が論文式試験の対策にもなるといえます。

　また、司法試験の憲法・民法・刑法以外の科目においても、論文式試験において正確な条文・判例知識が問われます。短答式試験過去問を踏まえて解説した本書を活用し、重要論点をしっかり学んでおけば、正確な知識を効率良く答案に表現することができるようになるため、解答時間の短縮につながることは間違いありません。

　司法試験合格が最終目標である以上、予備試験受験生も、司法試験の短答式試験・論文式試験の対策をしていくことが重要です。短答式試験対策と同時に、重要論点を学習し、司法試験を見据えた学習をしていくことが肝要でしょう。

◆苦手科目の克服が肝

　司法試験短答式試験では、短答式試験合格点（令和6年においては憲法・民法・刑法の合計得点が93点以上）を確保していても、1科目でも基準点（各科目の満点の40%点）を下回る科目があれば不合格となります。本年では、憲法で317人、民法で192人、刑法で122人もの受験生が基準点に達しませんでした。本年の結果を踏まえると、基準点未満で不合格となるリスクは到底見過ごすことができません。

　試験本番が近づくにつれ、特定科目に集中して勉強時間を確保することが難しくなります。苦手科目は年内に学習し、苦手意識を克服、あわよくば得意科目にしておくことが必要です。

◆本書の特長と活用方法

　完全整理択一六法は、一通り法律を勉強し終わった方を対象とした教材です。本書は、司法試験・予備試験の短答式試験における出題可能性の高い知識を、逐条形式で網羅的に整理しています。最新判例を紹介する際にも、できる限りコンパクトにして掲載しています。知識整理のためには、核心部分を押さえることが重要だからです。

　本書の活用方法としては、短答式試験の過去問を解いた上で、間違えてしまった問題について確認し、解答に必要な知識及び関連知識を押さえていくという方法が効果的です。また、弱点となっている箇所に印をつけておき、繰り返し見直すようにすると、復習が効率よく進み、知識の定着を図ることができます。

　このように、受験生の皆様が手を加えて、自分なりの「完択」を作り上げていくことで、更なるメリハリ付けが可能となります。ぜひ、有効に活用してください。

　司法試験・予備試験は困難な試験です。しかし、継続を旨とし、粘り強く学習を続ければ、必ず突破することができる試験です。

　皆様が本書を100%活用して、試験合格を勝ち取られますよう、心よりお祈り申し上げます。

CONTENTS

統治

◆論点一覧表

【司法試験】

年度	論点名	備考	該当頁
H30	営業の自由に対する制約	薬事法距離制限違憲判決（最大判昭50.4.30・百選92事件） 小売市場事件（最大判昭47.11.22・百選91事件）	224
R元	表現の自由の保障の意義	現場思考（虚偽の表現は表現の自由の保障の範囲に入るか）	194
	明確性の原則（刑罰法規の明確性）	徳島市公安条例事件（最大判昭50.9.10・百選83事件）	169 298
	過度の広汎性ゆえに無効の法理		169
	表現内容規制		188
	行政手続の適正保障の根拠	成田新法事件（最大判平4.7.1・百選109事件）	300
R2	職業選択の自由と営業の自由の区別		224
	複合的な規制目的である場合の判断枠組み	薬事法距離制限違憲判決（最大判昭50.4.30・百選92事件） 小売市場事件（最大判昭47.11.22・百選91事件） 酒類販売の免許制（最判平4.12.15・百選94事件） 公衆浴場法事件判決（最判平元.3.7・平元重判10事件）	224
	国内における移動の自由	帆足計事件判決（最大判昭33.9.10・百選105事件）	236
R3	デモ行進の自由	新潟県公安条例事件（最大判昭29.11.24・百選82事件） 東京都公安条例事件（最大判昭35.7.20・百選A8事件）	182
	匿名表現の自由	現場思考 匿名表現の自由を正面から扱った判例ではないが、報道関係者の取材源の秘匿について情報提供者の匿名性に配慮した判断を行っている決定（最判平18.10.3・百選71事件）がある（出題趣旨参照）。	210
	表現内容規制と表現内容中立規制		194

年度	論点名	備考	該当頁
R5	平等原則違反	配偶者の年齢要件は一定の年齢に達した者と達していない者を年齢により区別するものであり、14条1項に違反しないかが問題となる（出題趣旨参照）。この点に関する関連判例としては、堀木訴訟（最大判昭57.7.7・百選132事件）、学生無年金訴訟（最判平19.9.28・百選134事件）、待命処分判決（最大判昭39.5.27）が挙げられる。また、遺族年金の受給資格が認められる年齢が夫と妻とで異なることは性別により区別するものであり、14条1項に違反しないかも問題となる（出題趣旨参照）。この点に関する関連判例としては、最判平29.3.21・平29重判4事件が挙げられる。	99 102 103 112
	積極的差別是正措置（アファーマティブ・アクション）		98
	制度後退禁止原則	老齢加算廃止判決（最判平24.2.28・百選135事件）	257 259

【予備試験】

年度	論点名	備考	該当頁
H23	法の下の「平等」の意義（形式的平等と実質的平等）		97
	積極的差別是正措置（アファーマティブ・アクション）		98
H24	最高裁判所裁判官の国民審査	最大判昭27.2.20・百選178事件	459
	憲法判例の変更		3 447
H25	立候補の自由（被選挙権）	三井美唄労組事件（最大判昭43.12.4・百選144事件）	118
	立候補の制限と公正な選挙の要請		118
	立候補の制限と選挙民による選択	現場思考	――
	政党の自律権	共産党袴田事件（最判昭63.12.20・百選183事件）	333

CONTENTS

本書の効果的利用法

判例には ◀判 マーク、通説には ◀通 マークを明示し、短答式試験の過去問で問われた項目にも下記のマークを明示

司法試験 ⇒ 〈司〉
予備試験 ⇒ 〈予〉
司法試験・予備試験共通問題 ⇒ 〈共〉

2025年に出題が予想される項目を 🔰 マークで明示

随所に図表を設け、ビジュアル的にわかりやすく情報を整理

条文を意識した学習を可能にするため、わかりやすく条文を表示し、直下に関連条文を掲載

（左上の誌面）

●国会　　　　　　　　　　　　　　　　　　　［第41条］

🔰 ▼ 児童扶養手当事件（最判平 14.1.31・百選 206 事件）

事案： Xは、婚姻によらないで懐胎した児童を出産・監護し、児童扶養手当の支給を受けてきたが、当該児童が父親から認知されたことを理由に、Y県知事から、児童扶養手当法施行令4条の2第3号のかっこ書「〔父から認知された児童を除く〕」により、児童扶養手当受給資格喪失処分を受けた。

判旨： 児童扶養手当法4条1項各号は、世帯の生計維持者としての父による現実の扶養を期待できない児童を支給対象児童として定めているが、父によって認知された婚姻外懐胎児童については、同項各号に準ずる状態が継続している。それを支給対象から除外する本件括弧書は法の委任の趣旨に反する。

🔰 ▼ 医薬品インターネット販売規制と薬事法の委任の範囲（最判平 25.1.11・百選 A19 事件）〈司〉

事案： 新薬事法の施行に伴って制定された新薬事法施行規則（以下「新施行規則」という。）では、店舗以外の場所にいる者に対するインターネット販売は第3類医薬品に限って行うことができ、第1類・第2類医薬品の販売等及び情報提供はいずれも店舗において専門家との対面により行わなければならない旨の規定が設けられた。そこで、インターネット販売事業者であるXは、Y（国）に対し、新施行規則の上記規定が新薬事法の委任の範囲を逸脱する規制を定める違法なものであって、無効であること等を主張した。

判旨： 「旧薬事法の下では違法とされていなかった郵便等販売に対する新たな規制は、郵便等販売をその事業の柱としてきた者の職業活動の自由を相当程度制約するものであることが明らかである。「新施行規則の規定」が、これを定める根拠となる新薬事法の趣旨に適合するもの……であり、その委任の範囲を逸脱したものではないというためには、……郵便等販売を規制する内容の省令の制定を委任する授権の趣旨が、上記規制の範囲や程度等に応じて明確に読み取れることを要する。

新薬事法の諸規定には郵便等販売を規制すべきとの趣旨を明確に示す規定がないこと、国会が新薬事法を可決する際に際して、一部医薬品に係る郵便等販売を禁止すべきであるとの意思を有していたとはいい難いことから、「新薬事法の授権の趣旨が、第1類医薬品及び第2類医薬品に係る郵便等販売を一律に禁止する旨の省令……して、上記規制の範囲や程度等に応じて……ある」。

したがって、上記新施行規則は、新薬事法……法・無効である。

（側面ラベル）統治

（右下の誌面）

［第62条］　　　　　　　　　　　　　　　　●国会

《注 釈》

◆ 条約の承認についての衆議院優越の原則〈共〉

1 衆議院の先議権の有無
予算の議決の場合と違い、条約の承認には衆議院の先議は要求されない〈共〉。
∵ 本条は、60条2項だけを準用し、同条1項を準用していない

2 必要的両院協議会
条約の承認に関し参議院で衆議院と異なった議決をした場合には、両院協議会を必ず開かなければならない。

🔰 ＜議決に関する知識の整理＞〈共〉

	衆議院の先議権	参議院に与えられた議決期間	参議院が議決しない場合の効果	再議決の審否	両院協議会
法律案	なし	60日（59Ⅳ）	否決したものとみなすことができる（59Ⅳ）	必要（59Ⅱ）（＊）	任意的（59Ⅲ）
予算	あり（60Ⅰ）	30日（60Ⅱ）	衆議院の議決が国会の議決となる（60Ⅱ）	不要	必要的（60Ⅱ）
条約	なし	30日（61、60Ⅱ）	衆議院の議決が国会の議決となる（61、60Ⅱ）	不要	必要的（61、60Ⅱ）
内閣総理大臣の指名	なし	10日（67Ⅱ）	衆議院の議決が国会の議決となる（67Ⅱ）	不要	必要的（67Ⅱ）

＊ 法律案の再議決には、出席議員の3分の2以上の多数決が必要とされている（59Ⅱ）。

第62条（議院の国政調査権）〈予〉
両議院は、各々国政に関する調査を行ひ、これに関して、証人の出頭及び証言並びに記録の提出を要求することができる。

《注 釈》

一 国政調査権

1 意義
国政調査権とは、議院又は国会が、法律の制定や予算の議決等、憲法上の権限はもとより、広く国政、特に行政に対する監督・統制の権能を実効的に行使するために必要な調査を行う権能をいう。国政調査権は、国民主権の実質化という観点から、国民に対する情報の提供、資料の公開といった国民の知る権利（21Ⅰ）に仕えるものと捉えられている〈予〉。

（側面ラベル）統治

394

［第21条］ ●国民の権利及び義務

▼ 北方ジャーナル事件（最大判昭61.6.11・百選68事件）

事案： 知事選挙に立候補予定であったYが、その名誉を傷つける内容の記事が掲載された雑誌「北方ジャーナル」の販売等を差し止める仮処分を申請し、これを認める仮処分命令がなされた。そこで、同雑誌発行人Xは、同命令が違憲違法であると主張して、国とYに対して損害賠償を請求した。

判旨： 「表現行為に対する事前抑制は、新聞、雑誌その他の出版物や放送等の表現物がその自由market出る前に抑止してその内容を読者ないし視聴者の側に到達させる途を閉ざし又はその到達を遅らせてその意義を失わせ、公の批判の機会を減少させるものであり、また、事前抑制たることの性質上、予測に基づくものとならざるをえないこと等から事後制裁の場合よりも広汎にわたり易く、濫用の虞があるうえ、実際上の抑止的効果が事後制裁の場合より大きいと考えられるのであって、表現行為に対する事前抑制は、表現の自由を保障し検閲を禁止する憲法21条の趣旨に照らし、厳格かつ明確な要件のもとにおいてのみ許容されうる」。

　そして、「出版物の頒布等の事前差止めは、……その対象が公務員又は公職選挙の候補者に対する評価、批判等の表現行為に関するものである場合には、……原則として許されないものといわなければならない」。

　「ただ、右のような場合においても、その表現内容が真実でなく、又はそれが専ら公益を図る目的のものではないことが明白であって、かつ、被害者が重大にして著しく回復困難な損害を被る虞があるときは、当該表現行為にかかる価値が被害者の名誉に優先することが明らかであるうえ、有効適切な救済方法としての差止めの必要性も肯定されるから、かかる実体的要件を具備するときに限って、例外的に事前差止めが許される」。

　「事前差止めを命ずる仮処分命令を発することについては、口頭弁論又は債務者の審尋を行い、表現内容の真実性等の主張立証の機会を与えることを原則とすべきものと解するのが相当である。もっとも、口頭弁論を開き又は債務者の審尋を行うまでもなく、債権者の提出した資料によって、その表現内容が真実でなく、又はそれが専ら公益を図る目的のものでないことが明白かつ、債権者が重大にして著しく回復困難な損害を被る虞があると認められるときは、口頭弁論又は債務者の審尋を経ないで差止めの仮処分命令を発したとしても、憲法21条の趣旨に反するものではない」。

(b) 「検閲」（21Ⅱ前段）の意義

　本condは、2項前段において検閲を禁止する。……
「検閲」と同じ意味なのか、「検閲」の概念が問題……
　判例：検閲とは、「行政権が主体となって、思……

164

●国民の権利及び義務 ［第14条］

→労働基準法3条は、私企業において使用者が労働者に対し、信条を理由として差別的な取扱いをすることを禁じている
⇒ p.135

▼ 三菱樹脂事件（最大判昭48.12.12・百選9事件）

……者の契約自由の原則に基づき、労働者の採用決定にあたり、その思想・信……調査することは違法ではないと判示した。

▼ レッドパージ事件（最判昭30.11.22）

　労働者の解雇が、その信条そのものを理由として行われたものではなく、信条に基づく具体的行動が会社の生産を現実に阻害し、もしくはその危険を生じしめる行為であるという理由でなされた場合には、本条違反の問題は起こりえないと判示した。

(3) 「性別」

　歴史的にみて、もっぱら女性が不合理な差別を受けてきたことから、男女差別の禁止は、主に女性に対する女性の禁止を意味する。もっとも、男女には肉体的・生理的な条件の違いがあり、そのため女性を保護するための合理的な区別は認められるとされる。

　→坑内労働の制限（労基64の2）、妊産婦等に係る危険有害業務の就業制限（労基64の3）

▼ 日産自動車事件（最判昭56.3.24・百選11事件）

　男子の定年年齢を60歳、女子の定年年齢を55歳と定める就業規則は、専ら女子であることのみを理由として差別したことに帰着するものであり、性別による不合理な差別を定めたものとして民法90条により無効であるとした。

▼ 再婚禁止期間違憲判決（最大判平27.12.16・百選28事件）

事案： 女性について6か月の再婚禁止期間を定める733条1項の規定（本件規定）は憲法14条1項及び24条2項に違反するとして、本件規定を改廃する立法措置をとらなかった立法不作為の違法を理由に、国に対して国家賠償法1条1項に基づく損害賠償を求めた。

判旨： 「本件規定の立法目的は、父性の推定の重複を回避し、もって父子関係をめぐる紛争の発生を未然に防ぐことにあると解されるところ、民法772条2項は、『婚姻の成立の日から200日を経過した後又は婚姻の解消若しくは取消しの日から300日以内に生まれた子は、婚姻中に懐胎したものと推定する。』と規定して、出産の時期から逆算して懐胎の時期を推定し、その結果婚姻中に懐胎したものと推定される子について、同条1項が『妻が婚姻中に懐胎した子は、夫の子と推定する。』と規定してい

99

※ なお、本書における条文番号の横に記載されている見出し部分については、学習の便宜のため、弊社が付したものがあります。

● 最新判例インターネットフォロー ●

本書の発刊後にも、短答式試験で出題されるような重要な判例が出されることがあります。

そこで、完全整理択一六法を購入し、アンケートにお答えいただいた方に、ウェブ上で最新判例情報を随時提供させていただきます。

・ユーザー名は〈WINSHIHOU〉、
パスワードは〈kantaku〉となります。

※画面イメージ

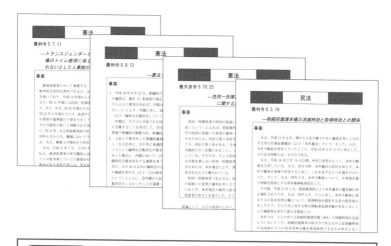

アクセス方法

ＬＥＣ司法試験サイトにアクセス
(https://www.lec-jp.com/shihou/)

↓

ページ最下部の「書籍特典 購入者登録フォーム」へアクセス
(https://www.lec-jp.com/shihou/book/member/)

↓

「完全整理択一六法 書籍特典応募フォーム」にアクセスし、
上記ユーザー名・パスワードを入力

↓

アンケートページにてアンケートに回答

↓

登録いただいたメールアドレスに最新判例情報ページへの
案内メールを送付いたします

完全整理　択一六法

憲法総論

序章　憲法総論

《概　説》

一　憲法の意味

1　「憲法」の多義性《司共予》

(1)　事実的意味の憲法

政治的統一体として形成された国家の具体的な存在状態、ないしは、国家のときどきにおける政治状態という、事実的なものをいう。

→理論的概念でも法的概念でもない

(2)　形式的意味の憲法

憲法という法形式をとって存在する成文法典、すなわち憲法典をいう。

→憲法の存在「形式」に着目した概念

ex.　イギリスには憲法がない、といわれる場合の「憲法」は、形式的意味の憲法である

(3)　実質的意味の憲法

ある特定の内容をもつ法を指して憲法と呼ぶ場合をいう。

→成文憲法か不文憲法か、憲法典の形をとっているか、という憲法の存在形態とは関係なく、その内容に着目した概念

(a)　固有の意味の憲法

国家の統治の基本を定めた法としての憲法をいう。

→いかなる時代のいかなる国家であっても必ず存在する

(b)　立憲的意味の憲法

専断的な権力を制限して、国民の自由を保障しようという考えを基本理念とする憲法をいう。

→①自由権の保障、②権力の制限を可能とする統治機構として権力分立制度を採用することが要求される

*　根本規範としての憲法

人間の人格不可侵の原則（個人の尊厳）を中核とする価値体系である、人権規範をいう。

→実定的な規範であり、成文憲法全体に妥当する

2　憲法の法源

憲法の法源とは、実質的意味の憲法をその存在形式に着目して捉えた概念であり、憲法の存在形式をいう。

(1) 成文法源

　実質的意味の憲法が成文化されるときは、まず、憲法典という形式で行われるのが通常である。

　しかし、憲法典にすべてを規定しつくすことはほとんど不可能であるし、必ずしも好ましいことでもない。そこで、憲法典では原則的なことを定めるのみで、より具体的な定めは他の法形式に委ねるのが通常である。

　日本国憲法の成文法源としては、以下のものが挙げられる。

(a) 条約（平和条約、日米安全保障条約、国際連合憲章など）

(b) 法律（皇室典範、人身保護法、教育基本法、国会法、公職選挙法など）

(c) 規則（衆議院規則、参議院規則、最高裁判所規則など）

(d) 条例（公安条例、青少年保護条例など）

(2) 不文法源

(a) **憲法慣習**〈司〉

　イギリスのような不文法国とは異なり、成文法国においては、実質的意味の憲法は憲法典及び他の法形式で定められているから、憲法慣習は存在しない。しかし、すべての憲法問題を成文形式で具体的に定めることは不可能である。そのため、特定の行為が、具体的な行為を一義的に命ずる法規定がないまま行われた場合、それがその後の先例・慣行となり、憲法に関する慣習となっていく可能性が認められる。

　ただし、このような憲法に関する先例が法的効力を獲得するには、①先例が長期にわたり反復されること、②その先例に法的価値を承認する広範な国民の合意が成立すること、の2つの要件が必要とされる。

　そして、憲法慣習には、①憲法に基づきその本来の意味を発展させる慣習、②憲法上に明文規定がない場合にその空白を埋める慣習、③憲法規範に明らかに違反する慣習の3種類があるところ、硬性憲法の原則を重視すると、③の憲法慣習を認めることはできない。

(b) **憲法判例**〈司〉〈予H24〉

　憲法判例に法源性、法的性格が認められるか（判例の先例拘束力が認められるか）については争いがある。憲法判例に法的な先例拘束力を認める場合、憲法判例は原則として後の最高裁自身を拘束するが、一般的に、十分な理由がある場合（状況の変化等から特に必要のある場合等）には、判例を変更することも可能と解されている。

　他方、通説的な見解は、憲法判例は法的な先例拘束力を有するとはいえないが、事実上の拘束力を有し、事実上法源として機能するものと解している。この立場でも上記と同様に、十分理由がある場合には判例を変更することが可能である。

二 憲法の分類

1 成文憲法と不文憲法

憲法典が存在するか、存在しないかを基準とする分類である。

立憲的意味の憲法の多くは、成文憲法として存在する。

* イギリスは憲法典をもたないが、イギリスの憲法のすべてが慣習法として存在するわけではなく、その多くの部分が成文の法律として定められている。一般法より強い形式的効力はもたないが、実質的効力を有する〈予〉。

2 硬性憲法と軟性憲法〈共〉

憲法改正の手続が、通常の立法手続と同じ（軟性憲法）か、より困難な手続が定められている（硬性憲法）かを基準とする分類である。

3 欽定憲法と民定憲法

誰が憲法の制定主体かを基準とする分類である。

君主が制定して国民に授けたという形をとるものが欽定憲法であり、国民が制定したという形をとるものが民定憲法である。

三 憲法の特質

1 自由の基礎法

(1) 憲法の中核をなすのは、自由の規範である人権規範である。確かに、憲法は国家の機関を定め（組織規範）、それぞれの機関に国家作用を授権する（授権規範）。しかし、これらはより基本的な規範である人権規範に奉仕するものとして存在するにすぎない。

(2) このような自由の観念は自然権の思想に基づく。憲法の中核を構成する「根本規範」はこの自然権を実定化した人権規定であり、それを支える核心的価値が人間の人格不可侵の原則（個人の尊厳）である。

2 制限規範性

憲法は自由の基礎法であるが、それは同時に、憲法が国家権力を制限する基礎法であることをも意味する。これを憲法の制限規範性という。

3 最高法規（性）

(1) 形式的根拠〈共〉

(a) 憲法は授権規範として他の法規範の上位に位置している。そうすると、当然、権限を授けられた他の法規範は、自己の権限の根拠となっている憲法に違反しえない。

(b) 憲法を改正するために、法律の改正よりも困難な手続が要求される硬性憲法においては、当然、憲法は法律より強い形式的効力を有する。

(2) 実質的根拠

憲法の本質は、その内容が実質的に法律と異なる点にある。すなわち、憲法は人間の権利・自由をあらゆる国家権力から不可侵のものとして保障する規範を中心として構成される自由の基礎法であり、このことが最高法規性の

実質的根拠である。

* 憲法の実質的最高法規性を重視する立場は、人間の人格不可侵の原則（個人の尊厳）とそれに基づく人権体系を憲法の「根本規範」と考える立場であり、憲法規範を1つの価値秩序と捉えるから、当然、憲法規範の価値序列を認めることになる。

四　近代立憲主義から現代立憲主義へ

1　権力と自由の関係

(1)　近代立憲主義における自由の観念〈司〉

近代立憲主義とは、成文憲法に基づいて国家運営を行おうとする思想ないし実践を意味する。フランス人権宣言 16 条の規定は、近代立憲主義の内容を簡潔に示している。これによれば、「憲法」というためには、人権保障と権力分立が定められていなければならない〈司予〉。自由の観念は、権力を制限して国民の自由を守ることに出発点があったので、近代立憲主義においては、権力からの自由（自由権）が中心とされた。

→財産権の自由は特に重要視された（ex. フランス人権宣言 17「神聖かつ不可侵の権利」）〈予〉

cf.1　権力への自由（参政権）が全く存在しなかったわけではない

∵　君主の権力を制限する機構として議会が存在し、少なくとも下院には国民の代表者が送られていた

cf.2　19 世紀の「自由国家」と形容される時代には自由の保障が強調されていた。しかし、その自由の保障のために違憲立法審査権を裁判所に認める国は例外的であった〈司〉

∵　19 世紀の西欧諸国では、議会が最高の権威をもち国民の信頼を得ており、違憲立法審査権は民主主義ないし権力分立に反すると考えられていた

(2)　社会権の登場

財産権を神聖不可侵のものとして保障する体制の下、資本主義が発展し産業革命が推進されると、常に失業の脅威にさらされ低賃金労働を強制される大量の労働者が生み出された。日々の生活保障さえない者にとっては憲法が保障する自由権はほとんど意味のない抽象的な権利にすぎないということに気付いた労働者達は、「社会権」の保障を求めて闘うようになる（「権力による自由」の要求）。

→「権力からの自由」の物質的基礎を権力によって保障すべきことを求めた（積極国家・社会国家の要請）

→権力による保障を実現するためには、権力に参加するのが最善であるから、「権力への自由」を実質化することが重要視される　⇒ p.8

2　法の支配

　　近代立憲主義の憲法は、権力者による恣意的な支配（人の支配）から個人の権利・自由を守ることを目的とする（法の支配）。これは、権力は法に従うべきだという中世立憲主義の理念を継承したものである。

　　ただ、このような意味での法の支配の具体的な在り方は、国によって異なる。　⇒p.9

3　権力分立

(1)　権力分立制の確立

　　権力が法に服するという法の支配を実現するためには、①権力自らが自己の服すべき法を制定してはならず、②法に服したかどうかの最終的な判断権は、法に服すべき権力に与えられてはならない。

　　ここに、立法権（法を制定する権力）、執行権（制定された法を執行する権力）、裁判権（執行の法適合性を判断する権力）が分離された理由がある。

　　ただ、権力分立の具体的な在り方も、国によって異なる。

(a)　立法権優位型→ヨーロッパ型（特にフランス型）

　　三権は同格ではなく、国民代表たる立法権が国政の中心的地位にあり（法律による行政・法律による裁判）、権力分立は立法権の優位を中核としていた。

(b)　三権対等型→アメリカ型

　　三権は同格で相互に独立・不可侵であり、権力相互の抑制と均衡に重点が置かれていた。

(2)　権力分立制の変容〈司〉

(a)　行政国家現象

　　積極国家・社会国家の要請に伴って行政権の役割が飛躍的に増大したため、行政権が肥大化し、執行権である行政権が国の基本的政策の形成決定に事実上中心的な役割を営む現象が顕著になった。

(b)　政党国家現象

　　現代国家においては政党が発達し、政党が国家意思形成において重要な機能を果たす。また、議院内閣制の下では、下院の多数派政党が立法権及び行政権を一元的に支配するという状況が生じている。そのため立法権と行政権との対抗関係は、政府・与党と野党との対抗関係に変化している。

(c)　司法国家現象

　　行政国家現象・政党国家現象により、法制定と法執行の区別が曖昧になってきたため、その区別を前提とする行政の法律適合性の原則の意味が薄れてきた。そこで、それを補うべく、違憲審査権により司法権が立法権と行政権とをコントロールし、政策形成機能を遂行する状況が見られる。

4 国民主権

(1) 君主主権論と人民主権論〈予〉

  (a) 絶対王政の確立期において、国王は直接神により主権を授けられたとする君主主権論と、国王は人民が有していた主権を契約により授けられたとする人民主権論とが対立した。

    →神が創造した主権を国王が所持し行使することの正当性の根拠が対立点とされていた

  (b) 絶対王政と君主主権が確立した後、社会契約論の登場により従来の君主主権と人民主権の対立点に変動が生じる。社会契約論によれば、権力は契約により生み出されるものであるから、少なくとも初めにおいては権力の主体は契約参加者全員（人民）であるとして、当然に人民主権が帰結される。

    →主権を所与の存在と捉えるのではなく、主権はどのような性格のものか、どのように生み出されるのか、が対立点となった

(2) ナシオン主権とプープル主権の対立

  フランス革命により、君主主権に支えられたアンシャン・レジームは打ち倒され、その革命は人民主権論により正当化された。

  その後、どのような政治体制を打ち立てるべきかという点で対立が生じ、当初は上層ブルジョアジーに支えられたナシオン主権が採用された。やがて政治の主導権が下層に移行するにつれてプープル主権が優勢となったが、その後に、再び上層ブルジョアジーが政治の主導権を取り戻したことで、ナシオン主権が勝利し、以後これが近代立憲主義の主権原理として徐々に定着していくことになる。

＜フランスにおける国民主権＞

	ナシオン主権	プープル主権
憲法	1791 年憲法	1793 年憲法
主権者	ナシオン	プープル
国民	観念的統一体としての国民 →具体的人間の集合体という意味ではない	具体的に把握しうる諸個人の集合体としての国民
権力行使	授権によってのみその権力を行使しうる →もっぱら代表制（代表者としての立法府と君主を指定）	国民が直接権力行使を行う →直接民主制が徹底した形

	ナシオン主権	プープル主権
授権の内容	代表者意思に先行するナシオンの意思なし	代表機関の意思の他にプープルの意思あり
契機	国家権力の正当性の根拠が国民にある	主権の権力的契機が前面に出て、最高権力を行使するのはプープル
諸制度	制限選挙・自由委任	普通選挙・命令委任
歴史的意義	絶対王政を否定すると同時に市民革命がより貫徹されることを抑圧する機能をもつ（現状維持的）	市民革命の課題をより貫徹する勢力のシンボルとして機能する（現状変革的）

(3) 「権力への自由」の実質化

資本主義の発達の下、自由の物質的基礎を奪われている者がその獲得を政治に求める（「権力による自由」の要求）には、各々が現実に置かれている状況の中での要求を政治の場に持ち出す必要がある。そのためには、様々な状況に置かれているすべての者に発言権が与えられる必要がある。こうして、「権力への自由」の要求は、まず、普通選挙の要求として現れた。

普通選挙の確立により、①政党政治が生まれる契機がつくられ、②代表制の理念が変容した。なお、普通選挙といっても、最初は成年男子に限られ、第一次大戦以降になって初めて女子に拡張される兆しが現れた。

* 代表制の理念の変容

それまで定着していた国民（ナシオン）主権の下では、代表者は選挙民の意思に拘束されることはないとされていた（自由委任）。代表者は選挙民よりも優れた能力をもつはず（このことは被選挙権についての厳しい財産制限により担保される）なのに、代表者が選挙民の意思に拘束されるのは理に合わないことなどがその根拠であった。

しかし、普通選挙の確立により、代表者が選挙民よりも優れた能力を有することの担保が失われた。そのため、再選を望む代表者は、もはや選挙民の意思に拘束されずに自由に行動することはできなくなった。これに政党規律による拘束が加わり、半代表や社会学的代表の観念が現れてきた。

(4) 日本国憲法における国民主権 ⇒ p.15

五 法治主義と法の支配

1 法治主義

(1) 意義

法治主義とは、司法は独立した裁判所により法律を適用して行われ、行政は法律に基づき法律を適用して行われるという原理をいう。大陸法系の国で発達した。国民の権利・自由の保障を目的にしているという点では法の支配

と共通する。

(2) 分類

(a) 本来的意味の法治主義（19 世紀のフランス）

国民の権利を奪い、義務を課す場合には法律上の根拠が必要である（法律による行政・裁判）ということを意味する。

→権力分立を前提とする

(b) 形式的法治主義（19 世紀後半のドイツ・日本）〈共〉

形式的法治主義（形式的法治国家論）とは、法治国家は「法律による行政」（法律の留保の下、行政権が国民の権利を制限し、又は義務を課すには法律の根拠が必要であるとする原則）が実現された国家のことであるが、法律が自由を保障する内容を伴っているかどうかは法治国家の問題ではないと解するものである。

→法律によれば、国民の権利を自由に制限することも可能である

(c) 実質的法治主義（現在のドイツ）〈共〉

実質的法治主義（実質的法治国家論）は、形式的法治主義と異なり、法律が自由を保障する内容をも伴っていなければならないと解するものである。

すなわち、形式的には法治国家をその統治原理として維持するものであっても、その内実としては、法律の内容の正当性を要求し、不当な内容の法律を憲法に照らして排除するという憲法裁判所型の違憲審査制が採用されているものである。

→法の支配原理とほぼ同じ意味をもつものと解されている

2 法の支配〈司〉

(1) 歴史・意義

法の支配は、17 世紀前半のイギリスにおける絶対王政への抵抗を通じて確立したものとされる。まず、17 世紀のイギリスでは、国会と国王との抗争を経て、国会が主権を有するという議会主権の原理が確立した。

→ここにいう「議会主権」は、無限定な立法権を主張するものであったため、議会と裁判所との関係では、議会が上に立ち、制定法が判例法（コモン・ロー）に優位するとされ、理論的には法の支配と緊張関係にあるものとされていた〈共〉

その後、「法」とは自由を保護する規範であると理解されるようになり、20 世紀までにイギリスで成立した法の支配は、制定法とコモン・ローを中心とした「正規の法」による支配を意味するものとされた〈共〉。

→憲法学者ダイシーは、法の支配の内容について、①政府は恣意的に権限を行使してはならず、判例法（コモン・ロー）を含む「正規の法」に拘束されること、②行政権も一般人と同じ法に服し、通常の裁判所

9

管轄権に服すること、③憲法の原則である人々の権利の保障は、裁判
所が現実に法を適用してなされた判決の結果であること、の３点に整
理した

このように、法の支配とは、「人による支配」（専断的な国家権力の支配）
を排斥し、権力を「法」で拘束することによって国民の権利・自由を保障す
ることを目的とする原理のことをいう。

(2) 内容
  (a) 個人の人権保障
      ∵ 法の支配を採用した目的は、国家権力の権限濫用から国民を守り、
         個人の尊厳を確保することにある
  (b) 憲法の最高法規性の承認（憲法は行政権のみならず立法権をも拘束する）
      ∵ 仮に憲法に優先する法が認められるならば、憲法による支配を行う
         ことができなくなる
  (c) 適正手続（due process of law）
      手続の適正を要求する。
  (d) 裁判所の役割の重視
      憲法の最高法規性を担保すべく、裁判所の役割を重視する。
      →① 行政が法律に従っているか否かは裁判所がチェック（イギリス、
           アメリカ）
        ② 議会が正しい法（憲法）に従っているか否かは、イギリスでは議
           会自らが、法の支配をより徹底したアメリカでは裁判所がチェック

＜法の支配と法治主義＞

	大陸法系		英米法系	
	ドイツ	フランス	イギリス	アメリカ
社会的背景	議会への信頼 裁判所への不信		議会への信頼 裁判所への信頼	議会への不信 裁判所への信頼
近代立憲主義において、法は誰を拘束するか	行政権・司法権を拘束 （議会を拘束しない） →法の内容の適正は不問 →形式的法治主義		行政権のみならず議会をも拘束 →法の内容の適正を要求 →法の支配	
現代立憲主義において、法の適正性を誰が判断するか	実質的法治主義		対行政権→裁判所 対立法権→議会自身 ↓ 法の支配という点ではやや不徹底	対行政権→裁判所 対立法権→裁判所 ↓ 違憲法令審査権 （法の支配の徹底）
	憲法裁判所	憲法院		

3　日本国憲法における法の支配の現れ〈回

「正しい法＝憲法」、すなわち「法の支配＝憲法による支配」を意味する。

(1)　個人の人権保障〜第3章

国政における人権の尊重とその強度の保障は、「法の支配」の核心である。

(a)　国家権力の行使を抑制する機能をもつ個人の自由権を中心に置く人権規定の構造は、自由主義を前提とした「法の支配」の理念の存在を示す。

(b)　人権保障規定は「法律の留保」を認めず、また立法権をも拘束する（13後段）。

＊　「法律の留保」

「法律の留保」という言葉は2つの意味で用いられる。

①　本来的意味：行政権は国民代表議会の立法権に基づく法律に基づかなければ国民の権利を制限することはできない。

②　形式的意味：立法権は、法律によりさえすれば国民の権利・自由を制限することができる。

→日本国憲法は、②の意味の「法律の留保」を否定した

(2)　憲法の最高法規性の承認〜第10章

(a)　97条（憲法の実質的最高法規性）

「法の支配」の核心である。

→人権保障（基本的人権の永久性・不可侵性）を確認する

(b)　98条1項（憲法の形式的最高法規性）

現行憲法が実質的最高法規であること（97）によって根拠付けられる。憲法に反するすべての国家行為を無効とし、権力作用がすべて憲法に従うべきことを示す。

→法優位の思想を基礎とする

(c)　99条（憲法尊重擁護義務）

①国家権力の行使者が憲法に従うべき義務をもつこと、②法の支配の名宛人は権力行使者＝統治者であること、を示す。

(3)　適正手続〜31条

①規制が適正な手続の下に行われること、特に司法手続としての刑事手続が適正であること（現代においては行政手続にも適正手続の保障が及ぼされるべきである）、②法の規制の実体が適正であるという法の内容の適正、が憲法上の要請となる。

(4)　裁判所の役割の重視〜第6章

(a)　①司法権は、民事・刑事の裁判の他、行政事件を含むあらゆる種類の「法律上の争訟」を裁判する権限をもつ（76Ⅰ、裁判所3Ⅰ）、②特別裁判所の禁止・行政機関による終審裁判の禁止（76Ⅱ）、③裁判所の規則制定権（77Ⅰ）、裁判官の懲戒処分に立法・行政機関が関与しない（78後段）、下

級裁判所裁判官の指名権（80Ⅰ）、といった規定により、裁判所の役割が重視されている。

(b) 81条（違憲審査権）

法の支配の最も徹底した表現であり、アメリカ判例法の明文化である。

上諭

朕は、日本国民の総意に基いて、新日本建設の礎が、定まるに至つたことを、深くよろこび、枢密顧問の諮詢及び帝国憲法第73条による帝国議会の議決を経た帝国憲法の改正を裁可し、ここにこれを公布せしめる。

御　名　御　璽

昭和21年11月3日

		内閣総理大臣兼	
		外務大臣	吉 田 茂
		国務大臣　男爵	幣原喜重郎
		司法大臣	木村篤太郎
		内務大臣	大 村 清 一
		文部大臣	田中耕太郎
		農林大臣	和 田 博 雄
		国務大臣	斎 藤 隆 夫
		逓信大臣	一 松 定 吉
		商工大臣	星 島 二 郎
		厚生大臣	河 合 良 成
		国務大臣	植原悦二郎
		運輸大臣	平塚常次郎
		大蔵大臣	石 橋 湛 山
		国務大臣	金森徳次郎
		国務大臣	膳 桂 之 助

《注　釈》

一　上諭の性質

1　日本国憲法における上諭

上諭は、前文と異なり日本国憲法の構成部分ではなく、法的には意味のない単なる前書き、公布文にすぎない。

→日本国憲法は公式令（明治40年勅令6号）に基づいて公布された

2　明治憲法における上諭

明治憲法にも本文各条項に先立って6項からなる文章が置かれており、「上諭」と称されていたが、それは、日本国憲法でいえば前文に当たり、日本国憲法の上諭とは性質が異なる。

二　日本国憲法公布までの事実経過

日本国憲法は、敗戦により明治憲法体制が崩壊したことを直接の契機として作られた。

まず、ポツダム宣言に基づく連合国総司令部の占領統治下に、最高司令官のイニシアチブの下で作成された総司令部案が、日本政府の手で整序された。

その後、憲法の「制定」と「改正」とは本来その性質を異にするものであるにもかかわらず、議会は明治憲法73条の改正手続に従ってこれを議決し、さらに天皇の裁可を経て、上諭を付して「日本国憲法」として公布した。それは、形式的には、明治憲法「改正」の体裁をとっていたが、内容的には、国民主権原理に立脚する全く新しい憲法の「制定」であった。

三　日本国憲法の成立をめぐる法的問題

上のような事実経過に照らし、日本国憲法の成立は無効でないかが、憲法改正の限界とも関連して争われている。

＜日本国憲法の有効性＞

憲法改正の限界	日本国憲法の有効性		主張内容
限界肯定説	無効説		明治憲法73条の憲法改正という形式をとる日本国憲法は、明治憲法の根本規範である天皇主権主義を否定して国民主権主義を採用しているが、これは改正の限界を超える
	有効説	改正の限界内にとどまるとする説	明治憲法に加えられた変更は、その限界を踏み越えるほどのものではない
		八月革命説〈司共〉	ポツダム宣言受諾によって天皇主権から国民主権への変更が生じ、法的革命が生じたとすれば、日本国憲法が明治憲法の改正という形式で明治憲法が容認しない国民主権主義を定めたことの正当性を基礎付けうる（明治憲法73条による改正という手続をとったのは、明治憲法との形式的連続性をもたせることが実際上便宜的であったからにすぎない） ※ポツダム宣言は日本に直ちに国民主権の採用を要求したものではない、との批判がなされている〈予〉
		新憲法制定説	天皇はポツダム宣言を履行する趣旨から憲法所定の手続に従って改正案を帝国議会に提出したが、その内容は改正の限界を超えていた。しかし、審議過程で日本国憲法を制定するという主権者たる国民の意思が議会を通じて現れたと考える

憲法改正の限界	日本国憲法の有効性		主張内容
限界否定説	有効説		憲法の改正には法的な限界は存在しないから、天皇主権から国民主権へと主権の所在を変更する改正も許される →明治憲法と日本国憲法の法的連続性を認める〈予
	無効説	おしつけ憲法論	占領軍の威力を背景にマッカーサーによって強要された日本国憲法は、憲法の自律性を認める国際法に違反し、無効又は占領終結により失効されるべきである
		ハーグ陸戦法規43条違反論	日本国憲法の制定は、外国軍の占領下になされたものであり、占領軍の被占領国の法令の尊重を定めるハーグ陸戦法規43条に違反し、無効である〈予

前文

日本国憲法

　日本国民は、正当に選挙された国会における代表者を通じて行動し、われらとわれらの子孫のために、諸国民との協和による成果と、わが国全土にわたつて自由のもたらす恵沢を確保し、政府の行為によつて再び戦争の惨禍が起ることのないやうにすることを決意し、ここに主権が国民に存することを宣言し、この憲法を確定する。そもそも国政は、国民の厳粛な信託によるものであつて、その権威は国民に由来し、その権力は国民の代表者がこれを行使し、その福利は国民がこれを享受する。これは人類普遍の原理であり、この憲法は、かかる原理に基くものである。われらは、これに反する一切の憲法、法令及び詔勅を排除する。

　日本国民は、恒久の平和を念願し、人間相互の関係を支配する崇高な理想を深く自覚するのであつて、平和を愛する諸国民の公正と信義に信頼して、われらの安全と生存を保持しようと決意した。われらは、平和を維持し、専制と隷従、圧迫と偏狭を地上から永遠に除去しようと努めてゐる国際社会において、名誉ある地位を占めたいと思ふ。われらは、全世界の国民が、ひとしく恐怖と欠乏から免かれ、平和のうちに生存する権利を有することを確認する。

　われらは、いづれの国家も、自国のことのみに専念して他国を無視してはならないのであつて、政治道徳の法則は、普遍的なものであり、この法則に従ふことは、自国の主権を維持し、他国と対等関係に立たうとする各国の責務であると信ずる。

　日本国民は、国家の名誉にかけ、全力をあげてこの崇高な理想と目的を達成することを誓ふ。

《注　釈》

一　憲法制定の目的と憲法の基本原理

　1　憲法制定の目的

　　(1)　平和主義・基本的人権尊重主義と国民主権主義の相互関連

　　　　前文は、平和主義及び基本的人権尊重主義という2つの原理が、①憲法の

下で国政によって追求されるべき内容的原理であり、②国民主権主義という国政の決定方式と相互に補い合う関係に立つべき、という考え方を示している。

(2) 国民主権

　　国民主権は「全ての政治的価値の根元は個人にあり」とする個人主義に立脚するものであるから、前文1段、1条の国民主権原理も、個人主義との関連において理解されるべきである。

　　∵① すべての政治的価値の源泉を個人に求める以上、政治的権力の根拠もまた個人にある

　　　② 個人はその価値において平等であることから、君主や貴族ではなく、すべての国民が政治の在り方を最終的に決める権威又は力をもつ

2　人類普遍の原理

(1) 国民の信託による国政

　　前文1段は、民定憲法性と国民主権を宣言している。人権と平和の確保の決意を述べた第1文に続き、第2文で、それを説明するものとして、国民の信託による国政という根本思想を述べている。

(2) 人類普遍の原理と自然法思想

　　「人類普遍の原理」とは価値的に時間と場所を超えて妥当すべきものをいう。これは、自然法思想（人間の定める法・人定法を超えて妥当する法規範があるという思想）に立脚したものである。

(3) 将来の憲法改正の内容の限定

　　前文1段は「人類普遍の原理」に「反する一切の憲法、法令及び詔勅を排除する」と述べている。これは、過去の人定法のみならず、将来作られるであろう人定法も「人類普遍の原理」に反する限り、その効力を認めない、ということを意味する。

二　国民主権の概念

1　「主権」の意味

　　主権の概念は、一般に、①国家の統治権、②国家権力の属性としての最高独立性（内にあっては最高、外に対しては独立）、③国政についての最高決定権、という3つの異なる意味に用いられる。

(1) 国家の統治権 司

　　ex.1 「日本国ノ主権ハ本州、北海道、九州及四国並ニ吾等ノ決定スル諸小島ニ局限セラルベシ」（ポツダム宣言8項）司共予

　　ex.2 「連合国は、日本国及びその領水に対する日本国民の完全な主権を承認する」（日本国との平和条約1条(b)項）

　　＊　国家権力そのものを指して「主権」という言葉が使われることもあるが、日本国憲法は、「国権」という用語で、それを表している（9Ⅰ、

41）〈司〉。

(2) 国家権力の最高独立性〈司〉

ex.1 「自国の主権を維持し」（前文3段）〈司共〉

ex.2 「連合国としては、日本国が主権国として国際連合憲章第51条に掲げる個別的又は集団的自衛の固有の権利を有すること及び日本国が集団的安全保障取極を自発的に締結することができることを承認する」（日本国との平和条約5条(c)項）

(3) 国政についての最高決定権〈司〉

ex.1 「ここに主権が国民に存することを宣言し」（前文1段）〈共〉

ex.2 「主権の存する日本国民の総意」（1）〈司共〉

2 「国民」の意味〈司〉

　日本国憲法では、国の政治の在り方を最終的に決定する力又は権威という意味の主権は国民に存するが、ここにいう「国民」を全国民と考えるべきか、それとも有権者の総体と考えるべきであろうか。国民主権の原理において、権力的契機（国の政治の在り方を最終的に決定する権力を国民自身が行使する）と正当性の契機（国家の権力行使を正当付ける究極的な権威は国民に存する）をどのように考えるかという点と関連して問題となる。

　A説：国民＝有権者の総体と考える（有権者主体説）

　　　　→主権＝憲法制定権、すなわち一定の資格を有する国民（選挙人団）の保持する権力（国民主権の権力的契機）

　　　　→直接民主制と密接に結び付き、憲法改正手続（96Ⅰ）における国民投票は、国民主権の権力的契機の現れといえる〈司〉

　　　　→憲法制定権の主体である国民には天皇を含まず、また権能を行使する能力のない、未成年者も除外される

　　　　批判①：全国民が主権を有する国民と主権を有しない国民とに二分されることになるが、主権を有しない国民の部分を認めることは民主主義の基本理念に背く

　　　　　　②：選挙人の資格は法律で定めることとされているため（44）、国会が法律で定めることによって主権を有する国民の範囲を決定することとなってしまう

　　　　　　③：代表民主制を国政の原則とする前文の文言と、解釈上必ずしも適合的でない

　B説：「国民」＝老若男女の区別や選挙権の有無を問わず、「一切の自然人たる国民の総体」と考える（全国民主体説）

　　　　→主権＝国家権力行使の正当性を基礎付ける究極の権威、すなわち天皇を除く国民全体が国家権力の源泉であること（国民主権の正当性の契機）

　　　　批判：国民に主権が存するということが、建前にすぎなくなり、国民
　　　　　　　主権と代表制とは不可分に結び付くが、憲法改正の国民投票
　　　　　　　（96）のような、直接民主制の制度について説明が困難になる
　　Ｃ説：「国民」＝有権者（選挙人団）及び全国民の両者と考える（折衷説）
　　　　　→「国民」＝全国民である限りにおいて、国民主権は権力の正当性の
　　　　　　究極の根拠を示す原理であるが、同時にその原理には、国民自身
　　　　　　（≒有権者の総体）が主権の最終的な行使者（憲法改正の決定権者）
　　　　　　だという権力的契機が不可分の形で結合している
　3　国民主権の観念は、本来君主主権への対抗関係下で生成、主張された司。
　　　→君主主権であれば国民主権ではなく、国民主権であれば君主主権ではない
　　　　という相反関係にある
　　＊　国家法人説（19世紀立憲君主制下でのドイツの理論）予
　　　　国家は法的に１つの法人であり、意思を有する権利（統治権）の主体であ
　　　って、君主・議会・裁判所は国家という法人の「機関」であるとする理論で
　　　ある。そして、君主主権か国民主権かは、国家の最高意思を決定する最高機
　　　関の地位に君主がつくか、国民がつくかの違いにすぎないと説明する。

三　平和主義
　1　個人主義と平和主義の関係
　　　各人の自由と生存に最大の価値を置く個人主義は、平和主義をも導き出す。
　　　∵　平和なくして個人の生存はありえない
　2　前文における平和主義の現れ
　　①　第１段：「政府の行為によつて再び戦争の惨禍が起ることのないやうに
　　　　することを決意し」て、「この憲法を確定」した。
　　②　第２段：恒久平和の実現により「われらの安全と生存を保持」すべきも
　　　　のとする。

四　前文の法的性格
　1　憲法典の一部（法規範）としての性格
　　　前文は「日本国憲法」という法典の一部をなし、法規範的性格が肯定される
　司。
　　　→その改変は、憲法改正手続（96）によらなければならない司
　　　→前文は、本文とともに最高法規としての性格をもつ（98Ⅰ）司
　2　裁判規範としての性格
　　　前文が本文と同様に法規範的性格を有するとしても、「それ自体直接に具体
　的な争訟の準拠となり、裁判所によって執行される規範」としての性格を有す
　るか。平和的生存権の裁判規範性の肯否と関連して問題となる。

＜前文の裁判規範性＞

	内　容	理　由
A説	前文は直接裁判規範となりえず、法律などの違憲性の主張は直接には本文各条項に違反するとして主張されるべきである（否定説）	① 前文は憲法の理想・原則を抽象的に宣明したものであって具体性を欠く ② 前文の内容はすべて本文の各条項に具体化されているので、前文がそれらの解釈基準となりうるとしても、裁判所において実際の判断基準として用いられるのは本文の具体的規定である ③ 本文の各条項に欠缺があるとは考えられない
B説	前文に裁判規範性はある。ただし、前文が適用されるのは、本文各条項に適用すべき条文がない場合である（肯定説）	① 本文にも前文同様に抽象的な規定があり、前文と本文の規定の抽象性の相違は相対的なものにとどまる ② したがって、前文は抽象的な規定にすぎず、その理念・原則はすべて本文に具体化され、各条項に欠缺がないというだけでは、前文の裁判規範性の否定とはならない ③ たとえば平和のうちに生存する権利は本文第3章に規定のない基本的人権であるというべきであり、この権利を侵害する法律や行為に対して直接この前文の規定を適用して違憲と判断されるべきである

3　判例

(1)　肯定例

▼　**長沼事件第一審（札幌地判昭48.9.7・百選165事件）**

事案：　航空自衛隊のナイキ基地建設のために農林大臣が保安林の指定を解除したことに対し、地域住民が9条の規定がある以上自衛隊の基地建設には「公益上の理由」（森林26Ⅱ）がないとして処分の取消しを求めた。

判旨：　「基本的人権尊重主義、平和主義の実現のために地域住民の『平和のうちに生存する権利』（憲法前文）すなわち平和的生存権を保護しようとしているものと解するのが正当である。……この、社会において国民一人一人が平和のうちに生存し、かつ、その幸福を追求することのできる権利をもつことは、さらに、憲法第3章の各条項によって、個別的な基本的人権の形で具体化され、規定されている」。

評釈：　本判決は、平和的生存権を前文自体に基礎付けるとともに、第3章の各条によっても具体化されているとして、平和的生存権の裁判規範性を肯定するものといえる。

▼ **名古屋高判平 20.4.17・平 20 重判 2 事件**

　　自衛隊のイラク派遣に対して、平和的生存権の侵害を理由に①国賠法に基づ
く損害賠償請求、②派遣の差止め及び③違憲確認を求めた事件で、平和的生存
権を「全ての基本的人権の基礎にあってその享有を可能ならしめる基底的権利」
であるとした上で、平和的生存権の裁判規範性を肯定した。その上で、本件派
遣は原告らに対して直接向けられたものではなく平和的生存権が侵害されてい
るとはいえないとして、①については請求を棄却し、②については原告適格を
否定し訴えを不適法とした。③については、事実行為の確認を求めるものであ
り確認の利益を欠くとして訴えを不適法とした。

(2) 否定例

▼ **長沼事件第二審（札幌高判昭 51.8.5・百選〔第 5 版〕182 事件）**〈回〉

判旨：　前文「第 2、第 3 項の……理念としての平和の内容については、これを
　　　具体的かつ特定的に規定しているのではなく、……崇高な理念ないし目的と
　　　しての概念にとどまるのであることが明らかであって、前文中に定める
　　　『平和のうちに生存する権利』も裁判規範として、なんら現実的、個別的内
　　　容をもつものとして具体化されているものではない」。

評釈：　本判決は、平和的生存権の内容は抽象的で、裁判規範として現実的個
　　　別的内容をもつものとして具体化されていないとして、平和的生存権の
　　　裁判規範性を否定した（なお、最判昭 57.9.9 は上告を棄却したが、平
　　　和的生存権には触れず、森林伐採後の跡地利用により生ずべき利益の侵害
　　　は保安林指定解除処分の取消しを求める原告適格を基礎付けるものでは
　　　ないことを理由とした〈予〉）。

▼ **百里基地訴訟（最判平元.6.20・百選 166 事件）**〈回〉

　　平和的生存権として主張される「平和」は、「理念ないし目的としての抽象的
概念」であり、「それ自体が独立して、具体的訴訟において私法上の行為の効力
の判断基準になるものとはいえ」ないと判示した。

第1章　天皇

《概　説》
一　国民主権と天皇制

　日本国憲法は、天皇主権を廃し、根本原理として国民主権原理を採用した（前文1段、1）。しかし、天皇制自体は、連合国軍総司令部の意向もあって、象徴天皇制という形で存置された（1）。

二　明治憲法下の天皇と現憲法下の天皇の比較

＜明治憲法下の天皇と現憲法下の天皇の比較＞

	明治憲法	日本国憲法
地位の根拠	天皇は、主権者、元首、統治権の総攬者であり、その地位を神の意思に負った（神権天皇制）	天皇は象徴としての役割を果たすにすぎず、その地位を国民の総意に負う（象徴天皇制）
権能	天皇は多くの大権（実質的権限）を有した（統治権の総攬者）	天皇は憲法の列挙する国事行為と呼ばれるいくつかの儀礼的行為を行うのみである（国政に関する権能を有しない天皇）
天皇及び皇室に関する事項の国法上の位置付け	宮務と国務が分離され皇室自律主義が採られていた（皇室自律主義・二元主義）	皇室に関する事項は国会のコントロールの下に置かれている（国会中心主義・一元主義）
政治における責任の所在	内閣が政治に全責任を負いうる体制にはなっておらず、責任の所在がはっきりしない無責任政治の横行が許されていた（＊） ∵　一応、大臣助言制が採られていたが、行政権の主体は天皇であり、大臣が天皇を拘束しうるかどうかはっきりしていなかった	行政権は内閣に属し、天皇の国事行為には内閣の助言と承認が必要とされるとして、すべての責任が内閣にあることが明示されている（責任政治の確立）

＊　大臣助言制とは、君主が政治を行うには大臣の助言に基づかなければならないという制度であり、その核心は、君主は関係大臣の同意なしにはいかなる行為もなしえないという点にある。

憲法総論

第1条 〔天皇の地位、国民主権〕

　天皇は、日本国の象徴であり日本国民統合の象徴であつて、この地位は、主権の存する日本国民の総意に基く。

⇒明憲§1（君主主義）、明憲§3（神聖不可侵）、明憲§4（統治権の総攬）

[趣旨] 本条は、天皇に国政上期待される役割は、日本国・日本国民統合の象徴たることであると定めた。

　さらに本条は、国民主権の原理を宣言することにより、天皇がもはや主権者ではないことを表現している。天皇という機関は創設するが、それに実質的な権力は授けず、その権力を無にすることを意図するものである。

《注 釈》

◆ **日本国及び日本国民統合の「象徴」**

1 「象徴」

　「象徴」とは、目に見えない抽象的、観念的、無形的あるいは超感覚的な事柄を、目に見える具体的、実在的、有形的あるいは感覚的なあるものによって表したものをいう。

2 「象徴」規定の法的意味

　憲法は天皇に対して「象徴たるべし」と命じているが、その法的意味は、天皇は実質的な政治権力を行使してはならない、ということである。

　　cf. 明治憲法下の天皇は、政治権力の主体であることによって同時に象徴でもあった

3 「象徴としての行為」

(1) 憲法は、「天皇は、この憲法の定める国事に関する行為のみを行」う（4Ⅰ）とされるが、この他に、純粋に私的な行為（ex. 散策、スポーツ見物、生物学の研究、皇室の祭祀）をなしうるのは当然である。

(2) 問題は、純然たる私的行為・国事行為の2種類の行為の中間に、象徴としての天皇の一定の公的行為を認めるかどうかである〈司〉。

　　　ex. 国会の開会式で「おことば」を述べる行為、社交的意味をもつ外国の元首の接受や親書・親電の交換、国内巡幸や外国への社交的訪問

＜天皇の公的行為＞共

		公的行為の肯否	「おことば」等の行為の合憲性	合憲とする場合の根拠	批判
三行為説	象徴行為説	認める	許容されている（合憲）	国事行為は機関としての行為、公的行為は象徴としての行為と考える（機関たる天皇と象徴たる天皇を区別）	① 「象徴」という言葉は社会心理的な意味を有するにとどまり、天皇を「象徴」と定めた憲法1条から法的効果を導くことはできない ② 機関と象徴とは前者が法的概念であるのに後者はそうではないから、相互に排斥しあう関係にない ③ 公的行為の範囲が明確でない ④ 摂政や天皇の代行は公的行為を行うことができるか疑問である
	公人的行為説			公人としての公人的行為として認める（＊）	憲法が儀礼的な事実行為をも国事行為の中に取り込んでいることから考えると、国事行為以外の公人的行為を禁止する趣旨と解すべき
二行為説	国事行為説	認めない		国事行為（「儀式を行ふ」（7⑩））に当たる	「儀式を行ふ」とは天皇が儀式を主宰することであり不当である
	準国事行為説			国事行為に密接に関連する行為を準国事行為として認める	「密接に関連する」の意味が不明確である
	習律説			「習律」となっている	憲法に反する習律を認める点で問題である
	私的行為説			私的行為に当たる	私的行為とみなすと、天皇がこれらの行為を自由になしうることになり内閣のコントロールが及ばない
	違憲説		許容されていない（違憲）		あまりに非現実的である

＊ 公人とは、内閣総理大臣等の国家機関という地位にある者をいい、このような者がその地位にあることに伴って、その権限に属するとはいえないが、しかし私的ともいえない社交上要請されることのある儀礼的な事実行為を行うことがあり、これを公人的行為という。

4 天皇と裁判権

(1) 天皇と民事裁判権

▼ **最判平元.11.20・百選162事件**〈司〉

「天皇は日本国の象徴であり日本国民統合の象徴であることにかんがみ、天皇には民事裁判権が及ばないものと解するのが相当である」とした。

cf. 天皇が民事責任を負わないわけではない

(2) 天皇と刑事裁判権〈司〉

通説は、①天皇の象徴としての特殊性、②摂政及び国事行為臨時代行を委任された皇族はその在任中訴追されないとする規定（典範21、国事行為臨時代行6）の類推解釈から、天皇の刑事的無答責を導く。

第2条 〔皇位の世襲・継承〕

皇位は、世襲のものであつて、国会の議決した皇室典範の定めるところにより、これを継承する〈司〉〈共〉。

[趣旨] 本条は、皇位の継承につき世襲制を採ることを規定する。詳細は「国会の議決した皇室典範の定めるところ」に委ねた。

《注 釈》

一 皇位世襲の原則

1 「皇位」の意味

国家機関としての天皇の地位を「皇位」という。

2 「世襲」の意味

その地位に就く資格が現に天皇の地位にある人の血統に属する者に限定されることを「世襲」という。

3 「継承」の意味

それまで天皇の地位にあった人に代わり、新しい人がその地位に就くことを「継承」という。

二 皇室典範

1 法律としての皇室典範

戦前の皇室典範は憲法と並ぶ法形式であったが、日本国憲法下での皇室典範は憲法の下位にある法律にすぎず、形式的意味の法律に属する。

2 皇位継承に関する皇室典範の規定

(1) 継承原因

(a) 皇位継承が生ずるのは、天皇が崩御（死亡）した場合に限られる（典範4）。

(b) 生前退位の制度は、現行法上は認められていないが、皇室典範の改正によって退位制度を設けることや、特例法で退位を認めることは憲法上許さ

れる。

  (c)　新天皇が位に就くことを即位と呼ぶが、皇室典範は、即位は崩御によっ
て法律上当然に生じ、何らの行為も必要としない旨、規定している。

(2)　継承資格

  (a)　継承資格者は、「皇統に属する男系の男子」（典範1）で、かつ、「皇
族」（典範2）に属する者に限られる。「皇統」とは天皇の血統、「男
系」とは男子の系列をいう〈共〉。

    →天皇の血統に属する者であっても、女子及びその子孫（男子も含む）
には資格はないとされるが、憲法が平等原則（14 I）の例外として世
襲制を認めている以上、違憲とまでいえない

  (b)　ただし、皇室典範の改正によって皇族女子（ex. 内親王）に皇位継承資
格を認めることは憲法上許される。

(3)　継承順序

  原則として、長系及び長子が優先的に皇位を継承する（典範2）。

(4)　皇族

  (a)　皇族の範囲は「皇后、太皇太后、皇太后、親王、親王妃、内親王、王、
王妃及び女王」である（典範5）。

  (b)　皇族は、天皇とともに「皇室」を構成する。

3　皇室の事務に関する諸機構

  皇室関係の事務処理機関として、内閣の下に宮内庁が設置されている他、皇
室典範及び皇室経済法により皇室会議と皇室経済会議が定められている。

(1)　皇室会議

  皇位継承の順序の変更（典範3）、立后及び皇族男子の婚姻の承認（典範
10）、皇族の身分の離脱の承認（典範11、13）等の権限を有する。

(2)　皇室経済会議

  皇族が初めて独立の生計を営むことを認定する（皇室経済6）などの権限
を有する。

第3条　〔天皇の国事行為に対する内閣の助言と承認〕〈司共〉

天皇の国事に関するすべての行為には、内閣の助言と承認を必要とし、内閣が、そ
の責任を負ふ。

⇒明憲 §55（国務各大臣の輔弼と責任）

《注　釈》
一　内閣の助言と承認〈司〉

＜内閣の助言と承認＞

	「助言と承認」は両方必要か	内閣以外の機関が実質的権限を有している事項（内閣総理大臣の任命や国務大臣の任免）についても、「助言と承認」は必要か
A説	「助言又は承認」と読むことはできないが、天皇の行動がすべて内閣の意思に基づくべきという「助言と承認」の趣旨が確保されていれば、個別の行為として行わなくても、「助言と承認」という1つの行為があるといってよい	「助言と承認」を必要とするのは、天皇のなすべき行動について内閣が決定する余地が少しでもある場合に限るから、内閣以外の機関が実質的権限を有している場合は、不要である
B説	憲法が「助言と承認」という、そもそも形式的にすぎない行為をあえて要求したことからいって、事前の「助言」と事後の「承認」の双方が必要と解すべきである	もともと「助言と承認」は、国事行為の実質的決定権と関係なく、形式的行為として要求されているものであるから、当然、すべての国事行為に必要である

二　内閣の責任
1　「責任」の意味
　　内閣は国事行為の助言・承認に際して政治的な裁量（政治的権限）を行使するので、その点について国会に対して政治責任を負う。
2　天皇の無答責
　　天皇は、内閣の助言と承認に完全に拘束され、天皇の側からのいかなる発意や異議も認められず、国事行為を行っても、政治的権限を行使するわけではないから、政治責任を負うことはない〈司〉。

第4条　〔天皇の権能の限界、天皇の国事行為の委任〕

Ⅰ　天皇は、この憲法の定める国事に関する行為のみを行ひ、国政に関する権能を有しない。
Ⅱ　天皇は、法律の定めるところにより、その国事に関する行為を委任することができる。

《注　釈》

一　「国政に関する権能」と「国事に関する行為」（4Ⅰ）

1　「国政に関する権能」と「国事に関する行為」との関係

＜「国政に関する権能」と「国事に関する行為」との関係＞

	内容	理由	批判
A説	国事行為はもともとは国政に関連する行為であるが、これらの行為にはすべて内閣の助言と承認が要求され、この助言と承認には実質的決定権が含まれるから、結果的に国事行為は形式的・儀礼的なものとなる	① 国事行為の中には、国会の召集や衆議院の解散など、それ自体は形式的・儀礼的なものとはいえないものが含まれている ② もし国事行為が最初から形式的・儀礼的行為にすぎないのなら、内閣の助言と承認を必要とするのは無意味なことである	内閣総理大臣の任命については、実質的決定権は国会にあり、内閣の助言と承認に実質的決定権が吸収されることはありえない
B説	4条は、天皇に単なる「行為」権のみを認め、「国政に関する権能」を認めていないのであって、6・7条の国事行為は本来的に形式的・儀礼的行為にとどまる	憲法は国事行為をもともと国政には関しないものと考えている	このように考えるならば、4条により国事行為の性質が決まり、そのような性質の国事行為につき内閣の助言と承認が要求されることになるわけであるから、3条と4条の順序として4条が先にくるべきはずである
C説	「国事に関する行為」は本質上「国政に関する権能」にかかわり、4条も、国事行為のほかは国政権能がないという趣旨に解する	国事行為の中には、国会の召集や衆議院の解散など、それ自体としては形式的・儀礼的なものとはいえないものが含まれている	4条の文言からいって無理である

2　国事行為の種類〈回〉

　天皇の国事行為は、憲法に定められたものに限られる。7条に列記された1号から10号までの行為のほか、6条及び4条2項の行為も国事行為である。たとえ、国政に関する権能を天皇に付与しないとしても、上記以外の行為を新たな国事行為として法律で定めることは許されない。

＜国事行為の種類＞

国事行為の種類	具体例
行為そのものが単に儀礼的な行為であり、かつ、もともと法的効果を伴わない事実行為であるもの	・外国の大使及び公使の接受（7⑨） ・儀式を行うこと（7⑩）

国事行為の種類	具体例
天皇は「認証」だけを行うとされることによって天皇の行為が形式的・儀礼的な性格となっているもの	・国務大臣及び法律の定めるその他の官吏の任免並びに全権委任状及び大使及び公使の信任状の認証（7⑤） ・大赦、特赦、減刑、刑の執行の免除及び復権の認証（7⑥） ・批准書及び法律の定めるその他の外交文書の認証（7⑧）
行為そのものは、もともと「国政に関する」ものであるが、その実質上の決定権が天皇以外の国家機関に与えられていることの結果として、天皇の行為が形式的・儀礼的意味しかもたなくなっているもの（＊）	・内閣総理大臣の任命（6Ⅰ） ・最高裁判所長官の任命（6Ⅱ） ・憲法改正、法律、政令及び条約の公布（7①） ・国会の召集（7②） ・衆議院の解散（7③） ・国会議員の総選挙の施行の公示（7④） ・栄典の授与（7⑦）
特殊なもの	・国事行為の委任（4Ⅱ）

＊ 国会の召集（7②）と衆議院の解散（7③）については、実質的決定権の所在の問題と関連して、本来的に形式的・儀礼的行為とする立場も有力である。
⇒ p.414

二 国事行為の委任（4Ⅱ）

　天皇が国事行為を行いえない場合、他の者が天皇に代わって国事行為を行う制度として、日本国憲法は臨時代行と摂政を規定している。本条は、臨時代行について規定する。

1 国事行為の臨時代行に関する法律

　本条2項は、天皇の国事行為の委任に関し、委任の事項・範囲・方法等を法律が規定すべき旨定めている。これに基づき、「国事行為の臨時代行に関する法律」が定められている。

2 委任の方法

　委任は個々の国事行為につきなすことも、すべての国事行為につき一括して行うことも可能である。国事行為を委任すること自体も国事行為であるから、内閣の助言と承認が必要である 同共。

3 法律によれば委任が可能な場合 共

　①天皇の心身の疾患、②事故（ex. 天皇の外国訪問）があるとき（ただし、いずれの場合も摂政を置くべき場合を除く）

　cf. 委任を受ける者は、摂政になる場合と同順位の皇族である

第5条　〔摂政〕

　皇室典範の定めるところにより摂政を置くときは、摂政は、天皇の名でその国事に関する行為を行ふ。この場合には、前条第1項の規定を準用する。

《注　釈》

憲法総論

一　摂政

1　摂政の概念

(1)　摂政は、天皇の法定代行機関であり、天皇自ら国事行為を行いえないような状態にあるときに置かれる。天皇の委任による臨時代行とは異なり、皇室典範の定める原因が生ずることにより当然に設置される〈司共〉。

　　→摂政は、事実的行為たる国事行為（ex. 儀式）も代行する

　　→天皇が摂政に国事行為の代行を委任することはありえない〈共〉

(2)　摂政が「天皇の名で」国事行為を行うとは、「天皇に代わって」ということで、天皇がしたのと同じ法的効果をもつことを意味する〈司〉。

　　→摂政の行う国事行為についても内閣の助言と承認が必要となる

(3)　摂政は、国事行為を代行するにとどまり、象徴としての役割まで代行するわけではない。象徴としての性格は天皇に専属し、天皇は国事行為をしなくても象徴としての性格を失わない。

2　4条1項のみが準用されることの意味

(1)　3条を排除する趣旨ではない。

(2)　摂政に対して「象徴としての行為」（⇒ p.21）を禁ずる意味ももつ。

(3)　4条2項に言及していないのは、摂政に国事行為の委任を認めない趣旨ではない。

　　→摂政も国事行為を委任することが認められる

　　　∵　外国訪問のような場合に摂政の委任を必要とするし、摂政の委任を認めても特に弊害はない

二　摂政に関する皇室典範の規定

1　摂政が置かれる場合

　①　天皇が未成年（成年は18歳：典範22）のとき（典範16 I）

　　　→この場合、皇室会議の議は不要

　②　天皇が精神もしくは身体の重患又は重大な事故により、国事に関する行為を自らすることができないと皇室会議で判定されたとき（典範16 II）

2　摂政に就任する資格者は、成年の皇族に限られており、その順序は、皇室典範17条が定める。

　　ex.　皇后（→天皇の血族ではない）・内親王は、摂政に就任する資格者である（典範17 I ③、⑥）

cf. 天皇が摂政になるべき者をあらかじめ指名する行為は、国事行為ではない

3　摂政は、その在任中、訴追されない。ただし、これがために訴追の権利は害されない（典範21）〈回〉。

　　∵　摂政の職務の遂行を妨害しない（摂政の威信を保持するためではない）

第6条 〔天皇の任命権〕

Ⅰ　天皇は、国会の指名に基いて、内閣総理大臣を任命する〈択〉。
Ⅱ　天皇は、内閣の指名に基いて、最高裁判所の長たる裁判官を任命する。

⇒Ⅰ：国会 §65Ⅱ・86（国会の指名）
　Ⅱ：裁判所 §39Ⅰ（最高裁判所の長の任命）

《注 釈》

一　内閣総理大臣の任命（6Ⅰ）

1　内閣総理大臣の任命は「国会の指名に基いて」、すなわち、国会の指名（67Ⅰ前段　⇒p.411）通りに、行われなければならない。
　　→天皇はもちろん、内閣の裁量の余地も全くない
2　任命につき天皇に助言・承認を行うのは、総辞職後の内閣（71）である〈回〉。

二　最高裁判所の長たる裁判官の任命（6Ⅱ）

最高裁判所の長たる裁判官の任命は、「内閣の指名に基」づくため、実際上内閣が任命するのと変わらない。

第7条 〔天皇の国事行為〕

天皇は、内閣の助言と承認により、国民のために、左の国事に関する行為を行ふ。
①　憲法改正、法律、政令及び条約を公布すること。
②　国会を召集すること。
③　衆議院を解散すること。
④　国会議員の総選挙の施行を公示すること。
⑤　国務大臣及び法律の定めるその他の官吏の任免並びに全権委任状及び大使及び公使の信任状を認証すること。
⑥　大赦、特赦、減刑、刑の執行の免除及び復権を認証すること。
⑦　栄典を授与すること。
⑧　批准書及び法律の定めるその他の外交文書を認証すること〈回〉。
⑨　外国の大使及び公使を接受すること。
⑩　儀式を行ふこと。

⇒①：国会 §66（法律の公布）、②：国会 §1～2の2（国会の召集）、④：公選 §31（総選挙）、公選 §32（通常選挙）、⑥：恩赦 §1～11（恩赦の種類と効力）

《注　釈》

一　憲法改正、法律、政令及び条約の公布（7①）

1　憲法改正、法律、政令及び条約の意味

　(1)　憲法改正の意味

　　　96条の手続で憲法を改正したときの法形式をいう。

　(2)　法律

　　　59条により国会が制定する法形式をいう。

　(3)　政令

　　　内閣が法制定するときの法形式をいう（73⑥参照）。

　　　cf.　内閣以外の行政機関が制定する命令（内閣府令・省令など）は、これに当たらない

　(4)　条約

　　　73条3号及び61条に従って内閣が外国と締結する取極めの法形式をいう。

　　　cf.　行政協定は「条約」に含まれないので、天皇の公布を必要としない

2　公布

　広く国民に知らせることをいう。

　(1)　「公布」の法的性質

　　　本号所定の国法は、①成立するのは、憲法所定の手続で制定された時点だが、②効力を発生するのは、公布されて以降である（公布後どの時点で発効するかは、場合によって異なる）⚖。

　(2)　公布の期日

　　(a)　憲法改正の場合

　　　　改正が成立したとき、「直ちに」公布する（96Ⅱ）。

　　(b)　法律の場合

　　　　法律の成立が内閣を経由して奏上された日から30日以内に公布する（国会65、66）。

　　(c)　政令・条約の場合

　　　　公布の時期については、法律上特に制限はない。

　(3)　公布の方法

　　　特に法律は制定されていないが、実際上官報により行われている。判例も官報による公布を正式な方法と認めている（最大判昭32.12.28・百選〔第5版〕226事件）。

　(4)　公布による法令施行の時期

　　　官報による公布があったとされるのは、一般の国民（の中の誰か）がその官報を見うるに至った最初の時点である（最大判昭33.10.15・百選202事件）。

二　国会の召集（7②）

1　国会の会期制と召集

「召集」とは、一定期日に議員を集会させることと、会期を開始させること
の双方を含む概念である。国会が活動するためには天皇の召集が必要となる〈回〉。

2　召集の実質的決定権

臨時会の召集については、内閣がその召集を決定する権限を有する（53）
が、常会・特別会については、その召集の決定権者が明文上規定されていない。

この点、内閣の助言と承認に国事行為の実質的決定権を含ませる立場
（⇒ p.414）からは、召集の決定権は、内閣にあることになる。他方、助言・承
認に実質的決定権を含まないという立場は、①内閣に召集権があるのは歴史上
あまりにも明らかである、② 53条はすべての召集権が内閣にあることを前提
としている、もしくは、推測させる規定である、などと説明して、召集の実質
的決定権が内閣にあるとする。

三　衆議院の解散（7③）

1　解散の意義と効果

解散とは、議員の任期が満了する前に議員の身分を終了させることをいう。
衆議院が解散されたときは、解散の日から40日以内に衆議院議員の総選挙を
行い、その選挙の日から30日以内に国会を召集すべきとされる（54Ⅰ）。

→解散・総選挙の後に国会が召集されたときは、内閣は総辞職し（70）、新
しい構成の国会により内閣総理大臣が指名される

2　解散の実質的決定権

解散は天皇の国事行為とされており、形式上、解散を行うのは天皇である。
しかし、憲法は、誰が解散を決定する権限を有し、いかなる場合に解散を決定
しうるかについて明確に定めた規定を置いていない。そこで、解散の実質的決
定権の所在と根拠、解散事由などについて争われている。　⇒ p.414

四　総選挙の施行の公示（7④）

1　「国会議員の総選挙」の意味

総選挙とは、全国すべての選挙区において同時になされる選挙をいう。

→公職選挙法にいう、①衆議院の総選挙、②参議院の通常選挙が含まれる

2　総選挙の「施行を公示」の意味

(1)　「公示」とは、期日を決めて一般に知らせることをいう。

(2)　「施行」とは、総選挙を行うことをいう。本号により決定権は内閣に帰属
する。

五　国務大臣その他の官吏の任免、全権委任状、大使・公使の信任状の認証（7⑤）

1　認証の意義

「認証」とは、一定の行為が適法になされたことを証明することをいう。

→認証は行為の効力要件ではない〈同共〉

憲法総論

2　国務大臣及び法律の定めるその他の官吏の任免の認証
(1)　国務大臣の任免の認証
　　本条にいう「国務大臣」には、99条にいう「国務大臣」とは異なり、内閣総理大臣は含まれない。国務大臣の任免権は内閣総理大臣にある（68）。
(2)　法律の定めるその他の官吏の任免の認証
　　「官吏」とは、公務員の中から、地方公務員、国会議員・国会職員を除いたものをいう。法律により天皇が任免を認証する官吏（認証官）とされているものには、最高裁判所判事（裁判所39Ⅲ）、高等裁判所長官（裁判所40Ⅱ）、検事総長（検察庁15Ⅰ）、人事官（国公5Ⅱ）、大使・公使（外務公務員8Ⅰ）などがある。

＜指名・任命・認証＞

	指名	任命	認証
内閣総理大臣	国会 （67Ⅰ）	天皇 （6Ⅰ）	
国務大臣		内閣総理大臣 （68Ⅰ）	天皇 （7⑤）
最高裁判所長官	内閣 （6Ⅱ）	天皇 （6Ⅱ）	
最高裁判所裁判官		内閣 （79Ⅰ）	天皇 （7⑤、裁判所39Ⅲ）
下級裁判所裁判官	最高裁判所 （80Ⅰ）	内閣 （80Ⅰ）	高裁長官のみ天皇 （7⑤、裁判所40Ⅱ）

3　全権委任状の認証
　　「全権委任状」とは、特定の条約の締結に関し全権を委任する旨を表示する文書である。
4　大使及び公使の信任状の認証
　　大使・公使は外交使節の階級をいう。その「信任状」とはその者を外交使節として派遣する旨を表示する文書である。

六　恩赦の認証（7⑥）

1　恩赦の意義
　　「恩赦」とは、行政権が犯罪者の赦免を行うことをいう。恩赦法に従って恩赦を決定する権限は内閣に属する（73⑦）。
2　恩赦の種類
(1)　政令で一般的に行う場合　ex.　大赦

(2) 特定の者に対し個別的に行う場合　ex. 特赦、刑の執行の免除

(3) 両方ありうる場合　ex. 減刑、復権

七　栄典の授与（7⑦）

「栄典」とは、その人の栄誉を表彰するために与えられる位階や勲章などをいう。

* 栄典の授与を天皇の国事行為としたことは、天皇以外が栄典を授与することを禁止する趣旨ではなく、首相や知事などが授与する栄典制度を設けることも許される。　ex. 名誉市民の制度

八　批准書等の外交文書の認証（7⑧）

批准書とは、署名（調印）された条約を審査し、それを承認してその効力を確定させる国家の最終的意思表示文書をいう。

九　外国の大使・公使の接受（7⑨）

外国の大使・公使を日本国に受け入れる場合、①日本政府がアグレマン（承認）を与えた後、②来日した大使・公使が派遣国政府の発行した天皇宛ての信任状を提出し、③その信任状が受理されたときから、外交活動が開始されるのが通例である。

十　儀式の挙行（7⑩）

「儀式を行ふ」とは、天皇が儀式を主宰することと解されている◀通。この場合、その儀式は私的ではなく国家的な性格のものでなければならず、かつ、政教分離の原則（20Ⅰ後段、Ⅲ、89前段）から宗教的なものであってはならないとされる◀共。

＜国事行為のまとめ＞

国事行為	
天皇が行為の本体を行う場合	行為の本体は内閣が行い 天皇はそれを認証するのみとされる場合
内閣総理大臣の任命（6Ⅰ） 最高裁判所長官の任命（6Ⅱ） 憲法改正・法律・政令・条約の公布（7①） 国会の召集（7②） 衆議院の解散（7③） 国会議員の総選挙の施行の公示（7④） 栄典の授与（7⑦）◀同 外国の大使・公使の接受（7⑨） 儀式を行うこと（7⑩）	国務大臣その他の官吏の任免の認証（7⑤） 全権委任状の認証（7⑤） 大使・公使の信任状の認証（7⑤） 恩赦の認証（7⑥） 批准書等の外交文書の認証（7⑧）

第8条　〔皇室の財産授受〕

皇室に財産を譲り渡し、又は皇室が、財産を譲り受け、若しくは賜与することは、国会の議決に基かなければならない◀同共。

⇒皇室経済§2（国会の議決を必要としない授受）

[趣旨] 皇室が私有財産をもつことは憲法上禁じられず（88参照）、私有財産を蓄積・運用・増大していくことも許される。しかし、皇室に不明朗な財産が流れ込んだり、また、皇室から自由に財産が流れ出たりすることによって、世間の疑惑を招いたり、皇室と特定の者との好ましくない結び付きができたりしないように、本条は、皇室関係の財産授受について国会の議決を要件とする。

→日本国憲法は、①皇室財産の国有化、②皇室の財産授受に対する国会の統制（8）、③皇室費用に対する国会の議決（88）を通じて、皇室財産に対する民主的コントロールを行っている

《注　釈》

一　天皇及び皇族の財産授受

1　本条にいう「皇室」

本条で「皇室」とは、それを構成する天皇及び皇族各個人であって、「皇室」それ自体の存在を意味しない。天皇は、国家機関としての地位をもつが、ここでいう「皇室」の一員としての天皇は、私人としての天皇である。私人としての天皇及び皇族は、一般人と同じ財産法上の能力をもつが、本条は、それに特別の制限を加えるものである。

2　財産の授受

皇室外から皇室への財産の移転（「皇室に財産を譲り渡し、又は皇室が、財産を譲り受け」る場合）は、有償・無償の移転すべてを含む。皇室から皇室外への財産の移転は、無償であれば「賜与」に該当し、有償であれば対価が皇室外から皇室への財産の移転となるから、やはり国会の議決を必要とする。

＊　本条は、皇室と国民の間の財産の移転に関するものであって、皇室内部の財産の移転を制限するものではない。

二　国会の議決

1　議決の方法

国会の議決は、法律や予算の議決の場合と異なり、衆議院の優越はない。

cf.　皇室費用は予算に計上されるので、この点についての国会の議決（88）には、衆議院の優越が認められる（60Ⅱ）

2　議決が必要とされる財産授受の範囲

日常的で少額の財産授受については国会の議決を要しない（皇室経済2）。

∵　これについてまで国会の議決を要求することは、煩雑にすぎ、国会による皇室の財政の統制という目的にもそぐわない

ex.　生活用品の購入や外国の賓客へ記念品を贈与する場合

第2章　戦争の放棄

第9条〔戦争放棄、戦力及び交戦権の否認〕

Ⅰ　日本国民は、正義と秩序を基調とする国際平和を誠実に希求し、国権の発動たる戦争と、武力による威嚇又は武力の行使は、国際紛争を解決する手段としては、永久にこれを放棄する。

Ⅱ　前項の目的を達するため、陸海空軍その他の戦力は、これを保持しない。国の交戦権は、これを認めない。

《注　釈》

一　9条の法規範性

9条が法規範として公権力と国民に対して拘束力を保持するものかについては争いがあるが、9条に反する国家行為は単に政治的不当の問題を生ずるだけでなく、違法・違憲とされなければならないことを理由に、9条は法規範として公権力と国民に対して拘束力を保持するとするのが通説である。

二　戦争の放棄（9Ⅰ）

9条1項で放棄される「戦争」とはいかなるものか。「戦争」、「武力による威嚇」、「武力の行使」、「国際紛争を解決する手段」、2項の「前項の目的を達するため」との文言をいかに解釈するかが問題となる。

＜戦争放棄＞〈司共予〉

	9条1項の「国際紛争を解決する手段としては」の文言は何にかかるか	9条1項の「国際紛争を解決する手段として」の「戦争」の意義	9条2項の「前項の目的を達するため」の意義	結論
A説	「国権の発動たる戦争」「武力による威嚇」「武力の行使」のすべてにかかる	一切の戦争、武力による威嚇、武力の行使が放棄されている		2項の規定をまつまでもなく、1項により自衛戦争等を含む一切の戦争、武力による威嚇、武力の行使が放棄される（全面放棄説・峻別不能説）

35

憲法総論

	9条1項の「国際紛争を解決する手段としては」の文言は何にかかるか	9条1項の「国際紛争を解決する手段として」の「戦争」の意義	9条2項の「前項の目的を達するため」の意義	結論
B説	「国権の発動たる戦争」「武力による威嚇」「武力の行使」のすべてにかかる	国家の政策の手段としての戦争（侵略的な行為）のみを放棄する	「正義と秩序を基調とする国際平和を誠実に希求」することを指し、その目的を達成するために、2項で戦力の保持を無条件に禁じ、また、交戦権まで否認している	1項で留保された自衛戦争等も、2項により事実上不可能となり、9条全体ですべてが放棄される結果となる（全面放棄説・遂行不能説）
C説			1項の侵略的な行為の放棄という目的を指し、その目的を達成するために、戦力の不保持と交戦権の否認を定める	自衛戦争や国際秩序の破壊に対する武力による制裁措置への参加は何ら否認されず、またこうした行動をとる場合は、交戦権も否認されず、そのための「戦力」ないし「自衛力」を持することも認められる（限定放棄説）（*）
D説	「武力による威嚇」と「武力の行使」のみにかかる			「国権の発動たる戦争」については無条件に放棄されているが、武力による威嚇、武力の行使については「国際紛争を解決する手段として」放棄されているにすぎず、自衛権の範囲内での武力の行使は禁止されていないとする

※　長沼事件第一審（札幌地判昭48.9.7・百選165事件）は、本条1項は侵略戦争のみが放棄されていると判示している。

*　もし、9条が自衛戦争のための軍備の保持を認めているとするならば、文民条項（66Ⅱ）以外にも、軍隊の指揮統率やその編成に関する規定が憲法上存在しなければならないという問題点が指摘されている〈圖〉。

三　戦力の不保持（9Ⅱ前段）

1　自衛権

(1)　自衛権とは、国際法上、一般に、急迫又は現実の不正な侵害に対して、国家が自国を防衛するためにやむを得ず行う一定の実力行使の権利をいう。

(2)　自衛権行使が正当化されるための要件

①　急迫又は現実の不正な侵害があること（違法性）

②　侵害排除のためには、一定の実力行使以外の他の手段がないこと（必要性）

③　自衛のためにとられた実力行使が、急迫な侵害を防ぐうえで、又は、加えられた侵害を排除するために必要な限度で行使され、侵害行為と釣り合っていること（均衡性）

(3)　自衛権の放棄

日本国憲法が、国際法上一般に認められた自衛権を放棄しているのかについては争いがある。

＜自衛権の放棄＞〈司共〉

自衛権放棄説	実質放棄説	9条は、形式的には自衛権を放棄していない。しかし、自衛権を認めることは戦争の誘発に連なる「有害な考え」であるとし、9条は自衛権を実質的に放棄している
	形式放棄説	自衛権が不可避的に「戦力」の発動を伴うものである以上、「戦力」の保持を禁じた日本国憲法の下では、自衛権は形式上も放棄されている
自衛権留保説	非武装自衛権説	国家がその固有の権利である「自衛権」自体を放棄することはありえず、9条2項は警察力を超える実力である「戦力」や「武力」を用いて「自衛権」を行使することを禁じている（全面放棄説と結び付く）
	自衛力肯定説	国家「固有」の「自衛権」が憲法上放棄されることはありえない以上、急迫・不正の侵害に対して自衛行動をとることは当然認められ、自衛のために必要な「戦力」に至らない実力を保持することは9条2項の禁ずるところではない（限定放棄説と結び付く）
	自衛戦力肯定説	9条1項は、国際紛争を解決する手段としての戦争を放棄し、そのための戦力を保持することを禁ずるが、しかし、「自衛権」に基づいて自衛戦争を行い、そのための戦力を保持することは否定されていない（限定放棄説と結び付く）

2　戦力の意味等

(1)　「戦力」

9条2項において「保持しない」と宣言した「陸海空軍その他の戦力」とはいかなる意義か。「自衛権」の意義と関連して問題となる。

＜戦力＞〈共〉

学説	内容	自衛隊は「戦力」か
転用可能な潜在能力説	「戦力」とは、陸海空軍のように武力として組織されたものの他に、戦争に役立つ可能性をもった一切の潜在能力を含む	「戦力」に当たる
警察力を超える実力説	「戦力」とは、通常、「軍隊」もしくは「軍備」と呼称されている「目的及び実体の両面からみて、対外的軍事行動のために設けられている人的組織と物的装備力」と有事の際これに転用しうる実力部隊をいう	「戦力」に当たる
近代戦争遂行能力説	「戦力」とは、近代戦争遂行に役立つ程度の装備、編成を備えるものをいう	この見解が主張された当時における保安隊・警備隊は「戦力」に当たらないといえるが、自衛隊が「戦力」に当たるか否かは明確には判断できない
自衛に必要な最小限度を超える実力説	「戦力」とは、自衛に必要な最小限度の実力を超えるものをいう	「戦力」に当たらない

▼ **長沼事件第一審（札幌地判昭 48.9.7・百選 165 事件）**

　　自衛隊を「戦力」に当たると判示した。

▼ **長沼事件第二審（札幌高判昭 51.8.5・百選〔第５版〕182 事件）**〈共〉

　　本条が自衛のための戦力の保持を禁じているか否かは一義的には明確とはいえないとしたうえで、統治行為論を適用して憲法判断を回避した。

▼ **砂川事件（最大判昭 34.12.16・百選 163 事件）**〈司共予〉

事案： デモ隊員がアメリカ空軍基地内へ進入した行為が、日米安保条約に基づく刑事特別法違反に問われ、合衆国軍隊が「戦力」に当たるかどうかが争われた。

判旨： 憲法９条……によりわが国が主権国として持つ固有の自衛権はなんら否定されたものではなく、わが憲法の平和主義は決して無防備、無抵抗を定めたものではないのである。……しからば、わが国が、自国の平和と安全を維持しその存立を全うするために必要な自衛のための措置をとりうることは、国家固有の権能の行使として当然のことといわなければならない。……そして、それは必ずしも原判決のいうように、国際連合の機関である安全保障理事会等の執る軍事的安全措置等に限定されたもので

はなく、わが国の平和と安全を維持するための安全保障であれば、その目的を達するにふさわしい方式又は手段である限り、国際情勢の実情に即応して適当と認められるものを選ぶことができることはもとよりであって、憲法9条は、わが国がその平和と安全を維持するために他国に安全保障を求めることを、何ら禁ずるものではないのである。……従って同条2項がいわゆる自衛のための戦力の保持をも禁じたものであるか否かは別として、同条項がその保持を禁止した戦力とは、わが国がその主体となってこれに指揮権、管理権を行使し得る戦力をいうものであり、……外国の軍隊は、たとえそれがわが国に駐留するとしても、ここにいう戦力には該当しないと解すべきである。

(2) 集団的自衛権の政府見解

　従来の政府見解では、「憲法9条の下において許容されている自衛権の行使は、我が国を防衛するため必要最小限度の範囲にとどまるべきもの」と解され、「集団的自衛権を行使することは、その範囲を超えるものであって憲法上許されない」とされていた。

　しかし、平成26年7月1日の閣議決定により、我が国に対する武力攻撃が発生した場合のみならず、①我が国と密接な関係にある他国に対する武力攻撃が発生し、これにより我が国の存立が脅かされ、国民の生命・自由・幸福追求の権利が根底から覆される明白な危険がある場合に、②これを排除し、我が国の存立を全うし、国民を守るために他の適当な手段がないときは、③必要最小限度の実力を行使し得る旨、憲法解釈が変更され、集団的自衛権の行使が憲法上可能であるとされた。

(3) 「武力の行使」と「武器の使用」（PKO法）

　憲法9条1項にいう「武力の行使」はPKO協力法24条にいう「武器」の「使用」を含むが、国連平和維持活動に参加する自衛隊員が、自己又は自己とともに現場に所在する我が国要員の生命もしくは身体を防衛することは、いわば自己保存のための自然権的権利というべきものであって、そのために必要な最小限度の武器の使用は、憲法の禁ずるところではない。

　＊　国連憲章41条は集団的安全保障について非軍事的措置を定めており、これに参加することは憲法9条に反しない。

憲法総論

四 交戦権の否認（9Ⅱ後段）

「交戦権」の意味については、争いがある。

<交戦権> 🈡

A説	交戦状態に入った場合に交戦国に国際法上認められる権利（敵国の占領、敵国兵力の殺傷、軍事施設の破壊、敵性船舶の拿捕など）と解する →9条1項につき、自衛戦争が禁止されないとの見解に立つ場合において、同説は国家が戦争する権利自体を認めないという趣旨ではないため、自衛戦争を認める余地がある
B説 🈦	国家として戦いを交える権利（文字通り戦いをする権利）と解する →9条1項につき、自衛戦争が禁止されないと見解に立つ場合であっても、国家として戦争を行うこと自体が9条2項後段により否定されることになるため、自衛戦争も否定される

完全整理　択一六法

人　権

第3章　国民の権利及び義務

《概　説》

一　基本的人権総論

1　「国民の権利及び義務」という表題の趣旨

第3章の表題は「国民の権利及び義務」となっているが、義務に関する規定はわずかであり、権利に関する規定が大部分である。これは、「臣民ノ義務」に傾斜しすぎた明治憲法とその運用の在り方に対する反省の趣旨をもつ。

2　人権の歴史

(1)　人権宣言の萌芽

人権の思想は、イギリスにおいて歴史的に最も早く登場した。すなわち、1215年のマグナ・カルタ、1628年の権利請願、1689年の権利章典は、近代人権宣言の前史において大きな意義を有する。もっとも、これらの文書で宣言された権利・自由は、イギリス人が古来から有する権利・自由であり、「人権」というより、「国民権」というべきものであった。封建的な「国民権」が、近代的・個人主義的な「人権」へと成長するには、ロック、ルソーなどの説いた自然権の思想及び社会契約の理論による基礎付けがなされる必要があった。

(2) 人権宣言の成立

＜人権思想史＞

英米法		大陸法		日本
イギリス	アメリカ	フランス（＊3）	ドイツ	
1215 マグナ・カルタ ⋮ 1628 権利請願 1688 名誉革命 1689 権利章典 1689 市民政府論 　　（ロック）		1748 法の精神 　（モンテスキュー） 1762 社会契約論 　　（ルソー）		
	1776 ヴァージニア権 　利章典（＊1） 1776 独立宣言 1788 合衆国憲法 　　（＊2）	1789 人権宣言 　　（＊4）		
	1791 修正10カ条	1791 年憲法 1793 年憲法		
	1803 マーシャル判決	1814 年憲法		
			1849 フランクフルト 　　憲法 1850 プロイセン憲法	
1859 自由論 　（J・S・ミル）	1865 修正13条 1868 修正14条			
			1871 ビスマルク憲法	
		1875 第三共和制憲法		
			1919 ワイマール憲法 　　（＊5）	1889 明治 　　憲法 　　（＊6）
			1928 憲法理論 　（C.シュミット）	
	1935 オールドコート 　　ニューコート 1938 カロリーヌ判決 　　（＊7）	1946 第四共和制憲法		1946 日本 　　国憲 　　法
1946 国民保険法 1948 国民扶助法			1949 ボン基本法	
	1953 ウォーレンコート	1958 第五共和制憲法		

＊1　ヴァージニア権利章典は天賦人権思想を初めて宣言したものである。

＊2　アメリカ合衆国憲法には、制定当時人権規定は存しなかった⟨予⟩。また、アメリカ合衆国では、合衆国憲法の他に州憲法が定められている。

＊3　フランスでは、18世紀以来現在に至るまで十数回にわたり憲法が制定されている。

＊4　フランス人権宣言は、アメリカ諸州の人権宣言と基本思想を同じくするが、①アメリカの人権宣言はイギリス人の伝統的な諸自由を自然法的に基礎付け確認したものであるのに対し、フランス人権宣言は新しい綱領的な性格をもつ人権を抽象的に描いたものであること、②フランスでは「法律は一般意思の表明である」という立法権優位の思想によって「立法権をも拘束する人間に固有の権利」という自然権の思想の意味が相対化され、人権は主として行政権の恣意を抑制する原理だと考えられたなど、重要な違いもある。

＊5　ドイツワイマール憲法は社会権を強く表明する点で特徴がある⟨予⟩。

＊6　プロイセン憲法を範とした明治憲法は法律の留保を伴う人権規定が多く存在した。

＊7　アメリカ合衆国では、経済的自由権を積極的に審査する司法部門と、ニュー・ディール政策（経済市場に積極的に介入する政策）を行う政治部門が対立していた。しかし、カロリーヌ判決によって、いわゆる二重の基準論が示され、その後の同国における判例が構築されるに至った⟨予⟩。

3　人権の国際的保障⟨予⟩

現代においては、ナチズム・ファシズムによる人権侵害という苦い経験を踏まえ、人権を国内法的のみならず国際法的にも保障しようとする傾向が強まっている。

(1)　国連憲章

国連憲章は、人権及び基本的自由の尊重の助長・奨励をその目的の1つとし、加盟国に対し、その目的達成のため国連と協力して行動すべきことを要請している（憲章56）。

(2)　世界人権宣言⟨予⟩

世界人権宣言は、国連憲章で明記されなかった各種の権利・自由を明らかにし、人権保障の国際的基準を示す文書であるが、国連総会の決議であるにすぎず、加盟国に対する法的拘束力をもたない。

(3)　国際人権規約⟨予⟩

(a)　意義

国際人権規約は、加盟国に対して法的拘束力を有する条約であり、世界人権宣言に掲げられた人権の保障を目的とするものであるが、さらに自決権の尊重なくして人権保障はありえないという見地から、人民の「自決の権利」をも保障している。

国際人権規約は、①社会権（A）規約、②自由権（B）規約、③自由権規約の実施を確保するための選択議定書の3つの条約からなる。日本は、①②については若干の留保付きで批准しているが、③については批准していない。

(b) 社会権（A）規約

　　社会権的性格の権利の保護を目的とするものであり、締約国は、権利実現を「漸進的に達成」する義務を負う。

(c) 自由権（B）規約

　　自由権的性格の権利の保護を目的とするものであり、締約国は、権利実現の即時実施の義務を負う。

(d) 自由権規約の実施を確保するための選択議定書

　　国際機構とは別に個人の資格で選ばれた専門家により構成される人権委員会（規約人権委員会）が、権利を侵害されたとする個人からの通報を受理し、検討する権限を認めている（個人通報制度）。

(4) 国際人権規約以外の重要な人権条約

　　「難民の地位に関する条約」（難民条約）、「女子に対するあらゆる形態の差別の撤廃に関する条約」（女子差別撤廃条約）があり、日本はこれらの条約の締約国となっている〈予〉。

　　なお、地域的な人権条約である「欧州人権条約」があり、その下では欧州人権裁判所が設置されており、人権保障に大きな役割を果たしている〈予〉。

二　人権の観念

1　人権の固有性、不可侵性、普遍性

(1) 固有性

　　人権が、憲法や天皇から恩恵として与えられたものではなく、人間であることにより当然に有するとされる権利であることをいう。

　　→人権の固有性から、生命・自由・幸福追求権（13後段）を根拠に新しい人権が認められることがある　⇒ p.81

(2) 不可侵性

　　人権が、原則として、公権力により侵されないことをいう。

　　→企業などの私的団体による人権侵害に関して、憲法の私人間における適用の可否が問題となる　⇒ p.66

(3) 普遍性

　　人権は、人種、性、身分などの区別に関係なく、人間であるというだけで当然にすべて享有できることをいう。

　　→天皇、外国人等の人権享有主体性が問題となる　⇒ p.48

人
権

2 「人権」と「制度」との関係

(1) 人権と制度

＜人権と制度＞

<table>
<tr><td rowspan="3">一定の制度を前提とする場合</td><td rowspan="4">憲法上明示されている</td><td>① 公務員の選定・罷免権（15Ⅰ）と選挙制度（44、47）</td></tr>
<tr><td>② 職業選択の自由（22Ⅰ）・財産権（29Ⅰ）と私有財産制（29Ⅰ）</td></tr>
<tr><td>③ 婚姻・家族生活の自由・平等（24Ⅰ）と婚姻制度・家族制度（24Ⅱ）</td></tr>
<tr><td>④ 裁判を受ける権利（32、37Ⅰ）と裁判規定（第6章の諸規定）</td></tr>
<tr><td rowspan="4">憲法上含意されているにすぎない</td><td>① 公務員の不法行為に対する賠償請求権（17）と国家賠償制度</td></tr>
<tr><td>② 学問の自由（23）と大学の自治</td></tr>
<tr><td>③ 生存権（25）と社会保障制度</td></tr>
<tr><td>④ 教育を受ける権利（26Ⅰ）と教育制度</td></tr>
<tr><td rowspan="3">一定の制度が忌避されている場合</td><td>① 平等原則（14Ⅰ）と貴族制度の禁止（14Ⅱ）</td></tr>
<tr><td>② 信教の自由（20Ⅰ前段）と政教分離原則（20Ⅰ後段、Ⅲ、89前段）</td></tr>
<tr><td>③ 表現の自由（21Ⅰ）と検閲の禁止（21Ⅱ前段）</td></tr>
</table>

(2) 制度的保障

(a) 意義

　　日本国憲法の規定の中には、個人の基本的人権を直接保障する規定だけでなく、一定の「制度」それ自体を保障すると解される規定も存在する。一定の「制度」それ自体を保障することにより、立法によっても当該制度の「核心ないし本質的内容」を侵害できないよう特別の保護を与える趣旨の規定であり、これを「制度的保障」という。

　　ex. 政教分離原則（20）、大学の自治（23）、私有財産制（29）、地方自治の保障（92）

(b) 性質

　　憲法上の保障の対象となるのは、「制度」それ自体であって基本的人権ではない。そのため、制度的保障の規定に違反する国家行為は違憲ではあるものの、基本的人権を侵害するものとはいえない。したがって、基本的人権の侵害がある場合であれば、国民は裁判所に対してその救済を求めることができるが、制度的保障の規定に違反する国家行為があっても、（法律に特別の規定が存在しない限り）国民は裁判所に対してその是正を求めることができない。

　　→政教分離原則（20）に関する判例は、「政教分離規定は、いわゆる制度的保障の規定であって、信教の自由そのものを直接保障するものではなく、国家と宗教との分離を制度として保障することにより、間接的に信教の自由を確保しようとするもの」（津地鎮祭事件判決、最大

判昭 52.7.13・百選 42 事件）であり、政教分離「規定に違反する国又はその機関の宗教的活動も……憲法が保障している信教の自由を直接侵害するに至らない限り、私人に対する関係で当然に違法と評価されるものではない」（自衛官合祀事件判決、最大判昭 63.6.1・百選 43 事件）としている

　また、制度的保障は、あくまでも当該制度の「核心ないし本質的内容」を保障するものであり、当該制度の「核心ないし本質的内容」を変更するには憲法改正によらなければならないが、当該制度の周辺部分であれば、法律による柔軟な修正・改変が許される。

三　人権の類型

1　基本的人権は、視点の設定の仕方いかんにより、以下のとおり分類できる。
(1)　自由権
　　国家が個人の自律的領域に対して権力的に介入することを排除して、個人の自由な意思決定と活動とを保障する権利をいう。
(2)　参政権
　　国民の国政に参加する権利をいう。自由権の確保に仕える。
(3)　社会権
　　社会的正義の原則を実現するために、個人が国家に対し積極的な行為を求める権利をいう。
(4)　国務請求権（受益権）
　　個人の権利の保護を国家に請求する権利をいう。
2　分類の相対性
(1)　自由権と社会権の区分に関する相対性
　　ex.1　表現の自由（21 Ⅰ）は、国民が情報を受け取る自由を国家権力によって妨げられないという自由権的側面のみならず、国家に対して積極的に情報の開示を請求するという請求権的側面をも有する
　　ex.2　社会権である生存権（25）や労働基本権・勤労の権利（27）は、それぞれ自由権的側面を排除するものではなく、また教育を受ける権利（26 Ⅰ）も教育の自由を前提としている
(2)　精神的自由権（思想・良心の自由、信教の自由、表現の自由、学問の自由）と経済的自由権（職業選択の自由、財産権）の相対性
　　ex.　居住移転の自由（22 Ⅰ）は、精神的自由・経済的自由・人身の自由としての性質を有している
　　なお、人身の自由（31）は、精神的自由権と深く関わるものの、精神的自由権に分類されるわけではない。

四 人権享有主体性

1 天皇及び皇族

（1） 人権享有主体性

＜天皇・皇族の人権享有主体性に関する学説の整理＞〈団〉

学説	内容	理由
肯定説	天皇・皇族ともに「国民」に含まれるが、一般の国民と異なった扱いを受けうる。天皇と皇族とでは、人権保障の範囲に若干の違いがあることは当然である（＊）	① 日本国憲法下では、明治憲法下のような皇族と臣民との区別は存在しない ② 「天皇は国民に含まれない」とすると、天皇についての特別扱いを必要以上に大きくすることになり、妥当でない ③ 天皇が一般国民と異なった扱いを受けるのは憲法自身が認めている天皇の地位の世襲制（2）ないし天皇の象徴たる地位（1）による
折衷説	天皇は一般的には「国民」には入らないが、可能な限り人権規定が適用される。皇族は当然「国民」に入るが、皇位継承に関係のある限りで多少の変容を受ける	① 天皇が国民として一般に人権を享有できるという考え方は、天皇と他の公職との差異を曖昧にし、立法によってその地位と矛盾する権利を与える可能性を大きくする ② 皇族は、皇位継承の可能性をもつため人権に若干の制約を受けるが、その制約はその限度でのみ区別が認められるにすぎない
否定説	天皇及び皇族ともに「門地」によって国民から区別された特別の存在であって、「国民」に含まれないが、世襲の天皇制の維持にとって必要最小限度のものを除き、一般国民とできるだけ同様に扱われるべきである	憲法は、近代人権思想の中核をなす平等理念とは異質の、世襲の「天皇」を存続せしめているのであって、現行法上、天皇・皇族に認められている特権・制約は、14条1項の合理的差別論では説明できない

＊ 肯定説に対しては、憲法の文言に手掛かりがあれば、天皇と同様の人権の制約が他の国民についても認められる危険をもたらすことになるとの批判がなされている〈団〉。

（2） 制限される人権の範囲〈団〉

（a） 選挙権

多数説は、天皇の選挙権は憲法上保障されておらず、また、法律により天皇に選挙権を認めることも憲法上許されないと解している。

∵① 天皇は政治から中立であるべき象徴であること

② 「国政に関する権能を有しない」（4 I）という天皇の地位

＊ 皇族に選挙権が認められていない点についても、合憲と解するのが一般である。

(b) その他

特定の政党に加入する自由（21Ⅰ）、職業に就く自由・外国移住の自由・国籍離脱の自由（22）、婚姻の自由（24）は天皇の象徴たる地位から認められず、また、学問の自由（23）や表現の自由（21Ⅰ）も一定の制約を受けるものと解されている〈同〉。

2 未成年者〈司〉

(1) 人権享有主体性

未成年者も日本国民である以上、当然に人権享有主体性が認められる。しかし、未成年者は、①心身ともにいまだ発展途上にあり、成熟した判断能力をもたないこと、②憲法自体成年制度を前提としていること（15Ⅲ）から、未成年者保護の見地から成年者と異なる制約に服するものと考えられている〈予〉。

もっとも、未成年者といっても年齢によって心身の成熟度に差異があることから、保障される人権の性質に従って、未成年者の心身の健全な発達を図るための必要最小限度の制約のみが憲法上許容されると解されている。

この点、未成年者の人権制約については、人権相互の衝突矛盾を防止する公共の福祉の原理による制約の他に、「限定されたパターナリスティックな制約」を認める立場が有力である。この立場は、成熟した判断を欠く行動の結果、長期的にみて未成年者自身の目的達成諸能力を重大かつ永続的に弱化せしめる見込みのある場合に限って国の介入が正当化されるとしている。

⇒ p.96

(2) 具体例

「年齢満18年未満の者」の選挙運動を禁止し（公選137の2Ⅰ）、違反者に刑罰を科す（同239Ⅰ）ことを定める規定の合憲性について、選挙運動は、未成年者自身の目的達成諸能力を重大かつ永続的に弱化せしめる具体的害悪を未成年者にもたらすものかどうか、未成年者一般に対して刑罰によって規制すべき事柄であるかどうかという観点から、大きな疑問が呈示されている。

3 外国人

(1) 人権享有主体性〈司〉〈司H29〉〈予R元〉

通説は、①人権は前国家的性質を有すること、②憲法は国際協調主義を採ること（前文3段、98Ⅱ）、を根拠に、外国人の人権享有主体性を肯定する。

このように、外国人が人権享有主体になりうるとしても、その享有しうる人権の範囲はどこまでか、いかなる基準によって判定するかが問題となる。

A説：「何人も」という文言が使われている規定は外国人にも保障が及ぶが、「国民は」という文言が使われている規定は、国民にその保障が限定され外国人には保障が及ばない（文言説）

∴　条文に素直である

批判：①　外国人にも「国籍離脱の自由」（22Ⅱ）が保障されるという背理が生ずる

②　憲法は「国民は」と「何人も」を厳格に区別して規定していない

B説：権利の性質上日本国民のみを対象としているものを除き、我が国に在留する外国人にも等しく及ぶ（性質説）（最大判昭 53.10.4・百選 1 事件）

∴　外国人に人権享有主体性を認める趣旨からして、性質の許す限り、外国人にも広く人権を保障すると解するのが、憲法の建前に合致する

(2)　具体的検討 1・出入国の自由

＜出入国の自由＞団

	要旨
入国の自由	▼　マクリーン事件（最大判昭 53.10.4・百選 1 事件） 「憲法 22 条 1 項は、日本国内における居住・移転の自由を保障する旨を規定するにとどまり、……憲法上、外国人は、わが国に入国する自由を保障されているものでない」（＊ 1） 　∴　国際慣習法上、国家は外国人を受け入れる義務を負うものではなく、特別の条約がない限り、外国人を受け入れるかどうか、また、これを受け入れる場合にいかなる条件を付するかを、当該国家が自由に決定することができるとされている
出国の自由	▼　最大判昭 32.12.25・百選 A 1 事件 憲法 22 条 2 項にいう「外国移住の自由は、その権利の性質上外国人に限って保障しないという理由はない」（＊ 2）
再入国の自由	▼　森川キャサリーン事件（最判平 4.11.16・百選 A 2 事件） 「我が国に在留する外国人は、憲法上、外国へ一時旅行する自由を保障されるものでない」（＊3）

＊ 1　判旨は引き続き「在留の権利ないし引き続き在留することを要求しうる権利を保障されているものでもない」と判示して、外国人には在留の自由も保障されないことを明らかにした。

＊ 2　出国の自由の憲法上の根拠については、学説上、22 条 1 項説、22 条 2 項説、98 条 2 項説の対立がある。　⇒p.238

＊ 3　再入国の場合はその人物の人柄・行動は日本国の既知事項であり、生活の本拠が日本にある以上、単なる入国と質的に異なることなどを理由に、再入国の自由は外国人に憲法上保障されるとする学説が有力である。

cf. 亡命権

　日本国憲法では、亡命権に関する明文規定がなく、解釈上も憲法上の権利として認められないとする説が支配的である。

　国家間の犯罪人引渡から政治犯罪人を除外する「政治犯罪人不引渡の原則」は、亡命権の内容をなすものである

→いわゆる政治犯罪人不引渡の原則は、未だ確定した一般的な国際慣習法であると認められない（尹秀吉事件・最判昭51.1.26・百選〔第5版〕10事件）

(3)　具体的検討2・参政権

(a)　選挙権

　国政レベル・地方レベルの選挙権は、外国人に憲法上保障されているのか。

A説：定住外国人については、憲法上、選挙権が保障されている

→定住外国人に選挙権を保障しない現行の公職選挙法は、違憲であり、これを法律で保障することが憲法上要請されている（要請説）

∵　国民主権原理（前文1段、1）の根拠にあるのは、一国の政治の在り方はそれに関心をもたざるを得ない、定住外国人を含むすべての人の意思に基づいて決定されるべきだとする考え方である

＊　この立場は、15条1項の「国民」と93条2項の「住民」は、ともにその政治社会における政治的決定に従わざるを得ないすべての者と考えている。

B説：外国人には、憲法上、選挙権は保障されていない[通]

∵①　参政権は前国家的権利でない

②　外国人に保障することは、国政が国民の自律的意思に基づいて運営されるとする国民主権に反する

B1説：国政レベルにおいては法律により外国人に選挙権を保障することは禁止されるが、地方レベルにおいて法律により定住外国人に選挙権を保障することは憲法に反しない（許容説）

∵①　外国人に地方政治レベルでの選挙権を認めても、地方自治体の行為は法律に基づき法律の枠内で行われる以上（94）、正当性の淵源が「国民」に存するという国家的正当性の契機が切断されてしまうわけではなく、国民主権に反しない

②　「地方自治の本旨」（92）に基づく地方公共団体の在り方を考えると、外国人の地方レベルでの選挙権はむし

ろ住民自治の理念に適合する

＊　この立場は、93条2項の「住民」は15条1項の「国民」とは必ずしも一致せず、「住民」には、その地方公共団体を構成する者、すなわち、その地域内に住所を有する者（必ずしも外国人を排斥するものではない）も含むと考えている。

B2説：国政レベル・地方レベルともに、法律により外国人に選挙権を付与することは憲法上禁止される（禁止説）

∵　国会議員の選挙権（15Ⅰ）も地方議会の選挙権（93Ⅱ）も、同じく国民主権条項（前文1段、1）から派生する

＊　この立場は、15条1項の「国民」と93条2項の「住民」とは、全体と部分の関係にあり、質的に等しいものと考えている。

▼　**最判平 5.2.26** 〈団〉

国会議員の選挙権を有する者を日本国民に限っている公職選挙法9条1項の規定は、15条、14条の規定には反しないと判示した。

▼　**最判平 7.2.28・百選 3 事件** 〈同予〉

判旨：　憲法15条1項は、「国民主権の原理に基づき、公務員の終局的任免権が国民に存することを表明したものにほかならないところ、主権が『日本国民』に存するものとする憲法前文及び1条の規定に照らせば、憲法の国民主権の原理における国民とは、日本国民すなわち我が国の国籍を有する者を意味する」。そのため、「公務員を選定罷免する権利を保障した憲法15条1項の規定は、権利の性質上日本国民のみをその対象とし、右規定による権利の保障は、我が国に在留する外国人には及ばない」。そして、「国民主権の原理及びこれに基づく憲法15条1項の規定の趣旨に鑑み、地方公共団体が我が国の統治機構の不可欠の要素を成すものであることをも併せ考えると、憲法93条2項にいう『住民』とは、地方公共団体の区域内に住所を有する日本国民を意味するものと解するのが相当であり、右規定は、我が国に在留する外国人に対して、地方公共団体の長、その議会の議員等の選挙の権利を保障したものということはできない。」

もっとも、「憲法第8章の地方自治に関する規定は、民主主義社会における地方自治の重要性に鑑み、住民の日常生活に密接な関連を有する公共的事務は、その地方の住民の意思に基づきその区域の地方公共団体が処理するという政治形態を憲法上の制度として保障しようとする趣旨に出たものと解されるから、我が国に在留する外国人のうちでも永住者等であってその居住する区域の地方公共団体と特段に緊密な関係を持つに至ったと認められるものについて、その意思を日常生活に密接な関連を有する地方公共団体の公共的事務の処理に反映させるべく、法律をもっ

て、地方公共団体の長、その議会の議員等に対する選挙権を付与する措置を講ずることは、憲法上禁止されているものではないと解するのが相当である。しかしながら、右のような措置を講ずるか否かは、専ら国の立法政策にかかわる事柄であって、このような措置を講じないからといって違憲の問題を生ずるものではない。」

評釈：　本判決が、立法によって永住者等の外国人に地方自治体レベルの選挙権を付与することが憲法上禁止されているものではないとした点で、最高裁は許容説（Ｂ１説）に近い立場をとるものと解されている。

(b)　公務就任権

外国人に公務就任権（公務就任の資格）が認められるか。

A説：公権力の行使又は公の意思の形成への参画にたずさわる公務員となるためには日本国籍を必要とし（いわゆる「当然の法理」）、外国人には公権力の行使又は公の意思の形成への参画にたずさわらない公務への就任権のみが認められる（政府の公定解釈）

B説：「当然の法理」を前提としつつ、国の公務員をその職務内容の性質に応じて区分して考える（下級審判決）

①　直接的に統治作用にかかわる公務員
→外国人が就任することは国民主権に反し許されない

②　間接的に統治作用にかかわる公務員
→職務内容によって外国人が就任することが許されるものとそうでないものがある

③　補佐的・補助的な事務、学術的・技術的な事務等に従事する公務員
→国民主権原理との抵触は生じないため外国人が就任することは許される

＊　外国人選考試験受験拒否事件控訴審（東京高判平 9.11.26）では、職務の内容、権限と統治作用とのかかわり方及びその程度によって、外国人を任用することが許される管理職と許されない管理職とを分別して考える必要があり、外国人を任用することが許される管理職に関しては職業選択の自由と法の下の平等が保障されるとした。

▼　**東京都管理職選考事件（最大判平 17.1.26・百選 4 事件）**〈同予〉

事案：　韓国籍の特別永住者で、東京都の地方公務員（保健師）であるＸは、管理職選考試験を受験しようとしたところ、日本国籍を有していないことを理由として、受験が認められなかった。そこでＸは、管理職試験の受験資格の確認と受験拒否による損害賠償を求めた。

判旨：　「公権力行使等地方公務員」（住民の権利義務を直接形成し、その範囲
を確定するなどの公権力の行使に当たる行為を行い、若しくは普通地方
公共団体の重要な施策に関する決定を行い、又はこれらに参画すること
を職務とする公務員）の職務は「住民の生活に直接間接に重大なかかわ
りを有する」。

　　　　したがって、「国民主権の原理に基づき、国及び普通地方公共団体によ
る統治の在り方については日本国の統治者としての国民が最終的な責任
を負うべきものであること（憲法１条、15条１項参照）に照らし、原則
として日本の国籍を有する者が公権力行使等地方公務員に就任すること
が想定されているとみるべきであり、我が国以外の国家に帰属し、その
国家との間でその国民としての権利義務を有する外国人が公権力行使等
地方公務員に就任することは、本来我が国の法体系の想定するところで
はない」。

　　　　そして、「普通地方公共団体が、公務員制度を構築するに当たって、公
権力行使等地方公務員の職とこれに昇任するのに必要な職務経験を積む
ために経るべき職とを包含する一体的な管理職の任用制度を構築して人
事の適正な運用を図ることも、その判断により行うことができるものと
いうべきである」。普通地方公共団体が、かかる「管理職の任用制度を構
築した上で、日本国民である職員に限って管理職に昇任することができ
ることとする措置を執ることは、合理的な理由に基づいて日本国民であ
る職員と在留外国人である職員とを区別するものであり、上記の措置は、
労働基準法３条にも、憲法14条１項にも違反するものではない」。そし
て、これについては「特別永住者についても異なるものではない」。

(c)　請願権（16）

　　　国務請求権として位置付けられる請願権は、参政権としての性格をも有
しているが、外国人であるからといって制限されることはないと解されて
いる。　⇒p.126

(4)　具体的検討３・社会権

　　外国人に社会権が保障されるか。

　　Ａ説：社会権は、外国人には保障されない

　　　　∵　社会権は、まず各人の所属する国により保障されるべき権利で
　　　　　　ある

　　Ｂ説：社会権は外国人に当然には保障されないが、立法政策によって社会
　　　　　権の保障を外国人にも及ぼすことは可能である

　　　　∵①　社会権が第一次的には各人の所属する国によって保障される
　　　　　　べき権利であるとしても、その保障が参政権と同じように、外
　　　　　　国人に対して原理的に排除されていると解するのは妥当ではな
　　　　　　い

② 生存の基本にかかわるような領域で一定の要件を有する外国人に憲法の保障を及ぼす立法が社会権の性質に矛盾するわけではない

C説：少なくとも日本社会に居住し、国民と同一の法的・社会的負担を担っている定住外国人には、社会権の保障が及ぶ

∵ 定住外国人は国民と同じく租税を払っている以上、社会保障が国庫負担によるからといって、定住外国人を排除する根拠とはならない

▼ **塩見訴訟（最判平元.3.2・百選 5 事件）**〈同共〉

社会保障上の施策において、外国人をどのように処遇するかは、国の政治的判断に委ねられており、「その限られた財源の下で福祉的給付を行うに当たり、自国民を在留外国人より優先的に扱うことも、許される」として、外国人の生存権保障について立法府の広い裁量を認めた。

(5) 具体的検討 4・国務請求権

(a) 裁判を受ける権利（32）は、外国人であっても保障される〈共〉。

(b) 国家賠償請求権（17）は、相互保証のあるときに限り外国人にも保障が及ぶ（国賠 6）。 →p.127

(6) 具体的検討 5・自由権

(a) 政治活動の自由

▼ **マクリーン事件（最大判昭 53.10.4・百選 1 事件）**〈同予〉〈同H29〉

判旨： 「政治活動の自由についても、わが国の政治的意思決定又はその実施に影響を及ぼす活動等外国人の地位にかんがみ、これを認めることが相当でないと解されるものを除き、その保障が及ぶ……しかしながら……外国人に対する憲法の基本的人権の保障は、右のような外国人在留制度のわく内で与えられているにすぎない……すなわち、在留期間中の憲法の基本的人権の保障を受ける行為を在留期間の更新の際に消極的な事実としてしんしゃくされないことまでの保障が与えられているものと解することはできない」。

評釈： 本判例は、在留期間中の基本的人権の保障を受ける行為を在留期間更新の際に消極的事情として斟酌することも許されるとするが、学説上は、在留期間中の適法な人権行使に萎縮的効果をもたらすものとして、批判が強い。

人権

(b) プライバシー権

▼ 指紋押なつ事件（最判平 7.12.15・百選 2 事件）〈団〉

個人の私生活上の自由の 1 つとして、何人もみだりに指紋の押なつを強制されない自由を有するものというべきであり、国家機関が正当な理由もなく指紋の押なつを強制することは、**憲法 13 条の趣旨に反して許されず**、また、右の自由の保障は我が国に在留する外国人にも等しく及ぶと解されるが、**外国人登録法の指紋押捺制度は、外国人の居住関係及び身分関係を明確にするための最も確実な制度**であり、その立法目的には合理性・必要性が認められる。　⇒ p.87

(c) 経済的自由権

外国人に経済的自由権が保障されると解しても、必ずしも日本国民と全く同様の保障を要するわけではない。

→合理的理由のある限り、日本国民と異なる制約も許される

ex.1　公共的性格の強い職種について、外国人の職業選択の自由を制限すること

ex.2　財産権のうち土地所有権に関して、当該外国人の国籍帰属国の日本国民に対する取扱方法に留意して「相互主義」的制約を定めること

4　法人

(1) 人権享有主体性

A説：法人には基本的人権の保障は及ばない（否定説）

∵①　人権観念は元来自然人について成立したものである

②　法人は、自然人を通じて活動し、その利益も自然人に帰するのだから、自然人に人権を認めれば十分である

B説：性質上可能な限り、内国の法人にも基本的人権の保障が及ぶ（肯定説）〈判〉

∵①　法人も自然人と同じく活動する社会的実体であり、構成員の個別の人権に分解することが非現実的な場合もある

②　法人は社会における重要な構成要素である

(a) 公法人の人権享有主体性（ex. 地方公共団体）

一般に法人の人権享有主体性が議論されるのは私法人であり、公法人については別途考察を要する。

→基本的人権は、人間が本来自然の状態において有する自由を、国家権力による侵害から保障しようとするものであり、侵害する側である公法人を人権享有主体とすることは背理

cf.　公法人が一般国民と同じように他の公権力機関の強制に服しているときは、基本権の保障を受けることがある

ex.　国立大学は、学問の自由（23）の享有主体たりうる

(b) 権利能力なき社団の人権享有主体性

法人格の有無は私法上の法的技術・制度の問題であるから、法人格の有無で人権享有主体性に差異を設けるべきではなく、権利能力のない社団・財団であっても人権享有主体性は認められる◀判。

(2) 保障される人権の範囲

＜法人に保障される人権の範囲＞

保障される人権	① 経済的自由権（財産権、営業の自由、居住・移転の自由） ② 国務請求権（請願権、裁判を受ける権利、国家賠償請求権） ③ 刑事手続上の諸権利（法定手続の保障、住居の不可侵、証人審問権、弁護人依頼権）
保障されない人権	① 生命や身体に関する自由（奴隷的拘束及び苦役からの自由、逮捕・抑留・拘禁に対する保障、拷問・残虐な刑罰の禁止） ② 生存権 ③ 選挙権、被選挙権
保障されるか争いがある人権	① 生命・自由・幸福追求権 ② 精神的自由権 →信教の自由◀判、学問の自由、集会・結社・表現の自由、プライバシー権、環境権などは法人にも保障されると解されている（＊）

＊ 判例上、博多駅テレビフィルム提出命令事件では、法人たる報道機関に報道の自由の保障が及ぶとされ、八幡製鉄事件では、会社も自然人同様、政治資金の寄付の自由を有するとされた。

(3) 保障の限界

一定の人権について、法人が自然人と同様に享有主体となるとしても、自然人と同程度の保障が及ぶのではなく、法人の人権行使は自然人の人権を不当に制限するものであってはならないという限界があるとされる◀共。

(a) 法人と法人の外にある個人との関係

特に巨大な団体の場合、実質的公平の原理の観点から、経済的自由や政治活動の自由について、自然人と異なる規制を受けることがあるとされる。

▼ 八幡製鉄事件（最大判昭45.6.24・百選8事件）◀司予

事案： 八幡製鉄株式会社の代表取締役がある政党に対し、会社を代表して政治献金をしたことについて、同社の株主が代表訴訟を起こし、会社による政治献金が許されるかが争われた。

判旨： 「憲法第3章に定める国民の権利及び義務の各条項は、性質上可能な限り、内国の法人にも適用されるものと解すべきであるから、会社は、自然人たる国民と同様、国や政党の特定の政策を支持、推進しまたは反対するなどの政治的行為をなす自由を有するのである。政治資金の寄附も

まさにその自由の一環であり、会社によってそれがなされた場合、政治の動向に影響を与えることがあったとしても、これを自然人たる国民による寄附と別異に扱うべき憲法上の要請があるものではない」。

「政党への寄附は、事の性質上、国民個々の選挙権その他の参政権の行使そのものに直接影響を及ぼすものではないばかりでなく、政党の資金の一部が選挙人の買収にあてられることがあるにしても、それはたまたま生ずる病理的現象に過ぎず、しかも、かかる非違行為を抑制するための制度は厳として存在するのであって、いずれにしても政治資金の寄附が、選挙権の自由なる行使を直接に侵害するものとはなしがたい」。

評釈：　法人のもつ巨大な経済的・社会的実力を考慮すると、自然人と異なる特別の規制に服すると解すべきであり、特別の制約を認めないのは行き過ぎであるとして批判されている。

(b)　法人とその構成員との関係

法人の表現の自由とその構成員の表現の自由や思想・信条の自由の調整が必要となる。この点、任意加入の団体であれば団体の自由は原則として尊重されるのに対し、強制加入の団体では団体の自由は原則として目的の範囲内の行為に制約され、個人の自由が最大限尊重される、とする立場が有力である。

▼　八幡製鉄事件（最大判昭45.6.24・百選8事件）

「会社は定款に定められた目的の範囲内において権利能力を有するわけであるが、目的の範囲内の行為とは、定款に明示された目的自体に限局されるものではなく、その目的を遂行するうえに直接または間接に必要な行為であれば、すべてこれに包含されるものと解するのを相当とする。そして必要なりや否やは、当該行為が目的遂行上現実に必要であったかどうかをもってこれを決すべきではなく、行為の客観的な性質に即し、抽象的に判断されなければならない」としつつ、「憲法は政党について規定するところがなく、これに特別の地位を与えてはいないのであるが、憲法の定める議会制民主主義は政党を無視しては到底その円滑な運用を期待することはできないのであるから、憲法は、政党の存在を当然に予定しているものというべきであり、政党は議会制民主主義を支える不可欠の要素なのである。そして同時に、政党は国民の政治意思を形成する最も有力な媒体であるから、政党のあり方いかんは、国民としての重大な関心事でなければならない。したがって、その健全な発展に協力することは、会社に対しても、社会的実在としての当然の行為として期待されるところであり、協力の一態様として政治資金の寄附についても例外ではないのである。……会社による政治資金の寄附は、客観的、抽象的に観察して、会社の社会的役割を果たすためになされたものと認められるかぎりにおいては、会社の定款所定の目的の範囲内の行為であるとするに妨げない」とした。

▼ 国労広島地本事件（最判昭 50.11.28・百選 145 事件）

事案： 労働組合が、脱退した元組合員に対して未払いの一般組合費と臨時組合費の支払を求めた。そのうち、臨時組合費の①炭労資金、②安保資金、③政治意識昂揚資金の徴収と組合員の協力義務との関係が問題となった。

判旨： 労働組合の組合員は、組合活動の経済的基礎をなす組合費を納付する義務を負うが、「労働組合は、労働者の労働条件の維持改善その他経済的地位の向上を図ることを主たる目的とする団体」であるから、組合員の協力義務も「当然に右目的達成のために必要な団体活動の範囲に限られる」。そこで、「具体的な組合活動の内容・性質、これについて組合員に求められる協力の内容・程度・態様等を比較考量し、多数決原理に基づく組合活動の実効性と組合員個人の基本的利益の調和という観点から、……組合員の協力義務の範囲に合理的な限定を加えることが必要である」。

　①炭労資金について

　　①炭労資金は、「他組合の闘争に対する支援資金」であり、「労働組合の目的とする組合員の経済的地位の向上は、……広く他組合との連帯行動によってこれを実現することが予定されているのであるから、それらの支援活動は当然に右の目的と関連性をもつものと考えるべきであり、……組合員の一般的利益に反するものでもない」。ゆえに、「支援活動をするかどうかは、それが法律上許されない等特別の場合でない限り、専ら当該組合が自主的に判断すべき政策問題であって、多数決によりそれが決定された場合には、これに対する組合員の協力義務を否定すべき理由はない」として、組合員の協力義務の範囲に含まれるとした。

　②安保資金について

　　「労働組合としては、その多数決による政治的活動に対してこれと異なる政治的思想、見解、判断等をもつ個々の組合員の協力を義務づけることは、原則として許されない」が、「労働組合の活動がいささかでも政治的性質を帯びるものであれば、常にこれに対する組合員の協力を強制することができないと解することは、妥当な解釈とはいいがたい」。

　　「いわゆる安保反対闘争のような活動は、……直接的には国の安全や外交等の国民的関心事に関する政策上の問題を対象とする活動であり、……それについて組合の多数決をもって組合員を拘束し、その協力を強制することを認めるべきではない」。そして、「一定の政治的活動の費用としてその支出目的との個別的関連性が明白に特定されている資金についてその拠出を強制することは、かかる活動に対する積極的協力の強制にほかならず、また、右活動にあらわされる一定の政治的立場に対する支持の表明を強制するにも等しいものと

いうべきであって」、許されない。

　もっとも、「労働組合が共済活動として行う救援の主眼は、組織の維持強化を図るために、被処分者の受けている生活その他の面での不利益の回復を経済的に援助」することにあり、「一定の政治的立場に対する支持を表明することになるものでもない」。したがって、「その拠出を強制しても、組合員個人の政治的思想、見解、判断等に関係する程度は極めて軽微なものであって、このような救援資金については、先に述べた政治的活動を直接の目的とする資金とは異なり、組合の徴収決議に対する組合員の協力義務を肯定することが相当である」とした上で、拠出について組合員の協力義務の範囲に含まれるとした。

③政治意識昂揚資金について

　③政治意識昂揚資金は、「総選挙に際し特定の立候補者支援のためにその所属政党に寄付する資金であるが、……選挙においてどの政党又はどの候補者を支持するかは、投票の自由と表裏をなすものとして、組合員各人が市民としての個人的な政治的思想、見解、判断ないしは感情等に基づいて自主的に決定すべき事柄である。したがって、労働組合が組織として支持政党又はいわゆる統一候補を決定し、その選挙運動を推進すること自体は自由であるが……組合員に対してこれへの協力を強制することは許されないというべきであり、その費用の負担についても同様に解すべき」とし、組合員の協力義務の範囲には含まれないとした。

▼　**南九州税理士会事件（最判平 8.3.19・百選 36 事件）** 司共予

事案：　南九州税理士会Yの会員である税理士Xは、税理士法を業界に有利な方向に改正するための政治資金として特別会費 5000 円を徴収する決議に反対して、その会費の納入を拒否した。この行為により、会則で定められた会費滞納者に対する役員の選挙権・被選挙権の停止条項に基づいて、Xは役員選挙で選挙権・被選挙権を行使できなかった。

判旨：　「税理士会が政党など（政治資金）規正法上の政治団体に金銭の寄付をすることは、たとい税理士に係る法令の制定改廃に関する政治的要求を実現するためのものであっても、」「税理士会の目的の範囲外の行為であり、右寄付をするために会員から特別会費を徴収する旨の決議は無効であると解すべきである。」

　「税理士会は、会社とはその法的性格を異にする法人であって、その目的の範囲については会社と同一に論ずることはできない」。なぜなら、税理士会は、「強制加入団体であって、その会員には、実質的には脱退の自由が保障されて」おらず、「その構成員である会員には、様々な思想・信条及び主義・主張を有する者の存在が当然に予定されている。」よって、

会員の思想・信条の自由との関係で、会員に要請される協力義務はおのずから限定され、「特に、政党など規正法上の政治団体に対して金員の寄付をするかどうかは、選挙における投票の自由と表裏を成すものとして、会員各人が市民としての個人的な政治的思想、見解、判断等に基づいて自主的に決定すべき事柄であるというべきである」からである。

このようなことから、政党などの規正法上の政治団体への金員の寄付を「多数決原理によって団体の意思として決定し、構成員にその協力を義務付けることはできない」。

▼ **群馬司法書士会事件（最判平 14.4.25・平 14 重判 2 事件）**

大規模な自然災害により被災した地域の司法書士会に復興支援拠出金を寄付するために特別に負担金を徴収することは権利能力の範囲内であり、同会がいわゆる強制加入団体であることを考慮しても、公序良俗に反するなどの会員の**協力義務を否定すべき特段の事情がある場合を除き、多数決原理に基づき自ら決定することができる**とした。

五 特別の法律関係における人権

1 特別権力関係理論

(1) 意義

特定の者が特別の法律上の原因によって、一般の統治関係とは異なる特別の関係に入った場合に、このような関係に置かれた特定の者が一般の国民の場合より基本的人権を広く制限されることを正当化する理論を特別権力関係理論という。

(2) 内容

① 法治主義が排除され、特別権力主体に包括的支配権（命令権・懲戒権）が認められる。

② 一般国民として保障される人権を法律なくして制限することができる。

③ 特別権力関係内部の行為については司法審査は及ばない。

(3) 特別権力関係が成立する場合

(a) 本人の同意によって成立する場合

ex. 公務員の任命、国公立学校への入学

(b) 法律の規定に基づく場合

ex. 受刑者の刑務所への収容

(4) 評価

伝統的な特別権力関係理論は、①国会を唯一の立法機関とし (41)、②徹底した法治主義の原則を採り、かつ③基本的人権の尊重を基本原理とする日本国憲法の下では妥当しえない[司]。

＊　現在では、特別権力関係とされてきた種々の関係を個別・具体的に考察し、それぞれの関係において、いかなる人権が、いかなる根拠に基づき、どの程度制約されるかを具体的に明らかにすることが重要であると解されている〈司〉。

2　公務員の人権

公務員の人権については、国家公務員の政治活動の自由の制限（国公102、人事院規則14－7）と、公務員・国営企業職員の労働基本権の制限（国公98Ⅱ、地公37、特定独立行政法人等の労働関係に関する法律17）が特に問題となる。

⇒ p.214、272

▼　寺西判事補戒告事件（最大決平10.12.1・百選177事件）〈司〉　⇒ p.220

国公法が行政府に属する一般職の国家公務員の政治的行為を一定の範囲で禁止しているのは、政治的偏向を排した公務の運営には、個々の公務員が厳に中立の立場を堅持して職務を遂行することが必要となるからである。「これに対し、裁判所法52条1号が裁判官の積極的な政治運動を禁止しているのは、……裁判官の独立及び中立・公正を確保し、裁判に対する国民の信頼を維持するとともに、三権分立主義の下における司法と立法、行政とのあるべき関係を規律することにその目的がある」。この目的の重要性と「裁判官は単独で又は合議体の一員として司法権を行使する主体であることにかんがみれば、裁判官に対する政治運動禁止の要請は、一般職の国家公務員に対する政治的行為禁止の要請より強いものというべきである」。

3　在監者の人権

（1）在監目的

在監目的は、拘禁、戒護（逃亡・罪証隠滅・暴行・自他殺傷の防止、規律維持等）及び矯正教化にある。

（2）在監者の人権制約の根拠

憲法自身が在監関係の存在と自律性を憲法秩序の構成要素として認めていること（18、31、34等）にあるとされる。

（3）制約の限界

在監者といえども、憲法上の権利は原則として保障されるべきであるから、権利の制限は、在監目的達成のための必要最小限度にとどまるものでなければならない。

特に、未決拘禁者には無罪推定原則が及んでいることから、その権利制限については極めて慎重でなければならない〈司〉。

(4) 具体例

(a) 喫煙の禁止（旧監獄法施行規則96）

▼ **最大判昭45.9.16・百選A4事件**［国］

　　監獄内においては、拘禁の目的に照らし、必要な限度で、被拘禁者に対して合理的制限が加えられるが、その制限が必要かつ合理的かどうかは、制限の必要性の程度と制限される基本的人権の内容、具体的制限の態様の衡量により決せられる。喫煙を許すと、罪証隠滅・火災発生のおそれがあり、他面たばこは嗜好品にすぎないので、その制限は必要かつ合理的なものであるとし、未決拘禁者の喫煙を禁止する規定は憲法13条に反しないとした。

(b) 図書・新聞紙の閲読の制限（旧監獄31、旧監獄法施行規則86）

▼ **よど号ハイジャック記事抹消事件（最大判昭58.6.22・百選14事件）**
〈司予〉

　事案：　勾留されている在監者Xは、私費で新聞を定期購読していたところ、東京拘置所の所長は「よど号」乗っ取り事件に関する記事を墨で塗りつぶしてXに配布した。そこで、Xが処分の違法性を主張し、国家賠償を求めた。

　判旨：　「およそ各人が、自由に、さまざまな意見、知識、情報に接し、これを摂取する機会をもつことは、その者が個人として自己の思想及び人格を形成・発展させ、社会生活の中にこれを反映させていくうえにおいて欠くことのできないものであり、また、民主主義社会における思想及び情報の自由な伝達、交流の確保という基本的原理を真に実効あるものたらしめるためにも、必要なところである。それゆえ、これらの意見、知識、情報の伝達の媒体である新聞紙、図書等の閲読の自由が憲法上保障されるべきことは、思想及び良心の自由の不可侵を定めた憲法19条の規定や、表現の自由を保障した憲法21条の規定の趣旨、目的から、いわば派生原理として当然に導かれるところであり、また、すべて国民は個人として尊重される旨を定めた憲法13条の規定の趣旨に沿うゆえんでもある」。

　　しかしながら、このような閲読の自由も、公共の利益のため制限を受けることがある。本件のような人権も、「逃亡及び罪証隠滅の防止という勾留の目的のため」のほか、「監獄内の規律及び秩序の維持のために必要とされる場合にも、一定の制限を加えられる」。もっとも、未決勾留により拘禁される者は「原則として一般市民としての自由を保障されるべき者である」。よって、「監獄内の規律及び秩序の維持のためにこれら被拘禁者の新聞紙、図書等の閲読の自由を制限する場合においても、それは、右の目的を達するために真に必要と認められる限度にとどめるべき」である。

　　そこで、「制限が許されるためには、当該閲読を許すことにより右の規律及び秩序が害される一般的、抽象的なおそれがあるというだけでは足りず、被拘禁者の性向、行状、監獄内の管理、保安の状況、当該新聞紙、

図書等の内容その他の具体的事情のもとにおいて、その閲読を許すことにより監獄内の規律及び秩序の維持上放置することのできない程度の障害が生ずる相当の蓋然性があると認められることが必要であり、かつ、その場合においても、右の制限の程度は、右の障害発生の防止のために必要かつ合理的な範囲にとどまるべき」である。

評釈： 本判決は、抹消処分が事前抑制であることを考慮して、かなり厳格な基準を立てた点で、一般論としては肯認できる。しかし、相当の蓋然性、制限の程度等の認定判断について、監獄長の裁量的判断を尊重した点で、運用いかんによっては基準の厳しさを弱めることになりかねず、問題がある。

なお、大阪高判平21.6.11は、被告人が自費で新聞の定期購読を希望したところ、拘置所長が拒否したことから国家賠償請求した事案につき、相当の蓋然性基準を用いて拘置所長の判断を違法とした。しかし、当該判断に「過失があったと認めることはできない」として、請求自体は棄却している〈同〉。

(c) 信書の発受・接見の制限（旧監獄45〜50、旧監獄法施行規則120〜139）

▼ 最判平 10.4.24

事案： 受刑者Xの兄からX宛の信書の一部及びXからXの兄宛の信書の一部を抹消した刑務所長の処分が違法であるとして、Xが国家賠償を請求した。

判旨： X宛の信書の内容がXを鼓舞し、Xの反抗心をあおると判断され、あるいは、Xとしては真実を伝えるという意図で兄に信書を作成したとしても、刑務所長が異なる事実を確認し、抹消する必要があるとされた以上、抹消を合理的な理由がないとはいえないとした原審について、最高裁は、「右事実関係の下においては、監獄内の規律及び秩序の維持に障害を生ずること並びに受刑者の教化を妨げることを理由とする……信書の一部抹消が違法なものとはいえない」とした。

▼ 死刑確定者の信書発送に対する不許可処分の適法性（最判平11.2.26）

事案： 死刑確定者が、死刑制度の是非に関する新聞社投稿の発信を不許可とされたことにつき、処分は違法であり、精神的苦痛を受けたとして、拘置所長に対し右処分の取消しと、国に対し国家賠償（慰謝料）を請求した。

判旨： 「死刑確定者の拘禁の趣旨、目的、特質にかんがみれば、監獄法46条1項に基づく死刑確定者の信書の発送の許否は、死刑確定者の心情の安定にも十分配慮して、死刑の執行に至るまでの間、社会から厳重に隔離してその身柄を確保するとともに、拘置所内の規律及び秩序が放置することができない程度に害されることがないようにするために、これを制限することが必要かつ合理的であるか否かを判断して決定すべきものであり、具体的場合における右判断は拘置所長の裁量に委ねられているものと解すべきである。……原審が適法に確定した事実関係の下において

は、拘置所長のした判断に右裁量の範囲を逸脱した違法があるとはいえない」。

▼ 旧監獄法46条2項の合憲性（最判平18.3.23）〈司予〉

事案： Xは、国会議員宛の請願書や検察庁宛の告訴告発状を送付したが、これら請願書や告訴告発状の内容の取材等を求める民間新聞社宛の手紙は、旧監獄法46条2項に基づいて刑務所長に不許可とされた。そこで、Xは、表現の自由を侵され精神的苦痛を被ったとして、Y（国）を相手に国家賠償請求訴訟（国賠1Ⅰ）を起こした。

判旨： 1　旧監獄法46条2項は違憲か

「表現の自由を保障した憲法21条の規定の趣旨、目的にかんがみると、受刑者のその親族でない者との間の信書の発受は、受刑者の性向、行状、監獄内の管理、保安の状況、当該信書の内容その他の具体的事情の下で、これを許すことにより、監獄内の規律及び秩序の維持、受刑者の身柄の確保、受刑者の改善、更生の点において放置することのできない程度の障害が生ずる相当のがい然性があると認められる場合に限って、これを制限することが許されるものというべきであり、その場合においても、その制限の程度は、上記の障害の発生防止のために必要かつ合理的な範囲にとどまるべきものと解するのが相当である。そうすると、監獄法46条2項は、その文言上は、特に必要があると認められる場合に限って上記信書の発受を許すものとしているようにみられるけれども、上記信書の発受の必要性は広く認められ、上記要件及び範囲でのみその制限が許されることを定めたものと解するのが相当であり、したがって、同項が憲法21条、14条1項に違反するものでないことは、当裁判所の判例の趣旨に徴して明らかである」。

2　新聞社への手紙の発信不許可処分について

「刑務所長が具体的事情の下で、上告人の本件信書の発信を許すことにより、同刑務所内の規律及び秩序の維持、受刑者の身柄の確保、受刑者の改善、更生の点において放置することのできない程度の障害が生ずる相当のがい然性があるかどうかについて考慮しないで、本件信書の発信を不許可としたことは明らかというべきである。しかも、本件信書は、国会議員に対して送付済みの本件請願書等の取材、調査及び報道を求める旨の内容を記載したC新聞社あてのものであったというのであるから、本件信書の発信を許すことによって熊本刑務所内に上記の障害が生ずる相当のがい然性があるということができないことも明らかというべきである。そうすると、熊本刑務所長の本件信書の発信の不許可は、裁量権の範囲を逸脱し、又は裁量権を濫用したものとして監獄法46条2項の規定の適用上違法であるのみならず、国家賠償法1条1項の規定の適用上も違法というべきである」。

65

(d)　逃亡の防止等の在監目的から考えて、民事訴訟の法廷に出席すること、公職選挙における投票を禁止することは、憲法上許容される。

(e)　受刑者に宗教上の礼拝を強制することは、憲法違反となる。

(f)　監獄法は、現在、「刑事収容施設及び被収容者等の処遇に関する法律」に改正されている。同法では、在監者（被収容者等）の権利義務の明確化等が図られている。もっとも、同法においては、権利制限の要件について、「……を生ずるおそれがあるとき」という文言が多用されており、刑事施設の長及び職員の裁量の余地がいまだに大きいとの批判がある〈司〉。

六　私人間における人権の保障（私人間効力）〈司〉

　憲法の人権規定は国家と個人（私人）の間を規律するものであるから、私人間の争いは私的自治によって解決すべきであり、本来憲法は適用されないはずである。しかし、現代においては公権力に匹敵する社会的権力による人権侵害の危険性が高まっている。そこで、憲法を私人間に適用できないかが問題となる（なお、25条のように私人間において適用されない規定があることは争いがなく、逆に、権利の性質上、私人間に直接適用される人権規定があることについても争いはない〔15Ⅳ、18、24、27Ⅲ、28〕）。

1　学説

＜憲法の私人間効力＞〈司共〉

学説	内容	理由	批判
A説	憲法の人権規定は私人間には適用されない（無効力説）	人権規定は国家の権力作用を規制するものであって、民事関係とは関係がない	「社会的権力」が公権力に匹敵する力をもっているのに私人間に憲法が適用されないことは憲法の人権尊重精神にもとることになる
B説	憲法の人権規定は私人間に直接適用され、私人に対して直接憲法上の権利を主張できる（直接適用説）	憲法は、公法・私法の両者に通ずる客観的法秩序である	①　個人の自律的領域（私的自治の原則）を否定することになる②　具体化立法をまたずに、予測することのできない義務が憲法から直接引き出される危険がある
C説	人権保障の精神に反する行為については、私法の一般条項（民1、90等）を媒介として人権規定の価値を私人間にも及ぼす（間接適用説）〈通〉	A説・B説に対する批判参照	①　人権価値を導入して行う私法の一般条項の意味充填解釈は振幅が大きい②　純然たる事実行為に基づく私的な人権侵害行為が憲法による規制の範囲外に置かれてしまう（＊）

＊　純然たる事実行為による人権侵害に対する実効的な救済手段として、国家同視の理論（State Action）が主張されている。これは、人権規定は公権力と国民との関係を規律するということを前提としつつ、①公権力が私的行為に極めて重要な程度にまでかかわり合いになった場合、又は②私人が国の行為に準ずるような高度に公的な機能を行使している場合に、当該私的行為を国家行為と同視して憲法を直接適用するという理論である。

2 判例の立場

(1) 私人間への人権規定の適用に関する一般論

▼ 三菱樹脂事件（最大判昭 48.12.12・百選 9 事件）〈同裁〉

判旨： 憲法 19 条及び 14 条は「同法第 3 章のその他の自由権的基本権の保障規定と同じく、国または公共団体の統治行動に対して個人の基本的な自由と平等を保障する目的に出たもので、もっぱら国または公共団体と個人との関係を規律するものであり、私人相互の関係を直接規律することを予定するものではない。……私人間の関係においては、各人の有する自由と平等の権利自体が具体的場合に相互に矛盾、対立する可能性があり、このような場合におけるその対立の調整は、近代自由社会においては、原則として私的自治に委ねられ、ただ、一方の他方に対する侵害の態様、程度が社会的に許容しうる一定の限界を超える場合にのみ、法がこれに介入しその間の調整をはかるという建前がとられている」。

「私人間の関係においても、相互の社会的力関係の相違から、一方が他方に優越し、事実上後者が前者の意思に服従せざるをえない場合があり、このような場合に私的自治の名の下に優位者の支配力を無制限に認めるときは、劣位者の自由や平等を著しく侵害または制限することとなるおそれがあることは否み難いが、そのためにこのような場合に限り憲法の基本権保障規定の適用ないしは類推適用を認めるべきであるとする見解もまた、採用することはできない。……右のような事実上の支配関係なるものは、その支配力の態様、程度、規模等においてさまざまであり、どのような場合にこれを国または公共団体の支配と同視すべきかの判定が困難であるばかりでなく、一方が権力の法的独占の上に立って行なわれるものであるのに対し、他方はこのような裏付けないしは基礎を欠く単なる社会的事実としての力の優劣の関係にすぎず、その間に画然たる性質上の区別が存するからである。すなわち、私的支配関係においては、個人の基本的な自由や平等に対する具体的な侵害またはそのおそれがあり、その態様、程度が社会的に許容しうる限度を超えるときは、これに対する立法措置によってその是正を図ることが可能であるし、また、場合によっては、私的自治に対する一般的制限規定である民法 1 条、90 条や不法行為に関する諸規定等の適切な運用によって、一面で私的自治の原則を尊重しながら、他面で社会的許容性の限度を超える侵害に対し基本的な自由や平等の利益を保護し、その間の適切な調整を図る方途も存するのである」。

評釈： 直接適用説を否定し、間接適用説に立ったと評価されている。

人権

(2) 使用者と労働者の労働関係について

▼ 三菱樹脂事件（最大判昭48.12.12・百選9事件）司

企業者は、経済活動の一環としての契約締結の自由を有するから、特定思想・信条を有する者の雇い入れを拒否しても、違法ではないとした。　⇒p.135参照

▼ 日産自動車事件（最判昭56.3.24・百選11事件）司

男子の定年年齢を60歳、女子の定年年齢を55歳と定める就業規則は、性別による不合理な差別を定めたもので、民法90条により無効であるとした。

(3) 私立大学と学生の関係について

▼ 昭和女子大事件（最判昭49.7.19・百選10事件）司共

「大学は、国公立であると私立であるとを問わず、学生の教育と学術の研究を目的とする公共的な施設であり、法律に格別の規定がない場合でも、その設置目的を達成するために必要な事項を学則等により一方的に制定し、これによって在学する学生を規律する包括的権能を有する」とする一方、その包括的権能も無制限なものではなく、「在学関係設定の目的と関連し、かつ、その内容が社会通念に照らして合理的と認められる範囲においてのみ是認されるものであるが、具体的に学生のいかなる行動についていかなる程度、方法の規制を加えることが適切であるとするかは……各学校の伝統ないし校風や教育方針によってもおのずから異なる」とした上で、「私立大学のなかでも、学生の勉学専念を特に重視しあるいは比較的保守的な校風を有する大学がその教育方針に照らし学生の政治的活動はできるだけ制限するのが教育上適当であるとの見地から、学内及び学外における学生の政治的活動につきかなり広範な規律を及ぼすこととしても、これをもって直ちに社会通念上学生の自由に対する不合理な制限であるということはできない」としている。

もっとも、「退学処分を行うにあたっては、その要件の認定につき他の処分の選択に比較して特に慎重な配慮を要することはもちろんであるが、……あらかじめ本人に反省を促すための補導を行うことが教育上必要かつ適切であるか、また、その補導をどのような方法と程度において行うべきか等については、それぞれの学校の方針に基づく学校当局の具体的かつ専門的・自律的判断に委ねざるをえないのであって、学則等に格別の定めのないかぎり、右補導の過程を経由することが特別の場合を除いては常に退学処分を行うについての学校当局の法的義務であるとまで解するのは、相当でない」としている。

(4) 労働組合と組合員の関係について

▼ 国労広島地本事件（最判昭 50.11.28・百選 145 事件）〈同〉

　　労働組合による統制と組合員が市民又は人間として有する自由や権利とが矛盾衝突する場合、問題とされている具体的な組合活動の内容・性質、これについて組合員に求められる協力の内容・程度・態様等を比較衡量して、組合の統制力とその反面としての組合員の協力義務の範囲に合理的な限定を加えるべきである。

(5) 入会権者の資格を原則として男子孫に限定する入会集団の会則と私人間効力

▼ 最判平 18.3.17・平 18 重判 4 事件〈共〉

事案：　入会地の慣習に基づく入会集団の会則のうち、入会権者の資格を原則として男子孫に限定し、部落民以外の男性と婚姻した女子孫は離婚して旧姓に復しない限り入会権者の資格を認めないとする部分が、公序良俗に反し無効（民 90）ではないかが争われた。

判旨：　「男子孫要件は、専ら女子であることのみを理由として女子を男子と差別したものというべきであり、……性別のみによる不合理な差別として民法 90 条の規定により無効である」。その理由として、「男子孫要件」は、「入会団体の団体としての統制の維持という点からも、入会権の行使における各世帯間の平等という点からも、何ら合理性を有しない」こと、「男女の本質的平等を定める日本国憲法の基本的理念に照らし、入会権を別異に取り扱うべき合理的理由を見いだすことはできない」ことを挙げている。

(6) 人種差別撤廃条約と私人間効力〈同〉

　　裁判例（大阪高判平 26.7.8）は、「人種差別撤廃条約は、国法の一形式として国内法的効力を有するとしても、その規定内容に照らしてみれば、国家の国際責任を規定するとともに、憲法 13 条、14 条 1 項と同様、公権力と個人との関係を規律するものである。すなわち、……私人相互の関係を直接規律するものではなく、私人相互の関係に適用又は類推適用されるものでもないから、その趣旨は、民法 709 条等の個別の規定の解釈適用を通じて、他の憲法原理や私的自治の原則との調和を図りながら実現されるべきものである」としている。なお、この上告審である判例（最決平 26.12.9）は、上告を棄却している。

七　国家の私法上の行為

　　土地の任意買収のような国家の私法的行為に対して憲法の効力が及ぶかという問題がある。これを憲法 81 条にいう「処分」に当たるとして違憲審査の対象となると考える立場もあるが、最高裁は、間接適用説のような立場に立った。

人権

▼ 百里基地訴訟（最判平元.6.20・百選 166 事件）〈司予〉

事案：　基地予定地である土地の所有者 X1 が、私人 Y と国 X2 に土地を二重に譲渡した。X1、X2 が Y に対して土地所有権確認訴訟を提起したところ、Y は X1、X2 間の売買が①憲法 98 条、9 条に反する、②契約を私法上のものと同視すべきとしても直接憲法違反として無効、③公序良俗違反（民 90）と主張した。

判旨：　98 条 1 項にいう、「国務に関するその他の行為」は公権力を行使して法規範を定立する国の行為を意味し、私人と対等の立場で行う国の行為は法規範の定立を伴わないからこれに該当しない。憲法 9 条は……、人権規定と同様、私法上の行為に対しては直接適用されるものではない。国が私人と対等の立場にたって私人と契約する私法上の契約は、当該契約が……実質的にみて公権力の発動たる行為となんら変わりがないといえるような特段の事情がない限り、憲法 9 条の直接適用をうけない。憲法 9 条は信義則などの私法上の規範によって相対化され、民法 90 条にいう「公ノ秩序」の内容の一部を形成するが、本件売買が社会的に許されない反社会的な行為であるとの認識が社会の一般的な観念として確立していたということはできない。

第 10 条 〔日本国民の要件〕
日本国民たる要件は、法律でこれを定める。

⇒明憲 §18（日本臣民たるの要件）、国籍 § 1～18（日本国籍の得喪）、典範 §26（皇統譜）

[趣旨] 本条は、日本国籍取得の要件が「法律」（国籍法）により規定されるとして、国籍法律主義を採用している。人が「日本国民」であるか否かは、憲法の保障する権利を全面的に享受する前提としての身分にかかわる問題であるから、「日本国民」たる要件は、唯一の立法機関である国会（41）が法律によってのみ定めうる事項としたのである。

《注　釈》
◆ 国籍の得喪

国籍とは、特定の国家の構成員であることの資格をいう。

国籍の取得・喪失につき何ら規定されていないので、立法裁量が広範に認められる。しかし、無限定ではなく、明らかにその範囲を逸脱するものは当然に違憲となる。

ex.1 一定の重い罪を犯し、10 年を超える懲役刑の宣告を受けた者は日本国籍を失うものと法律で定めること

ex.2 法律をもって、帰化した者に関して衆議院議員の被選挙権を有する者と有しない者とに類型化すること

　→国籍の取得は、出生による場合と出生後の場合とに分けられる
1　出生による国籍取得
　　①血統主義：親の血統に従って親と同じ国籍を取得させる。
　　②出生地主義：出生地国の国籍を子に取得させる。
　　→国籍法は、①血統主義を原則とし、例外的に②出生地主義を認めている
　　　（国籍2）
　　cf.　父系優先血統主義も違憲とはいえない
2　出生後の国籍取得（帰化）
　　一定の要件をみたす外国人は、法務大臣の許可を得て日本国籍を取得することができる（国籍4〜10）。
　　ex.　①一定の期間以上日本に住所を有しつつ、②日本に特別の功労のある外国人
　　cf.　帰化人となる場合に男女で異なった扱いをしたり、特別な条件を付しても違憲とはいえない
　　→法律をもって日本国内で犯した一定の重大犯罪につき前科を有する外国人については、帰化の申請があっても、これを認めないと定めること

《その他》
・国会議員は、日本国籍を失えば当然その地位を失う。

第11条　〔基本的人権の享有、永久不可侵性〕

　国民は、すべての基本的人権の享有を妨げられない。この憲法が国民に保障する基本的人権は、侵すことのできない永久の権利として、現在及び将来の国民に与へられる。

[趣旨] 本条は、基本的人権を保障することの意味・基本的姿勢を明らかにしており、第3章の基本的人権各条項の解釈・運用の指針・準則となるものである。

《注　釈》
一　「基本的人権」という言葉の由来
　　「基本的人権」という用語（11、97）は、ポツダム宣言に由来するもので、一般に「すべての人間が当然享有すべきものとして、本章によって保障される権利」と定義される。
二　「基本的人権」、「基本権」、「自然権」、「人権」等の相互関係
1　「基本権」と「人権」
　　「基本権」や「人権」という言葉は、「基本的人権」と同義語として用いられる場合もあれば、それと区別して用いられる場合もある。区別して用いる場合の区別の方法については、争いがある。
2　「自然権」と「人権」
　　自然権と人権は、①普遍性、②不可譲性（非消滅性）、③政府からの独立性

という点で共通するため、同義語として使用される場合もある。しかし、①自然権は絶対無制約だが人権はそうではない、②自然権はいつの時代でも妥当するもので、新しい自然権が発生・創造・発見されるということはありえないが、人権については新しい人権の台頭する可能性がある、という相違があるため、区別して論じられるのが一般である。

三　**背景的権利・法的権利・具体的権利**

基本的人権は、理念的な性格なものから具体的なものに至るまで多様なものを包摂しており、以下のように区別して理解することができる。

1　背景的権利

「背景的権利」としての人権とは、それぞれの時代の人間存在にかかわる要請に応じて種々主張されるもので、「法的権利」としての人権を生み出す母体として機能するものをいう。

→「背景的権利」が明確で特定化しうる内実をもつまでに成熟し、かつ、憲法の基本権体系と調和する形で特定の条項に定礎させることができるときは、「法的権利」としての地位を取得する（ex. プライバシー権）

2　法的権利

「法的権利」としての人権とは、主として憲法上の根拠規定をもつ権利をいう。

3　具体的権利

「具体的権利」としての人権とは、裁判所に対してその保護・救済を求め、法的強制措置の発動を請求しうる権利をいう。

cf.　抽象的権利

「抽象的権利」としての人権とは、法的権利ではあるが、法律上の裏付けがないと裁判的救済の対象となることはない権利をいう

四　**プログラム規定**

プログラム規定とは、個人に対し裁判による救済を受けうるような具体的な権利を付与するものではなく、国家に対しその実現に努めるべき政治的・道義的目標と指針を示すにとどまる種類の規定のことをいう。

▼　**朝日訴訟（最大判昭42.5.24・百選131事件）**

「25条1項は、……すべての国民が健康で文化的な最低限度の生活を営み得るように国政を運営すべきことを国の責務として宣言したにとどまり、直接個々の国民に対して具体的権利を賦与したものではない」としたことから、最高裁判所はプログラム規定の概念を肯定しているとも解しうる。　⇒p.253

第12条　〔自由・権利の保持責任とその濫用禁止〕

この憲法が国民に保障する自由及び権利は、国民の不断の努力によつて、これを保持しなければならない。又、国民は、これを濫用してはならないのであつて、常に公共の福祉のためにこれを利用する責任を負ふ。

[趣旨]本条は、①人権の歴史的性格と、②その保持のために必要な国民の責務を謳ったものである。

《注　釈》

一　本条の性質

　国民にとっての精神的指針であり、それを超えて何らかの具体的な法的義務を国民に課すものではない。

二　本条の内容

　本条の内容は、「自由・権利の保持の義務」「自由・権利を濫用しない義務」「自由・権利を公共の福祉のために利用する義務」に分類できるが、これらはいずれも直接の法的効果を生じさせるものではない。

第13条　〔個人の尊重、幸福追求権、公共の福祉〕

　すべて国民は、個人として尊重される。生命、自由及び幸福追求に対する国民の権利については、公共の福祉に反しない限り、立法その他の国政の上で、最大の尊重を必要とする。

[趣旨]本条は、個人の尊厳に基づく基本的人権保障の意味を確認したものである。

《注　釈》

一　13条の意義・法的性格

　1　意義

　⑴　「新しい人権」の根拠としての包括的基本権

　　　日本国憲法は、14条以下において、詳細に個別的な人権規定を置いている。しかし、社会の進展に伴い、基本的人権として保護するに値すると考えられる法的利益については、憲法の改正（96）による補充を待つことなく、「新しい人権」として憲法上保障される人権の1つと解するのが妥当である。その「新しい人権」の根拠となるのが、包括的基本権の規定である13条である。

　　　→13条の文言やその設けられた位置などから、13条は包括的基本権の規定であると解する見解が学説上の支配的な見解とされる

　⑵　13条の構造

　　　13条前段は、「個人の尊重（個人の尊厳）」を宣言している。これは、国家はすべての国民を「独立で対等な尊厳ある存在」として承認し、敬意をもって処遇しなければならないという意味であるとされる。

　　　次に、13条後段にいう「生命、自由及び幸福追求に対する国民の権利」は、「幸福追求権」と呼ばれている。幸福追求権は、個別の人権規定によって明文で保障されていない人権（「新しい人権」）の受け皿としての役割を担うため、幸福追求権と個別の人権規定は一般法と特別法の関係に立つ。

　　　→個別の人権規定の解釈によっては当該権利を導き出せない場合に限り、

人
権

補充的に13条後段が適用される（補充的保障説）

2　13条の法的性格

(1)　人格的利益説と一般的自由説の対立

　　個別の人権規定によって明文で保障されていない「新しい人権」の根拠と

なる包括的基本権が幸福追求権であり、通説は、これによって基礎づけられ

る個々の権利は裁判上の救済を受けることができる具体的権利であると解し

ている。

　　学説上では、幸福追求権の保護範囲をめぐり、次の人格的利益説と一般的

自由説（一般的行為自由説ともいわれる）が対立している。

＜人格的利益説と一般的自由説＞

学説	内容	理由	批判
人格的利益説	幸福追求権の内容は、個人の人格的生存に不可欠な利益を内容とする権利の総体である。→全ての人の人格的生存に不可欠な利益しか保障されないので、個人にとって主観的に重要なもの（服装・飲酒・散歩など）でも13条の保障外となる	① 個人の尊厳（13前段）との関係で、憲法上列挙されている個別の人権規定と同様の価値をもつ権利だけを保障し、明文根拠のない人権の範囲を限定すべきである。② 裁判所が明確な基準なしに憲法上の権利として「新しい人権」を承認することになると、その主観的な判断によって権利が創設されるおそれがある。	① どのような権利・自由が「人格的生存に不可欠な利益」であるかは必ずしも明らかではない。② 「人格的生存に不可欠な利益」という厳しい要件の下では、保護範囲が狭くなりすぎる。
一般的自由説（一般的行為自由説）	幸福追求権の内容は、個人のあらゆる生活領域に関する行為の自由である。→あらゆる生活領域に関する一切の自由が幸福追求権に含まれるので、個人の行動一般（服装・飲酒・散歩など）も13条により保障される	どのような権利が重要かは個人の判断に委ねられるべきであるから、当該個人にとって重要な権利が裁判官により「憲法上の権利ではない」と切り捨てられるのを許すべきではない。	① 殺人の自由も憲法上の権利として一応保障されることになってしまい、妥当でない。② 些細な行為まで人権の行使とみなすため、「人権のインフレ化」を招き、個別の人権規定に基づく人権の価値を相対的に低下させる。

(2) 両説の相違点

　　まず、個人の「人格的生存に不可欠な利益」が幸福追求権の内容に含ま
れ、13条の保障が及ぶとする点では、両説に違いはない。両説の違いは、
個人の「人格的生存に不可欠な利益」以外の個人の行動一般に対するアプロ
ーチの仕方で生じるが、結論として両説に違いはないものと考えられてい
る。

　　まず、一般的自由説によれば、個人の行動一般に13条の保障が及ぶとこ
ろ、国家が個人の行動一般を制約する場合には、法律の留保原則・比例原則
が妥当するので、これらの原則に反してはならないと解することになる。

　　一方、人格的利益説の立場からしても、たとえ人格的利益との関連性が希
薄な行動であっても、それが全体としてその人らしさを形成している以上、
それに一定の憲法上の保護を及ぼす必要がある。そして、そもそも国家には
個人の行動に対して公共の福祉に適合しない不合理な制約を課してはならな
いとする内在的な限界がある以上、国家が個人の行動一般を制約する場合に
は、やはり法律の留保原則・比例原則が妥当し、国家はこれらの原則に反し
てはならないと解することになる〈予〉。

　　このように、人格的利益説も、個人の行動一般に13条の保障が及ぶと解
する一般的自由説と事実上同様の扱いをしており、結論的に両説に違いはな
い。

二　生命・身体の権利

　　以下では、幸福追求権から実際にどのような具体的権利が導き出されるかにつ
いて説明する。包括的基本権としての幸福追求権の性質上、これから説明する
数々の権利は、幸福追求権を全て網羅するものではない。

　　まず、13条後段は明文で「生命」に言及しているため、生命の権利が幸福追
求権に含まれることに争いはない。

　　→なお、31条も「生命」について言及しているが、31条は「生命」という実
　　体的利益そのものを保障するというよりも、「生命」を保護する手続的権利
　　の保障を定めたものと解されている

　　次に、身体の権利については、奴隷的拘束・苦役からの自由（18）、居住・移
転の自由（22Ⅰ）、海外渡航の自由（22Ⅱ）など個別の人権規定により保障され
るので、幸福追求権に含まれる身体の権利は、これら以外のものということにな
る。

　　判例（最大決令5.10.25・令5重判1事件）は、「自己の意思に反して身体への
侵襲を受けない自由」が「人格的生存に関わる重要な権利として、同条［注：憲
法13条］によって保障されていることは明らかである」と明言している。

▼ **性同一性障害特例法違憲決定（最大決令5.10.25・令5重判1事件）**

事案： 　性同一性障害者の性別の取扱いの特例に関する法律（以下「特例法」
という）によれば、家庭裁判所が、性同一性障害者について、その性別
の取扱いの変更の審判（以下「性別変更審判」という）をするためには、
同法3条1項各号所定の要件を満たす必要があるところ、同法3条1項
4号は、「生殖腺がないこと又は生殖腺の機能を永続的に欠く状態にある
こと。」（以下、「本件規定」という）と規定している。そのため、たとえ
性同一性障害の治療としては生殖腺除去手術（精巣又は卵巣を摘出する
手術）を要しない性同一性障害者であっても、性別変更審判を受けるた
めには、本件規定により、原則として同手術を受けることが要求される
ものと解されている。

　性同一性障害者であるXは、同法3条1項の規定に基づき、性別の取
扱いの変更の審判を申し立てたところ、生殖腺除去手術を受けておらず、
本件規定の要件に該当しなかったため、原審は、Xの性別変更の申立て
を却下した。そこで、Xは、特別抗告を申し立てた。

決旨： 1 　本件規定の憲法13条適合性について

　(1) 「憲法13条は、『すべて国民は、個人として尊重される。生命、自
由及び幸福追求に対する国民の権利については、公共の福祉に反し
ない限り、立法その他の国政の上で、最大の尊重を必要とする。』と
規定しているところ、自己の意思に反して身体への侵襲を受けない
自由（以下、単に「身体への侵襲を受けない自由」という。）が、人
格的生存に関わる重要な権利として、同条によって保障されている
ことは明らかである。」

　　「生殖腺除去手術は、「生命又は身体に対する危険を伴い不可逆的な
結果をもたらす身体への強度な侵襲であるから、このような生殖腺
除去手術を受けることが強制される場合には、身体への侵襲を受け
ない自由に対する重大な制約に当たるというべきである。」

　　「ところで、本件規定は、性同一性障害を有する者のうち自らの選
択により性別変更審判を求める者について、原則として生殖腺除去
手術を受けることを前提とする要件を課すにとどまるものであり、
性同一性障害を有する者一般に対して同手術を受けることを直接的
に強制するものではない。しかしながら、本件規定は、性同一性障
害の治療としては生殖腺除去手術を要しない性同一性障害者に対し
ても、性別変更審判を受けるためには、原則として同手術を受ける
ことを要求するものということができる。」

　　「他方で、性同一性障害者がその性自認に従った法令上の性別の取
扱いを受けることは、法的性別［注：法令の規定の適用の前提とな
る戸籍上の性別］が社会生活上の多様な場面において個人の基本的
な属性の一つとして取り扱われており、性同一性障害を有する者の

置かれた状況……に鑑みると、個人の人格的存在と結び付いた重要な法的利益というべきである。このことは、性同一性障害者が治療として生殖腺除去手術を受けることを要するか否かにより異なるものではない。」

「そうすると、本件規定は、治療としては生殖腺除去手術を要しない性同一性障害者に対して、性自認に従った法令上の性別の取扱いを受けるという重要な法的利益を実現するために、同手術を受けることを余儀なくさせるという点において、身体への侵襲を受けない自由を制約するものということができ、このような制約は、性同一性障害を有する者一般に対して生殖腺除去手術を受けることを直接的に強制するものではないことを考慮しても、身体への侵襲を受けない自由の重要性に照らし、必要かつ合理的なものということができない限り、許されないというべきである。」

「そして、本件規定が必要かつ合理的な制約を課すものとして憲法13条に適合するか否かについては、本件規定の目的のために制約が必要とされる程度と、制約される自由の内容及び性質、具体的な制約の態様及び程度等を較量して判断されるべきものと解するのが相当である。」

(2) 「そこで、本件規定の目的についてみる」と、本件規定は、①「性別変更審判を受けた者について変更前の性別の生殖機能により子が生まれることがあれば、親子関係等に関わる問題が生じ、社会に混乱を生じさせかねないこと」、②「長きにわたって生物学的な性別に基づき男女の区別がされてきた中で急激な形での変化を避ける必要があること等の配慮」に基づく。

「しかしながら、性同一性障害を有する者は社会全体からみれば少数である上、……本件規定がなかったとしても、生殖腺除去手術を受けずに性別変更審判を受けた者が子をもうけることにより親子関係等に関わる問題が生ずることは、極めてまれなことであると考えられる。また、上記の親子関係等に関わる問題のうち、法律上の親子関係の成否や戸籍への記載方法等の問題は、法令の解釈、立法措置等により解決を図ることが可能なものである」。さらに、平成20年の特例法の改正により、「成年の子がいる性同一性障害者が性別変更審判を受けた場合には、『女である父』や『男である母』の存在が肯認されることとなったが、現在までの間に、このことにより親子関係等に関わる混乱が社会に生じたとはうかがわれない」。加えて、「特例法の施行から約19年が経過し、これまでに1万人を超える者が性別変更審判を受けるに至っている中で、性同一性障害を有する者に関する理解が広まりつつあり、その社会生活上の問題を解消するための環境整備に向けた取組等も社会の様々な領域において行わ

れていることからすると、上記の事態［注：「女である父」や「男である母」が存在するという事態］が生じ得ることが社会全体にとって予期せぬ急激な変化に当たるとまではいい難い。」

　以上検討したところによれば、上記①②を目的とする「本件規定による制約の必要性は、その前提となる諸事情の変化により低減しているというべきである。」

(3)　次に、「本件規定による具体的な制約の態様及び程度等をみる」と、「特例法の制定後、性同一性障害に対する医学的知見が進展し、……性同一性障害に対する治療として、どのような身体的治療を必要とするかは患者によって異なるものとされたことにより、必要な治療を受けたか否かは性別適合手術を受けたか否かによって決まるものではなくなり」、生殖腺除去要件を課すことは「医学的にみて合理的関連性を欠くに至っているといわざるを得ない。」

　「そして、本件規定による身体への侵襲を受けない自由に対する制約は、上記のような医学的知見の進展に伴い、治療としては生殖腺除去手術を要しない性同一性障害者に対し、身体への侵襲を受けない自由を放棄して強度な身体的侵襲である生殖腺除去手術を受けることを甘受するか、又は性自認に従った法令上の性別の取扱いを受けるという重要な法的利益を放棄して性別変更審判を受けることを断念するかという過酷な二者択一を迫るものになったということができる。また、前記の本件規定の目的を達成するために、このような医学的にみて合理的関連性を欠く制約を課すことは、生殖能力の喪失を法令上の性別の取扱いを変更するための要件としない国が増加していることをも考慮すると、制約として過剰になっているというべきである。」

　「そうすると、本件規定は、上記のような二者択一を迫るという態様により過剰な制約を課すものであるから、本件規定による制約の程度は重大なものというべきである。」

(4)　「以上を踏まえると、本件規定による身体への侵襲を受けない自由の制約については、現時点において、その必要性が低減しており、その程度が重大なものとなっていることなどを総合的に較量すれば、必要かつ合理的なものということはできない。」

2　結論

　「以上によれば、本件規定は憲法13条に違反し無効である」。

評釈：　かつての判例（最決平31.1.23・令元重判2事件）は、本件規定について、「その意思に反して身体への侵襲を受けない自由を制約する面もあることは否定できない」としつつも、「現時点では、憲法13条、14条1項に違反するものとはいえない」としていたが、上記の判例により変更されるに至った。また、特例法3条1項5号のいわゆる外観要件（「その

身体について他の性別に係る身体の性器に係る部分に近似する外観を備えていること。」）も憲法13条に違反するとの反対意見が付されている。

▼ 旧優生保護法違憲判決（最大判令6.7.3）

事案： Ｘらは、旧優生保護法［現：母体保護法］上の規定（以下「本件規定」という）に基づいて不妊手術（生殖を不能にする手術）を受けたと主張する者である。Ｘらは、国に対し、本件規定は憲法13条、14条1項等に違反しており、本件規定に係る国会議員の立法行為は違法であって、不妊手術が行われたことにより精神的・肉体的苦痛を被ったなどと主張して、国家賠償請求訴訟を提起した。

本件規定は、①特定の障害等を有する者、②配偶者が特定の障害等を有する者、及び③本人又は配偶者の4親等以内の血族関係にある者が特定の障害等を有する者を不妊手術の対象者と定めていた。また、旧優生保護法3条1項1号から3号までの規定は、本人の同意を不妊手術実施の要件としていたが、特に本人の同意がその自由な意思に基づくものであることを担保する規定は置かれていなかった（なお、現在では、旧優生保護法上の本件規定はいずれも削除されている）。

判旨：1 憲法13条違反について（各見出しはＬＥＣ注）

「憲法13条は、人格的生存に関わる重要な権利として、自己の意思に反して身体への侵襲を受けない自由を保障している」（最大決令5.10.25・令5重判1事件参照）ところ、「不妊手術は、生殖能力の喪失という重大な結果をもたらす身体への侵襲であるから、不妊手術を受けることを強制することは、上記自由に対する重大な制約に当たる。したがって、正当な理由に基づかずに不妊手術を受けることを強制することは、同条に反し許されないというべきである」。

「本件規定の立法目的は、専ら、優生上の見地、すなわち、不良な遺伝形質を淘汰し優良な遺伝形質を保存することによって集団としての国民全体の遺伝的素質を向上させるという見地から、特定の障害等を有する者が不良であるという評価を前提に、その者又はその者と一定の親族関係を有する者に不妊手術を受けさせることによって、同じ疾病や障害を有する子孫が出生することを防止することにあると解される。しかしながら、憲法13条は個人の尊厳と人格の尊重を宣言しているところ、本件規定の立法目的は、特定の障害等を有する者が不良であり、そのような者の出生を防止する必要があるとする点において、立法当時の社会状況をいかに勘案したとしても、正当とはいえないものであることが明らかであり、本件規定は、そのような立法目的の下で特定の個人に対して生殖能力の喪失という重大な犠牲を求める点において、個人の尊厳と人格の尊重の精神に著しく反するものといわざるを得ない」。

　「したがって、本件規定により不妊手術を行うことに正当な理由があるとは認められず、本件規定により不妊手術を受けることを強制することは、憲法13条に反し許されないというべきである。なお、本件規定中の優生保護法3条1項1号から3号までの規定は、本人の同意を不妊手術実施の要件としている。しかし、同規定は、本件規定中のその余の規定と同様に、専ら優生上の見地から特定の個人に重大な犠牲を払わせようとするものであり、そのような規定により行われる不妊手術について本人に同意を求めるということ自体が、個人の尊厳と人格の尊重の精神に反し許されないのであって、これに応じてされた同意があることをもって当該不妊手術が強制にわたらないということはできない。加えて、優生上の見地から行われる不妊手術を本人が自ら希望することは通常考えられないが、周囲からの圧力等によって本人がその真意に反して不妊手術に同意せざるを得ない事態も容易に想定されるところ、同法には本人の同意がその自由な意思に基づくものであることを担保する規定が置かれていなかったことにも鑑みれば、本件規定中の同法3条1項1号から3号までの規定により本人の同意を得て行われる不妊手術についても、これを受けさせることは、その実質において、不妊手術を受けることを強制するものであることに変わりはないというべきである」。

2　憲法14条1項違反について

　「憲法14条1項は、法の下の平等を定めており、この規定が、事柄の性質に応じた合理的な根拠に基づくものでない限り、法的な差別的取扱いを禁止する趣旨のものであると解すべきことは、当裁判所の判例とするところである」。しかるところ、「本件規定は、①特定の障害等を有する者、②配偶者が特定の障害等を有する者及び③本人又は配偶者の4親等以内の血族関係にある者が特定の障害等を有する者を不妊手術の対象者と定めているが、上記のとおり、本件規定により不妊手術を行うことに正当な理由があるとは認められないから、上記①から③までの者を本件規定により行われる不妊手術の対象者と定めてそれ以外の者と区別することは、合理的な根拠に基づかない差別的取扱いに当たるものといわざるを得ない」。

3　結論

　「以上によれば、本件規定は、憲法13条及び14条1項に違反するものであったというべきである。そして、以上に述べたところからすれば、本件規定の内容は、国民に憲法上保障されている権利を違法に侵害するものであることが明白であったというべきであるから、本件規定に係る国会議員の立法行為は、国家賠償法1条1項の適用上、違法の評価を受けると解するのが相当である」。

三　新しい人権の具体例

1　プライバシー権〈司H21 司H28 司R3〉

⑴　意義

　　プライバシー権とは、自己に関する情報をコントロールする権利であると捉える見解が学説上は有力である。ただ、裁判例では「私事をみだりに公開されない権利」として捉えるものが多い。

　　なお、プライバシー権は、表現の自由（21Ⅰ）等の憲法上の価値と衝突する場合が多いが、そのような場合には、一定の基準によって両者の調整が図られなければならない。　⇒p.190

▼　「宴のあと」事件（東京地判昭 39.9.28・百選 60 事件）

　　私事をみだりに公開されないという保障は、不法な侵害に対して法的救済が与えられる人格的な利益であり、いわゆる人格権に包摂されるが、なおこれを1つの権利と呼ぶことを妨げるものではない。

▼　早稲田大学江沢民講演会名簿提出事件（最判平 15.9.12・百選 18 事件）〈司共〉

事案：　早稲田大学は大隈講堂において江沢民・中華人民共和国国家主席の講演会を開催するのに先立ち、参加者の学籍番号・氏名・住所及び電話番号が記入された名簿の写しを警視庁からの要請に応じて提出したため、当時同大学の学生であったXら3名がプライバシー侵害を理由とする損害賠償を求めて出訴した。

判旨：　「学籍番号、氏名、住所及び電話番号は、早稲田大学が個人識別等を行うための単純な情報であって、その限りにおいては、秘匿されるべき必要性が必ずしも高いものではない。また、本件講演会に参加を申し込んだ学生であることも同断である。しかし、このような個人情報についても、本人が、自己が欲しない他者にはみだりにこれを開示されたくないと考えることは自然なことであり、そのことへの期待は保護されるべきであることから、本件個人情報は、Xらのプライバシーに係る情報として法的保護の対象となるというべきである」。本件においては、「同大学が本件個人情報を警察に開示することをあらかじめ明示した上で本件講演会参加希望者に本件名簿へ記入させるなどして開示について承諾を求めることは容易であったものと考えられ、それが困難であった特別の事情」がないので、「本件個人情報を開示することについてXらの同意を得る手続を執ることなく、Xらに無断で本件個人情報を警察に開示した同大学の行為は、Xらが任意に提出したプライバシーに係る情報の適切な管理についての合理的な期待を裏切るものであり、Xらのプライバシーを侵害するものとして不法行為を構成するというべきである」。

▼ **住基ネット事件（最判平20.3.6・百選19事件）** 司共

事案：　住基ネットは、『氏名・生年月日・性別・住所』の4情報及び住民票コード、その変更情報（以上、本人確認情報）の管理・利用等を行うネットワークシステムである。これによって、プライバシー権等の人格権が侵害されたとして、住民がその居住する市に対して国家賠償請求した。

判旨：　4情報は、「一定の範囲の他者には当然開示されることが予定されている個人識別情報であり」、変更情報・住民票コードも「秘匿性の高い情報とはいえない」。また、「本人確認情報が法令等の根拠に基づかずに又は正当な行政目的の範囲を逸脱して第三者に開示又は公表される具体的な危険が生じているということもできない」。更に、「住基ネットを利用したデータ・マッチングや名寄せの具体的危険性も認定できない」。そうすると、同意なき住基ネットへの情報利用は個人に関する情報をみだりに第三者に開示・公表されない自由を侵害するものではない。

▼ **マイナンバー制度の合憲性（最判令5.3.9・令5重判8事件）**

事案：　いわゆるマイナンバー法（行政手続における特定の個人を識別するための番号の利用等に関する法律。以下、「番号利用法」という）により個人番号を付されたXらは、同法に基づいてXらの特定個人情報の収集・保管・利用又は提供をするY（国）の行為が、憲法13条により保障されるプライバシー権を違法に侵害するものであると主張し、国家賠償請求等を求めて訴えを提起した。

判旨：1　「憲法13条は、国民の私生活上の自由が公権力の行使に対しても保護されるべきことを規定しているものであり、個人の私生活上の自由の一つとして、何人も、個人に関する情報をみだりに第三者に開示又は公表されない自由を有する」（最判平20.3.6・百選19事件参照）。

　　　2(1)　「そこで、行政機関等が番号利用法に基づき特定個人情報の利用、提供等をする行為がXらの上記自由を侵害するものであるか否かを検討するに、……同法は、個人番号等の有する対象者識別機能を活用して、情報の管理及び利用の効率化、情報連携の迅速化を実現することにより、行政運営の効率化、給付と負担の公正性の確保、国民の利便性向上を図ること等を目的とするものであり、正当な行政目的を有する」。

　　　(2)　そして、「番号利用法は、個人番号の利用範囲について、社会保障、税、災害対策及びこれらに類する分野の法令又は条例で定められた事務に限定することで、個人番号によって検索及び管理がされることになる個人情報を限定するとともに、特定個人情報について目的外利用が許容される例外事由を一般法よりも厳格に規定している」。

　　　　　さらに、「番号利用法は、特定個人情報の提供を原則として禁止

し、制限列挙した例外事由に該当する場合にのみ、その提供を認めるとともに、上記例外事由に該当する場合を除いて他人に対する個人番号の提供の求めや特定個人情報の収集又は保管を禁止」している。

「以上によれば、番号利用法に基づく特定個人情報の利用、提供等は、上記の正当な行政目的の範囲内で行われているということができる」。

3 「もっとも、特定個人情報の中には、個人の所得や社会保障の受給歴等の秘匿性の高い情報が多数含まれる」ところ、「具体的な法制度や実際に使用されるシステムの内容次第では、……特定個人情報が法令等の根拠に基づかずに又は正当な行政目的の範囲を逸脱して第三者に開示又は公表される具体的な危険が生じ得る」。

（1）　番号利用法の具体的な法制度について　［見出しLEC注］

「番号利用法は、……個人番号の利用や特定個人情報の提供について厳格な規制を行うことに加えて、……特定個人情報の管理について、特定個人情報の漏えい等を防止し、特定個人情報を安全かつ適正に管理するための種々の規制を行うこととしており、以上の規制の実効性を担保するため、これらに違反する行為のうち悪質なものについて刑罰の対象とし、一般法における同種の罰則規定よりも法定刑を加重するなどするとともに、独立した第三者機関である委員会に種々の権限を付与した上で、特定個人情報の取扱いに関する監視、監督等を行わせることとしている」。

（2）　実際に使用されるシステムの内容について　［見出しLEC注］

「また、番号利用法の下でも、個人情報が共通のデータベース等により一元管理されるものではなく、……各行政機関等の間で情報提供ネットワークシステムによる情報連携が行われる場合には、総務大臣による……確認を経ることとされており、情報の授受等に関する記録が一定期間保存されて、本人はその開示等を求めることができる。のみならず、上記の場合、システム技術上、インターネットから切り離された行政専用の閉域ネットワーク内で、個人番号を推知し得ない機関ごとに異なる情報提供用個人識別符号を用いて特定個人情報の授受がされることとなっており、その通信が暗号化され、提供される特定個人情報自体も暗号化されるものである。以上によれば、上記システムにおいて特定個人情報の漏えいや目的外利用等がされる危険性は極めて低いものということができる」。

「さらに、個人番号はそれ自体では意味のない数字であること、情報提供ネットワークシステムにおいても特定の個人を識別するための符号として個人番号が用いられていないこと等から、仮に個人番号が漏えいしたとしても、直ちに各行政機関等が分散管理している個人情報が外部に流出するおそれが生ずるものではないし、……個人

番号が漏えいして不正に用いられるおそれがあるときは、本人の請求又は職権によりこれを変更するものとされている」。

(3) 小括［見出しLEC注］

「これらの諸点を総合すると、番号利用法に基づく特定個人情報の利用、提供等に関して法制度上又はシステム技術上の不備があり、そのために特定個人情報が法令等の根拠に基づかずに又は正当な行政目的の範囲を逸脱して第三者に開示又は公表される具体的な危険が生じているということもできない」。

4 「そうすると、行政機関等が番号利用法に基づき特定個人情報の利用、提供等をする行為は、個人に関する情報をみだりに第三者に開示又は公表するものということはできない。したがって、上記行為は、憲法13条の保障する個人に関する情報をみだりに第三者に開示又は公表されない自由を侵害するものではない」。

評釈： 本判決は、「特定個人情報」に「秘匿性の高い情報が多数含まれる」場合であっても、住基ネット事件判決（最判平20.3.6・百選19事件）と同様の枠組みを採用し、「具体的な法制度や実際に使用されるシステムの内容次第」では、「第三者に開示又は公表される具体的な危険が生じ得る」としつつも、「番号利用法に基づく特定個人情報の利用、提供等に関して法制度上又はシステム技術上の不備」があるとはいえないと認定し、「第三者に開示又は公表される具体的な危険が生じている」とはいえず、「行政機関等が番号利用法に基づき特定個人情報の利用、提供等をする行為は、憲法13条の保障する個人に関する情報をみだりに第三者に開示又は公表されない自由を侵害するものではない」として、マイナンバー制度を合憲とした。

▼ Nシステム事件（東京高判平21.1.29・平21重判2事件）

事案： Xは、国が全国各地の道路上に設置・管理する自動車ナンバー自動読取システム（Nシステム）によって車両の運転者らの容ぼうを含む前面を撮影された上、ナンバープレートを判読され、自動車登録情報を保存・管理されたことにより、肖像権、情報コントロール権等を侵害されたとして、国家賠償法1条1項に基づき慰謝料の支払等を求める訴えを提起した。

判旨： 憲法13条は「国民が公権力によってみだりに自己の私生活に関する情報を収集・管理されない自由を保障する」が、「この自由も無制限のものではなく、公権力が正当な目的のために相当とされる範囲において相当な方法で個人の私生活上の情報を収集し、適切に管理する限りにおいて」制約を受ける。この点、①「Nシステム等により個人の情報を収集し管理する目的は、自動車使用犯罪の犯人の検挙等犯罪捜査の必要及び犯罪被害の早期回復に限定されていて、正当」であり、②「収集、管理され

る情報は、何人も公道上を走行する際には外部から容易に認識すること
ができるようにしなければならないことが法律によって義務づけられて
いる車両データに限られていて、公権力に対して秘匿されるべき情報で
はなく」、③「収集、管理の方法は、走行中に自動的にカメラで撮影し、
データをコンピュータで処理することによって行われるため、有形力の
行使に当たらないのはもとより、走行等に何らかの影響を及ぼすなど国
民に特別の負担を負わせるものではなく」、④「取得されたデータは、上
記目的達成に必要な短期間保存されることはあるが、その後消去され、
目的外に使用されることはないというのであるから、公権力がみだりに
国民の情報を収集、管理するということはできない」として、憲法13条
に反しないとした。

(2) 法的性格

　プライバシー権を自己に関する情報をコントロールする権利であると捉え
ると、自己に関する情報を公開されることはもちろん、公開以前の収集・保
管・利用によっても脅かされうるため、それぞれの段階でプライバシー権が
問題となる。そして、その保護のため国家機関保有の記録について知り、訂
正や削除を要求する権利を付与するプライバシー保護法の制定の必要性が唱
えられている。

　このような見解は、プライバシー権は自由権的性格と社会権（請求権）的
性格を有する複合的性格の権利であるとの理解を前提とする。

(a) 自由権的性格

　　国家が個人の意思に反して接触を強要し、みだりにその人に関する情報
　を収集し利用することが禁止される。

　　→権利内容が明確で、裁判所の判断が容易であることから、裁判規範性
　　　が認められる

(b) 社会権（請求権）的性格

　　国家機関の保有する自己についての情報の開示や訂正・削除を請求でき
　る。

　　→具体的立法がない以上裁判規範性がないとする説と、具体的立法がな
　　　くとも裁判規範性を認める説とが対立する

▼　**在日台湾人調査票訴訟（東京高判昭63.3.24）**

事案：　上官の許可を得て離隊した者が、国の作成した身上調査書に「逃亡」
　　　　と記載されているのを発見し、「逃亡」の記載の抹消を求めた。

判旨：　他人の保有する個人の情報が、真実に反して不当であって、その程度
　　　　が社会的受忍限度を超え、そのため個人が社会的受忍限度を超えて損害
　　　　を蒙るときには、その個人は、名誉権ないし人格権に基づき、当該他人に
　　　　対し不真実、不当なその情報の訂正ないし抹消を請求しうる場合がある。

(3)　プライバシー権と関連する裁判例

(a)　犯罪歴

▼　**前科照会事件（最判昭 56.4.14・百選 17 事件）**〈回〉

　「前科及び犯罪経歴（以下『前科等』という）は人の名誉、信用に直接にかかわる事項であり、前科等のある者もこれをみだりに公開されないという法律上の保護に値する利益を有する」。そして、「前科等の有無が訴訟の重要な争点となっていて、市区町村長に照会して回答を得るのでなければ他に立証方法がないような場合には、裁判所から前科等の照会を受けた市区町村長は、これに応じて前科等につき回答をすることができるのであり、同様な場合に弁護士法23条の2に基づく照会に応じて報告することも許されないわけのものではないが……、弁護士の照会申出書に『中央労働委員会、京都地方裁判所に提出するため』とあったにすぎない……場合に、市区町村長が漫然と弁護士会の照会に応じ、犯罪の種類、軽重を問わず、前科等のすべてを報告することは、公権力の違法な行使にあたる」と判示した。

　この判例に対しては、本件は民事紛争であり、憲法上の人権としてのプライバシー権が争われたわけではないことから、プライバシーの語を用いなかったと評価されている。なお、「前科等は、個人のプライバシーのうちでも最も他人に知られたくないものの一つ」であるとの補足意見が付されている。

▼　**ノンフィクション「逆転」事件（最判平 6.2.8・百選 61 事件）**〈□〉　⇒ p.191

事案：　Xは、傷害致死及び傷害で起訴され、実刑判決を受け服役した。その後、Xは平穏な生活を送っていたが、ノンフィクション作品「逆転」の中で実名が使用されたため、プライバシーの侵害があったとして、慰謝料請求をした。

判旨：　刑事事件につき被疑者とされ、さらには公訴の提起や判決、特に有罪判決を受け服役したという事実は、「その者の名誉あるいは信用に直接にかかわる事項であるから、その者は、みだりに右の前科等にかかわる事実を公表されないことにつき、法的保護に値する利益を有する」。この理は、上記公表が公的機関による場合でも、私人による場合でも変わらず、「その者が有罪判決を受けた後あるいは服役を終えた後においては、一市民として社会に復帰することが期待されるのであるから、その者は、前科等にかかわる事実の公表によって、新しく形成している社会生活の平穏を害されその更生を妨げられない利益を有する」。

　もっとも、「ある者の前科等にかかわる事実は、他面、それが刑事事件ないし刑事裁判という社会一般の関心あるいは批判の対象となるべき事項にかかわるものであるから、事件それ自体を公表することに歴史的又は社会的な意義が認められるような場合には、事件の当事者についても、その実名を明らかにすることが許されないとはいえない。また、その者の社会的活動の性質あるいはこれを通じて社会に及ぼす影響力の程度な

どのいかんによっては、その社会的活動に対する批判あるいは評価の一資料として、右の前科等にかかわる事実が公表されることを受忍しなければならない場合もあるといわなければならない。……さらにまた、その者が選挙によって選出される公職にある者あるいはその候補者など、社会一般の正当な関心の対象となる公的立場にある人物である場合には、その者が公職にあることの適否などの判断の一資料として右の前科等にかかわる事実が公表されたときは、これを違法というべきものではない」。

　　「要するに、前科等にかかわる事実については、これを公表されない利益が法的保護に値する場合があると同時に、その公表が許されるべき場合もあるのであって、ある者の前科等にかかわる事実を実名を使用して著作物で公表したことが不法行為を構成するか否かは、その者のその後の生活状況のみならず、事件それ自体の歴史的又は社会的な意義、その当事者の重要性、その者の社会的活動及びその影響力について、その著作物の目的、性格等に照らした実名使用の意義及び必要性をも併せて判断すべきもので、その結果、前科等にかかわる事実を公表されない法的利益が優越するとされる場合には、その公表によって被った精神的苦痛の賠償を求めることができるものといわなければならない」。

(b)　指紋の押なつを強制されない自由

▼　**指紋押なつ事件（最判平7.12.15・百選2事件）**

　　「指紋は、指先の紋様であり、それ自体では個人の私生活や人格、思想、信条、良心等個人の内心に関する情報となるものではないが、性質上万人不同性、終生不変性をもつので、採取された指紋の利用方法次第では個人の私生活あるいはプライバシーが侵害される危険性がある……。個人の私生活上の自由の一つとして、何人もみだりに指紋の押なつを強制されない自由を有するものというべきであ」るとして、国家機関が正当な理由もなく指紋の押なつを強制することは、本条の趣旨に反し許されないと判示した。

(c)　肖像権

▼　**京都府学連デモ事件（最大判昭44.12.24・百選16事件）**

　　憲法13条は「国民の私生活上の自由が、警察権等の国家権力の行使に対しても保護されるべきことを規定しているものということができる。そして、個人の私生活上の自由の一つとして、何人も、その承諾なしに、みだりにその容ぼう・姿態（以下『容ぼう等』という。）を撮影されない自由を有するものというべきである。これを肖像権と称するかどうかは別として、少なくとも、警察官が、正当な理由もないのに、個人の容ぼう等を撮影することは、憲法13条の趣旨に反し、許されない」。

　　しかし、「個人の有する右自由も、国家権力の行使から無制限に保護されるわ

けでなく、公共の福祉のため必要のある場合には相当の制限を受ける」のであり、「犯罪を捜査することは、公共の福祉のため警察に与えられた国家作用の一つであり、警察にはこれを遂行すべき責務がある」から、「警察官が犯罪捜査の必要上写真を撮影する際、その対象の中に犯人のみならず第三者である個人の容ぼう等が含まれても、これが許容される場合がありうる」。

具体的には、「現に犯罪が行なわれもしくは行なわれたのち間がないと認められる場合であって、しかも証拠保全の必要性および緊急性があり、かつその撮影が一般的に許容される限度をこえない相当な方法をもって行なわれる」場合であれば、「警察官による写真撮影は、その対象の中に、犯人の容ぼう等のほか、犯人の身辺または被写体とされた物件の近くにいたためこれを除外できない状況にある第三者である個人の容ぼう等を含むことになっても、憲法 13 条、35 条に違反しない」。

▼ **最判昭 61.2.14** 〈回〉

「自動速度監視装置による運転者の容ぼうの写真撮影は、現に犯罪が行われている場合になされ、犯罪の性質、態様からいって緊急に証拠保全をする必要性があり、その方法も一般的に許容される限度を超えない相当なものであるから、憲法 13 条に違反」しないと判示した。

▼ **最判平 17.11.10・平 17 重判 2 事件**〈回〉

事案: 刑事事件の法廷における被疑者の容ぼう等を撮影した行為及びその写真を写真週刊誌に掲載して公表した行為と、刑事事件の法廷における被告人の容ぼう等を描いたイラスト画を写真週刊誌に掲載して公表した行為に対し、当該被告人が出版社等を相手に、肖像権等を侵害されたとして慰謝料の支払等を求める訴えを提起した。

判旨: 自己の容ぼう等を描写したイラスト画についても、これをみだりに公表されない人格的利益を有すると解するのが相当である。

人の容ぼう等を描写したイラスト画は、その描写に作者の主観や技術が反映するものであり、それが公表された場合も、作者の主観や技術を反映したものであることを前提とした受け取り方をされるものである。したがって、人の容ぼう等を描写したイラスト画を公表する行為が社会生活上受忍の限度を超えて不法行為法上違法と評価されるか否かの判断に当たっては、写真とは異なるイラスト画の上記特質が参酌されなければならない。

(d) 実名報道されない自由

▼ **大阪高判平 12.2.29**

「表現の自由とプライバシー権等の調整においては、表現行為が社会の正当な

関心事であり、かつその表現内容・方法が不当なものでない場合には、その表現行為は違法性を欠き、違法なプライバシー権等の侵害とはならない」と判示した。また、実名報道されない人格的利益ないし権利について、「みだりに実名を公開されない人格的利益が法的保護に値する利益として認められるのは、その報道の対象となる当該個人について社会生活上特別保護されるべき事情がある場合に限られるのであって、そうでない限り、実名報道は違法性のない行為として許容されるというべきである」と判示した。

さらに、犯罪報道における実名報道につき、一般に「犯罪事実の報道においては、匿名であることが望ましいのは明らかである」と判示した。

(e) 少年法 61 条と推知報道

▼ **長良川リンチ殺人報道訴訟（最判平 15.3.14・百選 67 事件）** 団

人
権

事案：　殺人、強盗殺人、死体遺棄等の 4 つの事件により起訴された、犯行当時 18 歳であった X が、仮名を用いた週刊誌記事により名誉を毀損され、プライバシーを侵害されたとして、Y 出版社に損害賠償を請求した。

判旨：　「少年法 61 条に違反する推知報道かどうかは、」X と面識がある者や犯人情報を知る者を基準とするのではなく、「その記事等により、不特定多数の一般人がその者を当該事件の本人であると推知することができるかどうかを基準にして判断すべき」である。本件記事は、X について、当時の実名と類似する仮名を用いて、その経歴等を記載しているが、「X と特定するに足りる事項の記載はないから、X と面識等の無い不特定多数の一般人が、本件記事により X が当該事件の本人であることを推知することができるとはいえ」ず、本件記事は「少年法 61 条の規定に違反するものではない」。

(f) 氏の変更を強制されない自由

▼ **最大判平 27.12.16・百選 29 事件（夫婦同氏制）** ⇒ p.248

2　名誉権
(1)　意義
　名誉：人に対する社会的評価
　　　　→人の生活は他人の評価のうえに成り立っているので、人格的生存を達成するためには人の評価を保護することが必要
(2)　公権力との関係
　公権力による名誉毀損（ex. 酒気帯び運転者の氏名公表）に対しては、憲法上の権利として名誉権が保障されている。
(3)　私人との関係
　刑法が名誉毀損罪（刑 230）、民法が不法行為としての名誉毀損について

定めており（民 709、710、723）、制定法上、私人による名誉の侵害行為からの保護がなされている。

なお、私人に対する名誉権の主張は、通常は相手方の表現の自由（21 Ⅰ）と衝突するため、表現の自由の観点からの一定の制約を受けることになる。
⇒ p.189

3　自己決定権（人格形成に関する権利）〈司H29〉

(1)　意義

個人が一定の私的事項について、公権力による干渉を受けずに自ら決定する権利をいう。

(2)　保障の範囲

包括的権利としての幸福追求権は、個別的に保障された自由権以外の領域の自己決定権を包括的に含む。

自己決定権として議論されたものには、①自己の生命・身体の処分に関わるもの（治療拒否、安楽死、自殺など）、②世代の再生産に関わるもの（産む産まないの自由、避妊、堕胎、子どもの養育・教育の自由など）、③家族の形成維持に関わるもの（結婚、離婚など）、④その他のもの（服装、身なり、外観、性的自由、喫煙、飲酒、スポーツなど）がある。これらは価値が高いものからそうでないものまで多岐にわたっており、様々な事項が含まれているから、その規制の目的、態様、手段と関連付けて、どこまで自律を認めるべきかが判断されなければならない。

▼　最大判昭 45.9.16・百選 A4 事件〈司〉

「喫煙の自由は、憲法 13 条の保障する基本的人権の一に含まれるとしても、あらゆる時、所において保障されなければならないものではない」と判示した。

「含まれるとしても」という仮定的な表現をとっているため、最高裁が喫煙の自由を憲法上の人権と位置付けたと見るべきか否かについては評価が分かれている。

▼　どぶろく裁判（最判平元 .12.14・百選 21 事件）〈司〉

事案：　被告人は、無免許で清酒等を自家製造したとして酒税法違反により起訴された。その刑事事件の際、被告人は、無免許製造した者を処罰する酒税法の規定は、自己消費目的の酒類製造も制約するので 13 条に違反するものではないかを争った。

判旨：　「自己消費を目的とする酒類製造であっても、これを放任するときは酒税収入の減少など酒税の徴収確保に支障を生じる事態が予想されるところから、国の重要な財政収入である酒税の徴収を確保するため、製造目的のいかんを問わず、酒類製造を一律に免許の対象とした上、免許を受けないで酒類を製造した者を処罰することとしたものであり……これにより自己消費目的の酒類製造の自由が制約されるとしても、そのような

規制が立法府の裁量権を逸脱し、著しく不合理であることが明白であるとはいえず、憲法31条、13条に違反するものではない」。

▼ 丸刈り訴訟（熊本地判昭60.11.13・百選A5事件）

校則が「教育を目的として定められたものである場合には、その内容が著しく不合理でない限り」違法とはならないとした上で、丸刈りはなお男子児童生徒の髪型の1つとして社会的に承認され、必ずしも特異な髪型とはいえないことに照らすと、「丸刈りを定めた本件校則の内容が著しく不合理であると断定することはできない」と判示した。

▼ 修徳高校パーマ退学訴訟判決（最判平8.7.18）〈同〉

生徒がパーマをかけることを禁じる私立高校の校則は、高校生にふさわしい髪型を維持させ、非行を防止するためにあるから、社会通念上不合理とはいえない。

▼ 校則によるバイク制限（最判平3.9.3・百選22事件）

いわゆるバイク三ない原則に反してバイクを取得した私立高校の生徒が、バイクを転貸した友人の事故とその秘匿行為に関して自主退学勧告を受けて退学し、その退学処分の違憲・違法性を争った訴訟で、最高裁は、私立学校では自主退学処分が直接憲法違反かどうか論じる余地はないとしたうえで、三ない原則は「社会通念上不合理とはいえない」とした原審判断を是認した。

4　環境権　⇒p.260
良好な自然ないし人工的環境を享有する権利をいう。
環境権には、①個人の人格権の外延という側面と、②個人の生存に不可欠な良い環境の確保という側面とがあり、前者は幸福追求権の一環として本条に、後者は生存権の一環として25条に、その根拠が求められている。
5　人格権
個人の人格に関わる利益について保護を求める権利をいう。

▼ 車内広告放送と「とらわれの聴衆」（最判昭63.12.20・百選20事件）〈同〉

事案：　大阪市交通局が増収益目的で行った商業宣伝放送について、地下鉄で通勤している原告が、乗客として走行中の列車内に拘束された状態で商業宣伝放送の聴取を一方的に強制されることは、人格権を侵害し、乗客を安全快適に輸送すべき運送契約上の債務に反するものとして、被告（大阪市）に対して、商業宣伝放送の差止めと慰謝料の支払を求めた。
判旨：　被告（大阪市）の「運行する大阪市営高速鉄道（地下鉄）の列車内における本件商業宣伝放送を違法ということはでき」ないとして、不法行

91

為及び債務不履行に基づく責任を否定した。

伊藤正己補足意見：　個人が他者から自己の欲しない刺戟によって心の平穏を乱されない利益を有しており、これを広い意味でのプライバシーと呼ぶことができる。この利益は、人格的利益として現代社会において重要なものであり、これを包括的な人権としての幸福追求権（憲法13条）に含まれると解することもできないものではないけれども、これを精神的自由の1つとして憲法上優越的地位を有するものとすることは適当ではない。それは、社会に存在する他の利益との調整が図られなければならず、違法性の判断は、侵害行為の態様との相関関係において判断されなければならない。本件においては、原告にとって受忍の範囲をこえたプライバシーの侵害であるということはできない。

▼ 空港の騒音公害と人格権－大阪空港公害訴訟（最大判昭56.12.16・百選24事件）

事案：　大阪国際空港における大型機、ジェット機の頻繁な離着陸のため、空港付近の離着陸コース直下に居住する住民である原告が、航空機の騒音・振動・排気ガスにより、身体的・精神的被害及び生活環境被害等の被害を被ったとして、空港管理者である被告国に対して、人格権ないし環境権を根拠に、①午後9時から翌朝7時までの空港の使用の差止め、②過去の損害賠償、③将来の損害賠償を求めた。

判旨：　①について、民事訴訟において、航空機の発着の規制という航空行政権に関する請求を行うことは不適法であるとして、訴えを却下した。②について、空港の供用について公共性ないし公益上の必要があっても、住民の被る被害は受忍限度を超え、侵害行為は違法であるとして、請求を認容した。③について、将来の損害について把握することは困難なので、請求適格がないとして、訴えを却下した。最高裁は、人格権ないし環境権についての憲法判断をしていない。

▼ 基地の騒音公害と人格権－厚木基地公害訴訟（最判平5.2.25・百選〔第5版〕29事件）

事案：　日米により共同使用されている厚木飛行場において、自衛隊機、米軍機が発着訓練のため、騒音・振動・排気ガス、墜落の危険等により、健康破壊、生活妨害、睡眠妨害、情緒的被害を被ったとして、基地周辺住民である原告が、被告国に対して、人格権・環境権を根拠に、①自衛隊機、②米軍機について、夜間の飛行差止め、65ホンを超える航空機騒音の不到達、③過去、④将来の損害賠償を求めた。

判旨：　①について、民事訴訟において、公権力の行使に当たる行為について、請求を行うことは、不適法であるとして訴えを却下した。②について、国に対して支配の及ばない第三者の行為の差止めを請求するものである

から、主張自体失当として、訴えを却下した。③について、原告の被る
被害は受忍限度を超えていないので、請求を棄却した。④について、請
求適格がないとして、訴えを却下した。最高裁は、人格権ないし環境権
についての憲法判断をしていない。

▼ 「エホバの証人」信者輸血拒否事件（最判平 12.2.29・百選 23 事件）回

事案：　Ａは、エホバの証人の信者であって、宗教上の信念から輸血を拒否す
るという堅固な意思を有していた。Ａの夫Ｘ1、長男Ｘ2もＡの意思を
尊重していた。そのような状況において、Ａは悪性の肝臓血管腫を患い、
輸血をしないで手術するため、Ｂの勤務するＣ病院に入院した。Ａらは、
Ａが輸血できない旨をＢらＣ病院の医師に伝えたが、Ｃ病院では、外科
手術を受ける患者がエホバの証人の信者である場合、信者の意思を尊重
しできる限り輸血をしないことにするが、輸血以外に救命手段がない場
合には輸血をするという方針を採用していた。Ｂらは、Ａの手術の際に
輸血を必要とする事態が生ずる可能性があることを認識していたが、Ａ
に対して上記方針を説明せず、輸血する可能性があることを告げなかっ
た。その後の手術で、ＢらはＡ救命のためやむを得ず輸血した。この行
為により、Ａの自己決定権及び信教上の良心を侵害したとして、Ａは損
害賠償を請求した。

判旨：　患者が、自己の宗教上の信念に反するとして、輸血を伴う医療行為を
拒否するとの明確な意思を有している場合、このような意思決定をする
権利は人格権の一内容として尊重されなければならない。医師らは、手
術の際に輸血以外には救命手段がない状態が生ずる可能性を否定し難い
と判断した場合には輸血をするとの方針を採っていることを説明して、
手術を受けるか否かを患者の意思決定に委ねるべきであった。ところが
医師らは、当該方針の説明を怠り、手術を施行し輸血を行ったのである
から、患者が輸血を伴う手術を受けるか否かについての意思決定をする
権利を原告から奪ったといえ、人格権侵害として精神的苦痛を慰謝すべ
き責任を負う。

6　その他

▼ 最大判昭 25.11.22・百選 15 事件

賭博行為は、一見各人に任された自由行為に属し罪悪と称するに足りないよ
うにも見えるが、国民をして怠慢浪費の弊風を生じ、勤労の美風を害し、副次
的犯罪を誘発し又は国民経済の機能に重大な障害を与えるおそれすらあるので、
公共の福祉に反する。

四　「公共の福祉」（後段、人権保障の限界）

1　基本的人権と公共の福祉の関係

(1)　学説

＜基本的人権と公共の福祉の関係＞〈司〉

	内容	批判
A説	＜一元的外在制約説＞ ① 12条・13条の「公共の福祉」は、人権の外にあって、それを制約することのできる一般的な原理である ② 22条・29条の「公共の福祉」は特別の意味をもたない	「公共の福祉」の意味を「公益」・「公共の安寧秩序」というような抽象的な最高概念として捉えているので、法律による人権制限が容易に肯定され、ひいては、明治憲法における「法律の留保」のついた人権保障と同じことになってしまう
B説	＜内在・外在二元的制約説＞ ① 「公共の福祉」による制約が認められる人権は、その旨が明文で定められている経済的自由権（22、29）と、国家の積極的施策により実現される社会権（25〜28）に限られる ② 12条・13条は訓示的ないし倫理的な規定にとどまり、13条の「公共の福祉」は人権制約の根拠とはなりえない ③ 国家の政策的・積極的な規制が認められる経済的自由権や社会権以外の自由権は、権利が社会的なものであることに内在する制約に服するにとどまる	① 自由権と社会権の区別が相対化しつつあるのに、それを画然と分け、その限界を一方は内在的、他方は外在的と割り切ることは妥当でない ② 憲法にいう「公共の福祉」の概念を国の政策的考慮に基づく公益という点に限定して考えるのは適切でない ③ 13条を倫理的な規定であるとしてしまうと、それを新しい人権を基礎付ける包括的な人権条項と解釈できなくなる
C説 (*)	＜一元的内在制約説＞ ① 「公共の福祉」とは人権相互の矛盾・衝突を調整するための実質的公平の原理である ② この意味での「公共の福祉」は、憲法規定にかかわらずすべての人権に論理必然的に内在している ③ この原理は、自由権を各人に公平に保障するための制約を根拠付ける場合には、必要最小限度の規制のみ認め（自由国家的公共の福祉）、社会権を実質的に保障するために自由権の制約を根拠付ける場合には、必要な限度の規制を認める（社会国家的公共の福祉）ものとしてはたらく	① 人権の具体的限界についての判断基準として、「必要最小限度」ないしは「必要な限度」という抽象的な原則しか示されず、人権を制約する立法の合憲性を具体的にどのように判定していくのか明らかでない ② 具体的な基準を判例の集積に委ねてしまうと、内在的制約の意味が不明確となり、実質的に一元的外在制約説と大差のない結果となるおそれが生じる

＊　「公共の福祉」の観念をすべての権利を規制する原理としている点でA説と同様の立場に立つが、その制約がすべての人権に論理必然的に内在しており、権利の性質に応じて権利の制約の程度が異なるとしている点でB説の趣旨と一致する。

(2) 判例

初期の最高裁判例は、チャタレー事件判決などにおいて、「公共の福祉」の具体的内容を明らかにすることなく、12条・本条の「公共の福祉」を援用して、人権を制約する法律の規定を簡単に合憲と判断していた（一元的外在制約説）。その後、一元的外在制約説に対する批判を受けて、最高裁は、全逓東京中郵事件判決や都教組事件判決において、12条ないし本条の「公共の福祉」を援用せず、「内在的制約」につき言及するにとどまった。しかし、全農林警職法事件判決において、再び「公共の福祉」を援用して簡単に合憲判断をする立場に戻っている。

2 公共の福祉の具体化

一元的内在制約説に立ったとしても、「公共の福祉」の内容は不明確であるため、これのみでは具体的な事件を解決する基準とはなりえない。そこで「公共の福祉」の内容を具体的に明らかにする理論が必要となる。ここでは、①比較衡量論、②二重の基準の理論の2つを検討する。

(1) 比較衡量論（利益衡量論）

違憲審査基準としての比較衡量論とは、人権の制限によって得られる利益と、人権の制限によって失われる利益を比較衡量し、前者が大きい場合には人権の制限を合憲とし、後者が大きい場合には人権の制限を違憲とする判断方法のことをいう。

←比較の準則が明確でないため、国家権力と国民との利益の衡量を行うことになる場合は、概して国家権力の利益が優先する可能性が高い、と批判される

▼ **全逓東京中郵事件（最大判昭41.10.26・百選139事件）**

公務員の労働基本権の制限は、労働基本権を尊重確保する必要と国民生活全体の利益を維持増進する必要とを比較衡量し、合理性の認められる必要最小限度のものにとどめなければならないとした。

▼ **博多駅テレビフィルム提出命令事件（最大決昭44.11.26・百選73事件）**

取材の自由が、公正な裁判の実現という憲法上の要請によってどこまで制約を受けるかは、諸般の事情を比較衡量して決せられるべきであるとした。

(2) 二重の基準の理論

精神的自由が経済的自由より優越的地位を占める結果、人権を規制する法律の違憲審査に当たっては、経済的自由の規制は、立法府の裁量を尊重して緩やかな基準で審査されるのに対して、精神的自由の規制は、より厳格な基準によって審査されなければならないという理論をいう。

二重の基準の理論の根拠としては、次の2点が挙げられる。

(a) 民主的政治過程論〈同〉

精神的自由が不当に制約されると、民主政の過程そのものが傷つけられるため、裁判所が積極的に介入して民主政の過程自体をもとどおりに回復させる必要があるから、厳格な審査を要する。なぜならば、思想の自由が有する真理到達機能（思想の自由市場において淘汰され、最後に残った意見が真理であるとする機能）からすると、民意の決定に精神的自由が必須だからである。これに対して、経済的自由については、民主政の過程によって不当な規制を除去ないし是正することが可能であるため、司法が積極的に介入する必要はなくむしろ立法府の裁量を尊重する必要が大きいから、緩やかな基準で足りる。

(b) 経済規制の領域での司法の能力の限界

経済的自由の規制は社会・経済政策の問題と関係し、その合憲性の判定に当たっては政策的な判断を必要とする場合が多いが、裁判所はそのような能力に乏しい。

▼ **小売市場事件（最大判昭47.11.22・百選91事件）**〈同共〉

個人の経済活動の自由に関する限り、個人の精神的自由等に関する場合と異なって、社会経済政策の実施の一手段として、これに一定の合理的規制措置を講ずることは、憲法が予定し、かつ、許容するところであるとして、二重の基準を採用することを明らかにした。

▼ **薬事法距離制限違憲判決（最大判昭50.4.30・百選92事件）**〈共〉

職業の自由は、それ以外の憲法の保障する自由、殊にいわゆる精神的自由に比較して、公権力による規制の要請が強く、憲法22条1項が「公共の福祉に反しない限り」としたのも特にこの点を強調する趣旨に出たものと考えられるとした。

五 パターナリスティックな制約〈同〉

パターナリスティックな制約は、自己加害に対する制約の場面で特に問題となり、もっぱら各人の自己決定を否定する制約は許されない。もっとも、自己加害に対する警告や情報提供は、自己決定の実質化として許される。また、外見上は自己加害に対する制約のように見えるが、本人の行為が同時に他者や公共の利益に影響を及ぼすと認められる場合には、かかる制約も許される。

第14条 〔法の下の平等、貴族制度の禁止、栄典の授与〕

Ⅰ すべて国民は、法の下に平等であつて、人種、信条、性別、社会的身分又は門地により、政治的、経済的又は社会的関係において、差別されない。

Ⅱ 華族その他の貴族の制度は、これを認めない。

Ⅲ 栄誉、勲章その他の栄典の授与は、いかなる特権も伴はない。栄典の授与は、現にこれを有し、又は将来これを受ける者の一代に限り、その効力を有する。

[趣旨] 本条は、平等原則を一般的に定める（Ⅰ）。さらに、平等原則を具体化した制度として、貴族制度の禁止（Ⅱ）及び栄典に伴う特権の禁止を規定する（Ⅲ）。

《注　釈》

一　憲法14条1項における「法の下」の「平等」

1　「法の下」の平等の意義

14条1項は法適用の平等のみを意味するか、それとも法内容の平等までをも意味するか。すなわち、14条1項が立法者を拘束するかが、「法の下」の解釈と関連して問題となる。

＜「法の下」（14Ⅰ）の平等の意義＞

	内容	理由
A説	法適用の平等のみならず、法内容の平等をも意味する（立法者拘束説）通〈予	① 法の内容自体に不平等があれば、それを平等に適用しても意味がない ② 「法の下の平等」にいう「法」は、狭い意味の法律ではなく、憲法を含む広い意味での法を指すとみることもできる ③ 立法者非拘束説によれば、後段列挙事由以外の事由に基づく差別が法律に定められても14条違反（法令違憲）の問題は一切生じないことになるが、それは妥当でない
B説	法適用の平等を意味し、法内容の平等を意味しない（立法者非拘束説）（＊）	① 一般的な平等原則の妥当領域を限定する代わりに、憲法の要請する平等を絶対的平等と解することにより、平等の意味を一義的に捉えることができる ② 立法者拘束説に立ち、「平等」を相対的平等と捉えた場合、合理的差別と不合理な差別を区別する判断基準が不明確になる

＊　B説も、1項後段の差別の禁止は立法者をも拘束するとする。

2　法の下の「平等」の意義 予H23

(1)　形式的平等と実質的平等 団

形式的平等（機会の平等）とは、個々人の具体的な違いを考慮せず、「人」という資格において等しく取り扱われるべきであるという考え方である。一方、人の現実の差異に着目してその格差是正を行うべきであるという考え方を実質的平等（結果の平等）という。

14条1項は、第1次的には形式的平等（機会の平等）を保障するものと解されている。そして、実質的平等（結果の平等）は、社会権及びこれを具体化する立法によって実現されることを憲法は予定しており、平等原則との関係では、実質的平等の実現は国の政治的義務にとどまるものと解されている。

　　ex.　公務員における女性の比率が低い場合であっても、14条1項に基づき、国が女性を優先的に公務員に採用する義務を負うことはない

　＊　積極的差別是正措置（アファーマティブ・アクション）《同R5 予H23》

　　　人種や性別による差別が長年にわたって行われていた場合、それを是正するために差別を受けていた集団について優先的な処遇を与える措置が採られることがある。

　　ex.　女子のみに入学を認める国立大学の設営、被差別部落解消のための同和政策、アメリカにおける人種的少数者を優遇したロースクールの選抜方式

　　　これらの措置は、機会の平等を回復し実態に応ずる合理的な平等を実現するものであるが、行きすぎると「逆差別」となり平等原則違反の問題が生じる。

　　　積極的差別是正措置それ自体も、人種や性別など、審査基準を厳しくする事由による取扱いの区別を伴わざるを得ないが、このような恩恵的な制度については、最も厳格な審査基準ではなく、中間的な審査基準を適用すべきだとの見解が有力である。

　　∵　少数者を優遇する立法は、多数派が民主的政治過程を通じて是正することが容易と考えられる

(2)　絶対的平等と相対的平等《同H27》

　　　絶対的平等とは、種々の事実的・実質的差異を無視して、全ての者を機械的に均一に取り扱うことを意味し、合理的な理由の有無を問わず区別を禁止することをいう。絶対的平等は、かえって不合理ないし非現実的な結果をもたらす。

　　　そこで、通説は、14条1項にいう「平等」とは、各人の性別・能力・年齢・財産・職業、又は人と人との特別な関係などの種々の事実的・実質的差異を前提として、法の与える特権の面でも法の課する義務の面でも、同一の事情と条件の下では均等に取り扱うこと、すなわち相対的平等と意味するものと解している。

　　　→区別を設けることについて合理的な理由があれば、その区別は14条1項に違反しない

3　14条1項後段列挙事由について

(1)　「人種」

　　　「人種」とは、皮膚、毛髪、目、体型等の身体的特徴によって区別される人類学上の種類をいう。

　　cf.　外国人に対する取扱いの区別は、国籍の有無を基準とする憲法上の人権享有主体の問題であるから、「人種」による差別ではない《判》《共予》

(2)　「信条」《同H27》

　　　「信条」は、宗教や信仰のみならず、思想・世界観・政治的意見等を含む《通》《予》。

　　→労働基準法3条は、私企業において使用者が労働者に対し、信条を理由
　　　として差別的な取扱いをすることを禁じている
　　　⇒ p.136

▼ 三菱樹脂事件（最大判昭48.12.12・百選9事件）〈共〉

　　企業の契約自由の原則に基づき、労働者の採用決定にあたり、その思想・信
条を調査することは違法ではないと判示した。

▼ レッドパージ事件（最判昭30.11.22）

　　労働者の解雇が、その信条そのものを理由として行われたものではなく、信
条に基づく具体的言動が会社の生産を現実に阻害し、もしくはその危険を生ぜ
しめる行為であるという理由でなされた場合には、本条違反の問題は起こりえ
ないと判示した。

(3) 「性別」〈司R5〉

　　歴史的にみて、もっぱら女性が不合理な差別を受けてきたことから、男女
差別の禁止は、主に女性に対する不合理な差別の禁止を意味する。もっと
も、男女には肉体的・生理的な条件の違いがあり、そのため女性を保護する
ための合理的な区別は認められるとされる〈予〉。

　　ex. 坑内労働の制限（労基64の2）、妊産婦等に係る危険有害業務の就
　　　　業制限（労基64の3）

▼ 日産自動車事件（最判昭56.3.24・百選11事件）〈司〉

　　男子の定年年齢を60歳、女子の定年年齢を55歳と定める就業規則は、専ら
女子であることのみを理由として差別したことに帰着するものであり、性別に
よる不合理な差別を定めたものとして民法90条により無効であるとした。

▼ 再婚禁止期間違憲判決（最大判平27.12.16・百選28事件）〈司予〉

事案：　女性について6か月の再婚禁止期間を定める733条1項の規定（本件
　　　　規定）は憲法14条1項及び24条2項に違反するとして、本件規定を改
　　　　廃する立法措置をとらなかった立法不作為の違法を理由に、国に対して
　　　　国家賠償法1条1項に基づく損害賠償を求めた。

判旨：　「本件規定の立法目的は、父性の推定の重複を回避し、もって父子関係
　　　　をめぐる紛争の発生を未然に防ぐことにあると解されるところ、民法
　　　　772条2項は、『婚姻の成立の日から200日を経過した後又は婚姻の解
　　　　消若しくは取消しの日から300日以内に生まれた子は、婚姻中に懐胎し
　　　　たものと推定する。』と規定して、出産の時期から逆算して懐胎の時期を
　　　　推定し、その結果婚姻中に懐胎したものと推定される子について、同条
　　　　1項が『妻が婚姻中に懐胎した子は、夫の子と推定する。』と規定してい

る。そうすると、女性の再婚後に生まれる子については、計算上100日
の再婚禁止期間を設けることによって、父性の推定の重複が回避される
ことになる。夫婦間の子が嫡出子となることは婚姻による重要な効果で
あるところ、嫡出子について出産の時期を起点とする明確で画一的な基
準から父性を推定し、父子関係を早期に定めて子の身分関係の法的安定
を図る仕組みが設けられた趣旨に鑑みれば、父性の推定の重複を避ける
ため上記の100日について一律に女性の再婚を制約することは、婚姻及
び家族に関する事項について国会に認められる合理的な立法裁量の範囲
を超えるものではなく、上記立法目的との関連において合理性を有する
ものということができる。

　　　　よって、本件規定のうち100日の再婚禁止期間を設ける部分は、憲法
14条1項にも、憲法24条2項にも違反するものではない。」「これに対
し、本件規定のうち100日超過部分は、……婚姻及び家族に関する事項
について国会に認められる合理的な立法裁量の範囲を超えるものとして、
その立法目的との関連において合理性を欠く」として、憲法14条1項、
24条2項に違反するとした（ただし、立法不作為の国家賠償法上の違法
性については否定した）。

評釈：　733条1項は、前婚と後婚との父性の推定が重複する事態を避けるこ
　　　　とを趣旨としている。すなわち、仮に女性が前婚の解消若しくは取消し
　　　　の日から100日以内に婚姻した場合、後婚の婚姻日から200日経過後、
　　　　かつ、前婚解消日から300日以内に懐胎した場合、前婚・後婚両方の関
　　　　係において父性の推定の要件を満たす子が生じることとなる。もっとも、
　　　　父性の推定の重複を避けるためには、前婚解消から300日以内の期間と
　　　　後婚成立から200日経過後の期間が重複しなければよいので、再婚禁止
　　　　期間は100日あればよく、同規定の6か月は過大な制限であるとの批判
　　　　がなされていた。そこで、本判決は、再婚禁止期間を6か月と定める
　　　　733条1項のうち、100日を超える部分については違憲と判断した。他
　　　　方、本判決は、100日の再婚禁止期間については合憲と判断している。
　　　　その理由として、父性の重複を避けるためには、100日という再婚禁止
　　　　期間が必要であり、そのため、女性についてのみ男性にはない再婚禁止
　　　　期間を設けることにも合理性があることを挙げている。

▼　遺族補償年金受給の年齢要件と憲法14条1項（最判平29.3.21・平29重判4事件）

事案：　死亡した職員の妻については、当該妻が一定の年齢に達していること
　　　　は遺族補償年金受給の要件とされていないにもかかわらず、死亡した職
　　　　員の夫については、当該夫が一定の年齢に達していることを受給の要件
　　　　とする旨を定めている地方公務員災害補償法32条1項ただし書の規定
　　　　が、憲法14条1項に反しないか争われた。

判旨：　遺族補償年金制度は、「憲法25条の趣旨を実現するために設けられた社会保障の性格を有する制度というべきところ、その受給の要件を定める地方公務員災害補償法32条1項ただし書の規定は、妻以外の遺族について一定の年齢に達していることを受給の要件としているが、男女間における生産年齢人口に占める労働力人口の割合の違い、平均的な賃金額の格差及び一般的な雇用形態の違い等からうかがえる妻の置かれている社会的状況に鑑み、妻について一定の年齢に達していることを受給の要件としないことは、上告人に対する不支給処分が行われた当時においても合理的な理由を欠くものということはできない」として、憲法14条1項に違反しないとした。

評釈：　本判例は、本件が「性別」に基づく区別であるという点について何も述べていない。また、妻と妻以外の遺族を区別している点に着目し、性差別に直接焦点を合わせていないように見えるとの指摘もされている。

人権

▼　異性婚限定制度の合憲性（札幌地判令3.3.17・令3重判5事件）

事案：　同性婚を認めていない民法及び戸籍法の規定（以下、「本件規定」という。）が、憲法13条、14条1項及び24条に反するかが争点となった。

判旨：　1　憲法24条について

憲法24条については、「異性婚について定めたものであり、同性婚について定めるものではないと解するのが相当である。そうすると、同条1項の『婚姻』とは異性婚のことをいい、婚姻をするについての自由も、異性婚について及ぶものと解するのが相当であるから、本件規定が同性婚を認めていないことが、同項及び同条2項に違反すると解することはできない」。また、「同条によって、婚姻及び家族に関する特定の制度を求める権利が保障されていると解することはできない」。

2　憲法13条について

同性婚も、「これが婚姻及び家族に関する事項に当たることは明らかであり、婚姻及び家族に関する個別規定である同条［注：24条］の上記趣旨を踏まえて解釈するのであれば、包括的な人権規定である同法13条によって、同性婚を含む同性間の婚姻及び家族に関する特定の制度を求める権利が保障されていると解するのは困難である」。

3　憲法14条1項について

「同性愛者が、その性的指向と合致しない異性との間で婚姻することができるとしても、それをもって、異性愛者と同等の法的利益を得ているとみることができないのは明らか」であるから、「性的指向による区別取扱いがない」との被告の主張は採用することができない。

「性的指向は、自らの意思に関わらず決定される個人の性質」であり、性別、人種などと同様のものということができる。「このような人

人権

の意思によって選択・変更できない事柄に基づく区別取扱いが合理的根拠を有するか否かの検討は、その立法事実の有無・内容、立法目的、制約される法的利益の内容などに照らして真にやむを得ない区別取扱いであるか否かの観点から慎重にされなければならない」。

「本件規定は、夫婦が子を産み育てながら共同生活を送るという関係に対して、法的保護を与えることを重要な目的としていると解することができる」。しかしながら、「子の有無、子をつくる意思・能力の有無にかかわらず、夫婦の共同生活自体の保護も、本件規定の重要な目的であると解するのが相当である……このような本件規定の目的は正当であるが、そのことは、同性愛者のカップルに対し、婚姻によって生じる法的効果の一切を享受し得ないものとする理由になるとは解されない」。「すなわち、婚姻の本質は、両性が永続的な精神的及び肉体的結合を目的として真摯な意思をもって共同生活を営むことにあるが、異性愛と同性愛の差異は性的指向の違いのみであることからすれば、性愛者であっても、その性的指向と合致する同性との間で、婚姻している異性同士と同様、婚姻の本質を伴った共同生活を営むことができると解される」。

「圧倒的多数派である異性愛者の理解又は許容がなければ、同性愛者のカップルは、重要な法的利益である婚姻によって生じる法的効果を享受する利益の一部であってもこれを受け得ないとするのは、……異性愛者と比して、自らの意思で同性愛を選択したのではない同性愛者の保護にあまりにも欠けるといわざるを得ない」。

「以上のことからすれば、本件規定が、異性愛者に対しては婚姻という制度を利用する機会を提供しているにもかかわらず、同性愛者に対しては、婚姻によって生じる法的効果の一部ですらもこれを享受する法的手段を提供しないとしていることは、立法府が広範な立法裁量を有することを前提としても、その裁量権の範囲を超えたものであるといわざるを得ず、本件区別取扱いは、その限度で合理的根拠を欠く差別取扱いに当たると解さざるを得ない」。

したがって、「本件規定は、上記の限度で憲法14条1項に違反すると認めるのが相当である」。

(4)　「社会的身分」 〈共予〉〈司R5〉

「社会的身分」とは、判例（最大判昭39.5.27）によれば、「人が社会において占める継続的な地位」をいう（広義説）。

学説上では、後述するように、14条1項後段列挙事由に特別の意味をもたせる見解（特別意味説）に立つことを前提に、出生によって決定され、自己の意思で変えられない社会的な地位であるとする狭義説や、人が社会的に一時的ではなく占めている地位で、本人の意思ではどうにもならないよう

な、固定的な社会的差別観を伴っているものであるとする中間説が支持されている。

　　→一方、判例は、14条1項後段列挙事由に特別の意味をもたせない立場に立つので、判例に従う場合には、広義説の定義を理解しておけば足りる

なお、待命処分判決（前掲最大判昭39.5.27）司R5は、14条1項に「列挙された事由は例示的なものであって、必ずしもそれに限るものではない」と判示する一方、高齢であることは、「社会的身分」に当たらないとしている。

人権

▼　婚外子相続分規定事件（最大決平7.7.5・百選（第5版）31事件）同

事案：　婚外子（非嫡出子）に嫡出子の2分の1の法定相続分しか認めない民法900条4号ただし書が平等原則に反しないかが争われた。

決旨：　「本件規定の立法理由は、法律上の配偶者との間に出生した嫡出子の立場を尊重するとともに、他方、被相続人の子である非嫡出子の立場にも配慮して、非嫡出子に嫡出子の2分の1の法定相続分を認めることにより、非嫡出子を保護しようとしたものであり、法律婚の尊重と非嫡出子の保護の調整を図ったものと解される。……現行民法は法律婚主義を採用しているのであるから、右のような本件規定の立法理由にも合理的根拠があるというべきであり、本件規定が非嫡出子の法定相続分を嫡出子の2分の1としたことが、右立法理由との関連において著しく不合理であり、立法府に与えられた合理的な裁量判断の限界を超えたものということはできないのであって、本件規定は、合理的理由のない差別とはいえず、憲法14条1項に反するものとはいえない」。

評釈：　反対意見は、「出生について何の責任も負わない非嫡出子をそのことを理由に法律上差別することは、婚姻の尊重・保護という立法目的の枠を超えるものであり、立法目的と手段との実質的関連性は認められず合理的であるということはできない」とし、厳格な合理性の基準によって違憲とした。また、非嫡出子の保護という立法目的については、立法事実の変化を重視して、「今日の社会の状況には適合せず、その合理性を欠く」としている。学説上も、嫡出か非嫡出かという「社会的身分」による不合理な差別であるとして反対意見と同旨の結論をとる見解が有力である。

▼　婚外子差別規定違憲決定（最大決平25.9.4・百選27事件）司共

事案：　平成13年7月に死亡したAの嫡出子であるXらは、Aの嫡出でない子のYらに対し、Aの遺産分割の審判を申し立てた。本件では、民法900条4号ただし書の規定のうち、嫡出でない子の相続分を嫡出子の相続分の2分の1とする部分（以下、「本件規定」という。）が14条1項に違反するかが争われた。

決旨： 相続制度をどのように定めるかは、それぞれの国の伝統、社会事情、国民感情や、その国における婚姻ないし親子関係に対する規律、国民の意識等を総合的に考慮した上で、「立法府の合理的な裁量判断に委ねられている」。もっとも、立法府の裁量権を考慮しても、本件規定により嫡出子と嫡出でない子との間で生ずる法定相続分に関する区別に「合理的な根拠が認められない場合」には、当該区別は14条1項に違反する。

本件規定の合理性に関連する種々の事柄の変遷としては、①昭和22年民法改正時から現在に至るまでの間の社会の動向、②我が国における家族形態の多様化やこれに伴う国民の意識の変化、③諸外国の立法のすう勢及び我が国が批准した条約の内容、④嫡出子と嫡出でない子の区別に関わる法制等の変化（住民票や戸籍における記載の仕方の変更及び国籍法違憲判決（最大判平20.6.4・百選26事件））、⑤これまでの当審判例における度重なる問題の指摘等が認められる。これらを「総合的に考察すれば、家族という共同体の中における個人の尊重がより明確に認識されてきたことは明らか」であり、「法律婚という制度自体は我が国に定着しているとしても、上記のような認識の変化に伴い、上記制度の下で父母が婚姻関係になかったという、子にとっては自ら選択ないし修正する余地のない事柄を理由としてその子に不利益を及ぼすことは許されず、子を個人として尊重し、その権利を保障すべきであるという考えが確立されてきて」おり、以上を総合すれば、「本件規定は、遅くとも平成13年7月当時において、憲法14条1項に違反していた」。なお、本決定は、平成7年決定とそれ以後の判決及び決定が、「それより前に相続が開始した事件についてその相続開始時点での本件規定の合憲性を肯定した判断を変更するものではない」。

評釈： 本決定では、①平成7年決定で用いられていた「著しく不合理なもの」かどうかという基準が用いられていない点、②国籍法違憲判決で用いられていた目的手段審査が用いられていない点に着目すべきポイントがある。

①について 平成7年決定は、遺言による相続分の指定等がない場合等に機能するという本件規定の補充性を考慮して、「区別が右立法理由との関連で著しく不合理なもの」でない限り、14条1項に違反しない旨判示した。他方、本決定では、「本件規定の補充性からすれば、嫡出子と嫡出でない子の法定相続分を平等とすることも何ら不合理ではない」とされ、むしろ「本件規定の存在自体」が嫡出でない子に対する「差別意識」を生じさせかねないとして、本件規定の補充性は「その合理性判断において重要性を有しない」とされている。そのため、本件規定の補充性からは、「著しく不合理なもの」であるか否かという基準を導くことはできないと評されている。

②について 国籍法違憲判決において「目的手段審査」という平等審査としては高い審査密度の違憲審査基準が用いられたのは、国籍法3条

1項が、子にとっては自らの意思や努力によっては変えることのできない「父母の婚姻」を日本国籍という「重要な法的地位」の取得の要件と規定していたからであるが、本決定で問題となった嫡出子と同等の法定相続分を有するという地位は、日本国籍と同等の「重要な法的地位」には満たないため、審査密度を高めるには及ばず、目的手段審査が用いられなかったとする見解がある。

▼ **台湾人元日本兵損失補償請求事件（最判平4.4.28・百選6事件）**

事案： Xら（第2次世界大戦中に旧日本軍の軍人軍属として戦死傷した台湾住民及びその遺族）は、日本国籍を有する旧軍人軍属の戦死傷者及びその遺族には援護法・恩給法によって補償がなされているにもかかわらず、Xらには何らの補償もなされていないことにつき、14条1項に違反する援護法・恩給法を改正しないことの立法不作為の違法確認と、29条3項に基づく損失補償などを求め、Y（国）に対し訴えを提起した。

判旨： 「台湾住民である軍人軍属が援護法及び恩給法の適用から除外されたのは、台湾住民の請求権の処理は日本国との平和条約及び日華平和条約により日本国政府と中華民国政府との特別取極の主題とされたことから、台湾住民である軍人軍属に対する補償問題もまた両国政府の外交交渉によって解決されることが予定されたことに基づくものと解されるのであり、そのことには十分な合理的根拠があるものというべきである。したがって、本件国籍条項により、日本の国籍を有する軍人軍属と台湾住民である軍人軍属との間に差別が生じているとしても、それは右のような根拠に基づくものである以上、本件国籍条項は、憲法14条……に違反するものとはいえない」。

▼ **国籍法違憲判決（最大判平20.6.4・百選26事件）** 同共予

事案： フィリピン国籍のAは日本国籍を有するBとの間にXをもうけた。AはXの親権者としてXが出生後にBから認知されたことを理由に法務大臣にXの国籍取得届を提出した。当時の国籍法3条1項は認知に加えて父母の婚姻により嫡出子の身分を取得したこと（準正要件）を国籍取得要件としていたので、Xの国籍取得は認められなかった。そこで、Xは、(旧)国籍法3条1項の規定が憲法14条1項に違反すること等を主張して、国に対して、国籍を有することの確認を求めた。

判旨： 「憲法14条1項は……事柄の性質に即応した合理的な根拠に基づくものでない限り、法的な差別的取扱いを禁止する趣旨である」。

「憲法10条の規定は、……国籍の得喪に関する要件を定めるに当たって……立法府の裁量に委ねる趣旨のものである」。

「しかしながら、このようにして定められた日本国籍の取得に関する法律の要件によって生じた区別が、……立法府に与えられた……裁量権を考

慮しても、なおそのような区別をすることの立法目的に合理的な根拠が認められない場合、又はその具体的な区別と上記の立法目的との間に合理的関連性が認められない場合には、当該区別は、合理的な理由のない差別として、同項に違反する」。「日本国籍は、我が国の構成員としての資格であるとともに、我が国において基本的人権の保障、公的資格の付与、公的給付等を受ける上で意味を持つ重要な法的地位でもある。一方、父母の婚姻により嫡出子たる身分を取得するか否かということは、子にとっては自らの意思や努力によっては変えることのできない父母の身分行為に係る事柄である。したがって、このような事柄をもって日本国籍取得の要件に関して区別を生じさせることに合理的な理由があるか否かについては、慎重に検討することが必要である」。

　「国籍法3条1項は、同法の基本的な原則である血統主義を基調としつつ、日本国民との法律上の親子関係の存在に加え我が国との密接な結び付きの指標となる一定の要件を設けて、これらを満たす場合に限り出生後における日本国籍の取得を認めることとしたものと解される。このような目的を達成するため準正その他の要件が設けられ、これにより本件区別が生じたのであるが、本件区別を生じさせた上記の立法目的自体には、合理的な根拠があるというべきである。」

　しかしながら、その後の「我が国を取り巻く国内的、国際的な社会的環境等の変化に照らしてみると、準正を出生後における届出による日本国籍取得の要件としておくことについて、前記の立法目的との間に合理的関連性を見いだすことがもはや難しくなっている」。

　「とりわけ、日本国民である父から胎児認知された子と出生後に認知された子との間においては、日本国民である父との家族生活を通じた我が国社会との結び付きの程度に一般的な差異が存するとは考え難く、日本国籍の取得に関して上記の区別を設けることの合理性を我が国社会との結び付きの程度という観点から説明することは困難である。また、父母両系血統主義を採用する国籍法の下で、日本国民である母の非嫡出子が出生により日本国籍を取得するにもかかわらず、日本国民である父から出生後に認知されたにとどまる非嫡出子が届出による日本国籍の取得すら認められないことには、両性の平等という観点からみてその基本的立場に沿わないところがあるというべきである」。

　「国籍法が、同じく日本国民との間に法律上の親子関係を生じた子であるにもかかわらず、上記のような非嫡出子についてのみ、父母の婚姻という、子にはどうすることもできない父母の身分行為が行われない限り、生来的にも届出によっても日本国籍の取得を認めないとしている点は、今日においては、立法府に与えられた裁量権を考慮しても、我が国との密接な結び付きを有する者に限り日本国籍を付与するという立法目的との合理的関連性の認められる範囲を著しく超える手段を採用しているも

人権

のというほかなく、その結果、不合理な差別を生じさせているものといわざるを得ない」。

「本件区別については、……立法目的自体に合理的な根拠は認められるものの、立法目的との間における合理的関連性は、我が国の内外における社会的環境の変化等によって失われており、今日において、国籍法3条1項の規定は、日本国籍の取得につき合理性を欠いた過剰な要件を課するものとなっている」。そして、「本件区別は、遅くともXが法務大臣あてに国籍取得届を提出した当時には、立法府に与えられた裁量権を考慮してもなおその立法目的との間において合理的関連性を欠くものとなっていた……といわざるを得ず、国籍法3条1項の規定……は、憲法14条1項に違反する」。

評釈： 上記多数意見に対しては、①本件規定による本件区別は立法政策の選択の範囲内にとどまり憲法14条1項に違反しない、②非準正子が届出により日本国籍を取得できないのは、これを認める規定がないからであって、国籍法3条1項の有無にかかわるものではない（違憲とすべきは立法不作為の状態）、③多数意見の採用する解釈は「法律にない新たな国籍取得の要件を創設するものであって、実質的には司法による立法に等しい」、④「非嫡出子は出生時において母の親権に服すること、胎児認知は任意認知に限られることなど、これらの場合は、強弱の違いはあっても、親と子の関係に関し、既に出生の時点で血統を超えた我が国社会との結び付きを認めることができる要素があるといえる」から、「これを男女間における差別ととらえることは相当とは思われない」などの反対意見がある。

▼ **国籍留保制度の合憲性（最判平27.3.10・平27重判4事件）**

事案： 国籍法12条は、出生により外国の国籍を取得し、かつ出生時に日本国籍を取得して重国籍となるべき子のうち国外で出生した者についてのみ、出生の届出をすべき父母等の届出により、出生の日から3か月以内に日本国籍を留保する意思表示がその旨の届出によりされなければ、その出生時から日本国籍を有しないものとすることを定め、その生来的な取得を認めないという区別（国籍留保制度）を定めている。

また、国籍法17条1項及び3項は、同法12条により日本国籍を有しないものとされた者で20歳未満のものについて、日本に住所を有するときは、法務大臣に届け出ることによって、その届出時に日本国籍を取得することができることを定めている。

原告らは、出生により日本国籍との重国籍となるべき子を日本国内で出生した者と国外で出生した者とに区別し、後者にのみ国籍留保制度を定める国籍法12条は、憲法14条1項に違反すると主張して争った。

判旨：1　国籍の得喪に関する要件の立法裁量と憲法 14 条 1 項

「日本国民たる要件は、法律でこれを定める。」と規定する憲法 10 条は、「国籍は国家の構成員としての資格であり、国籍の得喪に関する要件を定めるに当たってはそれぞれの国の歴史的事情、伝統、政治的、社会的及び経済的環境等、種々の要因を考慮する必要があることから」、国籍の得喪に関する要件を定めるに当たっては、「立法府の裁量判断に委ねる趣旨のものである」。そして、「日本国籍の取得に関する法律の要件によって生じた区別につき、そのような区別をすることの立法目的に合理的な根拠があり、かつ、その区別の具体的内容が上記の立法目的との関連において不合理なものではなく、立法府の合理的な裁量判断の範囲を超えるものではないと認められる場合には、憲法 14 条 1 項に違反するということはできない」。

2　国籍法 12 条の合憲性

(1)　立法目的の合理的根拠の有無

国籍法は、「国外で出生して日本国籍との重国籍となるべき子に関して、例えば、その生活の基盤が永続的に外国に置かれることになるなど、必ずしも我が国との密接な結び付きがあるとはいえない場合があり得ることを踏まえ、実体を伴わない形骸化した日本国籍の発生をできる限り防止するとともに、……重国籍の発生をできる限り回避することを目的として」、国籍法 12 条において、日本で出生して日本国籍との重国籍となるべき子との間に区別を設けることとしたものと解され、このような同条の立法目的には「合理的な根拠がある」。

(2)　国籍法 12 条の設ける区別の目的との関連における合理性

国籍法 12 条が、日本で出生した重国籍となるべき子との間に区別を設けていることについても、「生来的な国籍の取得の有無は子の法的地位の安定の観点からできる限り子の出生時に確定的に決定されることが望ましいところ、出生の届出をすべき父母等による国籍留保の意思表示をもって当該子に係る我が国との密接な結び付きの徴表とみることができる上、その意思表示は原則として子の出生の日から 3 か月の期間内に出生の届出とともにするものとされるなど、父母等によるその意思表示の方法や期間にも配慮がされていることに加え、上記の期間内にその意思表示がされなかった場合でも、同法 17 条 1 項及び 3 項において、日本に住所があれば 20 歳に達するまで法務大臣に対する届出により日本国籍を取得することができるものとされていることをも併せ考慮すれば、上記の区別の具体的内容は、前記の立法目的との関連において不合理なものとはいえず、立法府の合理的な裁量判断の範囲を超えるものということはできない」。

人権

(5)　「門地」

　　「門地」とは、家系・血統などの家柄をいう。明治憲法下での華族・士族・平民等は「門地」による差別であり、このような制度の復活は許されない（なお、貴族制度の採用も「門地」による差別に当たることになるが、14条2項で別に明示的に禁止されている）。

　　cf.　皇族に認められる特別の地位は、形式的には門地による差別であるが、これは憲法が世襲の皇位継承（2）を認めることから許される例外とされている

4　14条1項後段列挙事由以外の事由について

(1)　24条は、広く家族生活における両性の平等を定めており、14条1項の特別法的な規定といえる。24条1項違反が特に問題となった判例として、夫婦同氏制合憲判決（最大判平27.12.16・百選29事件）が挙げられる。⇒p.248

　　また、14条・24条以外の事由について平等原則違反が問題となった判例・裁判例として、以下のものが挙げられるが、別の箇所で詳しく説明する。

　・　議員定数不均衡訴訟（最大判昭51.4.14・百選148事件を初めとする一連の判例群）　⇒p.352
　・　堀木訴訟（最大判昭57.7.7・百選132事件）　⇒p.254

　　以下では、条例による地域的な別異取扱いに関する判例（最大判昭33.10.15・百選32事件）、所得税の不平等等に関するサラリーマン税金訴訟（最大判昭60.3.27・百選31事件）、同性愛者に関する東京都青年の家事件（東京高判平9.9.16・百選30事件）を紹介する。

(2)　条例による地域的な別異取扱い

▼　条例による地域的な別異取扱い（最大判昭33.10.15・百選32事件）

〈司共予〉〈司H22〉

事案：　東京都内において料亭を経営していた者が、同料亭内で複数の女中に売春させ報酬を得ていたとして、罰金刑に処されたが、その根拠規定である売春等取締条例4条（当時）によれば、国民の側からすれば居住地が異なることによって別異の取扱いを受けることになるので、憲法の平等の精神に反すると主張した。

判旨：　憲法94条が各地方公共団体の条例制定権を認める以上、地域によって差別を生じることは当然に予期されるから、かかる差別は憲法自ら容認するところであり、売春の取締りについて各別に条例を制定する結果、その取扱いに差別を生じることがあっても、地域差をもって違憲ということはできない。

(3) 所得税の不平等

▼ サラリーマン税金訴訟（最大判昭60.3.27・百選31事件）〈司共〉

事案： 旧所得税法の給与所得課税は、必要経費の実額控除を認めず、源泉徴
収制度より所得の捕捉率が高い点で、事業所得者等と比べ給与所得者に
不公平な税負担を課しているとして、14条1項の平等原則に反しないか
が争われた。

判旨： 「租税法の定立については、国家行政、社会経済、国民所得、国民生活
等の実態についての正確な資料を基礎とする立法府の政策的、技術的な
判断にゆだねるほかなく、裁判所は基本的にその裁量的判断を尊重せ
ざるを得ないというべきものである」。そうすると、「立法目的が正当な
ものであり、かつ、当該立法において具体的に採用された区別の態様が
右目的との関連で著しく不合理であることが明らかでない限り、その合
理性を否定することができず」違憲とはいえない。

(4) 同性愛者

▼ 東京都青年の家事件（東京高判平9.9.16・百選30事件）

都教育委員会が、青年の家利用の承認不承認にあたって男女別室宿泊の原則
を考慮することは相当であるとしても、右は、異性愛者を前提とする社会的慣
習であり、同性愛者の使用申込に対しては、同性愛者の特殊性、すなわち右原
則をそのまま適用した場合の重大な不利益に十分配慮すべきであるのに、……同
性愛者の宿泊利用を一切拒否したものであって、その際には、一定の条件を付
するなどして、より制限的でない方法により、同性愛者の利用権との調整を図
ろうとした形跡も窺えない。したがって、本件不承認処分は、……結果的、実質
的に不当な差別的取扱いをしたものであり、……裁量権を逸脱した違法なものと
いうべきである。

二 憲法における平等原則

1 はじめに

明治憲法は、「日本臣民ハ法律命令ノ定ムル所ノ資格ニ応シ均ク文武官ニ任
セラレ及其ノ他ノ公務ニ就クコトヲ得」(19)と定めるにとどまっていた。

これに対し、日本国憲法では、14条1項において、一般的に法の下の平等
を保障している。また、14条2項（「華族その他の貴族の制度は、これを認め
ない。」）は、貴族制度の禁止を規定している。

→14条2項は、明治憲法下における華族制度と類似の制度が復活すること
を禁止しているから、特権を伴う世襲の身分を法律で新たに設けることは
許されない同

さらに、14条3項（「栄誉、勲章その他の栄典の授与は、いかなる特権も伴
はない。栄典の授与は、現にこれを有し、又は将来これを受ける者の一代に限

り、その効力を有する。」）は、栄典に伴う特権の禁止を規定している。

> →社会の様々な領域で功労のあった者に勲章を授ける際に経済的利益を付与することとしても、その経済的利益が合理的な範囲を超えない限り、「特権」には当たらず、14条3項には違反しない[司]

そのほか、15条3項が普通選挙の一般原則を、44条但書が選挙人の資格の平等を、24条が家族生活における両性の平等を、26条が教育の機会均等をそれぞれ規定している。

なお、天皇の世襲制（2）は、平等原則の大きな例外である。　⇒p.23

2　平等原則と平等権

(1)　14条1項が保障する「法の下の平等」は、国家に対して国民を不合理な形で別異に取り扱ってはならないことを命ずる客観的法規範（平等原則）である。

また、この規定から、国民は「平等に取り扱われる権利」「差別されない権利」（平等権）をもつと解されている。

> →もっとも、他の人権と異なり、平等権は常に他者との比較においてのみ問題となる相対的な権利にすぎず、それ自体としては無内容・無定形の権利であるので、平等原則と平等権の区別について特に意義はないものと一般に解されている

(2)　なお、自由権に関して平等原則違反がある場合（尊属殺重罰規定など）には、当該規定を違憲無効とすることで差別が解消される一方、社会権・国務請求権に関して平等原則違反がある場合、あくまでも平等原則（平等権）は他者との比較において等しい取扱いを要求するものにすぎないので、単に当該規定を違憲無効とするだけでは有効な解決とはならず、差別の解消のために一定の立法措置が必要となる場合がある。

> ex.　一定の要件を満たす者に一定の給付がなされる制度を前提に、その給付を受給できないXと、受給しているYがいるものと想定する。Xが平等原則違反（平等権の侵害）を理由に、Yと同じ取扱いを求めて一定の給付を求めた場合において、当該制度を定める法規定が14条1項に違反し違憲無効とするだけでは、単に給付そのものが廃止されてXYともに給付を与えないとの結論に終わってしまい（14条の要求はあくまでも「等しい取扱い」である以上、この結論は14条の要求に応えたものにほかならない）、給付を求めていたXにとって有効な解決策にはならない

国籍法違憲判決（最大判平20.6.4・百選26事件　⇒p.105参照）においても、この点が問題となった。同判決は、国籍法3条1項の規定が憲法14条1項に違反すると判示した後、「本件区別による違憲の状態を解消するために同項の規定自体を全部無効として、準正のあった子……の届出による日本

国籍の取得をもすべて否定することは、……同法の趣旨を没却するものであり、立法者の合理的意思として想定し難いものであって、採り得ない解釈である」とし、結論として原告に日本国籍の取得を認めた。

しかし、裁判所が平等原則違反の判断に基づいて給付を命ずることは、「裁判所が法律にない新たな国籍取得の要件を創設するものであって国会の本来的な機能である立法作用を行うものとして許されない」との批判がある（同判決・反対意見参照）。

これに対し、同判決は、「本件区別に係る違憲の瑕疵を是正するため、国籍法３条１項につき、同項を全体として無効とすることなく、過剰な要件を設けることにより本件区別を生じさせている部分のみを除いて合理的に解釈した」結果として、原告に日本国籍の取得を認めたものであり、この解釈は国籍法３条１項の「規定の趣旨及び目的に沿うもの」であって、上記の批判は「当を得ない」としている。　⇒p.493

三　平等原則違反の判断基準 司H25 司H27 司R5

1　二段階審査について

基本的人権（主に自由権）に対する規制の憲法適合性は、保護範囲・制約・正当化という三段階で審査されるのが通常であるに対し、通説によれば、平等原則は他の比較対象との関係で問題となる相対的な客観的法規範にすぎず、固有の保護範囲はないと考えられているところ、14条１項にいう「平等」とは相対的平等を意味するので、憲法に違反する差別かどうかは、区別を正当化する合理的な理由があるかどうか、すなわち、①別異取扱いがあるかどうか、②あるとされた場合にはそれが正当化されるかどうか（区別を正当化する合理的な理由があるかどうか）という二段階で審査される。

2　別異取扱いの認定（比較の対象）

平等原則の適合性を審査する場合には、まず誰と誰との別異取扱いなのかを認定する必要がある。例えば、国籍法違憲判決（最大判平20.6.4・百選26事件）では、日本人父と外国人母の間の婚外子で、父に生後認知された子の中における準正子と非準正子との別異取扱いが主に問題とされていた。

もっとも、そもそも別異取扱いがないとされたものとして、次の判例が挙げられる。

▼　戸籍法49条２項１号と14条１項違反（最判平25.9.26・平25重判5事件）

事案：　事実上の夫婦であるXらに子が生まれたため、夫であるXは子の出生の届出をしたが、戸籍法49条２項１号所定の届書の記載事項である「嫡出子又は嫡出でない子の別」を記載しなかったため、区長により上記届出が受理されず、子に係る戸籍及び住民票の記載がされなかった。そこで、Xらは、同号の規定のうち届書に「嫡出子又は嫡出でない子の別」

を記載すべきものと定める部分（以下、この部分を「本件規定」という。）は、婚外子を不当に差別するものであるとして14条1項に違反する旨主張し、国家賠償請求訴訟等を提起した。

判旨：　「出生の届出は、子の出生の事実を報告するものであって、その届出によって身分関係の発生等の法的効果を生じさせるものではなく、出生した子が嫡出子又は嫡出でない子のいずれであるか、また、嫡出でない子である場合にいかなる身分関係上の地位に置かれるかは、民法の親子関係の規定によって決せられる」。そして、本件規定は、「身分関係上及び戸籍処理上の差異を踏まえ、戸籍事務を管掌する市町村長の事務処理の便宜に資するものとして、出生の届出に係る届書に嫡出子又は嫡出でない子の別を記載すべきことを定めているにとどまる」ため、「本件規定それ自体によって、嫡出でない子について嫡出子との間で子又はその父母の法的地位に差異がもたらされるものとはいえない」。したがって、本件規定は、嫡出でない子について嫡出子との関係で差別的取扱いを定めたものとはいえず、14条1項に違反するものではない。

3　別異取扱いの正当化審査

(1)　別異取扱いがあるとされた場合、次にその別異取扱いを正当化する合理的な理由があるかどうかを審査する。国籍法違憲判決（最大判平20.6.4・百選26事件）は、「区別をすることの立法目的に合理的な根拠が認められない場合、又はその具体的な区別と上記の立法目的との間に合理的関連性が認められない場合」には、当該区別は、合理的な理由のない差別として14条1項に反するとしている。

　したがって、まずは立法目的に合理的な根拠があるかどうかを検討し、次にその具体的な区別と立法目的との間に合理的関連性が認められるかどうかを検討することになる。その際、①区別の対象となっている権利・利益や法的地位の重要性が高い場合、あるいは、②区別の事由が本人の意思や努力によって変えることができない地位に基づく場合には、区別と立法目的との強い関連性が示されなければ14条1項に違反することになる。

　前出の国籍法違憲判決は、「重要な法的地位」「子にとっては自らの意思や努力によっては変えることのできない」事柄であることを理由に、「日本国籍取得の要件に関して区別を生じさせることに合理的な理由があるか否かについては、慎重に検討することが必要である」として審査密度を高め、結論として合理的関連性はないとした。

(2)　以上が判例の考え方であるが、学説上では、14条1項後段列挙事由に特別の意味をもたせる見解が有力とされている。

　すなわち、14条1項後段列挙事由は歴史的に特に疑わしい別異取扱いを例示したものであり、これらによる区別は民主主義の理念に照らし原則とし

人権

て不合理なものであるから、これらによる区別の合憲性は「厳格審査基準」か「厳格な合理性の基準」を適用して審査すべきであるとする（特別意味説）。

　→この見解は、14条1項後段列挙事由以外の事由による区別についても、いわゆる「二重の基準論」の考え方に基づき、精神的自由や選挙権のような重要な権利について別異取扱いがなされている場合には、「厳格審査基準」を適用してその合憲性を審査すべきであるとする一方、それ以外の経済的自由などについて別異取扱いがなされている場合には、「合理性の基準」を適用してその合憲性を審査すべきであるとする

(3)　もっとも、判例は14条1項後段列挙事由に特別の意味をもたせておらず、上記(1)のとおり、①権利・利益や法的地位の重要性と、②区別事由の性質（本人の意思や努力によって変えることができない地位かどうか）を総合的に考慮し、合理的関連性の審査密度のレベルを設定するという考え方とされる。

以下の尊属殺重罰規定違憲判決は、国籍法違憲判決の源流とも評される判例である。

▼ **尊属殺重罰規定違憲判決（最大判昭48.4.4・百選25事件）** 同共予

判旨：　尊属に対する尊重報恩は、社会生活上の基本的道義というべく、このような自然的情愛ないし普遍的倫理の維持は、刑法上保護に値するものであるから、被害者が尊属であることを類型化し、法律上、刑の加重要件とする規定を設けても本条に違反しないが、刑法200条（平成7法91により削除）は、尊属殺の法定刑を死刑又は無期懲役のみに限っている点において、その立法目的達成のための必要な限度をはるかに超え、本条1項に違反して無効である。

評釈：　本判決に対しては、刑を加重すること自体が個人の尊厳と人格の平等を基本とする民主主義の理念に反し、不合理な差別に当たるとの少数意見が付されている。

＊　改正前の刑法205条2項の尊属傷害致死罪については、法定刑の加重程度は尊属殺人罪における差異のような著しいものではなく、14条に反しないとされた（最判昭49.9.26）。

第15条　〔公務員選定罷免権、公務員の性質、普通選挙・秘密投票の保障〕

Ⅰ　公務員を選定し、及びこれを罷免することは、国民固有の権利である。
Ⅱ　すべて公務員は、全体の奉仕者であつて、一部の奉仕者ではない。
Ⅲ　公務員の選挙については、成年者による普通選挙を保障する。
Ⅳ　すべて選挙における投票の秘密は、これを侵してはならない。選挙人は、その選択に関し公的にも私的にも責任を問はれない。

⇒Ⅰ：地自 §13・76〜88（解散・解職請求）
　Ⅳ：公選 §52・226Ⅱ〜228（秘密投票の保障）

《注　釈》

一　公務員選定罷免権（15Ⅰ）

　民主主義を人類普遍の原理とし、国民主権原理を採用する現行憲法において、参政権は国民の基本的権利として民主政治を実現するうえで不可欠のものとされる。15条１項は、こうした観点から、「公務員を選定し、及びこれを罷免することは、国民固有の権利である。」と定め、公務員の任免について、国民が本来的な権利をもつことを明らかにする。

　憲法上、国民が選挙によって選定するものとしては、国会議員（43）、地方公共団体の長・議会の議員等（93Ⅱ）があるが、罷免権としては最高裁判所裁判官に対するものしか規定されていない（79Ⅱ）。このような憲法の態度と15条１項の関係はどのように捉えたらよいのか。とりわけ国会議員に対する国民の罷免権を認めるべきか否かと関連して、15条１項の趣旨の理解が問題となる。

＜15条１項の趣旨＞

	15条１項の趣旨	国会議員に対する罷免権の肯否	理由
A説	個々の公務員についていちいち国民がその任免権をもつべきであるとの趣旨である	積極的に認める	①　憲法が公務員の罷免権を他に譲渡しえない「国民固有の権利」（15Ⅰ）とする以上、その行使の可能性が現実に保障されなければならない ②　国民が主権者であるならば、当然その意思に反する代表者を実際に罷免しうるはずである
B説	すべての公務員の選定及び罷免が直接及び間接に、主権者たる国民の意思に基づくように仕組まれていなければならないとの趣旨にすぎない	否定する	①　選挙によって選ばれた国会議員は全国民の代表者であり（43Ⅰ、51）、一部の国民の代表者ではない ②　憲法（45、55、58Ⅱ、69）は、国会議員がその地位を失う場合を明定している
C説		国会が適切な判断の下に、43条１項・51条その他の関連憲法規定と矛盾しない形で立法を行い15条の罷免権を制度化するのを禁じているわけではない	憲法はこの問題について沈黙し、罷免制度の導入・樹立を準備していないだけである

二　選挙権・被選挙権

1　選挙権

(1) 法的性格

　　選挙権とは、選挙人として、選挙に参加することのできる資格又は地位をいう。選挙権の法的性格について争いがある。

＜選挙権の法的性格＞団

		内容	根拠
A説		選挙権には、参政の権利とともに公務の執行という二重の性格が認められる（二元説）◀通 →公務としての特殊な性格に基づく最小限度の制限は許される	選挙人は、一面において、選挙を通じて国政についての自己の意思を主張する機会が与えられると同時に、他面において、選挙人団という機関を構成して公務員の選定という公務に参加するものであり、前者の意味では参政の権利をもち、後者の意味では公務執行の義務を有する
B説		選挙権を人民（プープル）の主観的権利と解する（権利一元説） →権利の内在的制約にのみ服する	人民主権原理を採用する日本国憲法の下では、選挙権は、政治的意思決定能力をもつ人々が国家権力（＝主権）の行使に参加する当然の権利である

※　この議論は、B説の立場から、①公職選挙法における選挙犯罪者等の公民権停止、②投票価値の平等（⇒ p.121）、③棄権の自由（⇒ p.122）、④選挙運動の自由に対する制約（⇒ p.197）、の理解と関連するといわれている。

▼　**帰化日本人投票制限国家賠償請求事件（東京地判平 24.1.20）**

事案：　Xは帰化により日本国籍を取得したが、公職選挙法 21 条 1 項の要件を満たさないとして選挙権を行使できなかった。そこでXは、国に対し公職選挙法 21 条 1 項が憲法前文、15 条 1 項、3 項、43 条及び 44 条に違反し、精神的損害を被ったとして、国家賠償法 1 条 1 項に基づき、慰謝料及び遅延損害金の支払を求めた。

判旨：　「公選法 21 条 1 項の規定は、……選挙の公正を確保するためにやむを得ない事由があるといえるから、合憲であるというべきである。ただし、……公選法 21 条 1 項の規定により、帰化者は、日本国籍を取得後も、住民票が作成されてから 3 か月間は、一律に選挙権の行使が制限されるから、その制限は決して軽くはなく、また、……選挙権を行使できない帰化者の数も、……今後増加することも考えられることからすれば、……これを回避することができる実現可能な他の措置がとれないかを不断に検討する必要があり、実現可能な他の措置がとれるにもかかわらず、これを放置すれば、その措置をとらなかったことについて、違憲と判断されるに至る場合もあることを十分に留意する必要がある」として、公選法 21 条 1 項を合憲とし、国家賠償請求を棄却した。

人権

(2)　公職選挙法における選挙犯罪者等の公民権停止

＜選挙犯罪者等の公民権停止の合憲性＞回

	内容	根拠
A説◀通	選挙権の公務としての特殊な性格に基づく最小限度の制限である（二元説）	選挙権が個々の国民の基本的権利として最大限尊重されなくてはならないとしても、その行使は選挙人団として組織された国民による公職者の選任という公的な性質の行為であることから、選挙人の資格について、最小限度の規制を加えることは当然許される
B説	選挙人資格については原則として主権行使に必要な意思決定能力のみが要件とされるべきであり、未成年者以外に受刑者をも主権行使から排除する公職選挙法の規定は問題が多い（権利一元説）（＊）	受刑者や選挙犯罪者の公民権を停止する公職選挙法の規定は、選挙権の内在的制約を超える不当な制限と考えられる

＊　B説も、公職選挙法上の公民権停止規定は選挙の公正確保を目的としたものであり、その制限が「必要最小限のもの」であれば許されるとする。
　　→公民権停止に関する実際の判断基準の点では、両説の間に差異は認められない

▼　最大判昭30.2.9・百選146事件財

事案：　選挙犯罪者の選挙権・被選挙権を停止することを定めた公職選挙法252条が14条・44条に反しないかが争われた。

判旨：　「国民主権を宣言する憲法の下において、公職の選挙権が国民の最も重要な基本的権利の一である」としても、「それだけに選挙の公正はあくまでも厳粛に保持されなければならないのであって、一旦この公正を阻害し、選挙に関与せしめることが不適当とみとめられるものは、しばらく、被選挙権、選挙権の行使から遠ざけて選挙の公正を確保すると共に、本人の反省を促すことは相当である」と判示して、公職選挙法252条を合憲とした。

評釈：　「選挙権が国民の最も重要な基本的権利の一である」とする判示部分からB説に立つものと評価する余地もあるが、「選挙の公正の確保」という選挙権行使の公務的制約の見地から選挙権の制限を理由付けているので、A説の立場を採用したものともいいうる。

2　被選挙権
(1)　被選挙権の性質
　(a)　被選挙権とは、選挙人団によって選定されたとき、これを承諾して公務員となる資格をいう。

→代表を選定する選挙権の裏返しとしての、選定される権利は存在しないため、権利ではなく資格ないし地位と考えられている

(b)　しかし、選挙において被選挙権者となりうること（立候補の自由）は、憲法で保障された国民の基本的な権利と考えられており、憲法上の根拠につき見解が分かれている。

A説：13条の幸福追求権に根拠を求める

B説：選挙権と被選挙権を表裏一体として捉えて、15条1項に根拠を求める 判

C説：44条が選挙権と被選挙権を区別していないことに根拠を求める

▼ **三井美唄労組事件（最大判昭43.12.4・百選144事件）** 共 予H25

「憲法15条1項は、……選挙権が基本的人権の一つであることを明らかにしているが、被選挙権または立候補の自由」については特に明記していない。「選挙は、本来、自由かつ公正に行なわれるべきものであり、このことは、民主主義の基盤をなす選挙制度の目的を達成するための基本的要請である」。したがって、「被選挙権を有し、選挙に立候補しようとする者がその立候補について不当に制約を受けるようなことがあれば、そのことは、ひいては、選挙人の自由な意思の表明を阻害することとなり、自由かつ公正な選挙の本旨に反することとならざるを得ない。この意味において、立候補の自由は、選挙権の自由な行使と表裏の関係にあり、自由かつ公正な選挙を維持するうえで、きわめて重要である」。このような見地から、「憲法15条1項には、被選挙権者、特にその立候補の自由について、直接には規定していないが、これもまた、同条同項の保障する重要な基本的人権の一つと解すべきである」。

(c)　立候補の自由の制限（15Ⅰ） 予H25

被選挙権は、選挙権と表裏一体の関係にある。被選挙権について、国民主権の実現に不可欠な権利である面を強調するならば、選挙権と同様に、極めて厳格な審査基準で審査すべきであるとも思える。

もっとも、議員の資格は法律の定めに委ねられており（44）、被選挙権に関する定めが一定の立法裁量に服することも否定できない。そこで、被選挙権については、選挙の公正を実現するために必要かつ合理的な規制は認められるが、「人種、信条、性別、社会的身分、門地、教育、財産又は収入」（44ただし書）による差別は絶対的に禁止されると解すべきである。

(2)　連座制

(a)　連座制とは、立候補の自由に関連して、選挙運動の総括主宰者ないし組織的選挙運動管理者等の選挙犯罪による候補者であった者の当選無効・立候補禁止を定めるものである（公選251の2、251の3）。

(b) 連座制の拡大強化

連座制の拡大強化の流れは平成6年に大きく展開した。すなわち、連座対象に候補者の秘書等の選挙犯罪が付加され（「拡大従来型連座制」）、また、組織的選挙運動管理者等の選挙犯罪が付加された（「新連座制」）。

かかる連座制の拡大強化は、立候補の自由等を害し、違憲なのではないか問題となる。

▼ **新連座制（最判平9.3.13・百選160事件）**

事案： 検察官が、組織的選挙運動管理者等（公選251の3）の選挙犯罪を理由に、県議会議員である被告の当選無効及び5年間の立候補禁止を請求した。

判旨： 「公職選挙法（以下『法』という。）251条の3第1項は、……民主主義の根幹をなす公職選挙の公明、適正を厳粛に保持するという極めて重要な法益を実現するために定められたものであって、その立法目的は合理的である。また、右規定は、……連座制の適用範囲に相応の限定を加え、立候補禁止の期間及びその対象となる選挙の範囲も前記のとおり限定し、さらに、選挙犯罪がいわゆるおとり行為又は寝返り行為によってされた場合には免責することとしているほか、当該候補者等が選挙犯罪行為の発生を防止するため相当の注意を尽くすことにより連座を免れることのできるみちも新たに設けているのである。そうすると、……全体としてみれば、前記立法目的を達成するための手段として必要かつ合理的なもの」といえ、憲法前文、1条、15条、21条及び31条に反しないとした。

▼ **秘書を対象とする拡大連座制の合憲性（最判平10.11.17・平10重判8事件）**

事案： 秘書の選挙犯罪を原因として、当選無効及び5年間の立候補禁止の処分を受けた衆議院議員である原告が、連座制について規定した公選法251条の2第1項5号が、憲法15条1項・31条に違反するとして出訴した。

判旨： 公選法251条の2第1項5号の規定は、連座の対象者として公職の候補者等の秘書を加え、連座の効果に立候補の禁止を加えて、選挙の公明、適正を実現するという目的で設けられたものであり、立法趣旨は合理的である。同号所定の秘書は、明確に定義されているので、このような規制は、前記立法目的を達成するための手段として必要かつ合理的であり、憲法15条1項、31条に違反しない。

(3) 被選挙権の要件 ⇒ p.350

公職選挙法により、被選挙権の年齢要件は、①衆議院議員は満25年以上、②参議院議員は満30年以上とされている。

三　選挙の基本原理

1　普通選挙

(1)　普通選挙の意義

　　普通選挙には次のような広狭２つの意味があり、制限選挙と対置される。

　cf.　制限選挙：一定額以上の財産を有することや特定の人種に属すること
　　　　　　　　　等を選挙権取得の要件とする選挙

　(a)　広義の普通選挙

　　　人種・言語・職業・身分・財産・納税・教育・宗教・政治的信条・性別
　　などを選挙権の要件としない選挙をいう。

　(b)　狭義の普通選挙

　　　納税額・財産といった財力の有無を選挙権取得の要件としない選挙をい
　　う。

(2)　投票の保障

　　普通選挙の保障は、選挙における投票の機会の保障まで含む（最大判平
17.9.14・百選 147 事件）司共予。

　　労働基準法上、使用者は労働者による労働時間中の選挙権その他公民とし
ての権利行使を妨げてはならない旨が規定されている（労基７）。

▼　**在宅投票制度廃止事件第一審（札幌地小樽支判昭 49.12.9・百選〔第
5版〕159 事件）**　⇒ p.473

　　　法律の規定上は選挙権が与えられていてもその行使すなわち投票を行うこと
　が不可能あるいは著しく困難となり、その投票の機会が奪われる結果となるこ
　とは、これをやむを得ないとする合理的理由の存在しない限り許されない。

　＊　なお、現在では重度身障者の在宅投票が認められている。

(3)　「成年者による普通選挙」（Ⅲ）

　　15 条３項は、「成年者」にのみ選挙権を保障しており、未成年者を選挙権
の保障の対象外としている予。

　　∵　未成年者は心身ともにいまだ発展の途上にあり、成人に比し判断力も
　　　未熟である

　　そして、15 条３項は「成年者」と定めるのみであり、何歳が成年である
かは法律に委ねられている。この点、国政選挙（衆議院議員の総選挙又は参
議院議員の通常選挙）における選挙権年齢について、「年齢満 20 年以上」と
定められている（改正前公選９）。

　　なお、平成 27 年の公職選挙法改正により、選挙権年齢が「年齢満 18 年以
上」（公選９Ⅰ等）に引き下げられた。　⇒ p.350

(a)　本条はいわゆる有権者団（公選９参照）による選挙に関する規定であ

り、たとえば農業委員会の委員の選挙について、成年者による普通選挙を認めなくても違法ではない。

(b) 選挙犯罪に限定することなく、禁錮以上の刑に処せられ、その刑の執行を終わるまでの者につき選挙権を有しないとしても違憲ではない。

(c) 従来、成年被後見人は選挙権・被選挙権を有しないものとされていた（旧公選11 I ①）。しかし、平成25年の公職選挙法改正により、成年被後見人の選挙権・被選挙権が認められるに至った。

(d) 破産手続開始の決定を受けた者であっても、法律で国会議員の選挙権を全面的に剥奪することは違憲である。

2　平等選挙

(1)　平等選挙の意義

平等選挙とは、選挙人の選挙権に平等の価値を認める原則をいい、不平等選挙（複数選挙、等級選挙等）と対置される。

cf.　複数選挙：特定の選挙人に2票以上の投票を認める制度
等級選挙：選挙人を特定の等級に分けて等級ごとに代表者を選出する制度

(2)　選挙人資格の平等と投票価値の平等

憲法は、選挙人資格の平等を明文で保障する（14 I、15 I Ⅲ、44但書）一方、投票価値の平等については、明文でこれを保障していない。

もっとも、投票価値の平等が憲法上保障されることについて異論はない。判例（最大判昭51.4.14・百選148事件）は、「憲法14条1項に定める法の下の平等は、選挙権に関しては、国民はすべて政治的価値において平等であるべきであるとする徹底した平等化を志向するものであり、右15条1項等の各規定の文言上は単に選挙人資格における差別の禁止が定められているにすぎないけれども、単にそれだけにとどまらず、選挙権の内容、すなわち各選挙人の投票の価値の平等もまた、憲法の要求するところである」としている。

3　自由選挙

(1)　自由選挙の意義

自由選挙には、①選挙人が自らの意思に基づいて候補者や政党等に投票する自由（自由投票・強制投票の禁止）と、②候補者や市民が選挙運動を行う自由（選挙運動の自由　⇒ p.197）の2つがあるとされる。

自由投票の根拠としては、15条4項、19条等が、選挙運動の自由の根拠としては、21条が挙げられる。

cf.　強制投票制度：正当な理由なしに棄権をした選挙人に制裁を加える制度

(2) 棄権の自由

棄権の自由（選挙権を行使しない自由）が憲法上保障されているかについて、争いがある。

＜棄権の自由＞

	内容（＊）
A説	棄権の自由は認められる（二元説） ∵① 選挙権の行使は選挙人の自覚にまつべきものである ② 強制的な投票による投票率の上昇はかえって選挙を不明朗なものにするおそれがある ③ 選挙人が棄権する事由は複雑である
B説	棄権の自由は無条件に認められる（権利説） ∵ 選挙権は権利であり、権利である以上その不行使も認められる

＊ B説が棄権の自由を積極的に認めるという点で、両者は異なることになる。
　→もっとも、実際上は、両説の適用においてほとんど差はないとされている

4 秘密選挙（Ⅳ）

(1) 秘密選挙の意義

秘密選挙とは、選挙人がどの候補者又は政党等に投票したかを第三者が知りえない方法で行われる選挙をいう。その趣旨は、主として社会における弱い地位にある者の自由な投票を確保する点にある。

直接私人にも適用される。

秘密選挙は、投票内容を公開しなければならないとする公開投票制に対置される。

ex. 投票用紙には選挙人の氏名を記載してはならない（公選46Ⅳ）

cf. 衆議院議長選挙では議院の自律性が要求されるので、記名投票も許される（衆議院規則152）

(2) 投票自書制（公選68Ⅰ⑦・Ⅱ⑦・Ⅲ⑦⑨）

(a) 公職選挙法68条1項7号・2項7号・3項7号・9号は、候補者の氏名や、政党等の名称・略称を自書しない投票を無効とする。

cf. 心身の故障その他の事由により自書できない選挙人は、特定の者に代書してもらうことができる（公選48）

(b) 投票自書制は、①筆跡によって秘密がもれる危険がある、②無効投票の原因となる他事記載（公選68Ⅰ⑥・Ⅱ⑥・Ⅲ）の可能性を増大させる、といった理由から、投票の秘密を制約するものとされる。

(3) 投票の検索

①選挙や当選の効力に関する争訟と、②選挙犯罪に関する刑事手続において問題となる。

(a)　選挙や当選の効力に関する争訟の場合

▼　最判昭 25.11.9・百選 159 事件〈共〉

　「選挙権のない者又はいわゆる代理投票をした者の投票についても、その投票が何人に対しなされたかは、議員の当選の効力を定める手続において、取り調べてはならない」と判示した。学説も一致して判例の結論に賛成している。

(b)　選挙犯罪に関する刑事手続の場合

　不正投票等、選挙犯罪の捜査のために投票用紙の差押えをすることは認められるか。投票の秘密との関係が問題となる。

　A説：投票の差押えは許されない
　　　　∵①　不正投票等に関する犯罪については投票の内容を調査せずに被疑事実が立証できる
　　　　　②　投票用紙を差し押さえ、指紋・筆跡鑑定等で不正投票者の投票事実を明らかにすることが認められるならば、正当な選挙人の投票の秘密が害されるおそれがある

　B説：投票の差押えが許されるか否かは、具体的事案ごとに「投票の秘密」の要請と「司法的正義の実現」の要請とを比較衡量して決すべきである
　　　　∵①　投票の秘密と並んで、選挙の公正を実現し、真相究明による司法的正義を実現することもまた、憲法上の要請である
　　　　　②　訴追に当たっては、不正投票の既遂と未遂のいずれか一方に訴因を特定する必要があり、両者の情状の差も無視しえない

▼　最判昭 23.6.1〈共〉

　選挙や当選の効力に関する争訟において無資格者若しくは不正投票者の投票用紙の検索が許されるかにつき、「何人が何人に対して投票したかを公表することは選挙権の有無にかかわらず選挙投票の全般に亘ってその秘密を確保しようとする無記名投票制度の精神に反する」とした。

▼　最大判昭 24.4.6

　旧公選投票賄賂罪の規定の適用に関してではあるが、新憲法下では、何人が何人に投票したかの審理は許されないものの、公選投票賄賂罪の認定においては賄賂の授受及び投票の事実を明らかにすれば足り、何人が何人に投票したかを明らかにする必要はないことから、同罪の規定は憲法 15 条 4 項に反しないとした。

▼ **最判平 9.3.28・平 9 重判 7 事件**

事案： 一般の投票者が選挙犯罪の捜査を目的とした特定候補者名記載の投票済用紙の差押え等により投票の秘密を害されたとして国家賠償（国賠1Ⅰ）を求めた。

判旨： 「本件差押え等の一連の捜査により上告人らの投票内容が外部に知られたとの事実はうかがえないのみならず、本件差押え等の一連の捜査は詐偽投票罪の被疑者らが投票をした事実を裏付けるためにされたものであって、上告人らの投票内容を探索する目的でされたものではなく、また、押収した投票用紙の指紋との照合に使用された指紋には上告人らの指紋は含まれておらず、上告人らの投票内容が外部に知られるおそれもなかったのであるから、本件差押え等の一連の捜査が上告人らの投票の秘密を侵害したとも、これを侵害する現実的、具体的な危険を生じさせたともいうことはできない」と判示した。

＊ 本判決には、「本件差押えは憲法15条4項前段に違反するものであったというべき」であるとの補足意見（上告を棄却するとの結論には賛成のため）が付されている。この立場からすれば、選挙犯罪の捜査において投票の秘密を侵害するような捜査方法をとることが許されるのは、①事件の重大性（「当該選挙犯罪が選挙の公正を実質的に損なう重大なものである」こと）、②捜査の高度の必要性（「投票の秘密を侵害するような捜査方法をとらなければ当該犯罪の立証が不可能ないし著しく困難である」こと）、③捜査方法の妥当性（「投票の秘密を侵害する程度の最も少ない捜査方法」であること）という3つの要件をすべてみたす「極めて例外的な場合」に限られるとされる。

5 直接選挙
(1) 直接選挙の意義

直接選挙とは、選挙人が公務員を直接に選挙する制度をいう。間接選挙と対置される。

cf. 間接選挙：有権者がまず選挙委員を選び、その選挙委員が公務員を選定する制度
→間接選挙における選挙人は、選挙が終了すれば、その地位も消滅するので、43条1項の「選挙」には間接選挙が含まれうる

(2) 複選制

複選制とは、すでに選挙されて公職にある者（たとえば都道府県議会議員）が公務員（たとえば国会議員）を選挙する制度をいう。
→複選制における選挙人は、選挙が終了してもその地位は消滅しないため国民意思との関係が間接的にすぎることから、43条1項の「選挙」には含まれない ⇒ p.348

＜選挙の原則＞

		意義	反対概念	問題となるもの
普通選挙	広義	人種・言語・職業・身分・財産・納税・教育・宗教・政治的信条・性別等を選挙権の要件としない選挙	制限選挙	在宅投票制の廃止
	狭義	納税額・財産といった財力の有無を選挙権取得の要件としない選挙		
平等選挙		選挙人の選挙権に平等の価値を認める選挙	等級選挙複数選挙	議員定数不均衡
自由選挙		選挙人が自らの意思に基づいてその適当と認める候補者や政党等に投票する選挙（自由投票）	強制投票制	棄権の自由
秘密選挙		選挙人がどの候補者又は政党等に投票したかを第三者が知りえない方法で行われる選挙	公開投票制	不正投票の調査の可否
直接選挙		選挙人が公務員を直接に選挙する制度	間接選挙	間接選挙制、複選制の採用の可否

人権

四　全体の奉仕者（15Ⅱ）

1　「全体の奉仕者」の意義

　　公務員が、国民の信託によって公務を担当する者として、国民全体の利益のためにその職務を行わなければならず、国民の中の一部を占める特定の政党や階級・階層の利益のために行動してはならないということを意味する。

2　「全体の奉仕者」の法的意味

　　「全体の奉仕者」は、公務員の人権の制約根拠として援用されることがある。　⇒p.214

第16条　〔請願権〕

　何人も、損害の救済、公務員の罷免、法律、命令又は規則の制定、廃止又は改正その他の事項に関し、平穏に請願する権利を有し、何人も、かかる請願をしたためにいかなる差別待遇も受けない。

⇒明憲§30（請願）

《注　釈》
一　請願権の意義

＜請願権＞

条文の文言	問題となる事項
「何人も」	① 外国人や未成年者も含まれる ② 法人その他の任意団体も含まれる（請願2参照）
「…その他の事項に関し」	① 自己の利害と無関係な事項でもよい ② 憲法改正についての請願も認められる
「平穏に」	暴力や威嚇による請願は、憲法上の権利として保障されない
「請願する権利を有し」	請願権の保障は、請願を受けた機関にそれを誠実に処理する義務を課するにとどまり（請願5）、請願の内容を審理・判定する法的拘束力を生ぜしめることはない（＊1）（＊2）
「いかなる差別待遇も受けない」	請願をした者がいかなる差別待遇も受けないことは、請願権が国民主権原理に立脚する参政権的性格をもつことから当然である（請願6参照）

＊1　主要な請願は国会や各議院に対してなされるものであるが、天皇に対する請願も認められる。

＊2　受理の手続や処理の仕方については、国会法等が詳しく規定する。地方自治体の議会に対する請願については、地方自治法に定めがある（地自124、125）。

二　請願権の参政権的性格
　1　歴史的意義

　　　歴史的にみると、請願権は、国民が自己の権利を確保すべく、専制君主の絶対的支配に対抗する手段として形成されてきた権利といえる。

　　　→国民が政治的意思を表明するための有力な手段であった

　2　現代的意義

　　　国民主権に基づく議会政治が発達し、言論の自由が広く保障されている現代においては、請願権の意義は相対的に減少している。

　　　→それでもなお、国民の意思表明の重要な手段として、参政権的な役割を果たしているといえる

▼　町による署名者への戸別訪問調査と表現の自由・請願権（名古屋高判平24.4.27・平24重判11事件）

　　事案：　Y町の住民Xらは、Y町立A小学校を廃校とし、B小学校に吸収して統合する案に反対するために署名活動を行いY町長A等に署名簿を提出したところ、Aは、署名の真否等を確認する必要があるとして、Y職員に署名者への戸別訪問調査を行うよう命じた。このような戸別訪問調査

人権

が署名運動の妨害に当たり、表現の自由・請願権等の侵害になるかが争われた。

判旨： 署名活動（署名を集める行為）と署名行為（署名する行為）は、いずれも表現の自由及び請願権の保障を受ける。

「公共団体は、請願を放置することは許されず、これを誠実に処理する必要があるところ（請願法5条）、仮に署名者の署名が真正になされたかに疑義があっても、請願者として署名がされている者を戸別訪問してその点を調査することは原則として相当でない。」

本件戸別訪問は、署名簿が誤りで正しくは賛成派が多いことを明らかにしようとする不当な目的で行われ、民意の確認のためならアンケートや住民投票といった手段も不相当とはいえない中、威圧感を与える予告なしの訪問という手段をとったことも相当性を欠くから、表現の自由、請願権を侵害する。

第17条 〔国及び公共団体の賠償責任〕

何人も、公務員の不法行為により、損害を受けたときは、法律の定めるところにより、国又は公共団体に、その賠償を求めることができる。

《注 釈》

一 国家賠償請求権の性格

1 本条の法的性格

本条に規定される国家賠償請求権は具体的権利性を有するかが問題となる。従来の通説は本条はいわゆるプログラム規定（憲法を実施する法律によってはじめて現実・具体的な権利となる）と解していたが、現在では、本条は抽象的権利を定めた規定と解する説が有力である。

　→本条を具体化する法律として国家賠償法が制定されているから、今日ではあまり議論の実益は存しない

2 国の不法行為責任の性格

公務員の不法行為に基づく国の賠償責任は、国自身が負担すべき直接の責任（自己責任）なのか、公務員の民事責任を国が肩代わりするもの（代位責任）なのか争いがあるが、通説は、被害者救済の見地から代位責任と解している。

　→民法の使用者責任（民715）と基本的に同じ性質を有するが、国又は公共団体の免責条項は存しない

二 国家賠償請求権の内容

1 請求権者と賠償責任の主体

(1) 請求権者

(a) 公務員の不法行為によって損害を受けた者が賠償請求権者となる〈団〉。

(b) 外国人に関して国家賠償法6条は、「外国人が被害者である場合には、

相互の保証があるとき」にのみ賠償請求を認めると規定し、相互保証主義
を採用している。

　　→国家賠償法6条については、「何人も」の文言を強調して違憲と考え
　　　る立場、17条をプログラム規定とみて合憲と考える立場、国際協調
　　　主義の要請（前文3段、98Ⅱ）に反する不合理な制約とはいえないと
　　　して合憲と考える立場がある

(2)　賠償責任の主体

　　賠償責任を負うのは「国又は公共団体」であり、公務員個人に関しては、
代位責任の立場から、直接被害者に対して責任を負うことはないと解されて
いる【判】【同】。

　　cf.　公務員に故意・重過失があった場合、国又は公共団体は公務員に求償
　　　することができる（国賠1Ⅱ）

2　「不法行為」の意義【予】

(1)　本条にいう「不法行為」は、①人の行為による場合（国賠1）であって
も、②物の瑕疵による場合〔道路、河川その他の公の営造物の設置又は管理
に瑕疵があった場合〕（国賠2）であってもよい。

　　→道路、河川その他の公の営造物の設置又は管理に瑕疵があった場合（国
　　　賠2）は、原則として無過失責任であると解されている

(2)　民法の適用（国賠4）

　　国家賠償法は、権力的作用による場合（国賠1）と非権力的作用のうちの
営造物の設置・管理の瑕疵による場合（国賠2）とを直接に規定しており、
それ以外の場合は民法による（国賠4）。

3　立法行為と国家賠償【同H18】

　　国の立法行為や立法不作為が国家賠償法上違法の評価を受けるかが問題とな
る。

▼　**在宅投票制度廃止事件（最判昭60.11.21・百選191事件）**【同】　⇒ p.473

　　「国会議員の立法行為は、立法の内容が憲法の一義的な文言に違反しているに
もかかわらず国会があえて当該立法を行うというごとき、容易に想定し難いよ
うな例外的な場合でない限り、国家賠償法1条1項の適用上、違法の評価を受
けない」とした。

▼　**郵便法免責規定違憲判決（最大判平14.9.11・百選128事件）**【同共】

事案：　特別送達郵便物たる債権差押命令を第三債務者である銀行に送達すべ
　　　　き郵便局の職員が、過失によりこれを遅延させ、その間に債務者が第三
　　　　債務者である銀行から預金を引き出した。そこで、執行債権者は損害を
　　　　被ったとして、国に対し国家賠償法1条1項に基づき損害賠償を請求し
　　　　た。

判旨：　憲法 17 条は、その保障する国又は公共団体に対し損害賠償を求める権
利について法律による具体化を予定しているが、白紙委任を認めるもの
ではなく、法律の同条への適合性は、目的の正当性並びに手段の合理性
及び必要性を総合考慮して判断すべきである。

郵便法 68 条、73 条（現 50 ⅢⅣ参照）は、「郵便の役務をなるべく安
い料金で、あまねく、公平に提供することによって、公共の福祉を増進
する」（同法 1 条）ために設けられたものであり、目的は正当である。

しかし、書留郵便物について、郵便業務従事者の故意又は重大な過失
による不法行為に基づき損害が生ずるような事態は、書留の制度に対す
る信頼を著しく損なうものといえ、このような例外的な場合にまで国の
損害賠償責任を免除・制限しなければ郵便法の目的を達成することがで
きないとは到底考えられず、このような場合にまで免責・責任制限を認
める規定に合理性があるとは認め難い。そこで、法 68 条、73 条の規定
のうちの当該部分は、憲法 17 条が立法府に付与した裁量の範囲を逸脱し
たものといわざるを得ず、同条に違反し、無効であるというべきである。

また、特別送達郵便物は、適正な手順に従い確実に送達されることが
特に強く要請されるし、その送達に直接の利害関係を有する訴訟当事者
等は自らかかわることのできる他の送付手段を全く有していないという
特殊性がある。とすると、特別送達郵便物については、郵便業務従事者
の軽過失による不法行為から生じた損害の賠償責任を肯定したからとい
って、直ちに、郵便法の目的の達成が害されるとはいえず、法 68 条、
73 条で損害賠償責任の免責又は責任制限の規定を設けたことは、憲法
17 条が立法府に付与した裁量の範囲を逸脱したものである。したがっ
て、法 68 条、73 条の規定のうちの当該部分は、憲法 17 条に違反し、
無効であるというべきである。

評釈：　本判決は、17 条の国家賠償請求権を具体化する法律を定める国会の立
法裁量に憲法上の限界があることを明らかにし、国の損害賠償責任を限
定する法律の規定のうちの一定の部分を違憲とした、法令違憲判決であ
る。

三　明治憲法と国家賠償〈要B〉

1　明治憲法下においては、憲法はもとより法律にも国家賠償に関する規定はな
く、国家無答責の原則が支配していた。

ex.1　権力的行政作用については一貫して国の責任は否定されていた

ex.2　公務員個人の民事責任も、職務行為としてなされたものである限り、
たとえ故意・過失があっても一般に否定されていた

2　国家の私経済的な活動の分野や公物・営造物の設置・管理の瑕疵に基づく損
害のような非権力的作用の分野については、判例により民法上の損害賠償請求
権が認められていた。

《その他》

・国の責任の取り方については何らの限定もなく、金銭賠償に限られない。

第18条　〔奴隷的拘束及び苦役からの自由〕

何人も、いかなる奴隷的拘束も受けない。又、犯罪に因る処罰の場合を除いては、その意に反する苦役に服させられない。

[趣旨] 本条は、奴隷的拘束及び意に反する苦役からの自由を保障する。身体が不当な拘束を受けることのない自由は、人間の尊厳の基本にかかわる根源的なものであるから、これを保障しようとしたものである。

《注　釈》

一　「奴隷的拘束」「意に反する苦役」の意義

1　「奴隷的拘束」とは、自由な人格者であることと両立しない程度に身体の自由が拘束されることをいう。

　　ex. 奴隷、人身売買による拘束、監獄部屋

2　「意に反する苦役」とは、「奴隷的拘束」に至らない程度の一定の人格に対する侵犯（苦痛）を伴う身体の自由の拘束をいう。

　　→苦痛の感じ方には個人差が存在するが、苦痛の判断は通常人を基準とする

　　ex. 公立中学校の生徒に当番制で教室の掃除をさせることは、「意に反する苦役」とはいえない

▼ **最大判平23.11.16・百選175事件**〈團〉　⇒ p.313

　　「裁判員の職務等は、司法権の行使に対する国民の参加という点で参政権と同様の権限を国民に付与するものであり、これを『苦役』ということは必ずしも適切では」なく、柔軟な辞退の制度の存在も考慮すれば、「憲法18条後段が禁ずる『苦役』に当たらない」。

二　保障の範囲（私人間への適用）

国家権力が非人道的な自由拘束をしてはならないことは、あまりに当然であるから、本条の趣旨は、私人相互の関係における拘束を禁止することにあるとして、本条の規定は私人間にも直接適用されるものと解されている〈團〉。

　　ex.1　本条の禁止に触れる内容の法律行為は、公序良俗違反として、民法90条によっても無効となるが、直接本条により無効となると解される

　　ex.2　労働基準法は、暴行・脅迫等の手段によって、使用者が労働者の意思に反して労働を強制してはならない旨を規定している（労基5）

三　奴隷的拘束・苦役からの自由に対する制約

1　奴隷的拘束の禁止

「奴隷的拘束」は、およそ人間の尊厳に反するものとして、絶対的に禁止され、内在的制約又は公共の福祉による制約はありえず、「苦役」の場合と異な

り犯罪による処罰の場合にも例外は認められない。

ex.1　犯罪者に対して刑罰として奴隷的拘束を受けさせることは、本条及び36条（残虐な刑罰の禁止）に違反する

ex.2　裁判所の判決で確定された債務に関し、その履行方法として債務者を拘束し強制労働に従事させる旨法律で定めることはできない

2　意に反する苦役の禁止◀司

　「意に反する苦役」の禁止については、本条自身が「犯罪に因る処罰」の例外を認めている。これ以外の例外は認められないと解されているが、人格の侵犯といえないような、正当理由に基づく単なる身体の拘束は「意に反する苦役」とはいえないから、その判断が重要となる。

⑴　「意に反する苦役」に当たるとされる具体例

ex.　徴兵制◀国

∵　諸外国と異なり、日本国憲法の下では兵役義務が規定されていない

⑵　「意に反する苦役」に当たらないとされる具体例

ex.1　非常災害その他の緊急時における応急的な労務負担（ex. 災害救助7、8、消防29Ⅴ）

∵　災害防止・被害者救済という限られた緊急目的のために必要不可欠であり、かつ課される労務も応急的・一時的なもの

ex.2　議院又は裁判所に出頭して証言する義務、納税その他のために必要な申告・届出・報告をする義務等、国家作用の実施に協力する義務

四　犯罪による処罰の例外

　「意に反する苦役」の強制も、犯罪による処罰の場合には、例外的に許される。

→懲役等の自由刑の他、罰金刑の換刑処分としての労役場留置（刑18）も許される◀刑

五　人身保護請求

▼　**最大決昭 29.4.26・百選 111 事件**

　戦後の極東国際軍事裁判所等において有罪とされ巣鴨プリズンに拘禁された被拘束者らが、人身保護法に基づき釈放を請求した事案において、本件拘束は、平和条約並びに法律の定めるところに従い、法律の規定する刑の執行として、その職権により拘束しているのであるから、権限なしにされ又は法令の定める方式若しくは手続に著しく違反していることが顕著であると判断することはできないとし、人身保護法と同規則の定める救済理由に該当しないとして同請求を排斥した。

第19条 〔思想及び良心の自由〕

　思想及び良心の自由は、これを侵してはならない。

人
権

⇒労基§3・国公§27・地公§13（信条による差別禁止）

[趣旨] 本条は、人間の尊厳を支える基本的な条件であり、民主主義存立の不可欠の前提となる、「思想・良心」という人の精神の自由を保障する。思想・良心の自由は、それが宗教的信仰の形をとるときは「信教の自由」(20)、科学的真理の探究については「学問の自由」(23)、また、それを外部に伝達するのは「表現の自由」(21)として現れる。本条は、これらを含めて人の精神の自由を包括的に保障するものであり、精神的自由の原理的規定としての位置を占める《司》。

《注 釈》
一 思想・良心の自由の意義
1 「思想の自由」と「良心の自由」との関係《司》

　通説は、「思想」と「良心」の意義につき、両者を厳密に区別することなく一括して捉えている。

　これに対し、「思想」と「良心」を区別して、「良心の自由」を「信教の自由」、とりわけ「信仰選択の自由」ないし「信仰の自由」と同じ意味に解する見解もある。この見解に対しては、「良心の自由」が憲法20条の「信教の自由」と重複してしまうことになるから、あえて良心の自由を限定的に解する必要もなく、解釈論として妥当でないとの批判がなされている。

2 本条の保障の範囲

　思想・良心を一括して捉えるとしても、その保障の範囲をいかに解するかが問題となる。この問題は、最高裁謝罪広告事件の中でも論議された。

＜思想・良心の自由の保障の範囲＞《司》《予H30》

	限定説	広義説
内容	思想・良心とは、世界観・人生観・思想体系・政治的意見等のように人格形成に関連のある活動を意味する →単なる事実の知・不知に関する判断に19条の保障は及ばない（＊）	思想・良心とは、人の内心におけるものの見方ないし考え方であり、事物に関する是非弁別の判断を含む内心の自由一般を意味する
根拠	思想・良心は、「信教」や「学問」と内的関連性をもつものである	19条が人の内面的態様それ自体を対象とし、原理的保障としての意味を強くもっている以上、その保障対象は広範・包括的に捉えられるべきである
批判	人格形成に関連があるか否かは容易に判別しえず、保障対象となるか否かを明確に区別できない	人格形成活動に関連のない内心の活動を含めれば思想・良心の自由の高位の価値を希薄にし、その自由の保障を軽くする

＊ 限定説によっても、事実の知・不知にかかる判断について沈黙する自由は、21条1項ないし13条で保障される余地がある。

人権

＜謝罪広告事件（最大判昭 31.7.4・百選 33 事件）＞ 司共 予H30

		判断内容
多数意見		民法 723 条にいう「『他人の名誉を毀損した者に対して被害者の名誉を回復するに適当な処分』として謝罪広告を新聞紙等に掲載すべきことを加害者に命ずることは、……単に事態の真相を告白し陳謝の意を表明するに止まる程度のもの」であれば、代替執行の手続によって強制執行しても、加害者の「倫理的な意見、良心の自由を侵害する」ものとは解せられない
補足意見	田中	「19 条の『良心』というのは……宗教上の信仰に限らずひろく世界観や主義や思想や主張をもつこと」であるが、「謝罪の意思表示の基礎としての道徳的の反省とか誠実さというものを含ま」ず、謝罪広告は 19 条とは無関係である
反対意見	藤田	「良心の自由」とは「単に物事に関する是非弁別の内心的自由のみならず、かかる是非弁別の判断に関する事項を外部に表現する自由並びに表現せざるの自由をも包含するものと解すべき」であり、「人の本心に反して、事の是非善悪の判断を外部に表現せしめ、心にもない陳謝の念の発露を判決をもって命ずるがごとき」は 19 条に違反する

人権

＊　ポスト・ノーティス命令の合憲性

　　ポスト・ノーティス命令とは、労働委員会が行う不当労働行為救済の一方式であって（労組 7、27 の 12）、支配介入や団体交渉拒否等の不当労働行為をした使用者に対し、労働委員会が決定した内容の文書を従業員の見やすい場所に掲示することを命ずることである。これはいわば謝罪広告を命ずるものともいえるため、19 条に反しないかが問題とされる。

▼　最判平 2.3.6

事案：　「当会社は、貴組合及び組合員に対しこのような不当労働行為を行ったことについて深く陳謝するとともに今後このような不当労働行為を行わないことを約束します」という内容の文書を掲示するよう命じたことが 19 条に反しないかが争われた。

判旨：　「当該ポストノーティス命令は、労働委員会によって不当労働行為と認定されたことを関係者に周知徹底させ、同種行為の再発を抑制しようとする趣旨のものであり、『深く陳謝する』等の文言は、同種行為を繰り返さない旨の約束文言を強調する意味を有するにすぎないものであるから、上告人に対し反省等の意思表明を要求することは、右命令の本旨とするところではないと解される」として、19 条違反の主張はその前提を欠くと判示した。

評釈：　この判例では、ポストノーティス命令は 19 条に違反するとの主張はその前提を欠くと結論付けているが、法人については思想・良心の自由が保障されないと説かれるのが通常であるので、そもそも会社が憲法 19 条の思想・良心の自由の侵害を主張しうるのかについても疑問の余地があ

るとの見解もある。これに対しては、ポスト・ノーティス命令は実質的には使用者としての責任をもつ者に向けられたものであるといえるのであるから、ポスト・ノーティス命令が直ちに「法人の人権」の問題に結び付くと考える必要はないとの指摘もある。

二　思想・良心の自由の保障の意義

1　内心の自由の絶対性〈司〉

(1)　近代国家の基本理念から、国家権力は人の内心に立ち入るべきではなく、また人の精神活動が内心にとどまる限り、他の利益と抵触することもないことから、思想・良心の自由は、憲法上最も強い保障を受けるものであり、絶対的自由であると評価される。

＊　憲法の根本理念を否定する思想

憲法の根本原理である民主主義を否定する思想でも、内心にとどまる限り制限を加えることはできない〈通〉。

∵　日本国憲法の下では思想そのものは絶対的に保障されるべきである

cf.　ドイツでは、「戦う民主主義」の思想の下、表現の自由等の人権を「自由で民主的な基本秩序に敵対するために濫用する者」は、その基本権を失うとされている

(2)　このように、思想・良心は、それが人の内心にとどまっている限り、性質上法的規制の対象とはなりえず、また思想・良心が外形的に表明された場合は、21条1項の表現の自由の問題とすれば足りるとされる。

→思想・良心の自由を保障することの実際上の意味は、以下の3点にある

①　公権力が一定の思想・良心をもつことを禁止し又は強制できないこと（特定の思想・良心の強制の禁止）

②　一定の思想・良心のゆえに不利益を課すことはできないこと（思想を理由とする不利益取扱いの禁止）

③　人のもつ思想・良心の告白を強制できないこと（沈黙の自由）

2　特定の思想・良心の強制の禁止

外部からの強制・干渉を受けずに個人の「思想」の形成がなされるべきことは、近代民主主義の基本的前提条件といえる。よって、国家権力が特定の思想等を正統的なものとし、国民に対してそれに従うべきことを強制することは、本条によって当然に禁止される。

ex.　戦前の「教育勅語」は、国が一定の思想・世界観を勧奨したものであり、日本国憲法の下では思想・良心の自由を侵害するものとして、許されない

(1)　公務員の服務宣誓

公務員に対して憲法尊重擁護の宣誓を課すこと（国公97）は、本条に反

しない。

　　∵　公務員は憲法尊重擁護義務を負う（99）以上、公務員に対してその宣誓を課すことは、職務の性質上の本質的要請といえる

　　cf.　特定の憲法解釈を内容とする宣誓等は本条違反になる

(2)　思想に反することを理由とした法への不服従

　(a)　原則として、本条の保障は、法の不服従までは及ばないと解されている。

　　∵　「思想」に反することを理由に法の不服従が一般的に認められるとすれば、政治社会は成り立たない

　(b)　例外として、以下の場合には、特定の「思想」の強制として本条違反の問題を生じ、法の不服従が承認されると解されている。

　　①　基本的に個々人の自律的な意思決定・価値判断に委ねられるべき事柄につき、法が本人の意思とは無関係に特定の決定・価値判断に沿った行為を要求するような場合

　　　ex.　神社への参拝を法によって義務付けること

　　②　法への服従が自己の人間性の核心部分を否定することとなるような場合

　　　ex.　いわゆる良心的兵役拒否

3　思想を理由とする不利益取扱いの禁止

(1)　「思想」を理由とした刑罰その他の不利益を加えることの禁止

　　思想を理由にして不利益な扱いをすることは、本条によって禁じられる。これは同時に「信条」によって差別されない旨を規定した14条1項にも違反する。

(2)　特定の「思想」を理由とした私企業による雇入れ拒否、解雇

　(a)　雇入れ

▼　**三菱樹脂事件（最大判昭48.12.12・百選9事件）** 司共予

事案：　企業Xが、試用期間中に労働者Yの過去の学生運動歴について申告を求めて調査し、試用期間満了時に雇入れを拒否したことが、憲法19条に違反し、民法上の不法行為や公序良俗に反しないかが問題になった。

判旨：　「憲法は、……22条、29条等において、財産権の行使、営業その他広く経済活動の自由をも基本的人権として保障している。それゆえ、企業者は、かような経済活動の一環としてする契約締結の自由を有し、自己の営業のために労働者を雇傭するにあたり、いかなる者を雇い入れるか、いかなる条件でこれを雇うかについて、……原則として自由にこれを決定することができるのであって、企業者が特定の思想、信条を有する者をそのゆえをもって雇い入れることを拒んでも、それを当然に違法とすることはできない」。

人権

135

人
権

　　　「企業者が雇傭の自由を有し、思想、信条を理由として雇入れを拒んで
　　　もこれを目して違法とすることができない以上、企業者が、労働者の採
　　　否決定にあたり、労働者の思想、信条を調査し、そのためその者からこ
　　　れに関連する事項についての申告を求めることも、これを法律上禁止さ
　　　れた違法行為とすべき理由はない」。
　　　　もっとも、「企業者は、労働者の雇入れそのものについては、広い範囲
　　　の自由を有するけれども、いったん労働者を雇い入れ、その者に雇傭関
　　　係上の一定の地位を与えた後においては、その地位を一方的に奪うこと
　　　につき、雇入れの場合のような広い範囲の自由を有するものではない」。
　　　　本件において問題とされているXの調査が、「Yの思想、信条そのもの
　　　についてではなく、直接にはYの過去の行動についてされたものであり、
　　　ただその行動がYの思想、信条となんらかの関係があることを否定でき
　　　ないような性質のものであるというにとどまるとすれば、なおさらこの
　　　ような調査を目して違法とすることはできない」。

　　(b)　解雇
　　　　労働基準法3条は、使用者は労働者の信条等を理由として差別的取扱い
　　　をしてはならない旨を定める。
　　　　→特定の信条を有することを解雇の理由とすることは違法である◀判

4　沈黙の自由◀団
(1)　沈黙の自由の保障
　　思想・良心の自由は、沈黙の自由（人の内心の表白を強制されない自由）
　をも含む。
　　　→思想調査や、精神的な意味を有する発言や行為の強制は、それ自体19
　　　条違反となる
(2)　思想・信条に関連する外部的行動に関する事実の開示
　　思想・信条そのものではなくても、思想・信条に関連する外部的行動に関
　する事実の開示を強制すれば、思想・信条の自由の違反となりうる◀判。
　　ex.　国家公務員の採用に際して過去における政治活動や思想団体の所属
　　　について申告を求めることは、19条違反となる
　　cf.　「思想及び良心」の意義に関する限定説からは、裁判において証人に
　　　偽証罪（刑169）の警告をして証言を強制することは19条違反とはなら
　　　ない

▼　麹町中学内申書事件（最判昭 63.7.15・百選 34 事件）〈回〉

事案：　高校進学希望の一生徒が、その内申書に、「校内において麹町中全共闘を名乗り、機関誌『砦』を発行した。学校文化祭の際、粉砕を叫んで他校の生徒とともに校内に乱入し、ビラまきを行った。大学生ＭＬ派の集会に参加している。学校当局の指導説得をきかないでビラを配ったり、落書きをした」等の記載があったためすべての入試に不合格になったとして、国家賠償を求めた。

判旨：　本件の内申書記載は、「上告人の思想、信条そのものを記載したものでないことは明らかであり、右の記載に係る外部的行為によっては上告人の思想、信条を了知し得るものではないし、また、上告人の思想、信条自体を高等学校の入学者選抜の資料に供したものとは到底解することができない」と判示して、19 条には反しないとした。

評釈：　この判例では、生徒の思想、信条を了知しうるものではない、とされている。しかし、本件内申書においては「機関誌『砦』」や「ＭＬ派」などの具体的な記載がなされており、生徒の思想を推知せしめるものといえるとして、学説からの批判が強い。

▼　最判昭 63.2.5・百選 35 事件〈回共〉

「企業内においても労働者の思想、信条等の精神的自由は十分尊重されるべきである」。そして、企業が労働者に対して特定政党への所属の有無を確認するだけでなく、当該政党に所属しない旨の書面を要求する行為は、「調査方法として不相当な面があるといわざるを得ない」ものの、「本件書面交付の要求は……強要にわたるものではなく、……本件書面交付の要求を拒否することによって不利益な取扱いを受ける虞のあることを示唆したり、右要求に応じることによって有利な取扱いを受け得る旨の発言をした事実」はないなど、当該書面交付行為の経緯に関する事実関係に照らせば、「本件書面交付の要求は、社会的に許容し得る限界を超えてＸの精神的自由を侵害した違法行為であるということはできない」。

▼　群馬司法書士会事件（最判平 14.4.25・平 14 重判 2 事件）〈回〉

事案：　強制加入団体である司法書士会は、阪神・淡路大震災で被災した兵庫県司法書士会に 3000 万円の復興支援拠出金を寄付することとし、会員から登録申請事件 1 件当たり 50 円を徴収する特別負担金を会員から徴収する総会決議を行った。これに対し、何人かの会員が本件寄付は会の目的の範囲外の行為であり、会員に負担を強制することはできないと主張して、債務不存在の確認を求めた。

人
権

人権

判旨： 司法書士会は、「司法書士の品位を保持し、その業務の改善進歩を図るため、会員の指導及び連絡に関する事務を行うことを目的とするもの」であり、「その目的を遂行する上で直接又は間接に必要な範囲で、他の司法書士会との間で業務その他について提携、協力、援助等をすることもその活動範囲に含まれる」。そして、「阪神・淡路大震災が甚大な被害を生じさせた大災害であり、早急な支援を行う必要があったことなどの事情を考慮すると」、その金額の大きさをもって直ちに本件拠出金の寄付が、司法書士会の目的の範囲を逸脱するものとまでいうことはできないとした。

また、司法書士会が「いわゆる強制加入団体であること……を考慮しても、本件負担金の徴収は、会員の政治的又は宗教的立場や思想信条の自由を害するものではなく、また、本件負担金の額も、……会員に社会通念上過大な負担を課するものではないのであるから、本件負担金の徴収について、公序良俗に反するなど会員の協力義務を否定すべき特段の事情があるとは認められない」とした。

▼ 君が代ピアノ伴奏事件（最判平19.2.27・平19重判3事件）〈司共〉

事案： Xは、公立小学校で音楽専科の教諭として勤務していたところ、校長から同校入学式の際にピアノ伴奏を行うよう職務命令を受けたが、これを拒否した。そこで、校長は地方公務員法に基づきXを戒告処分にしたが、この処分が憲法19条に反するかが争われた。

判旨： Xに対して本件入学式の国歌斉唱の際にピアノ伴奏を求めることを内容とする本件職務命令が、直ちにXの有する歴史観ないし世界観それ自体を否定するものと認めることはできない。

他方において、客観的に見て、入学式の国歌斉唱の際に「君が代」のピアノ伴奏をするという行為自体は、音楽専科の教諭等にとって通常想定され期待されるものであって、上記伴奏を行う教諭等が特定の思想を有するということを外部に表明する行為であると評価することは困難なものである。

また、本件職務命令は、……Xに対して、特定の思想を持つことを強制したり、あるいはこれを禁止したりするものではなく、特定の思想の有無について告白することを強要するものでもなく、児童に対して一方的な思想や理念を教え込むことを強制するものとみることもできない。

さらに、公務員の全体の奉仕者としての地位の特殊性及び職務の公共性（憲15Ⅱ、地公30、32等）、及び小学校学習指導要領の規定等に鑑みると、本件職務命令は、その目的及び内容において不合理であるということはできず、本件職務命令は、Xの思想・良心の自由を侵すものとして憲法19条に反するとはいえない。

🔺▼　「君が代」起立斉唱の職務命令と思想及び良心の自由（最判平 23.5.30・百選 37 事件）〈司共予〉

事案：　都立高等学校の教諭に対して卒業式における国歌斉唱の際に国旗に向かって起立し国歌を斉唱することを命じた校長の職務命令が憲法 19 条に違反しないかが争われた。

判旨：　「起立斉唱行為は、その性質の点から見て、X の有する歴史観ないし世界観を否定することと不可分に結び付くもの」ではなく、本件職務命令は、X の「歴史観ないし世界観それ自体を否定するもの」ではない。また、起立斉唱行為は、「外部からの認識という点から見ても、特定の思想又はこれに反する思想の表明として外部から認識されるものと評価することは困難」であり、「本件職務命令は、特定の思想を持つことを強制したり、これに反する思想を持つことを禁止したりするものではなく、特定の思想の有無について告白することを強要するもの」でもないから、「個人の思想及び良心の自由を直ちに制約するものと認めることはできない」。

もっとも、起立斉唱行為は、「国旗及び国歌に対する敬意の表明の要素を含む行為」であり、「『日の丸』や『君が代』に対して敬意を表明することには応じ難いと考える者」にとっては、「個人の歴史観ないし世界観に由来する行動（敬意の表明の拒否）と異なる外部的行為（敬意の表明の要素を含む行為）を求められることとなり、その限りにおいて、その者の思想及び良心の自由についての間接的な制約となる」。

そこで、「間接的な制約について検討するに、個人の歴史観ないし世界観……が内心にとどまらず、それに由来する行動の実行又は拒否という外部的行動として現れ、当該外部的行動が社会一般の規範等と抵触する場面」では、制限を受けることがあり、「その制限が必要かつ合理的なものである場合には、その制限を介して生ずる上記の間接的な制約も許容され得る」。このような「間接的な制約が許容されるか否かは、職務命令の目的及び内容並びに上記の制限を介して生ずる制約の態様等を総合的に較量して、当該職務命令に上記の制約を許容し得る程度の必要性及び合理性が認められるか否かという観点から判断する」。

「本件職務命令に係る起立斉唱行為は、前記のとおり、……X の思想及び良心の自由についての間接的な制約となる」。他方、本件職務命令は、「高等学校教育の目標や卒業式等の儀式的行事の意義、在り方等を定めた関係法令等の諸規定の趣旨」に沿うものであり、「教育上の行事にふさわしい秩序の確保とともに当該式典の円滑な進行を図るもの」であるから、「上記の制約を許容し得る程度の必要性及び合理性が認められる」。したがって、「本件職務命令は、X の思想及び良心の自由を侵すものとして憲法 19 条に違反するとはいえない」。

人
権

▼　起立斉唱命令違反に基づく懲戒処分の適法性（最判平24.1.16・平24重判7事件）

事案：　Y（東京都）の公立学校教員であるXらはいずれも、卒業式等の式典において起立斉唱等を命ずる各校長の職務命令に従わなかったことを理由に、X1は戒告処分、X2は減給処分を、X3及びX4は停職処分を各々受けた。そこで、X1ないしX4は、Yに対し、上記職務命令は違憲違法であり、各処分も違法であるとして、各処分の取消しと損害賠償を求めた。

判旨：　（最判平23.5.30・百選37事件、最判平19.2.27・平19重判3事件等を引用した上で）本件職務命令は憲法19条に違反しない。

　　　　各処分が懲戒権者の裁量権の範囲内か否かを検討するに、まず、「不起立行為の性質、態様は……重要な学校行事である卒業式の式典において行われた教職員による職務命令違反であり、式典の秩序や雰囲気を一定程度損なう作用をもたらすもの」である。「他方、不起立行為の動機、原因は、当該教職員の歴史観ないし世界観等に由来する『君が代』や『日の丸』に対する否定的評価等のゆえに、本件職務命令により求められる行為と自らの歴史観ないし世界観等に由来する外部的行動とが相違することであり、個人の歴史観ないし世界観等に起因するものである」。また、不起立行為の性質、態様も積極的な妨害等の作為ではなく、当該式典の進行に具体的にどの程度の支障や混乱をもたらしたかを客観的に評価することは困難である。

　　　　（X1の戒告処分について）これらの事情によれば、「本件職務命令の違反に対し、……戒告処分をすることは、……過去の同種の行為による懲戒処分等の処分歴の有無等にかかわらず、基本的に懲戒権者の裁量権の範囲内に属する」。

　　　　（X2の減給処分・X3及びX4の停職処分について）戒告を超えてより重い処分を選択することについては、「学校の規律や秩序の保持等の必要性と処分による不利益の内容との権衡の観点から当該処分を選択することの相当性を基礎付ける具体的な事情が認められる場合であることを要する」。

第20条　〔信教の自由〕

Ⅰ　信教の自由は、何人に対してもこれを保障する。いかなる宗教団体も、国から特権を受け、又は政治上の権力を行使してはならない。

Ⅱ　何人も、宗教上の行為、祝典、儀式又は行事に参加することを強制されない。

Ⅲ　国及びその機関は、宗教教育その他いかなる宗教的活動もしてはならない。

⇒明憲§28（信教の自由）、教基§15Ⅱ（国公立学校の宗教教育・活動の禁止）

《注　釈》
一　信教の自由
1　信教の自由の意義

　　信教の自由とは、特定の宗教を信じ、又は一般に宗教を信じない自由をいう。

　(1)　宗教の意義

　　　超自然的、超人間的本質の存在を確信し、畏敬崇拝する信条と行為をいう。

　　＊　「宗教」の意義について、信教の自由の場合と政教分離の場合とでは異なったものとし、前者の「宗教」は広く解すべきだが、後者の「宗教」は「何らかの固有の教義体系を備えた組織的背景をもつもの」とより狭く解する見解も有力である。

　(2)　明治憲法と信教の自由

　　　明治憲法下においても信教の自由は保障されていたが（明憲28）、「安寧秩序ヲ妨ケス及臣民タルノ義務ニ背カサル限ニ於テ」という制限が伴っており（ただし法律の留保は明記されていなかった）、また神社神道が事実上国教的地位を占めていた。

2　信教の自由の内容

　(1)　信教の自由は、①内心における信仰の自由、②宗教的行為の自由、③宗教的結社の自由をその内容とする。

<信教の自由の内容の整理>⑤

類型	内　容
内心における信仰の自由	①　積極的信仰の自由（信仰をもつ自由）と消極的信仰の自由（信仰をもたない自由） ②　積極的信仰告白の自由（告白する自由）と消極的信仰告白の自由（告白しない自由） →思想・良心の自由に類似する性格を有する
宗教的行為の自由	積極的宗教的行為の自由（宗教上の儀式等を行う自由や布教宣伝を行う自由）と消極的宗教的行為の自由（そのようなことを行わない自由）とからなる →特に消極的宗教的行為の自由が20条2項で明文化されている ex.　国立学校が、自己の信条に反するとして参加を拒否する生徒に対し、特定の宗教行事への参加を強制することは、憲法に反する

141

類型	内　　容
宗教的結社の自由	①　積極的宗教的結社の自由及び消極的宗教的結社の自由からなる ②　人が宗教団体の結成・不結成、団体への加入・不加入、団体の成員の継続・脱退につき、公権力による干渉を受けないことの他、団体が団体としての意見を形成し、その意思実現のための諸活動につき公権力の干渉を受けないこと（団体自体の自由）をも意味する cf.　宗教法人の成立には所轄庁の認証が必要であるが（宗教法人12）、許可制に比べれば公権力の介入の度合いは軽微であり、また法人でない宗教団体も宗教上の結社の自由を有するのであるから、憲法に違反しない 　　また、裁判所が宗教法人の解散を命ずることが認められているが（宗教法人81）、この解散命令は宗教団体の法人格を剥奪するにとどまり、信教の自由を直接侵害するものではない（最決平8.1.30・百選39事件）

(2)　宗教上の人格権

　　静謐な宗教的環境の下で信仰生活を送る利益を宗教的人格権という。宗教的人格権が認められるか、認められるとしてその根拠条文はどこに求められるかについて見解の対立がある。

　　A説：宗教上の人格権を認める立場（肯定説）

　　　A1説：13条を根拠に肯定する

　　　　　∵　13条で保障されるプライバシー権は「他者から自己の欲しない刺激によって心を乱されない利益」を含み、そのプライバシーの一部を構成するものとして「宗教的プライバシー」、すなわち「静謐な宗教的環境の下で信仰生活を送るべき法的利益」が含まれていると考えられる

　　　A2説：20条1項前段を根拠に肯定する

　　　　　∵　現代国家において公権力がソフトな形で個人の自立性・独立性を侵害することが多くなっていることに鑑みれば、個々の人権規定の中にそれぞれ、その前提としてのプライバシーの権利がはめ込まれており、宗教的プライバシー・宗教上の人格権は信教の自由規定により根拠付けうる

　　　A3説：政教分離規定を根拠に肯定する

　　　　　∵　政教分離規定は信教の自由の一内容をなし、それ自体人権保障条項として理解すべきであり、「静謐な宗教的環境の下で信仰生活を送るべき利益」といった宗教的人格権も政教分離規定により保障されている

　　B説：宗教上の人格権たる静謐な宗教的環境の下で信仰生活を送るべき利益なるものは、これを直ちに法的利益として認めることはできないとの立場（否定説）（最大判昭63.6.1・百選43事件、最判平18.6.23

・平 18 重判 6 事件）《司

∵① ある者の信仰に関する心の静穏を法的に保護しなければなら
ないとすれば、かえって相手方の信教の自由を害する結果とな
るのであって、信教の自由の保障は、自己の信仰と相容れない
信仰をもつ者の信仰に基づく行為に対して、それが強制や不利
益の付与を伴うことにより自己の信教の自由を妨害するもので
ない限り、寛容であることを要請している

② 精神的な静穏というのは極めて主観的なものであり、それを
判断すべき明確かつ公正な基準を見出すことは不可能である

3　信教の自由の限界《司H19》

内心における信仰の自由は、思想・良心の自由と同様に絶対的に保障され
る《司》。しかし、外部的行為を伴う信仰が他者の権利・利益や社会に害悪を及
ぼす場合には、国家権力による規制の対象となりうる。

もっとも、外部的行為の自由も内心における信仰の自由に深くかかわるた
め、必要不可欠な目的を達成するための最小限度の制約にとどめられなければ
ならない。

そして、信仰に反する行為（剣道実技の履修など、後掲最判平 8.3.8・百選
41 事件）を拒否する自由も外部的行為の自由であり、上記のとおり、内心に
おける信仰の自由と異なり、公共の安全や公の秩序、他の者の基本的な権利・
自由を保護するために必要な制約には服するものの、内心における信仰の自由
と密接に関連するため、慎重な配慮が要請される。この問題は、信教の自由に
基づいて一般的義務の免除が認められるかという問題として論じられることも
ある《予R元》。

▼　加持祈祷事件（最大判昭 38.5.15・百選 38 事件）《司共》

事案：　精神病者の近親者から平癒祈願の依頼を受けて、線香護摩による加持
祈祷を行い、線香の熱さのため身をもがく被害者を殴打したりした結果、
死に至らしめた。

判旨：　被告人の行為が「一種の宗教行為としてなされたものであったとして
も……他人の生命、身体等に危害を及ぼす違法な有形力の行使に当たる
ものであり、これにより被害者を死に致したものである以上、被告人の
右行為が著しく反社会的なものであることは否定し得ない」として、信
教の自由の保障の限界を超えるとした。

人
権

人
権

▼ 牧会活動事件 （神戸簡判昭 50.2.20・百選 40 事件）

事案：　建造物侵入等の事件の犯人として警察が捜査中の高校生を教会教育館に約1週間にわたり宿泊させた牧師の行為は犯人蔵匿罪（刑103）に該当するとして起訴された。

判旨：　「内面的な信仰と異なり、外面的行為である牧会活動が、その違いの故に公共の福祉による制約を受ける場合のあることはいうまでもないが、その制約が、結果的に行為の実体である内面的信仰の自由を事実上侵すおそれが多分にあるので、その制約をする場合は最大限に慎重な配慮を必要とする」という一般的な立場から、本件牧会活動は、「専ら被告人を頼ってきた両少年の魂への配慮に出た行為」として、目的・手段ともに相当であったとして、正当な業務行為（刑35）に該当し、無罪とした。

▼ 京都市古都保存協力税条例事件 （京都地判昭 59.3.30・百選〔第5版〕44 事件）

事案：　指定社寺の文化財の観賞に対して観賞者に1回50円の税を課す京都市古都保存協力税が信教の自由を侵害しないかが争われた。

判旨：　「本税が、有償で行う文化財の観賞という行為の客観的、外形的側面に担税力を見出して、観賞者の内心にかかわりなく一律に本税を課すものであること、本税の税額が現在の物価水準からして僅少であることなどに鑑みると、本件条例は、文化財の観賞に伴う信仰行為、ひいては観賞者個人の宗教的信仰の自由を規律制限する趣旨や目的で本税を課すものでないことは明らかであり、また、右信仰行為に抑止効果を及ぼし、これを結果的に制限するものでもない」と判示した。

▼ 日曜日授業参観事件 （東京地判昭 61.3.20・百選 A6 事件）

事案：　キリスト教の教会学校に出席するため、日曜日の参観授業に欠席した児童及びその親が、学校を欠席扱いにされたことが信教の自由に違反すると争った。
　　　　→学校教育における宗教的中立性と、教会学校への出席の自由という信教の自由とが衝突している

判旨：　宗教行為に参加する児童に、公教育の授業日の出席を免除することは、公教育の宗教的中立性を保つうえで好ましいことではなく、「公教育上の特別の必要性がある授業日の振替えの範囲内では、宗教教団の集会と抵触することになったとしても、法はこれを合理的根拠に基づくやむをえない制約として容認しているものと解すべき」であると判示した。

評釈：　信教の自由の保障から、欠席扱いすべきではないという特別の配慮を導き出して判決に反対する立場と、政教分離原則又は公教育の宗教的中立性から、宗教への特別の配慮は、欠席扱いという軽度の不利益の場合には妥当しないとして判決に賛成する学説がある。

▼　剣道受講拒否事件（最判平 8.3.8・百選 41 事件）〈司共〉〈予R元〉

事案：　　「エホバの証人」である市立高専学生が、信仰上の理由から格技である
　　　　　剣道実技の履修を拒否したため、必修である体育科目の修得認定を受け
　　　　　られず、2 年連続して進級拒否処分を受け、さらに、退学処分を受けた
　　　　　ために、これら処分の取消しを求めた。

判旨：　　「高等専門学校の校長が学生に対し原級留置処分又は退学処分を行うか
　　　　　どうかの判断は、校長の合理的な教育的裁量にゆだねられるべきもので
　　　　　あり、裁判所がその処分の適否を審査するに当たっては、……校長の裁量
　　　　　権の行使としての処分が、全く事実の基礎を欠くか又は社会観念上著し
　　　　　く妥当を欠き、裁量権の範囲を超え又は裁量権を濫用してされたと認め
　　　　　られる場合に限り、違法であると判断すべきものである」。しかし、「退
　　　　　学処分は学生の身分をはく奪する重大な措置であり、……その要件の認定
　　　　　につき他の処分の選択に比較して特に慎重な配慮を要する」。また、原級
　　　　　留置処分 2 回で退学処分になるなど「学生に与える不利益の大きさに照
　　　　　らして、原級留置処分の決定に当たっても、同様に慎重な配慮が要求さ
　　　　　れるものというべきである」。

　　　　　「信仰上の理由による剣道実技の履修拒否を、正当な理由のない履修拒
　　　　　否と区別することなく、代替措置が不可能というわけでもないのに、代
　　　　　替措置について何ら検討することもなく、……退学処分をしたという……
　　　　　措置は、……社会観念上著しく妥当を欠く処分をしたものと評するほかは
　　　　　なく、本件各処分は、裁量権の範囲を超える違法なものといわざるを得
　　　　　ない」。

　　　　　∵①　高等専門学校においては、剣道実技の履修が必須のものとまで
　　　　　　　はいいがたく、他の体育種目の履修等の代替的方法によってこれ
　　　　　　　を行うことも性質上可能である

　　　　　　②　原告生徒が剣道実技への参加を拒否する理由は、信仰の核心部
　　　　　　　分と密接に関連する真摯なものであり、その被る不利益（進級拒
　　　　　　　否処分・退学処分）は極めて大きく、自由意思で剣道実技を採用
　　　　　　　している学校を選択したことを理由にこのような著しい不利益を
　　　　　　　与えることが許されるとはいえない

　　　　　　③　学校側で代替措置を講ずることがその目的において宗教的意義
　　　　　　　を有し、特定の宗教を援助・助長・促進する効果を有するものと
　　　　　　　はいえず、他の宗教者又は無宗教者に圧迫・干渉を加える効果が
　　　　　　　あるとはいえないから、政教分離には反しない

　　　　　　④　学校側が当事者の説明する宗教上の信条と履修拒否との間の合
　　　　　　　理的関連性の有無を確認する程度の調査をしたからといって、公
　　　　　　　教育の宗教的中立性に反するとはいえない

人
権

▼ オウム真理教解散命令事件（最決平 8.1.30・百選 39 事件） 司共

事案： オウム真理教の宗教法人としての解散命令の申立てが行われた。

決旨： 「解散命令によって宗教法人が解散しても、信者は、法人格を有しない宗教団体を存続させ、あるいは、これを新たに結成することが妨げられるわけではなく、また、宗教上の行為を行い、その用に供する施設や物品を新たに調えることが妨げられるわけでもない。すなわち、解散命令は、信者の宗教上の行為を禁止したり制限したりする法的効果を一切伴わない」。

もっとも、「宗教法人の解散命令が確定したときはその清算手続が行われ……その結果、宗教法人に帰属する財産で礼拝施設その他の宗教上の行為の用に供していたものも処分されることになるから……これらの財産を用いて信者らが行っていた宗教上の行為を継続するのに何らかの支障を生ずることがあり得る。このように、宗教法人に関する法的規制が、信者の宗教上の行為を法的に制約する効果を伴わないとしても、これに何らかの支障を生じさせることがあるとするならば、憲法の保障する精神的自由の一つとしての信教の自由の重要性に思いを致し、憲法がそのような規制を許容するものであるかどうかを慎重に吟味しなければならない」。

宗教法人の解散命令の制度は、①専ら世俗的目的によるものであって、「宗教団体や信者の精神的・宗教的側面に容かいする意図によるものではなく、その制度の目的も合理的である」こと、②大量殺人を目的として毒ガスであるサリンを生成したのであるから、オウム真理教は「法令に違反して、著しく公共の福祉を害すると明らかに認められ、宗教団体の目的を著しく逸脱したことが明らかである」こと、③解散命令によって生じる「宗教団体であるオウム真理教やその信者らが行う宗教上の行為」への支障は、「間接的で事実上のもの」にとどまること、④したがって、「本件解散命令は、オウム真理教やその信者らの精神的・宗教的側面に及ぼす影響を考慮しても……必要でやむを得ない法的規制である」こと、⑤本件解散命令は、「裁判所の司法審査によって発せられたもの」であり、「その手続の適正も担保されている」ことから、本件解散命令は20条1項に違反しない。

二 政教分離の原則

1 政教分離の原則の意義 司

政教分離とは、国家の非宗教性、宗教的中立性をいう（20Ⅰ後段・Ⅲ、89前段）。

▼　**津地鎮祭訴訟（最大判昭 52.7.13・百選 42 事件）**

　「元来、わが国においては、キリスト教諸国や回教諸国等と異なり、各種の宗教が多元的、重層的に発達、併存してきているのであって、このような宗教事情のもとで信教の自由を確実に実現するためには、単に信教の自由を無条件に保障するのみでは足りず、国家といかなる宗教との結びつきをも排除するため、政教分離規定を設ける必要性が大であった。これらの諸点にかんがみると、憲法は、政教分離規定を設けるにあたり、国家と宗教との完全な分離を理想とし、国家の非宗教性ないし宗教的中立性を確保しようとしたもの、と解すべきである」。

2　政教分離原則の目的
　①　信教の自由の保障を確保・強化する
　②　民主主義を確立・発展させる
　③　国家と宗教を破壊から救い、堕落から免れしめる
3　政教分離原則の性格

＜政教分離原則の性格＞

	目的 位置付け	公権力を拘束する度合	権利性の有無	政教分離原則違反を理由とする訴え提起の可否
制度的保障説	信教の自由のための手段として存在する制度であり、その本質的内容を侵害しない限度で法律により具体的に定められる◀刊（＊）	弱い	なし	(1)　原則 　　強制の契機を伴わない客観的な制度違反のみでは事件性の要件を充足せず司法的是正を求めえない (2)　例外 　　①　強制の契機を伴う制度違反の場合 　　②　地方公共団体の違反については地方自治法242条の2の住民訴訟が成立する
制度説	個人の信教の自由の保障を完全なものにすることに向けられた制度であり、その内容は憲法上明示されており、その明示されたところに従って公権力を厳格に拘束する	強い		
人権説	信教の自由の一内容をなす人権規定である		あり	政教分離原則違反は人権侵害を構成し事件性の要件をみたすので、司法的是正が可能になる

＊　制度的保障説に立ちつつ、信教の自由と密接不可分な形でこれを完全なものにすることに向けられた制度であり、その内容は憲法上一義的に定められているとする見解もある（実質的に制度説と同じ）。

4　政教分離原則の内容
　(1)　特権付与の禁止（20 Ⅰ後段）◀司H24
　　「特権」とは、一切の優遇的地位・利益をいう。特定の宗教団体に対する

特権の付与はもちろん、すべての宗教団体を他の団体から区別して特権を与えることも禁止される。

　ex.1　国立学校が特定の宗教団体に属する者又はその子弟に対し特に授業料を免除すること

　ex.2　天皇が国会の議決を経て皇室用財産を伊勢神宮に賜与すること

＊　宗教法人への非課税措置と「特権」

　　A説：非課税措置は実質上免税額に相当する公金を補助するのに等しいので「特権」に当たる余地があり、違憲の疑いがある

　　B説：「特権」に当たらず合憲である（多数説）

　　　　∵　公益法人や社会福祉法人とともに宗教法人に免税しているのであるから「特権」には当たらない

　　cf.　他の公益法人と異なり宗教法人だけを非課税とするのは憲法に反する

⑵　宗教団体の「政治上の権力」行使の禁止（20Ⅰ後段）

　　「政治上の権力」とは、立法権・課税権など国が独占すべき統治的権力をいう。

　　　∵　宗教団体の政治活動を禁止するのは、宗教を理由に差別することになり、憲法上疑義が生じる

⑶　宗教的活動の禁止（20Ⅲ）

　　目的効果基準を採用する立場からは、「宗教的活動」とは、「行為の目的が宗教的意義をもち、その効果が宗教に対する援助、助長、促進または圧迫、干渉等になるような行為」をいう。

　ex.1　宗教に関する一般的知識の理解を図る類の教育は憲法上禁止されておらず、国公立学校に特定の宗教の歴史の講座を設けることは「宗教的活動」に当たらない

　ex.2　私立学校の宗教教育は禁止されていないから、私立学校が特定の宗教科目を必須科目とすることは「宗教的活動」に当たらない。反面、文部科学大臣が学校法人の設立に当たり特定の宗教教育を行ってはならない旨の条件を付したり、私立学校における宗教教育を禁止する法律を制定したりすることは、信教の自由に対する侵害となる

　ex.3　刑務所の所長が死刑囚の懇請に基づき、教誨師に委嘱して宗教教育を行うことは許されるが、死刑囚の意思いかんにかかわらず特定の宗教教育を行うことは「宗教的活動」に当たる

　ex.4　国立学校が特定の宗教団体が行う慈善事業のために生徒から寄付金を集めること、国の行う葬儀を仏教で行うことは、「宗教的活動」に当たり、許されない

　ex.5　官公庁の玄関に正月用のしめ飾りを飾ることは、習俗性の強い行為

である点で宗教的意義を有するとはいえず、「宗教的活動」に当たらない

ex.6　内閣総理大臣等が神社に参拝することは、もっぱら私人としての資格で行う限り「宗教的活動」に当たらない

(4)　公金支出の禁止　⇒ p.514

5　政教分離原則違反の判断基準〈司H24〉

(1)　目的効果基準〈予R元〉

　　現代国家は、福祉国家として、宗教団体に対しても他の団体と同様に平等の社会的給付を行わなければならないという場合も存する。したがって、国家と宗教の分離といっても、それが国家と宗教のかかわり合いを一切排除するものと考えるのは適当でない。そこで、国家と宗教の結び付きがどの程度許されるかが問題となるが、判例は次のように目的効果基準を採用したうえで緩やかに判断している。

▼　津地鎮祭訴訟（最大判昭 52.7.13・百選 42 事件）〈司共予〉

事案：　神社の宮司ら神職主宰のもと神式に則り挙行された市体育館の起工式費用を、同市市長が市の公金から支出したことにつき、住民訴訟（地自242の２）を通じて適法性が争われた。

判旨：　「憲法は、政教分離規定を設けるにあたり、国家と宗教との完全な分離を理想とし、国家の非宗教性ないし中立性を確保したもの」としつつ、国家と宗教の完全な分離の実現は不可能に近いと述べる。そのうえで「目的が宗教的意義をもち、その効果が宗教に対する援助、助長、促進又は圧迫、干渉等になるような行為」が、憲法 20 条３項により禁止される「宗教的活動」にあたるとした。そして、目的と効果の判断にあたっては、外形的側面だけでなく「当該行為の行われる場所、当該行為に対する一般人の宗教的評価、当該行為者が当該行為を行うについての意図、目的及び宗教的意識の有無、程度、当該行為の一般人に与える効果、影響等、諸般の事情を考慮し、社会通念に従って、客観的に判断しなければならない」として、原告の請求を棄却した。

　　　　なお、20 条２項と３項の規定は、「それぞれ、目的、趣旨、保障の対象、範囲を異にするものであるから、……２項の宗教上の行為等は、必ずしもすべて３項の宗教的活動に含まれるという関係にあるものではなく、たとえ３項の宗教的活動に含まれないとされる宗教上の祝典、儀式、行事等であっても、宗教的信条に反するとしてこれに参加を拒否する者に対し国家が参加を強制すれば、右の者の信教の自由を侵害し、２項に違反することとなる」としている。

人権

＊　反対意見は、憲法に具現された政教分離原則は、国家と宗教との徹底的な分離を意味するとしたうえで、「元来は宗教に起源を有する儀式、行事であつても時代の推移とともにその宗教性が希薄化し今日において完全にその宗教的意義・色彩を喪失した非宗教的な習俗的行事は、憲法20条3項により禁止される宗教的活動にあたらないというべきであるが、他方、習俗的行事化しているものであつてもなお宗教性があると認められる宗教的な習俗的行事は、右規定により禁止される宗教的活動に当然含まれると解すべきである」としている。

(2)　学説の評価

学説では、目的効果基準そのものが曖昧な基準であり、国と宗教との緩やかな分離を是認することになるとの批判的立場と、目的効果基準それ自体は厳格かつ有用な基準であって、基準の内容を絞ってアメリカのように厳格に適用すれば問題はないとする立場とに分かれている。

＊　アメリカの判例理論（レモン・テスト）

①国の行為の目的が世俗的であること、②国の行為の主要な効果がある宗教を援助、助長し、又は抑圧するものではないこと、③国の行為と宗教との間に過度のかかわり合いがないこと、という3つの要件のうち、1つでもクリアできない国家行為はそれだけで違憲とされる。

この立場に沿って目的効果基準を厳格に適用した下級審裁判例もある。

(3)　判例

＜愛媛玉串料訴訟（最大判平9.4.2・百選44事件）＞　同子

	判断内容
多数意見	愛媛県知事が行った県護国神社・靖国神社に対する玉串料の奉納は、社会的儀礼とはいえず、奉納者においても宗教的意義を有するとの意識をもたざるを得ないもので、県が特定宗教団体との間にのみ意識的に特別のかかわり合いをもったことを否定できず、その結果一般人に対して靖国神社は特別なものとの印象を与え、特定宗教への関心を呼び起こすものであるから、目的効果基準に照らし「宗教的活動」に当たる　⇒p.516
反対意見	目的効果基準に照らし、国民一般の宗教意識は稀薄であること、「慰霊」行為は社会的儀礼に属する行為であること、などから、本件公金支出は合憲である

		判断内容
意見	高橋	「目的・効果基準は、基準としては極めてあいまいなものといわざるを得ず、このようなあいまいな基準で国家と宗教とのかかわり合いを判断し、憲法20条3項の宗教的活動を限定的に解することについては、国家と宗教との結び付きを許す範囲をいつの間にか拡大させ、ひいては信教の自由をもおびやかされる可能性があるとの懸念を持たざるを得ない……。完全な分離が不可能、不適当であることの理由が示されない限り、国が宗教とのかかわり合いを持つことは許されない」。
	尾崎	「国家と宗教との完全分離を原則とし、完全分離が不可能であり、かつ、分離に固執すると不合理な結果を招く場合に限って、例外的に国家と宗教とのかかわり合いが憲法上許容されるとすべきものと考える。……政教分離原則の除外例として特に許容するに値する高度な法的利益が明白に求められない限り、国は、疑義ある活動に関与すべきではない」。
	園部	① 目的効果基準の客観性は疑わしく、本件においては89条の解釈において目的効果基準を適用する必要はない ② 本件公金支出の客観的要素に着目するだけで容易に89条違反という結論が出されるので、さらに20条3項に違反するかどうかを判断する必要はない

※ 津地鎮祭訴訟では市が主催者となって建設予定地で神道式地鎮祭を行ったのに対し、本件では宗教団体が主催者となって宗教施設内部で行われた宗教的儀式に対して公金が支出されたという意味において行為の宗教性が極めて強く、こうした事案の違いが津地鎮祭訴訟と正反対の結論を導いたと指摘する見解が多い。

▼ 最判平 18.6.23・平 18 重判 6 事件〈回〉

事案： 　内閣総理大臣が行った靖國神社の参拝により、原告らの、「戦没者が靖國神社に祀られているとの観念を受け入れるか否かを含め、戦没者をどのように回顧し祭祀するか、しないかに関して（公権力からの圧迫、干渉を受けずに）自ら決定し、行う権利ないし利益」が害され、精神的苦痛を受けたなどとして、国、総理大臣及び靖國神社に対し国家賠償ないし不法行為に基づく損害賠償を求めた。

判旨： 「人が神社に参拝する行為自体は、他人の信仰生活等に対して圧迫、干渉を加えるような性質のものではないから、他人が特定の神社に参拝することによって、自己の心情ないし宗教上の感情が害されたとし、不快の念を抱いたとしても、これを被侵害利益として、直ちに損害賠償を求めることはできないと解するのが相当である」。Xらの主張する権利ないし利益も、「上記のような心情ないし宗教上の感情と異なるものではないというべきである。このことは、内閣総理大臣の地位にある者が靖國神社を参拝した場合においても異なるものではないから」、本件参拝によってXらに「損害賠償の対象となり得るような法的利益の侵害があったとはいえない」。

人権

▼　自衛官合祀事件（最大判昭63.6.1・百選43事件）〈司共〉

事案：　県隊友会（私人）が、自衛隊職員の協力を得て、殉職自衛官を山口県
　　　　護国神社に合祀申請したことが、政教分離原則違反にならないか争われ
　　　　た。

判旨：　「県隊友会の単独名義でなされた本件合祀申請は、実質的にも県隊友会
　　　　単独の行為であった」とした上で、目的効果基準を適用し、その「宗教
　　　　とのかかわり合いは間接的であり、その意図、目的も合祀実現により自
　　　　衛隊員の社会的地位の向上と士気の高揚を図ることにあった」と推認さ
　　　　れ、「その宗教的意識も希薄であ」るのみならず、「その行為の態様から
　　　　して、国又はその機関として特定の宗教への関心を呼び起こし、あるい
　　　　はこれを援助、助長、促進し、又は他の宗教に圧迫、干渉を加えるよう
　　　　な効果をもつものと一般人から評価される行為とは認め難い」とした。
　　　　また、「信教の自由の保障は、何人も自己の信仰と相容れない信仰を持つ
　　　　者の信仰に基づく行為に対して、それが強制や不利益の付与を伴うこと
　　　　により自己の信教の自由を妨害するものでない限り寛容であることを要
　　　　請している」として、静謐な宗教的環境の下で信仰生活を送るべき利益
　　　　なるものは保護に値しないとした。

▼　即位の礼・大嘗祭と政教分離の原則（最判平14.7.11・百選45事件）
〈司共〉

事案：　昭和天皇の死去後、今上天皇の即位に伴う国事行為「即位の礼」と、
　　　　皇室行事「大嘗祭」が行われた。被告鹿児島県知事が「大嘗祭」に参列
　　　　し、そのための鹿児島県の公金支出が違法であるとして、住民が住民訴
　　　　訟（地自242の2）を提起した。

判旨：　「大嘗祭」は、「天皇が皇祖及び天神地祇に対して安寧と五穀豊穣等を
　　　　感謝するとともに国家や国民のために安寧と五穀豊穣等を祈念する儀式
　　　　であり、神道施設が設置された大嘗宮において、神道の儀式にのっとり
　　　　行われ」るものであるから、県知事が大嘗祭に参列し拝礼した行為は、
　　　　宗教とかかわり合いを持つものである。しかしながら、(1)大嘗祭が皇室
　　　　の重要な伝統儀式であること、(2)他の関係者と共に、大嘗祭の一部に参
　　　　列して拝礼したに留まること、(3)公職にある者の社会的儀礼に過ぎない
　　　　ものであること、これらの諸点からすると、大嘗祭への参列の目的は、
　　　　天皇に対する社会的儀礼を尽くすものであり、その効果も、特定の宗教
　　　　に対する援助、助長、促進又は圧迫、干渉等になるようなものでないと
　　　　認められる。したがって、知事の大嘗祭への参列は、宗教とのかかわり
　　　　合いの程度が相当とされる限度を超えるものとは認められず、政教分離
　　　　原則に違反するものではない。

▼ 箕面忠魂碑・慰霊祭訴訟（最判平5.2.16・百選46事件）

事案： 箕面市が、移転用地を取得して忠魂碑を移設するとともに、その敷地を無償で貸与したこと、及び遺族会が仏式ないし神式で行った慰霊祭に、公務員である教育長が参列して公費を支出したこと等の合憲性が争われた。

判旨： 1 忠魂碑移設・用地の無償貸与について

「その目的は、小学校の校舎の建替え等のため、公有地上に存する戦没者記念碑的な性格を有する施設を他の場所に移設し、その敷地を学校用地として利用することを主眼とするものであり、……専ら世俗的なものと認められ、その効果も、特定の宗教を援助、助長、促進又は他の宗教に圧迫、干渉を加えるものとは認められない」から、憲法20条3項により禁止される「宗教的活動」に当たらない。

2 教育長の慰霊祭参列等について

その目的は「戦没者遺族に対する社会的儀礼を尽くすという、専ら世俗的なものであり、その効果も、特定の宗教に対する援助、助長、促進し又は、干渉等になるような行為とは認められない」から、政教分離原則に反しない。

人
権

▼ 大阪地蔵像訴訟（最判平4.11.16・百選〔第5版〕53事件）

事案： 大阪市が町会に対して、地蔵像建立あるいは移設のため、市有地の無償使用を承認するなどした行為について、大阪市が町会に対して、市有地の明渡しを請求しないのは違法である旨の確認を求める住民訴訟（地自242の2）を提起した。

判旨： ①大阪市の無償使用の承認の意図、目的は何ら宗教的意義を帯びないものであった。②地蔵信仰は習俗化し、地蔵像の宗教性は希薄なものになっている。③町会は、宗教的活動を目的とする団体ではない。以上の事実関係の下では、大阪市の市有地の無償使用の承認行為は、その目的及び効果に鑑み、宗教とのかかわり合いが我が国の社会的・文化的諸条件に照らし信教の自由の確保という制度の根本目的との関係で相当とされる限度を超えるものとは認められず、憲法20条3項あるいは89条の規定に違反するものではない。

▼ 空知太神社訴訟（最大判平22.1.20・百選47事件）

事案： 市が所有する土地を神社施設の敷地として氏子集団に無償使用させたことが、憲法89条、20条1項後段に違反するかが争われた。

判旨： 「国家と宗教とのかかわり合いには種々の形態があり、およそ国又は地方公共団体が宗教との一切の関係を持つことが許されないというものではなく、憲法89条も、公の財産の利用提供等における宗教とのかかわり合いが、我が国の社会的、文化的諸条件に照らし、信教の自由の保障の

確保という制度の根本目的との関係で相当とされる限度を超えるものと認められる場合に、これを許さないとするもの」である。「信教の自由の保障の確保という制度の根本目的との関係で相当とされる限度を超えて憲法89条に違反するか否かを判断するに当たっては、当該宗教的施設の性格、当該土地が無償で当該施設の敷地としての用に供されるに至った経緯、当該無償提供の態様、これらに対する一般人の評価、諸般の事情を考慮し、社会通念に照らして総合的に判断すべきものと解するのが相当である」。

「本件神社物件は、神社神道のための施設であり、その行事も、このような施設の性格に沿って宗教的行事として行われている」。「本件神社物件を管理し、……祭事を行っているのは、……本件氏子集団である。本件氏子集団は、……宗教的行事等を行うことを主たる目的としている宗教団体であって、寄附を集めて本件神社の祭事を行っており、憲法89条にいう『宗教上の組織若しくは団体』に当たるものと解される」。

「本件氏子集団は、……本件神社物件の設置に通常必要とされる対価を何ら支払うことなく、その設置に伴う便益を享受している」。すなわち、本件利用提供行為（市が所有する土地を神社施設の敷地として氏子集団に無償使用させたこと）は、「その直接の効果として、氏子集団が神社を利用した宗教的活動を行うことを容易にしているものということができる」。そうすると、「本件利用提供行為は、市が、何らの対価を得ることなく本件各土地上に宗教的施設を設置させ、本件氏子集団においてこれを利用して宗教的活動を行うことを容易にさせているものといわざるを得ず、一般人の目から見て、市が特定の宗教に対して特別の便益を提供し、これを援助していると評価されてもやむを得ないものである」。

「以上のような事情を考慮し、社会通念に照らして総合的に判断すると、本件利用提供行為は、……信教の自由の保障の確保という制度の根本目的との関係で相当とされる限度を超えるものとして、憲法89条の禁止する公の財産の利用提供に当たり、ひいては憲法20条1項後段の禁止する宗教団体に対する特権の付与にも該当する」。

評釈：　本判決では目的効果基準による判断がなされていないが、藤田宙靖裁判官の補足意見では、「本件における神社施設は、これといった文化財や史跡等としての世俗的意義を有するものではなく、一義的に宗教施設……であって、そこで行われる行事もまた宗教的な行事であることは明らかである。」と述べ、目的効果基準の適用の可否が問われる以前の問題であると言及されている。

＊　本判決と同日に下された富平神社訴訟（最大判平22.1.20）では、市が神社の敷地となっていた市有地を町内会組織に無償譲渡したことの合憲性について、政教分離原則に違反するおそれのある状態を是正解消するために行ったものとした上で、憲法20条3項及び89条に違反するものではないと判示した〈回〉。

▼　孔子廟訴訟（最大判令3.2.24）

事案：　那覇市長は、市の管理する都市公園内に、儒教の祖である孔子等を祭った久米至聖廟（孔子廟、以下「本件施設」という。）を設置することをその所有者（本件施設の公開等を目的とする一般社団法人、以下「参加人」という。）に許可した。

　　　　本件では、那覇市長がその敷地の使用料（以下「公園使用料」という。）の全額を免除した行為が、憲法20条3項が禁止する「宗教的活動」に当たるかが争われた。

判旨：　1　政教分離原則の意義、及び政教分離原則違反の判断基準

　　　　　「憲法は、20条1項後段、3項、89条において、いわゆる政教分離の原則に基づく諸規定（以下「政教分離規定」という。）を設けているところ、一般に、政教分離原則とは、国家（地方公共団体を含む。以下同じ。）の非宗教性ないし宗教的中立性を意味するものとされている。……国家と宗教との関わり合いには種々の形態があり、およそ国家が宗教との一切の関係を持つことが許されないというものではなく、政教分離規定は、その関わり合いが我が国の社会的、文化的諸条件に照らし、信教の自由の保障の確保という制度の根本目的との関係で相当とされる限度を超えるものと認められる場合に、これを許さないとするものであると解される。

　　　　　そして、国又は地方公共団体が、国公有地上にある施設の敷地の使用料の免除をする場合においては、当該施設の性格や当該免除をすることとした経緯等には様々なものがあり得ることが容易に想定されるところであり、例えば、一般的には宗教的施設としての性格を有する施設であっても、同時に歴史的、文化財的な建造物として保護の対象となるものであったり、観光資源、国際親善、地域の親睦の場などといった他の意義を有していたりすることも少なくなく、それらの文化的あるいは社会的な価値や意義に着目して当該免除がされる場合もあり得る。これらの事情のいかんは、当該免除が、一般人の目から見て特定の宗教に対する援助等と評価されるか否かに影響するものと考えられるから、政教分離原則との関係を考えるに当たっても、重要な考慮要素とされるべきものといえる。そうすると、当該免除が、前記諸条件に照らし、信教の自由の保障の確保という制度の根本目的との関係で相当とされる限度を超えて、政教分離規定に違反するか否かを判断するに当たっては、当該施設の性格、当該免除をすることとした経緯、当該免除に伴う当該国公有地の無償提供の態様、これらに対する一般人の評価等、諸般の事情を考慮し、社会通念に照らして総合的に判断すべきものと解するのが相当である。」

人
権

2　本件施設の性格

「本件施設で行われる釋奠祭禮 [注：孔子の誕生を祝う行事] は、……孔子を歴史上の偉大な人物として顕彰するにとどまらず、その霊の存在を前提として、これを崇め奉るという宗教的意義を有する儀式というほかない。また、……釋奠祭禮が主に観光振興等の世俗的な目的に基づいて行われているなどの事情もうかがわれない。……本件施設の建物等は、上記のような宗教的意義を有する儀式である釋奠祭禮を実施するという目的に従って配置されたものということができる。

また、当初の至聖廟等は、……社寺と同様の取扱いを受けていたほか……旧至聖廟等は当初の至聖廟等を再建したものと位置付けられ、本件施設はその旧至聖廟等を移転したものと位置付けられていること等に照らせば、本件施設は当初の至聖廟等及び旧至聖廟等の宗教性を引き継ぐものということができる。

以上によれば、本件施設については、一体としてその宗教性を肯定することができることはもとより、その程度も軽微とはいえない。」

3　本件免除がされた経緯

「本件免除がされた経緯は、市が、本件施設の観光資源等としての意義に着目し、又は……本件施設の歴史的価値が認められるとして、その敷地の使用料（公園使用料）を免除することとしたというものであったことがうかがわれる。

しかしながら、市は、本件公園の用地として、新たに国から国有地を購入し、又は借り受けたものであるところ、……大成殿を建設する予定の敷地につき参加人の所有する土地との換地をするなどして、大成殿を私有地内に配置することが考えられる旨の整理がされていた……。また、本件施設は、当初の至聖廟等とは異なる場所に平成25年に新築されたものであって、当初の至聖廟等を復元したものであることはうかがわれず、法令上の文化財としての取扱いを受けているなどの事情もうかがわれない。

そうすると、本件施設の観光資源等としての意義や歴史的価値をもって、直ちに、参加人に対して本件免除により新たに本件施設の敷地として国公有地を無償で提供することの必要性及び合理性を裏付けるものとはいえない。」

4　本件免除に伴う当該国公有地の無償提供の態様

「本件免除に伴う国公有地の無償提供の態様は、本件設置許可に係る占用面積が1335㎡に及び、免除の対象となる公園使用料相当額が年間で576万7200円……に上るというものであって、本件免除によって参加人が享受する利益は、相当に大きい……。また、本件設置許可の期間は3年とされているが、公園の管理上支障がない限り更新が予定されているため、……参加人は継続的に上記と同様の利益を享受することとなる」。

「本件免除は、参加人に上記利益を享受させることにより、参加人が本件施設を利用した宗教的活動を行うことを容易にするものであるということができ、その効果が間接的、付随的なものにとどまるとはいえない。」

5 本件免除に対する一般人の評価

「これまで説示したところによれば、**本件施設の観光資源等としての意義や歴史的価値を考慮しても**、本件免除は、一般人の目から見て、市が参加人の上記活動に係る特定の宗教に対して特別の便益を提供し、これを援助していると評価されてもやむを得ないものといえる。」

6 結論

「以上のような事情を考慮し、社会通念に照らして総合的に判断すると、本件免除は、市と宗教との関わり合いが、我が国の社会的、文化的諸条件に照らし、信教の自由の保障の確保という制度の根本目的との関係で相当とされる限度を超えるものとして、**憲法20条3項の禁止する宗教的活動に該当すると解するのが相当である。**」

「以上によれば、本件免除が憲法20条1項後段、89条に違反するか否かについて判断するまでもなく、**本件免除を違憲とした原審の判断は是認することができる。**」

第21条 〔集会・結社・表現の自由、検閲の禁止、通信の秘密〕

Ⅰ 集会、結社及び言論、出版その他一切の表現の自由は、これを保障する。
Ⅱ 検閲は、これをしてはならない。通信の秘密は、これを侵してはならない。

⇒国公§102・地公§36・裁判所§52①（公務員の政治的行為の制限）、刑訴§100（郵便物の押収）、明憲§29（言論・集会・結社の自由）、明憲§26（信書の秘密）

《注 釈》

一 総説

1 表現の自由の意味と価値

(1) 表現の自由の意味

人の内心における精神作用を外部に公表する精神活動の自由を表現の自由という。公表の方法のいかんを問わない。

本条1項は「集会、結社」と「言論、出版その他一切の表現の自由」を保障すると規定している。集会・結社も、通常、集団ないし団体としての思想・意見の表明を伴うので、集会・結社の自由は表現の自由の一類型に属するとされるが、伝統的な言論・出版の自由とは区別される独立の権利である。

(2) 表現の自由の価値

① 個人が言論活動を通じて自己の人格を発展させるという個人的な価値（自己実現の価値）

② 言論活動によって国民が政治的意思決定に関与するという民主政に資する社会的な価値（自己統治の価値）

→表現の自由の優越的地位が導き出される（⇒ p.163）

2 知る権利〈司H20〉

(1) 送り手の自由から受け手の自由へ

表現の自由は、単に表現の送り手の自由だけでなく、表現の受け手が情報を受領しかつ請求する自由、すなわち知る権利も含むと解されるようになっている。

∵① 福祉国家化に伴う国家機能の増大・行政権の拡大強化により公権力に膨大な量の情報が集中管理されるようになった

② マス・メディアの集中化・独占化が進み、それらのメディアから大量の情報が一方的に流されるようになったことで、情報が社会生活においてもつ意義が飛躍的に増大するとともに、情報の受け手（一般国民）と情報の送り手（マス・メディア）の分離が顕著になった

(2) 知る権利の法的性格

① 自由主義的性格（不作為請求権）

国民が情報を収集することを国家によって妨げられない権利

ex.1 新聞記者が取材源を秘匿すること

ex.2 わいせつの疑いがある写真集を輸入すること

ex.3 公園で集会をすること

ex.4 街頭で署名運動をすること

② 請求権的性格（作為請求権）

国家に対して積極的に情報公開を要求する権利

ex.1 条例に基づき公の情報の公開を求めること

ex.2 ある意見を掲載した新聞に対し、その反論文の掲載を求めること

(a) 情報公開請求権

情報公開請求権は、知る権利の請求権的側面として本条1項により保障される憲法上の権利であるとするのが通説的見解である。

もっとも、個々の国民が裁判上情報公開請求権を行使するためには、公開の基準や手続等について、法律による具体的な定めが必要な抽象的権利であると解されている〈司〉。

∵ 公開・非公開の判断者及びその手続、公開の方法・要件といったことは、21条1項だけからは、一義的に引き出すことはできない

cf. 遺伝子治療法研究の被験者が被験者自身の遺伝子情報を知る権利は、送り手の表現の自由を前提とするものではないため、表現の自由としてではなく、むしろ、憲法13条の幸福追求権に位置付けられている自己情報コントロール権に基づく情報開示請求権として認められる〈司H21〉

人権

▼ 最判平 6.1.27・百選 78 事件

事案： 大阪府の公文書公開条例に基づき、府知事の交際費に関する資料の公開を求めた住民が、府知事を相手に非公開処分の取消しを求めた。

府知事が非公開にした現金出納簿・領収書・請求書等が、①条例が非公開にできると定めている「府の機関が行う事務に関する情報で、公開によって著しい支障を及ぼすおそれのある情報」に当たるか、また、②条例が公開を禁じている「特定の個人が識別され、他人に知られたくないと望むことが認められる情報」に当たるか、が問題となった。

判旨： 本判例は、①知事の交際事務は、相手方との信頼関係や友好関係の維持増進を目的として行われるところ、交際の相手方を識別しうるような文書の公開によって、交際事務の目的を達成できなくなるおそれがある。さらに、知事においても、右のような事態が生じることを懸念して、必要な交際費の支出を差し控えるなど、交際事務を適切に行うことに著しい支障を及ぼすおそれがある。したがって、本件文書のうち交際の相手方が識別されうるものは、条例が非公開にできると定めている「府の機関が行う事務に関する情報で、公開によって著しい支障を及ぼすおそれのある情報」に該当する。②交際の相手方としては、具体的金額等までは一般に他人に知られたくないと望むものであり、それは正当であるから、交際内容等が一般に公開されることがもともと予定されているものを除いて、本件文書のうち相手方が識別されうるものは、原則として、条例が公開を禁じている「特定の個人が識別され、他人に知られたくないと望むことが認められる情報」に該当すると判示して、本件各文書が相手方を識別しうるものかにつき、さらに審理を尽くさせるために原審に差し戻した。

人権

▼ レセプト情報公開請求事件（最判平 13.12.18・百選 79 事件）

事案： 自らの子の死は医療ミスが理由であるとして別訴を提起している原告Xらが、子の死に至る事実を調査するため、公文書公開条例に基づき診療報酬明細書（いわゆるレセプト）の公開をY県に求めたところ、当該条例8条1号の個人情報に関する除外事由に当たるとして非公開決定が出されたことから、当該拒否処分の取消しを求めた。

＊ Xらの居住する県では、当時個人情報保護条例が制定されていなかった。

判旨： 情報公開制度と個人情報保護制度は本来異なる目的を有する制度であり、開示要件や範囲なども当然異なる。そして、その要件等の設定については広く制定地方公共団体の立法政策に服するところである。

人
権

　　　しかし、「情報公開制度が先に採用され、いまだ個人情報保護制度が採用されていない段階においては、Ｘらが同県の実施機関に対し公文書の開示を求める方法は、情報公開制度において認められている請求を行う方法に限られている。また、情報公開制度と個人情報保護制度は、前記のように異なる目的を有する別個の制度ではあるが、互いに相いれない性質のものではなく、むしろ、相互に補完し合って公の情報の開示を実現するための制度ということができるのである。とりわけ、本件において問題とされる個人に関する情報が情報公開制度において非公開とすべき情報とされるのは、個人情報保護制度が保護の対象とする個人の権利利益と同一の権利利益を保護するためであると解されるのであり、この点において、両者は表裏の関係にあるということができ」る。

　　　「これらのことにかんがみれば、個人情報保護制度が採用されていない状況の下において、情報公開制度に基づいてされた自己の個人情報の開示請求については、そのような請求を許さない趣旨の規定が置かれている場合等は格別、当該個人の上記権利利益を害さないことが請求自体において明らかなときは、個人に関する情報であることを理由に請求を拒否することはできない」。

▼ 県立美術館所蔵作品非公開事件（名古屋高金沢支判平12.2.16・百選A13事件）

　事案：　県立美術館所蔵の天皇コラージュの連作版画について天皇不敬であるとして攻撃を受けたため、作品を非公開・売却、図録を焼却処分としたため、作者が表現の自由の侵害を理由に、住民らが鑑賞する権利や知る権利の侵害を理由に、県教育委員会教育長に対し損害賠償、売却・焼却処分の無効確認及び本作品の買戻し及び図録の再発行を請求した。

　判旨：　県立美術館所蔵の美術品を住民が特別観覧することは公の施設を利用することであるから、県教育委員会は、地方自治法244条2項に定める正当な理由がない限り、住民のした特別観覧許可申請を不許可とすることは許されない。しかし、県立美術館の管理運営上の支障を生じる蓋然性が客観的に認められる場合には、管理者が特別閲覧許可申請を不許可とし、あるいは図録の閲覧を拒否しても、「正当な理由」があるものとして許されるとし、本件では「利用者に平穏で静寂な環境を提供・保持する要請を満たすことができなくなる可能性が多分にあり、また、特別観覧制度を利用して本件作品を損傷しようとする者が紛れ込む可能性が否定できない状況にあったというほかはないから、県立美術館の管理運営上の支障を生じる蓋然性が客観的に認められる場合に該当するものと認めるのが相当である」と判示した。

　＊　上告審（最判平12.10.27）で上告棄却された。

＊　原審は「単に危険な事態を生ずる蓋然性があるからというだけではたりず、客観的な真実に照らして明らかな差し迫った危険の発生が具体的に予見されることが必要である」と判示している。

(b)　アクセス権 〈同共〉

アクセス権とは、一般に、情報の受け手である一般国民が情報の送り手であるマス・メディアに対して自己の意見の発表の場を提供することを要求する権利であるといわれている。

マス・メディア（情報の送り手）と一般国民（情報の受け手）との分離が顕著なメディア社会においては、国民にとって必要な情報がマス・メディア側に偏在しているため、国民自らが必要な情報を収集することは困難である。そのため、表現の送り手の自由だけでなく、受け手の自由としての知る権利（アクセス権）も21条1項の表現の自由に含まれると解することで、表現の受け手の自由を保護する必要性が高いことを根拠とする。

→マス・メディアに対する知る権利

ex. 意見広告や反論記事の掲載、紙面・番組への参加等

▼　サンケイ新聞事件（最判昭62.4.24・百選76事件）〈同予〉

事案：　自民党がサンケイ新聞に掲載した意見広告により共産党の名誉が毀損されたとして、共産党が同じスペースの反論文を無料かつ無修正で掲載することを要求した。

判旨：　「民法723条により名誉回復処分又は差止の請求権の認められる場合があることをもって、所論のような反論文掲載請求権を認めるべき実定法上の根拠とすることはできない」。

「いわゆる反論権の制度は、記事により自己の名誉を傷つけられあるいはそのプライバシーに属する事項等について誤った報道をされたとする者にとっては、機を失せず、同じ新聞紙上に自己の反論文の掲載を受けることができ、これによって原記事に対する自己の主張を読者に訴える途が開かれることになるのであって、かかる制度により名誉あるいはプライバシーの保護に資するものがあることも否定し難いところである」。しかし、「この制度が認められるときは、新聞を発行・販売する者にとっては、原記事が正しく、反論文は誤りであると確信している場合でも、あるいは反論文の内容がその編集方針によれば掲載すべきでないものであっても、その掲載を強制されることになり、また、そのために本来ならば他に利用できたはずの紙面を割かなければならなくなる等の負担を強いられるのであって、これらの負担が、批判的記事、ことに公的事項に関する批判的記事の掲載をちゅうちょさせ、憲法の保障する表現の自由を間接的に侵す危険につながるおそれも多分に存する」とした上で、ある記事が特定の者の名誉ないしプライバシーに重大な影響を及ぼすこ

人
権

161

とがあるとしても、「不法行為が成立する場合にその者の保護を図ることは別論として、反論権の制度について具体的な成文法がないのに、反論権を認めるに等しい……反論文掲載請求権をたやすく認めることはできない」。

　なお、訂正放送を義務付ける放送法の規定は、「反論文掲載請求権が認められる根拠とすることはできない」。

* 判決のいう「具体的な成文法」が仮に制定されても、それが報道機関の編集の自由との関係において許される限度であり、かつ、批判的記事ないし報道を差し控える萎縮効果を及ぼさないようなものとなりうるかが問題となる。

　この点、①マス・メディアの私企業性を強調し、このような法律はマス・メディアの表現の自由と衝突し、マス・メディアに対する広汎な公権的規制への道を開くと考えると、否定的に解することになる。他方で、②マス・メディアの公的性格を強調し、読者の知る権利を保障するために、新聞の掲載した記事とは相反する情報をも読者に伝達する必要が大きいと考えると、肯定的に解することになる。

▼ 最判平16.11.25・平16重判8事件〈同予〉

事案： 被告は夫からの取材に基づき、「妻からの離縁状・突然の別れに戸惑う夫たち」と題する特集を放送した。この番組では妻が夫と長男を置いて家を出ていった上、一方的に離婚を迫った旨の取り上げ方がされていた。妻は、右番組により名誉を毀損されプライバシーを侵害されたと主張して、慰謝料の支払及び訂正放送・謝罪放送等を求めた。

判旨： 原告の各請求のうち、訂正放送の求めについて、「法4条1項は、真実でない事項の放送について被害者から請求があった場合に、放送事業者に対して訂正放送等を義務付けるものであるが、この請求や義務の性質について……同項は、真実でない事項の放送がされた場合において、放送内容の真実性の保障及び他からの干渉を排除することによる表現の自由の確保の観点から、放送事業者に対し、自律的に訂正放送等を行うことを国民全体に対する公法上の義務として定めたものであって、被害者に対して訂正放送等を求める私法上の請求権を付与する趣旨の規定ではないと解するのが相当である」とした。

* 控訴審では、名誉毀損及びプライバシー侵害の成立を認め、3分間の訂正放送を認容していた。

3　消極的表現の自由〈同H18 予H28〉

　他者によって表現を強制される場合、消極的表現の自由の侵害が問題となりうる。消極的表現の自由とは、他者の意見を表明することを強制されない自由をいい、単なる言わない自由や沈黙の自由とは異なる。すなわち、意に沿わない意見表明がその者自身の意見であると表現の受け手側に認識されうるもので

あれば、消極的表現の自由の制約が問題となる。

　なお、自己の有していない思想・良心の外観上の表示を強制される場合、消極的表現の自由とは別個の、思想・良心に反する表現行為を強制されない自由（⇒ p.136）に対する侵害が問題となるが、上記のとおり、意に沿わない意見表明がその者自身の意見であると表現の受け手側に認識されうるものであれば、端的に、消極的表現の自由の制約を問題とするのが最も直截であると解される。

4　表現の自由の限界

　表現の自由も、絶対的な保障を受けるというものではなく、他人の権利・利益との関係で一定の制約を受ける場合があることから、それ自体に内在する制約は存在する。

(1)　二重の基準の理論（⇒ p.95）〈司H27〉

　表現の自由を中心とする精神的自由は、他の自由以上にとりわけ重要な意義（優越的地位）を有するとされ（⇒ p.158）、精神的自由を規制する立法の合憲性は、経済的自由を規制する立法よりも、特に厳しい基準によって審査されなければならないとされる（二重の基準の理論）。

　したがって、表現の自由を規制する立法の合憲性は厳格な基準によって判定される。もっとも、厳格な基準といっても一様ではなく、表現の種別や規制の態様（表現内容に着目した規制か否か等）に応じて異なる。以下ではその個々の基準につき検討する。

(2)　事前抑制・検閲の禁止

　(a)　事前抑制禁止の理論〈予R3〉

　事前抑制とは、表現行為がなされるに先立ち公権力が何らかの方法でこれを抑制すること、及び実質的にこれと同視できるような影響を表現行為に及ぼす規制方法をいう（広義）。

　∵①　事前抑制は、すべての思想はともかくも公にされるべきであるとする「思想の自由市場」の観念に反する

　　　②　事前抑制にかかる表現行為のすべてが公権力の判断を受けることとなり、訴追を受けた特定の表現行為についてのみ判断がなされる事後抑制に比べて公権力による規制の範囲が一般的で広汎である

　　　③　一般的に事前抑制は、行政の広汎な裁量権の下に簡易な手続によって行われ、手続上の保障や実際の抑止的効果の点でも、事後抑制の場合に比べて問題が多い

人権

▼ 北方ジャーナル事件（最大判昭61.6.11・百選68事件）司共予

事案： 知事選挙に立候補予定であったＹが、その名誉を傷つける内容の記事が掲載された雑誌「北方ジャーナル」の販売等を差し止める仮処分を申請し、これを認める仮処分命令がなされた。これに対し、同雑誌発行人Ｘは、同命令が違憲違法であると主張して、国とＹに対して損害賠償を請求した。

判旨： 「表現行為に対する事前抑制は、新聞、雑誌その他の出版物や放送等の表現物がその自由市場に出る前に抑止してその内容を読者ないし聴視者の側に到達させる途を閉ざし又はその到達を遅らせてその意義を失わせ、公の批判の機会を減少させるものであり、また、事前抑制たることの性質上、予測に基づくものとならざるをえないこと等から事後制裁の場合よりも広汎にわたり易く、濫用の虞があるうえ、実際上の抑止的効果が事後制裁の場合より大きいと考えられるのであって、表現行為に対する事前抑制は、表現の自由を保障し検閲を禁止する憲法21条の趣旨に照らし、厳格かつ明確な要件のもとにおいてのみ許容されうる」。

そして、「出版物の頒布等の事前差止めは、……その対象が公務員又は公職選挙の候補者に対する評価、批判等の表現行為に関するものである場合には、……原則として許されないものといわなければならない。」

「ただ、右のような場合においても、その表現内容が真実でなく、又はそれが専ら公益を図る目的のものではないことが明白であって、かつ、被害者が重大にして著しく回復困難な損害を被る虞があるときは、当該表現行為はその価値が被害者の名誉に劣後することが明らかであるうえ、有効適切な救済方法としての差止めの必要性も肯定されるから、かかる実体的要件を具備するときに限って、例外的に事前差止めが許される」予。

「事前差止めを命ずる仮処分命令を発するについては、口頭弁論又は債務者の審尋を行い、表現内容の真実性等の主張立証の機会を与えることを原則とすべきものと解するのが相当である」。もっとも、「口頭弁論を開き又は債務者の審尋を行うまでもなく、債権者の提出した資料によって、その表現内容が真実でなく、又はそれが専ら公益を図る目的のものでないことが明白であり、かつ、債権者が重大にして著しく回復困難な損害を被る虞があると認められるときは、口頭弁論又は債務者の審尋を経ないで差止めの仮処分命令を発したとしても、憲法21条の趣旨に反するものではない」。

(b) 「検閲」（21Ⅱ前段）の意義 同共

本条は、2項前段において検閲を禁止する。そこで、事前抑制の禁止は「検閲」と同じ意味なのか、「検閲」の概念が問題となる。

判例：検閲とは、「行政権が主体となって、思想内容等の表現物を対象

とし、その全部又は一部の発表の禁止を目的として、対象とされる一定の表現物につき網羅的一般的に、発表前にその内容を審査した上、不適当と認めるものの発表を禁止することを、その特質として備えるもの」をいう（税関検査訴訟、最大判昭 59.12.12・百選 69 事件）〈同共〉。

A説：事前抑制の禁止は「検閲」よりも広い概念である（狭義説）
→行政権が主体となり、思想・情報といった表現内容（表現行為）を対象とし、思想・情報の受領前にその内容を審査して、不適当と認める表現行為を禁止することをいう（絶対的禁止）
→事前抑制の禁止は 21 条 1 項の表現の自由の一般的保障から導かれる

B説：事前抑制の禁止は「検閲」と同じ意味である（広義説）
　　B1説：公権力が主体となり、思想・情報といった表現内容（表現行為）を対象とし、思想・情報の受領前にその内容を審査して、不適当と認める表現行為を原則として禁止することをいう（相対的禁止）
　　B2説：公権力が主体となり、思想内容を対象とし、発表前にその内容を審査して、不適当と認めるものの発表を原則として禁止することをいう（相対的禁止）

＜「検閲」（21 Ⅱ前段）の意義＞

	狭義説		広義説	
	判例	A説	B1説	B2説
主体	行政権 →裁判所による事前抑制は検閲に当たらない（1 項の事前抑制禁止の問題となる）		公権力 →裁判所による事前抑制も検閲に当たる	
対象	思想内容等の表現物	表現内容（表現行為） →思想と区別される一定の表現を審査することも検閲に該当する ∵　表現の自由は事実の伝達の自由及び思想と区別される一定の表現の自由も含む		思想内容
時期	発表前	思想・情報の受領前 ∵　表現の自由を知る権利を中心に構成すれば、むしろ思想・情報の受領時を基準とすべき		発表前

人権

	狭義説	広義説	
	判例	A説	B1説	B2説
禁止の程度	絶対的禁止		相対的禁止 →裁判所による事前抑制は検閲に該当するが、厳格かつ明確な要件の下で許容されうる	

(c) 「検閲」に該当するか否かが争われた判例

▼ 税関検査訴訟（最大判昭59.12.12・百選69事件）

事案： 外国図書・映画等の輸入に当たって、税関当局がその内容を審査し、輸入禁止や部分削除を行うという税関検査が、「検閲」に該当しないかが争われた。

判旨： 税関検査は「検閲」に当たらないと判示した。
　　∵① 税関検査により輸入が禁止される表現物は、一般に、国外においてはすでに発表済みのものであり、その輸入禁止は、当該表現物につき事前に発表そのものを一切禁止するというものではない
　　　② 税関検査は、関税徴収手続の一環として付随的になすにすぎず、思想内容等それ自体を網羅的に審査し規制することを目的とするものではない
　　　③ 税関検査は行政権の行使であるが、その主体となる税関は、関税の確定及び徴収を本来の職務内容とする機関であって、特に思想内容等を対象としてこれを規制することを独自の使命とするものではない
　　　④ 税関長の通知がされたときは、司法審査の機会が与えられ、行政権の判断が最終的なものとされるわけではない

評釈： 学説においては、税関検査は「検閲」に該当するとみる立場が多数である。この立場からは、本判決の挙げた理由に対して次のような批判が加えられている。
　　∵① 税関検査は、国外の表現物を日本国内で発表する自由・知る自由の規制であり、国外での発表の有無は我が国での違憲審査の対象外にある
　　　② 事実の審査であっても事実と思想は密接であり、民主主義の維持のため、国民の判断資料としての事実の流通は不可欠である
　　　③ 検閲にとって重要なのは、手続的保障が不十分な行政機関が事前差止を行うこと自体であって、その任務が何かは関係ない
　　　④ 行政処分に司法審査が及ぶのは当然のことであり、事前規制を合理化するものではない

人
権

▼ 北方ジャーナル事件（最大判昭61.6.11・百選68事件）

事案： 被害者の名誉を毀損し、回復困難な損害をもたらすおそれがある出版物の仮処分による事前差止めが、「検閲」に該当しないかが争われた。

判旨： 税関検査訴訟（最大判昭59.12.12・百選69事件）の示した「検閲」概念を引用した上で、「仮処分による事前差止めは、表現物の内容の網羅的一般的な審査に基づく事前規制が行政機関によりそれ自体を目的として行われる場合とは異なり、個別的な私人間の紛争について、司法裁判所により、当事者の申請に基づき差止請求権等の私法上の被保全権利の存否、保全の必要性の有無を審理判断して発せられるもの」であるため、「検閲」には該当しない旨判示した。

▼ 第一次教科書訴訟（最判平5.3.16・百選88事件）〈司〉

事案： 文部大臣の検定に合格しなければ小・中・高等学校の教科書として出版できないとする教科書検定が、「検閲」に該当するかが争われた。

判旨： 税関検査訴訟（最大判昭59.12.12・百選69事件）の示した「検閲」概念を引用した上で、本件検定は「一般図書としての発行を何ら妨げるものではなく、発表禁止目的や発表前の審査などの特質がない」ので「検閲」には当たらないと判示した。

評釈： なお、第二次教科書訴訟（杉本判決、東京地判昭45.7.17・百選87事件）は、事前許可制であっても検定が思想内容に及ぶものでない限り「検閲」に該当しないが、本件検定は思想内容の審査に及んでいるため、「検閲」に当たるとした。

▼ 岐阜県青少年保護育成条例事件（最判平元.9.19・百選50事件）
〈司〉〈司H20 司H30〉

事案： 青少年への有害図書の販売・頒布・貸付等を条例で禁じるに当たり、知事が事前に「特に卑わいな姿態若しくは性行為を被写体とした写真又はこれらの写真を掲載する紙面が編集紙面の過半を占める」と認められる刊行物を、当該写真の内容をあらかじめ規則で定めるところにより包括的に指定することができるとする内容の規定が、「検閲」禁止に反しないかが争われた。

判旨： 税関検査訴訟（最大判昭59.12.12・百選69事件）の示した「検閲」概念を引いた上で、包括的な指定を認める本件条例の規定は「検閲」に該当しないと判示した。その上で、21条1項違反の点につき、「本条例の定めるような有害図書が一般に思慮分別の未熟な青少年の性に関する価値観に悪影響を及ぼし、性的な逸脱行為や残虐な行為を容認する風潮の助長につながるものであって、青少年の健全な育成に有害であることは、社会共通の認識になっている。さらに、自販機による有害図書の販

売は、売手と対面しないため心理的に購入が容易であること、昼夜を問わず購入ができること、購入意欲を刺激しやすいことなどの点において、書店等における販売よりもその弊害が一段と大きい。しかも、自販機業者において、有害図書の指定がなされるまでの間に当該図書の販売を済ませることが可能であり、このような脱法的行為に有効に対処するためには、本条例6条2項による指定方式も必要であり、かつ、合理的である。それゆえ、有害図書の自販機への収納禁止は、青少年に対する関係において、21条1項に違反しないことはもとより、成人に対する関係においても、有害図書の流通を幾分制約することにはなるが、青少年の健全な育成を阻害する有害環境を浄化するための規制に伴う必要やむをえない制約であり、21条1項に反しない」とした。

伊藤正己補足意見：　青少年のもつ知る自由は、精神的未熟さなどを理由として「一定の制約をうけ、その制約を通じて青少年の精神的未熟さに由来する害悪から保護される必要があ」るから、「成人に対する表現の規制の場合のように、その制約の憲法適合性について厳格な基準が適用されない」。したがって、「その表現につき明白かつ現在の危険が存在しない限り制約を許されないとか、より制限的でない他の選びうる手段の存在するときは制約は違憲となるなどの原則はそのまま適用されないし、表現に対する事前の規制は原則として許されないとか、規制を受ける表現の範囲が明確でなければならないという違憲判断の基準についても成人の場合とは異なり、多少とも緩和した形で適用される」。

▼ 福島県青少年健全育成条例事件（最判平21.3.9・平21重判5事件）

事案：　被告人が販売機に有害図書類を収納のうえ無届で設置した行為が、条例違反に当たるとして起訴された。具体的には、①本件販売機は遠隔操作できることから対面販売の実質を有し、「自動販売機」に当たらないのではないか、②本件規制は21条1項、22条1項、31条に違反するかが争われた。

判旨：①　「監視センターのモニター画面では、必ずしも客の容ぼう等を正確に判定できるとはいえない」「本件機器が対面販売の実質を有しているということはできず、……『自動販売機』に該当することは明らかである。」
②　「有害図書類の『自動販売機』への収納を禁止し、その違反者に対し刑罰を科すことは、青少年の健全な育成を阻害する有害な環境を浄化するための必要やむを得ないものであって、憲法21条1項、22条1項、31条に違反するものではない。」

▼ NHK政見放送削除事件（最判平2.4.17・百選157事件）〈司共〉

事案： 参議院議員選挙の政見放送において、ＮＨＫが候補者の差別語発言を削除して放送したことが「検閲」に当たるとして、候補者が損害賠償を請求した。

判旨： 「日本放送協会は、行政機関ではなく、自治省行政局選挙部長に対しその見解を照会したとはいえ、自らの判断で本件削除部分の音声を削除してテレビジョン放送をしたのであるから……右措置が憲法21条2項前段にいう検閲に当たらないことは明らか」であると判示した。

なお、本判決は、公職選挙法150条の2の規定は、「テレビジョン放送による政見放送が直接かつ即時に全国の視聴者に到達して強い影響力を有していることにかんがみ、そのような言動が放送されることによる弊害を防止する目的で政見放送の品位を損なう言動を禁止したものであるから、右規定に違反する言動がそのまま放送される利益は、法的に保護された利益とはいえず、したがって、右言動がそのまま放送されなかったとしても、不法行為法上、法的利益の侵害があったとはいえないと解すべきである」とも判示した。

（3） 明確性の原則〈司H20 司H30 司R元 予R3〉

表現の自由に対して、曖昧不明確な法律によって規制を加えると、本来合憲的に行うことのできる表現行為をも差し控えさせてしまう萎縮効果が生じうる。これでは表現活動が閉塞状態に陥って、民主主義の崩壊を招く危険性がある。

そのため、法文上不明確な法律は原則として無効となるとされている（漠然性ゆえに無効の法理）。また、法文上は一応明確であっても、規制範囲が広汎に過ぎるために表現行為に対する委縮効果を生じさせる場合があり、この場合にも法律は原則として無効となる（過度の広汎性ゆえに無効の法理）。なお、両者は概念的には区別されるものであることに注意が必要である。

▼ 徳島市公安条例事件（最大判昭50.9.10・百選83事件）

「ある刑罰法規があいまい不明確のゆえに憲法31条に違反するものと認めるべきかどうかは、通常の判断能力を有する一般人の理解において、具体的場合に当該行為がその適用を受けるものかどうかの判断を可能ならしめるような基準が読みとれるかどうかによってこれを決定すべきである」。

＊ 判例は31条に関するものであるが、21条に関しても同じように考えられる。

人権

▼ 税関検査訴訟（最大判昭 59.12.12・百選 69 事件）〈司予〉

判旨：   表現の自由は「憲法の保障する基本的人権の中でも特に重要視されるべきものであって、法律をもって表現の自由を規制するについては、基準の広汎、不明確の故に当該規制が本来憲法上許容されるべき表現にまで及ぼされて表現の自由が不当に制限されるという結果を招くことがないように配慮する必要があり、事前規制的なものについては特に然りというべきである」としたうえで、関税定率法 21 条 1 項 3 号（現関税法 69 の 11 Ⅰ⑦）にいう「風俗を害すべき書籍、図画」等とは、「猥褻な書籍、図画等に限られるものということができ、このような限定的な解釈が可能である以上、右規定は何ら明確性に欠けるものではな」いと判示した。

評釈：   当該規定は「不明確であると同時に広汎に過ぎるものであり、かつ、それが本来規制の許されるべきでない場合にも適用される可能性を無視し得ないと考えられる」として違憲無効であるとの反対意見が付されている。

▼ 広島市暴走族追放条例事件（最判平 19.9.18・百選 84 事件）〈予〉

事案：   広島市暴走族追放条例（以下「本条例」という。）は、本条例 16 条 1 項において、「何人も、次に掲げる行為をしてはならない。」と定め、同項 1 号として「公共の場所において、当該場所の所有者又は管理者の承諾又は許可を得ないで、公衆に不安又は恐怖を覚えさせるような い集又は集会を行うこと」を掲げている。そして、本条例 17 条は、「前条第 1 項第 1 号の行為が、本市の管理する公共の場所において、特異な服装をし、顔面の全部若しくは一部を覆い隠し、円陣を組み、又は旗を立てる等威勢を示すことにより行われたときは、市長は、当該行為者に対し、当該行為の中止又は当該場所からの退去を命ずることができる。」とし、本条例 19 条は、この市長の命令に違反した者は、「6 月以下の懲役又は 10 万円以下の罰金に処する」と規定している。被告人は、本条例 2 条 7 号の「暴走族」（「暴走行為をすることを目的として結成された集団又は公共の場所において、公衆に不安若しくは恐怖を覚えさせるような特異な服装若しくは集団名を表示した服装で、い集、集会若しくは示威行為を行う集団」）に該当し、本条例 17 条に該当する集会を行ったため、広島市職員から上記集会を中止して広場から退去するよう命令を受けたが、これに従わず、引き続き同所において本件集会を継続したため、上記命令に違反したものとして、逮捕・起訴された。

判旨： 「本条例は、暴走族の定義において社会通念上の暴走族以外の集団が含まれる文言となっていること、禁止行為の対象及び市長の中止・退去命令の対象も社会通念上の暴走族以外の者の行為にも及ぶ文言となっていることなど、規定の仕方が適切ではなく、本条例がその文言どおりに適用されることになると、規制の対象が広範囲に及び、憲法21条1項及び31条との関係で問題がある」。しかし、「本条例には、暴走行為自体の抑止を眼目としている規定も数多く含まれている。また、本条例の委任規則である本条例施行規則3条は、『暴走、騒音、暴走族名等暴走族であることを強調するような文言等を刺しゅう、印刷等をされた服装等』の着用者の存在（1号）」等を「本条例17条の中止命令等を発する際の判断基準として挙げている。このような本条例の全体から読み取ることができる趣旨、さらには本条例施行規則の規定等を総合すれば、本条例が規制の対象としている『暴走族』は、本条例2条7号の定義にもかかわらず、暴走行為を目的として結成された集団である本来的な意味における暴走族の外には、服装、旗、言動などにおいてこのような暴走族に類似し社会通念上これと同視することができる集団に限られる」。「そして、このように限定的に解釈すれば、本条例16条1項1号、17条、19条の規定による規制は、広島市内の公共の場所における暴走族による集会等が公衆の平穏を害してきたこと、規制に係る集会であっても、これを行うことを直ちに犯罪として処罰するのではなく、市長による中止命令等の対象とするにとどめ、この命令に違反した場合に初めて処罰すべきものとするという事後的かつ段階的規制によっていること等にかんがみると、その弊害を防止しようとする規制目的の正当性、弊害防止手段としての合理性、この規制により得られる利益と失われる利益との均衡の観点に照らし、いまだ憲法21条1項、31条に違反するとまではいえない」。

評釈： 本判決に対しては、「日本国憲法によって保障された精神的自由としての集会・結社、表現の自由は、最大限度に保障されなければならないのであって、これを規制する法令の規定について合憲限定解釈をすることが許されるのは、その解釈により規制の対象となるものとそうでないものとが明確に区別され、かつ合憲的に規制し得るもののみが規制の対象となることが明らかにされる場合でなければならず、また、一般国民の理解において、具体的場合に当該表現行為等が規制の対象となるかどうかの判断を可能ならしめるような基準を、その規定自体から読み取ることができる場合でなければならない」として、合憲限定解釈を否定する旨の反対意見が付されている。

(4) 「明白かつ現在の危険」の基準

(a) 「明白かつ現在の危険」の基準とは、次の3要件の存在が論証された場

合にはじめて表現行為を規制することができるとする違憲審査基準である。

　→アメリカの憲法判例によって形成された

① ある表現行為が近い将来、実質的害悪をひき起こす蓋然性が明白であること

② その実質的害悪が極めて重大であり、その重大な害悪の発生が時間的に切迫していること

③ 当該規制手段が害悪を避けるのに必要不可欠であること

(b) この基準は極めて厳格な基準であり、要件の判断も難しいので、一定の表現内容を規制する立法に用いるのが妥当であるとされる。もっとも、この基準は最高裁判例では採用されておらず、この基準の趣旨を取り入れたものがあるにとどまる。　⇒ p.177

(5) 「より制限的でない他の選びうる手段」の基準（ＬＲＡの基準）

　ＬＲＡの基準とは、立法目的は表現内容には直接かかわりのない正当なもの（十分に重要なもの）として是認できるが、規制手段が広汎である点に問題のある法令について、立法目的を達成するため規制の程度のより少ない手段が存在するかどうかを具体的・実質的に審査し、それがありうると解される場合には当該規制立法を違憲とする基準（＝立法目的の達成に必要最小限度の規制手段を要求する基準）である。

　この基準はとりわけ表現の時・場所・方法の規制の合憲性を検討する場合に有用であるとされる。

▼ **猿払事件第一審（旭川地判昭 43.3.25・百選 194 事件）**　⇒ p.215

判旨： 「法の定めている制裁方法よりも、より狭い範囲の制裁方法があり、これによってもひとしく法目的を達成することができる場合には、法の定めている広い制裁方法は法目的達成の必要最小限度を超えたものとして、違憲となる場合がある」とした。

評釈： この判決がＬＲＡの基準を採用したものかどうかについては評価が分かれている。なお、この事件の上告審（最大判昭 49.11.6・百選 12 事件）は、公務員に対する政治的行為の禁止が合理的で必要やむを得ない限度にとどまるものか否かを判断するにあたっては、禁止の目的、この目的と禁止される政治的行為との関連性、政治的行為を禁止することにより得られる利益と禁止することにより失われる利益の均衡の３点から検討することが必要である、とのいわゆる合理的関連性の基準が採用された。

<各種違憲審査基準とその判断枠組み、判例のまとめ>

違憲審査基準	判断枠組み			判 例
漠然性ゆえに無効の法理（明確性の原則） 過度の広汎性ゆえに無効の法理	「通常の判断能力を有する一般人の理解において、具体的場合に当該行為がその適用を受けるものかどうかの判断を可能ならしめるような基準が読みとれるかどうかによってこれを決定すべきである」			・徳島市公安条例事件 （最大判昭50.9.10・百選83事件） （刑罰法規の明確性について）
	目 的	手 段	目的と手段の関係	
目的手段審査　厳格な基準	必要不可欠	必要最小限度	必要不可欠の関係	――
厳格な合理性の基準	重要	より制限的ではない代替手段がない（LRA）	実質的関連性（具体的・実質的な関連性の有無）	・薬事法距離制限違憲判決 （最大判昭50.4.30・百選92事件）
合理性の基準	正当	著しく不合理であることが明白でない	合理的関連性（抽象的・観念的な関連性の有無）	・猿払事件 （最大判昭49.11.6・百選12事件） ・小売市場事件 （最大判昭47.11.22・百選91事件）
比較衡量	法令等の行為によって権利・自由に課された具体的制約の合憲性について、①その権利・自由の制限によって得られる利益と②制限の不存在によって得られる利益ないし制限によって失われる利益を比較して判断する			――
検 閲	「行政権が主体となって、思想内容等の表現物を対象とし、その全部又は一部の発表の禁止を目的として、対象とされる一定の表現物につき網羅的一般的に、発表前にその内容を審査した上、不適当と認めるものの発表を禁止すること」			・税関検査訴訟 （最大判昭59.12.12・百選69事件）
事前抑制の原則禁止　名誉権侵害	原則として禁止されるが、裁判所による事前差止めの場合、厳格かつ明確な要件のもとで例外的に許容されうる。すなわち、「その表現内容が真実でなく、又はそれが専ら公益を図る目的のものでないことが明白であって、かつ、被害者が重大にして著しく回復困難な損害を被る虞があるとき」は例外として許容される			・北方ジャーナル事件 （最大判昭61.6.11・百選68事件）
プライバシー権侵害	原則として禁止されるが、「重大で回復困難な損害を被らせるおそれがある」ときは例外的に許容される			・「石に泳ぐ魚」事件 （最判平14.9.24・百選62事件）

	明白かつ現在の危険	① 近い将来、実質的害悪をひき起こす蓋然性が明白であること ② 実質的害悪が重大であること、つまり重大な害悪の発生が時間的に切迫していること ③ 当該規制立法が害悪を避けるのに必要不可欠であること	（＊）
政教分離該当性判断	**目的効果基準**	「宗教的活動」とは、宗教とのかかわり合いが相当とされる限度を超えるものに限られるというべきであって、「当該行為の目的が宗教的意義をもち、その効果が宗教に対する援助、助長、促進又は圧迫、干渉等になるような行為をいう」。その判断に当たっては、「諸般の事情を考慮し、社会通念に従って、客観的に判断しなければならない」 →目的効果基準は、宗教性と世俗性の切り分けの判断が難しい事件に用いられる	・津地鎮祭訴訟 （最大判昭52.7.13・百選42事件） ・愛媛玉串料訴訟 （最大判平9.4.2・百選44事件）
	総合的に判断する基準	「信教の自由の保障の確保という制度の根本目的との関係で相当とされる限度を超えて憲法に違反するか否かを判断するに当たっては、……諸般の事情を考慮し、社会通念に照らして総合的に判断すべきものと解するのが相当である。」 →宗教性と世俗性の切り分けが単純な事件については、総合的に判断する基準を用いて「特権」該当性を判断すれば足りる	・空知太神社訴訟 （最大判平22.1.20・百選47事件）
	平等違反判断方法	14条1項は、「事柄の性質に即応した合理的な根拠に基づくものでないかぎり、差別的な取扱いをすることを禁止する趣旨と解すべき」であるから、「差別的取扱いが合理的な根拠に基づくものであるか」を判断する	・尊属殺重罰規定違憲判決 （最大判昭48.4.4・百選25事件） ・婚外子差別規定違憲決定 （最大決平25.9.4・百選27事件）

＊　「明白かつ現在の危険」の基準が最高裁の判例では採用されたことはないが、この基準の趣旨を取り入れた判例として泉佐野市民会館事件（最判平7.3.7・百選81事件）がある。この判決は、公共施設の利用拒否による集会の自由の制限につき、利益衡量論に立ちつつ、集会の自由の重要性から、利益衡量の基準として「明らかな差し迫った危険の発生の具体的予見」という「明白かつ現在の危険」の基準と同旨の判断基準を用いた。　⇒p.177

※　各人権の性質の相違に応じて設定された違憲審査の基準を具体的事件に適用する際、審査基準の枠内において審査基準を具体化するために、様々な要素を考慮するという手法がある。これが憲法解釈の方法としての比較衡量と呼ばれている。
　　ex.　よど号ハイジャック記事抹消事件（最大判昭58.6.22・百選14事件）

二　集会・結社の自由

1　集会の自由

(1)　意義

　　「集会」とは、多数人が共通の目的をもって、一時的に一定の場所に集まることをいう。

　　集会の自由は、表現の自由の一形態として、自己実現・自己統治の価値を有する。判例（成田新法事件判決・最大判平4.7.1・百選109事件）も、「現代民主主義社会においては、集会は、国民が様々な意見や情報等に接することにより自己の思想や人格を形成、発展させ、また、相互に意見や情報等を伝達、交流する場として必要であり、さらに、対外的に意見を表明するための有効な手段であるから、憲法21条1項の保障する集会の自由は、民主主義社会における重要な基本的人権の一つとして特に尊重されなければならない」と判示している。

　　もっとも、集会の自由は、純粋な言論・出版の自由と異なり、多数人が集合する場所を前提とする表現活動であり、「潜在する一種の物理的力によって支持されていること」（徳島市公安条例事件判決・最大判昭50.9.10・百選83事件）を特徴とする。そこで、集会の自由に対する独自の規制も必要となり、集会の態様によっては、集会の自由の保障の範囲外となるものがある。例えば、暴力的な集会（暴力を伴い、又は暴力的・騒乱的な事態を惹起する可能性の高い武器をもっての集会）は、憲法上保護される「集会」には当たらないと一般に解されている。

　　　→もっとも、集会の自由の重要性に鑑みれば、集会の参加者のうち一定の者が暴力的な行動に出たとしても、直ちにその集会全体を暴力的な集会と捉えて、憲法上保護されるべき「集会」から排除するのは妥当でない

　　一方、集会の目的は、一般的に問わないと解されている（政治的な集会から冠婚葬祭などの目的での集会も、等しく「集会」として保護される）。

　　次に、集会の「自由」は、①集会を開催し、又は集会に参加することを公権力によって妨害されない自由（積極的集会の自由）のみならず、②集会を開催せず、集会に参加しない自由（消極的集会の自由。集会の開催・参加を公権力によって強制されない自由）もその内容に含まれる。

　　　→集会の自由は、道路・公園・公会堂といった場所や施設の設置・提供を請求するという積極的な権利までは含まない（公共の施設として設けられたものではない場所や施設を、公共の施設と同様に扱うよう請求する権利を導くことも困難であるとされる）

　　＊　パブリック・フォーラム論 司H25 司R3 予R3

　　　パブリック・フォーラム論（ＰＦ論）とは、表現活動のために公共の場

所を利用する権利は、場合によってはその場所における他の利用を妨げることになっても保障されるとする理論をいう。この理論が形成されたアメリカの判例は、公共財産を①伝統的パブリック・フォーラム（道路、公園、広場など）、②指定的パブリック・フォーラム（公民館、集会場、公会堂など）、③非パブリック・フォーラム（公立病院、軍事施設など）に区分した上で、①及び②における表現規制については表現内容中立的な、時・場所・方法についての合理的な制限しか許されないとし、③における表現規制については管理権者の広範な裁量を認め、主題規制は許されるが、見解規制は許されないとしている。

我が国の最高裁判例でこの理論を明確に採用したものはない（なお、泉佐野市民会館事件判決（最判平7.3.7・百選81事件）は、パブリック・フォーラム論を念頭に置いているものと解されている）。吉祥寺駅ビラ配布事件（最判昭59.12.18・百選57事件）、大分県屋外広告物条例事件（最判昭62.3.3・百選56事件）において、伊藤正己裁判官が補足意見でパブリック・フォーラムについて言及しているが、パブリック・フォーラムの対象が公共財産に限定されない点や、パブリック・フォーラムであるという性質が審査基準の決定ではなく個別的利益衡量の際に考慮される点など、上記のパブリック・フォーラム論に独自のアレンジを加えたものと解されている。

(3) 集会の自由の限界

上記のとおり、集会の自由は、多数人が集合する場所を前提とする表現活動であり、行動を伴うこともあるから、他者の権利ないし利益と矛盾・衝突する可能性が高い。そこで、道路や公園などの他の利用者の権利・利益との調整や、集会の競合による混乱の回避が必要になる。

(a) 公物管理権に基づく規制

公共施設は管理権者の許可を受けなければ使用できないとされるのが一般である。しかし、公共施設を使用して集会することは憲法で保障された国民の権利・自由であるため、利用の許否は管理権者の自由裁量に属するものではないとされている。初期の判例には管理権者の裁量を広く捉えるものもあったが、近時、集会の自由の重要性を考慮した判決が出されている。

▼ 皇居前広場事件（最大判昭28.12.23・百選80事件）〔司共〕

事案： 総評がメーデー記念集会に使用するため皇居外苑の使用許可を要請したが、不許可処分となった。そこで、右不許可処分が21条に反しないか争われた。

判旨： 最高裁判所は、メーデー当日の経過により、「判決を求める法律上の利

益を喪失」するとしつつ、「なお、念のため」として以下の憲法判断を行った。

　国が直接公共の用に供した財産である公共福祉用財産の利用の許否は、「その利用が公共福祉用財産の、公共の用に供せられる目的に副うものである限り、管理権者の単なる自由裁量に属するものではなく、管理権者は、当該公共福祉用財産の種類に応じ、また、その規模、施設を勘案し、その公共福祉用財産としての使命を十分達成せしめるよう適正にその管理権を行使すべきであり、若しその行使を誤り、国民の利用を妨げるにおいては、違法たるを免れないと解さなければならない。これは、皇居外苑の管理についても同様であ」り、「管理権者たる厚生大臣は、皇居外苑の公共福祉用財産たる性質に鑑み、また、皇居外苑の規模と施設とを勘案し、その公園としての使命を十分達成せしめるよう考慮を払った上、その許否を決しなければならない」。

　「本件不許可処分は、……厚生大臣がその管理権の範囲内に属する国民公園の管理上の必要から、本件メーデーのための集会及び示威行進に皇居外苑を使用することを許可しなかったのであって、何ら表現の自由又は団体行動権自体を制限することを目的としたものでないことは明らかである」から違憲ではない。

▼　泉佐野市民会館事件（最判平7.3.7・百選81事件）〈同共予〉

事案：　公共施設（市民会館）の使用許可の申請を、条例の定める「公の秩序をみだすおそれがある場合」、「その他会館の管理上支障があると認められる場合」に該当するとして不許可にした処分の違憲・違法が争われた。

判旨：　「集会のように供される公共施設の管理者」が、会館の「利用を拒否し得るのは、利用の希望が競合する場合のほかは、施設をその集会のために利用させることによって、ほかの基本的人権が侵害され、公共の福祉が損なわれる危険がある場合に限られるものというべきであ」る。そして、集会の開催に対する「制限が必要かつ合理的なものとして肯認されるかどうかは、基本的には、基本的人権としての集会の自由の重要性と、当該集会が開かれることによって侵害されることのある他の基本的人権の内容や侵害の発生の危険性の程度等を較量して決せられるべきものである。本件条例7条による本件会館の使用の規制は、このような較量によって必要かつ合理的なものとして肯認される限りは」憲法21条に違反するものではない。そして、「このような較量をするに当たっては、集会の自由の制約は、基本的人権のうち精神的自由を制約するものであるから、経済的自由の制約における以上に厳格な基準の下にされなければならない」。

　本件条例の文言は、「広義の表現を採っているとはいえ、右のような趣旨からして、本件会館における集会の自由を保障することの重要性より

人権

も、本件会館で開かれることによって、人の生命、身体又は財産が侵害され、公共の安全が損なわれる危険を回避し、防止することの必要性が優越する場合をいうものと限定して解すべきであり、その危険性の程度としては、……単に危険な事態を生ずる蓋然性があるというだけでは足りず、明らかな差し迫った危険の発生が具体的に予見されることが必要であると解するのが相当である」。そして、「右の事由の存在を肯認することができるのは、そのような事態の発生が許可権者の主観により予測されるだけではなく、客観的な事実に照らして具体的に明らかに予測される場合でなければならない」。「また、主催者が集会を平穏に行おうとしているのに、その集会の目的や主催者の思想、信条に反対する他のグループ等がこれを実力で阻止し、妨害しようとして紛争を起こすおそれがあることを理由に公の施設の利用を拒むことは、憲法21条の趣旨に反する」。しかし、本件集会の主催者は、過激な対立抗争をしていた他のグループの集会を攻撃して妨害し、更には人身に危害を加える事件も引き起こしていた。これに対する他のグループからの報復、襲撃を受ける危険に対し、本件会館の管理者が警察に依頼するなどしてあらかじめ防止することは不可能に近かった。したがって、平穏な集会を行おうとしている者に対して一方的に実力による妨害がされる場合と同一には論ぜられない。このように、本件不許可処分は、本件集会の目的や団体の性格を理由とするものではなく、また主観的な判断による蓋然的な危険発生のおそれを理由とするものでもない。また、客観的事実からみて、「本件集会が本件会館で開かれたならば、本件会館内又はその付近の路上等においてグループ間で暴力の行使を伴う衝突が起こるなどの事態が生じ、その結果、グループの構成員だけでなく、本件会館の職員、通行人、付近住民等の生命、身体又は財産が侵害されるという事態を生ずることが、具体的に明らかに予見されることを理由とするものと認められる」。

▼　上尾市福祉会館事件（最判平8.3.15・平8重判6事件）⚑

事案：　労働組合幹部の合同葬に使用するため、福祉会館の使用許可申請をしたところ、管理者である同会館長が上尾市福祉会館設置及び管理条例6条1項1号に該当するとして不許可にしたので、主催者が国家賠償（国賠1Ⅰ）を求めた。

判旨：　「公の施設として、本件会館のような集会の用に供する施設が設けられている場合、住民等は、その施設の設置目的に反しない限りその利用を原則的に認められることになるので、管理者が正当な理由もないのにその利用を拒否するときは、憲法の保障する集会の自由の不当な制限につながるおそれがある」ことに照らし、本件条例6条1項1号は「会館の管理上支障が生ずるとの事態が、許可権者の主観により予測されるだけでなく、客観的な事実に照らして具体的に明らかに予測される場合に初

めて、本件会館の使用を許可しないことができることを定めたものと解すべきである」としたうえで、「主催者が集会を平穏に行おうとしているのに、その集会の目的や主催者の思想、信条等に反対する者らが、これを実力で阻止し、妨害しようとして紛争を起こすおそれがあることを理由に公の施設の利用を拒むことができるのは、前示のような公の施設の利用関係の性質に照らせば、警察の警備等によってもなお混乱を防止することができないなど特別な事情がある場合に限られる」として、不許可処分は違法であると判示した。

(b)　庁舎管理権に基づく規制

　　上記(a)の場合と異なり、公共施設ではなく「公用物」（主に公務の用に供するための施設）を使用して集会をすることが問題となったものとして、次の判例がある。

▼　**金沢市庁舎前広場事件（最判令5.2.21・令5重判9事件）**

事案：　Xは、憲法（特に9条）を守るなどの目的で、金沢市庁舎前広場（本件広場）において集会を開催するため、金沢市庁舎等管理規則（本件規則）に基づき許可申請をしたところ、同市長から、本件規則5条12号（「特定の政策、主義又は意見に賛成し、又は反対する目的で個人又は団体で威力又は気勢を他に示す等の示威行為」、以下「本件規定」という）に該当し、庁舎等の管理上の支障があるなどとして不許可処分を受けたため、Y（金沢市）に対し、国家賠償法1条1項に基づく損害賠償を求めて訴えを提起した。

　　本件では、本件広場における集会に係る行為に対し、本件規定を適用することが憲法21条1項に違反するかどうかが争点となった。

　　なお、本件広場は、Yの本庁舎に係る建物の敷地の一部であって、当該建物のすぐ北側に位置しており、壁や塀で囲われていない南北約60m、東西約50mの平らな広場である。本件広場では、音楽祭等の行事のほか、X自身による護憲集会を含め、集会が開催されたことがあった。

判旨：1　「憲法21条1項の保障する集会の自由は、民主主義社会における重要な基本的人権の一つとして特に尊重されなければならないものであるが、公共の福祉による必要かつ合理的な制限を受けることがあるのはいうまでもない。そして、このような自由に対する制限が必要かつ合理的なものとして是認されるかどうかは、制限が必要とされる程度と、制限される自由の内容及び性質、これに加えられる具体的制限の態様及び程度等を較量して決めるのが相当である」（成田新法事件判決（最大判平4.7.1・百選109事件）参照）。

　　　2　「普通地方公共団体の庁舎（その建物の敷地を含む。以下同じ。）は、……飽くまでも主に公務の用に供するための施設であって、その点において、主に一般公衆の共同使用に供するための施設である道路や公

園等の施設とは異なる」。

　「このような普通地方公共団体の庁舎の性格を踏まえ」ると、①「公務の中核を担う庁舎等において、政治的な対立がみられる論点について集会等が開催され、威力又は気勢を他に示すなどして特定の政策等を訴える示威行為が行われると、金沢市長が庁舎等をそうした示威行為のための利用に供したという外形的な状況を通じて、あたかもＹが特定の立場の者を利しているかのような外観が生じ、これにより外見上の政治的中立性に疑義が生じて行政に対する住民の信頼が損なわれ、ひいては公務の円滑な遂行が確保されなくなるという支障が生じ得る。本件規定は、上記支障を生じさせないことを目的とするものであって、その目的は合理的であり正当である」。

　また、②「上記支障は庁舎等において上記のような示威行為が行われるという状況それ自体により生じ得る以上、当該示威行為を前提とした何らかの条件の付加やＹによる事後的な弁明等の手段により、上記支障が生じないようにすることは性質上困難である」。

　他方で、③「本件規定により禁止されるのは、飽くまでも公務の用に供される庁舎等において所定の示威行為を行うことに限定されているのであって、他の場所、特に、集会等の用に供することが本来の目的に含まれている公の施設……等を利用することまで妨げられるものではないから、本件規定による集会の自由に対する制限の程度は限定的であるといえる」。［①〜③は LEC 注］

3　したがって、「本件規定を本件広場における集会に係る行為に対し適用する場合……における集会の自由の制限は、必要かつ合理的な限度にとどまる」。

　「所論は、本件広場が集会等のための利用に適しており、現に本件広場において種々の集会等が開催されているなどの実情が存するなどというが、……上記実情は、金沢市長が庁舎管理権の行使として、庁舎等の維持管理に支障がない範囲で住民等の利用を禁止していないということの結果であって、これにより庁舎等の一部としての本件広場の性格それ自体が変容するものではない」。

4　以上により、「本件広場における集会に係る行為に対し本件規定を適用することが憲法21条1項に違反するものということはできない」。

評釈：　成田新法事件判決（最大判平4.7.1・百選109事件）は、集会の自由に係る違憲審査の枠組みに関する一般論として、利益較量のアプローチを採用しているところ、本判決も、成田新法事件判決等と同様に利益較量のアプローチにより違憲審査を行っているものとされる（調査官解説参照）。なお、本判決は、あくまでも専ら庁舎ないし庁舎管理権の性格を前提としているものであって、本判決の射程が公用財産一般に及ぶものとは解されないこと、本判決が本件不許可処分それ自体の適法性につい

て何らの判断を示していないことについては注意が必要である。

　本判決の立場に対しては、宇賀裁判官反対意見をはじめ、多くの学説がこれに反対している。例えば、本件広場は、パブリック・フォーラムとしての実質を有する（∵①本件広場の構造上、誰もが自由に出入りでき、②現に本件広場において種々の集会やイベントが開催されているなどの利用実態がある）ため、「公の施設」（地自244Ⅰ）ないしこれに準ずる「公共用物」に該当し、本件規則ではなく地方自治法244条が適用されるとした上で、同条2項の「正当な理由」の判断につき、泉佐野市民会館事件判決（最判平7.3.7・百選81事件）の厳格な判断基準（集会の用に供される公共施設の利用を拒否しうるのは、集会の自由を保障することの重要性よりも、「人の生命、身体又は財産が侵害され、公共の安全が損なわれる危険」を回避・防止する必要性が優越する場合に限られ、その危険は単なる蓋然性では足りず、「明らかな差し迫った危険の発生が具体的に予見される」場合に限られるという基準）を適用し、本件不許可処分には「正当な理由」が認められないため、本件不許可処分は地方自治法244条2項に反し違法であるとの立場がある。

　もっとも、上記の立場に対しては、①泉佐野市民会館事件判決の射程は、他者の基本的人権が侵害されるなどの危険が問題となる事案には及ぶと考えられるものの、本判決はそのような事案ではないため、泉佐野市民会館事件判決の直接の射程が及ぶとはいえないこと（調査官解説参照）、②本件広場を含む庁舎は「飽くまでも主に公務の用に供するための施設」（公用物）であり、本件広場の利用実態を前提としても、それは庁舎管理権の行使として「庁舎等の維持管理に支障がない範囲で住民等の利用を禁止していない」ことを意味するにとどまり、「本件広場の性格それ自体が変容するものではない」こと（判旨3参照）、③集会の自由は、公園等の場所や施設の設置・提供を請求する積極的な権利を内容とするものではないから、地方公共団体に対して、「公の施設」として設けられた場所ではないにもかかわらず、「公の施設」と同様に扱わなければならないような趣旨の法的制約を課すことを、集会の自由を根拠に導くことは困難であるといった反論がなされている。

(c)　公安条例による規制〈司H25〉

　ア　集団行動の自由

　　デモ行進などの集団行動の自由は、21条1項の「その他一切の表現の自由」に含まれるとする見解もあるが、動く公共集会として「集会」の自由に含まれるとする見解が有力である。集団行動は一定の行動を伴うものであるため、特に他の国民の権利・自由との調整を必要とし、集団行動の自由は、純粋な言論の自由とは異なる特別の規制に服する。

　イ　デモ行進等の集団行動は、参加する多数の者が行進その他の一体的行

動によって主張等を一般公衆等に示すところにその本質的な意義と価値があるので、殊更に交通秩序の阻害をもたらすような行為は、集団行進等の集団行動に不可欠な要素ではないから、これを禁止しても、表現の自由を不当に制限するものではない（徳島市公安条例事件、最大判昭 50.9.10・百選 83 事件）。

そして、集会、集団行進等の集団行動に対しては、公安条例により届出制ないし許可制といった事前規制がなされるのが一般である（違反者には刑罰も科される）。そこで、このような事前規制が本条に違反しないかが問題となるが、判例は一貫して合憲と解している。

なお、表現行為の内容に関して事前規制が加えられる場合には検閲に該当しうるが、表現の時・場所・方法に関する外形的規制にとどまる限り検閲には当たらないとされる。

＜公安条例による事前規制＞

新潟県公安条例事件 （最大判昭 29.11.24 ・百選 82 事件） 司R3	① 単なる届出制は格別、一般的な許可制は違憲である ② しかし、特定の場所・方法について、合理的かつ明確な基準の下での事前規制であれば許される ③ 公共の安全に対し明らかな差し迫った危険を及ぼすことが予見されるときは、集団行動を禁止できる
東京都公安条例事件 （最大判昭 35.7.20 ・百選 A8 事件） 司R3	① 集団行動による思想等の表現は、単なる言論、出版等によるものと異なり、潜在する一種の物理的力によって支持されているから、甚だしい場合には一瞬にして暴徒と化す危険があり、最小限度の措置を事前に講ずることもやむを得ない ② 本条例は、許可制を採っているが、公共の安寧に直接危険を及ぼすと明らかに認められる場合以外は許可が義務付けられているので、その実質は届出制である（＊） ③ 集団行動を法的に規制する必要があるなら、ある程度包括的な規制もやむを得ない

＊ 学説は、許可制が実質的に届出制であるといえるためには、①許可基準が明確かつ厳格に限定されたもので、②裁判による救済手続が整っていることが必要であるとする。
 ①については、許可を与えない旨の意思表示をしないときは許可があったものとして行動することができると定める許可推定事項の存在がポイントとなる。
 ②については、集団行動の申請に対して不許可処分がなされた場合に、執行停止の申立てがなされ（行訴 25）、多くの場合裁判所がそれを認容しているのは、執行停止されると申請通りの集団行動ができるという実質届出制の考え方を基礎にするものとされる。
※ 国会周辺デモの規制（東京地決昭 42.6.9・百選〔第5版〕92 事件）
 道路使用許可に関する進路の変更について規定した東京都公安条例3条1項の規定を一応合憲としたうえで、その運用における公安委員会の権限の濫用を指摘して、本件国会周辺のデモ進路変更処分を違法であると判示した。

(c) 道路交通法による規制
 道路交通法 77 条 1 項 4 号は、「一般交通に著しい影響を及ぼすような通

行の形態若しくは方法により道路を使用する行為又は道路に人が集まり一般交通に著しい影響を及ぼすような行為」をしようとする者は、警察署長の許可を受けなければならない旨規定している。

この許可制が 21 条 1 項に反するかが問題となった事案において、判例（最判昭 57.11.16・百選 85 事件）は、同法 77 条 2 項の規定が「道路使用の許可に関する明確かつ合理的な基準を掲げて道路における集団行進が不許可とされる場合を厳格に制限しており」、それによれば、警察署長は「一般交通の用に供せられるべき道路の機能を著しく害するものと認められ、……条件を付与することによっても、かかる事態の発生を阻止することができないと予測される場合」に限って許可を拒むことができるから、この許可制は「表現の自由に対する公共の福祉による必要かつ合理的な制限として憲法上是認されるべきものである」とした**共**。

2　結社の自由 **同R3** **予H26** **予H28**

(1)　「結社」の意義

「結社」とは、共同の目的のためにする特定の多数人の継続的かつ精神的な結合体をいう。　cf.　集会（⇒ p.175）

(2)　結社の自由の内容

①　団体を結成しそれに加入する自由（積極的結社の自由）

②　団体が団体として活動する自由

③　団体を結成しない、もしくは団体に加入しない自由（消極的結社の自由）

④　加入した団体から脱退する自由

＊　結社の自由については専門的技術を要し公共的性格を有する職業の団体の強制設立・強制加入制について、当該職業の専門性・公共性を維持するために必要で、かつ、当該団体の目的が会員の職業倫理の向上や職務の改善等を図ることに限定されていることを理由に、合憲と解されている。

ex.　税理士会　⇒ p.60

(3)　結社の自由の限界

犯罪を行うことを目的とする結社は禁止されうる。

破壊活動防止法は公安審査委員会が当該団体の解散の指定を行うことができる旨定めているが、公安審査委員会という行政機関が結社の解散によって結社の存在を否定することには問題があることなどを理由に、その合憲性には疑問があるとする見解が有力である。

＊　特定の団体の会員に対して団体から離脱させる目的の下に恣意的・差別的に公権力による介入が行われるような場合には、たとえそれ自体は適法なものであっても結社の自由への侵害となる。

三　言論・出版の自由

1　総説

(1)　保障の対象

(a)　「言論」とは口頭による表現行為を、また、「出版」とは印刷物によるものを指すが、表現の自由の保障は、すべての表現媒体による表現に及ぶ。

　　ex.　絵画、写真、映画、音楽、演劇等

▼　**最判平 17.7.14・百選 70 事件** 〈国共〉

事案：　Ｙ１市の設置するＡ図書館の職員Ｙ２は、Ｘ１やＸ１に賛同する者等及びその著作に対する否定的評価と反感から、独断でＡ図書館の蔵書のうちから、Ｘらの執筆ないし編集にかかる書籍を含む 107 冊を、図書館資料除籍基準に定められた除籍対象資料に該当しないにもかかわらず廃棄した。そこで、Ｘ１並びにＸ１役員又は賛同者らは、本件廃棄により著作者としての人格的利益等を侵害されたとして、Ｙ１市とＹ２に対し損害賠償を求めて訴えを提起した。

判旨：　公立図書館の役割、機能等に照らせば、公立図書館は、住民に対して「図書館資料を提供してその教養を高めること等を目的とする公的な場」といえる。そして、図書館職員は、「公正に図書館資料を取り扱うべき職務上の義務」を負い、「閲覧に供されている図書について、独断的な評価や個人的な好みによってこれを廃棄することは、図書館職員としての基本的な職務上の義務に反する」。他方、公立図書館が、「住民に図書館資料を提供するための公的な場であるということは、そこで閲覧に供された図書の著作者にとって、その思想、意見等を公衆に伝達する公的な場でもある」から、公立図書館の図書館職員が閲覧に供されている図書を「不公正な取扱いによって廃棄することは、当該著作者が著作物によってその思想、意見等を公衆に伝達する利益を不当に損なうもの」といえる。そして、著作者の思想の自由、表現の自由が基本的人権であることからすると、「公立図書館において、その著作物が閲覧に供されている著作者が有する上記利益は、法的保護に値する人格的利益」である。したがって、公立図書館の図書館職員である公務員が、図書の廃棄について、基本的な職務上の義務に反し、不公正な取扱いをしたときは、当該図書の著作者の人格的利益を侵害するものとして国家賠償法上違法となる。

▼　**福岡地判平 24.6.13**

福岡県警察が福岡県コンビニエンスストア等防犯協議会等に対してした暴力団関係書籍等に関する撤去要請は、県警が行政警察活動の一環としてコンビニ各社に対し暴力団関係書籍等の取扱いに関する自主的な措置を取ることを求めるものにすぎず、その撤去を強制するものではない。そうすると、本件要請は、その直接の相手方であるコンビニ各社に対してすら本件コミック等の撤去を強

制するものではないのであるから、その直接の相手方ではなく、**本件コミック
の原作者にすぎない原告の執筆活動**、その作品の公表及び販売等を規制するも
のということはできない。したがって、**本件要請は、原告の表現活動を制限す
るものではなく、原告の表現の自由を侵害しない。**

(b) **象徴的表現**（言語的媒体によらず、自己の意見や思想を象徴する行動に
よる表現活動）も保障の対象である。

ex. 戦争に反対して公衆の面前で徴兵カードや国旗を焼く行為

(2) 営利的表現と差別的表現

(a) 営利的表現

表現の自由は、本来、人の精神作用を表現する自由である。

そこで、いわゆる営利的表現（営利的な目的でなされる広告等）につい
て、①21条1項の保障の対象に含まれるか、また、②保障の対象に含ま
れるとしても、他の表現と異なり、緩やかな審査基準が適用されるのでは
ないかが問題となる。

上記①について、学説上は、21条1項の保障の対象に含まれると解す
るのが一般的である。

∵ 営利的表現も、消費者の「知る権利」に資する

cf. 営利的表現のうち、何らかの表現行為が含まれる広告（商品知識の
啓蒙や情報の伝達を主としたもの、いわゆる意見広告）を保障の対象
とし、純然たる営利広告は保障の対象外とする見解もあるが、両者の
区別が判然しない、純然たる営利広告も消費者にとっては1つの重要
な生活情報としての意味をもちうるとの批判がなされている

次に、上記②について、以下の図表を参照されたい。

＜営利的表現に対する制約＞

	内容	理由
A説	非営利的表現の場合よりも緩やかな審査基準を適用する（＊）	① 営利的言論は国民の健康や日常経済生活に直接影響するところが大きく、公権力による規制の必要性がある上、自己統治との関係が薄い ② その真実性は、非営利的言論に比べ客観的判定になじみやすい
B説	非営利的表現の場合と同様に、厳格な審査基準を適用する	① 営利的表現を21条1項の保障下に置いた以上、厳格な審査基準を保たなければ意味がない ② 営利的表現とその他の表現との厳格な区別が困難である以上、営利的表現について緩やかな審査基準を適用すると、他の言論の保障の程度も下げることになりかねない

＊ この見解を採りつつ、広告禁止については保障対象となる言論の直接的禁圧を構成
する以上、むしろ厳格な審査基準が妥当すると解する見解もある。

▼　**あんま師等法事件（最大判昭 36.2.15・百選 54 事件）**〈□〉

事案：　あんま師はり師きゆう師及び柔道整復師法（現在の、あん摩マッサージ指圧師、はり師、きゆう師等に関する法律）によって適応症の広告を制限していることが 21 条 1 項等に反しないかが争われた。

判旨：　(旧) あんま師はり師きゆう師及び柔道整復師法の広告制限によって適応症の広告を許さない理由は、これを無制限に認めると「虚偽誇大に流れ、一般大衆を惑わす虞があり、その結果適時適切な医療を受ける機会を失わせるような結果を招来することをおそれたためであって、このような弊害を未然に防止するため一定事項以外の広告を禁止することは、国民の保健衛生上の見地から、公共の福祉を維持するためやむをえない措置として是認されなければならない」と判示した。

評釈：　本判決は営利的表現が 21 条 1 項により保障されるか、という点については明言していない。これに対し、広告が商業活動の性格を有するからといって表現の自由の保障の外にあるものということはできないとしたうえで、あんま師はり師きゆう師及び柔道整復師法 7 条が適応症に関する真実・正当な広告までも一切禁止していることには合理的根拠を見い出しがたいとして、本法 7 条は 21 条 1 項に反し違憲であるとの少数意見が付されている。

▼　**風俗案内所規制条例事件（最判平 28.12.15・百選 A9 事件）**

事案：　青少年の健全な育成、府民の安全で安心な生活環境の確保を目的として、風俗案内所の外部に、又は外部から見通すことができる状態にしてその内部に、接待風俗営業に従事する者を表す図画等を表示することを禁止した京都府風俗案内所の規制に関する条例 7 条 2 号が、憲法 21 条 1 項に反しないかが争われた。

判旨：　「風俗案内所が青少年の育成や周辺の生活環境に及ぼす影響の程度に鑑みれば」、風俗案内所の表示物等に関する規制も、「公共の福祉に適合する上記の目的達成のための手段として必要性、合理性があるということができ、京都府議会が同規制を定めたことがその合理的な裁量の範囲を超えるものとはいえないから、本件条例 7 条 2 号の規定は、憲法 21 条 1 項に違反するものではない」。

(b)　差別的表現

　　人の属性に着目して、ある属性を共有する人々全体を一般的に標榜し、あるいは特定の無能力と結び付ける一連の表現を総称して「差別的表現」という。かかる差別的表現に対する規制を公権力が行うことについて、憲法上どのように考えるべきかが問題とされている。

＜差別的表現＞

	内容	理由
A説	差別的表現に対する法的規制は困難である	① 差別的表現の定義は曖昧である ② 差別的言論はある社会集団の集団的名誉を侵害するにとどまり、個人の名誉権を侵害する名誉毀損表現とは同列に扱えない ③ 差別的言論に対しては、対抗言論によって是正を図るべきである
B説	規制の対象を狭く限定したり、多様かつ柔軟な対応をすることを条件に、差別的表現に対する法的規制を認める	① 14条1項後段列挙事項に関するマイノリティ集団ないし個人の誹謗だけを「差別的表現」と定義付ければ、明確化は達成しうる ② 差別的表現は、個人の尊厳に結び付いた重要な人格的利益を揺るがす ③ マイノリティが自分で反論してマジョリティの差別感情を拭い去ることは、事実上困難である

▼ **大阪市ヘイトスピーチ条例事件（最判令4.2.15・令4重判8事件）**

事案： 大阪市ヘイトスピーチへの対処に関する条例は、2条において、一定の表現活動を「条例ヘイトスピーチ」と定義した上で、5条1項柱書本文において、市長は市の区域内で行われたヘイトスピーチの内容の拡散を防止するために必要な措置（拡散防止措置）をとるとともに、当該表現活動が「条例ヘイトスピーチ」に該当する旨、表現の内容の概要及びその拡散を防止するためにとった措置並びに当該表現活動を行ったものの氏名・名称を公表する（認識等公表）ものとする旨規定している。市の住民であるXらは、本件各規定が憲法21条1項等に違反し、無効であるなどと主張した。

判旨： 「憲法21条1項により保障される表現の自由は、立憲民主政の政治過程にとって不可欠の基本的人権であって、民主主義社会を基礎付ける重要な権利であるものの、無制限に保障されるものではなく、公共の福祉による合理的で必要やむを得ない限度の制限を受けることがあるというべきである。そして、……本件各規定による表現の自由に対する制限が上記限度のものとして是認されるかどうかは、本件各規定の目的のために制限が必要とされる程度と、制限される自由の内容及び性質、これに加えられる具体的な制限の態様及び程度等を較量して決めるのが相当である」。

本件各規定は、「拡散防止措置等を通じて、表現の自由を一定の範囲で制約するものといえるところ、その目的は、その文理等に照らし、条例ヘイトスピーチの抑止を図ることにある」。そして、「条例ヘイトスピーチに該当する表現活動のうち、特定の個人を対象とする表現活動のように民事上又は刑事上の責任が発生し得るものについて、これを抑止する

人権

必要性が高いことはもとより、民族全体等の不特定かつ多数の人々を対象とする表現活動のように、直ちに上記責任が発生するとはいえないものについても、……人種又は民族に係る特定の属性を理由として特定人等を社会から排除すること等の不当な目的をもって公然と行われるものであって、その内容又は態様において、殊更に当該人種若しくは民族に属する者に対する差別の意識、憎悪等を誘発し若しくは助長するようなものであるか、又はその者の生命、身体等に危害を加えるといった犯罪行為を扇動するようなものであるといえるから、これを抑止する必要性が高い」。加えて、「市内においては、実際に上記のような過激で悪質性の高い差別的言動を伴う街宣活動等が頻繁に行われていたことがうかがわれること等をも勘案すると、**本件各規定の目的は合理的であり正当なものということができる**」。

また、「**本件各規定により制限される表現活動の内容及び性質は、上記のような過激で悪質性の高い差別的言動を伴うものに限られる**上、その制限の態様及び程度においても、事後的に市長による拡散防止措置等の対象となるにとどまる。そして、拡散防止措置については、市長は、看板、掲示物等の撤去要請や、インターネット上の表現についての削除要請等を行うことができると解されるものの、当該要請等に応じないものに対する制裁はなく、認識等公表についても、表現活動をしたものの氏名又は名称を特定するための法的強制力を伴う手段は存在しない」。

そうすると、「**本件各規定による表現の自由の制限は、合理的で必要やむを得ない限度にとどまるもの**」といえ、**本件各規定は憲法21条1項に違反するものではない**。

2 表現内容規制 同H25 司R元

表現内容規制とは、ある表現をそれが伝達するメッセージを理由に制限する規制である。特定の見解の発表を禁止・制限する見解規制だけでなく、特定の主題に関する表現を禁止・制限する主題規制も原則として表現内容規制に当たる。

(1) 名誉・プライバシーとの関係 ⇒p.81、89

名誉・プライバシーは13条後段により保障されるが、表現行為によりそれらを侵害する場合には、表現の自由との調整が必要となる。

(a) 名誉との関係

名誉毀損的表現の取扱いは、特に公務員ないし著名人（公人）が対象となっている場合に、国民の知る権利にもかかわる重大な問題となる。

人権

＜表現の自由と名誉毀損に関する判例の整理＞

名誉毀損罪の成立が問題となった事案 **→刑法 230 条の 2** **の要件をみたすか** **が問題とされた**	▼　「夕刊和歌山時事」事件（最大判昭 44.6.25・百選 64 事件） 　　刑法 230 条の 2 の真実性の要件につき「事実が真実であることの証明がない場合でも、行為者がその事実を真実であると誤信し、その誤信したことについて、確実な資料、根拠に照らし相当の理由があるときは、犯罪の故意がなく、名誉毀損の罪は成立しない」とした。この判例法理は「相当性の法理」といわれる。 ＊　「夕刊和歌山時事」事件が客観的な事実の摘示による名誉毀損の不法行為の成立要件についての判断であるのに対して、それとは区別して主観的な意見の表明ないし論評による名誉毀損の不法行為の成立要件について初めて定式化したものといわれている判例として、最判平元 .12.21・百選 66 事件がある。これは、主観的な論評による名誉毀損の不法行為の成立要件として、①公共の利害に関する事項に関する評論が、②専ら公益を図る目的でなされたものであり、かつ、③その前提としている事実が主要な点において真実であることの証明があったときには、④人身攻撃に及ぶなど評論としての域を逸脱したものでない限り、名誉侵害の不法行為の違法性を欠くとする〈司予〉。この判例法理は「公正な論評の法理」といわれる。 ▼　「月刊ペン」事件（最判昭 56.4.16・百選 65 事件） 　　刑法 230 条の 2 における事実の公共性の要件につき「私人の私生活上の行状であっても、そのたずさわる社会的活動の性質及びこれを通じて社会に及ぼす影響力の程度などのいかんによっては、その社会的活動に対する批判ないし評価の一資料として」事実の公共性の要件をみたす場合があるとした。 ▼　インターネット上の表現についての名誉毀損罪の成否（らあめん花月事件、最決平 22.3.15・平 22 重判 8 事件）〈共〉 　　「個人利用者がインターネット上に掲載したものであるからといって、おしなべて、閲覧者において信頼性の低い情報として受け取るとは限らないのであって、相当の理由の存否を判断するに際し、これを一律に、個人が他の表現手段を利用した場合と区別して考えるべき根拠はない。そして、インターネット上に載せた情報は、不特定多数のインターネット利用者が瞬時に閲覧可能であり、これによる名誉毀損の被害は時として深刻なものとなり得ること、一度損なわれた名誉の回復は容易ではなく、インターネット上での反論によって十分にその回復が図られる保証があるわけでもないことなどを考慮すると、インターネットの個人利用者による表現行為の場合においても、他の場合と同様に、行為者が摘示した事実を真実であると誤信したことについて、確実な資料、根拠に照らして相当の理由があると認められるときに限り、名誉毀損罪は成立しないものと解するのが相当であって、より緩やかな要件で同罪の成立を否定すべきものとは解されない」とした。 ＊　インターネットの利用者は、自己の見解を外部に向かって発信することができるから、インターネットを利用している被害者は、自己に向けられた加害者のインターネット上の表現行為

に対し、言論による反論（対抗言論）が可能であり、被害者による対抗言論が功を奏するのであれば、被害者の社会的評価が害されるおそれはないこと等を理由として、インターネットの利用者が名誉毀損の表現行為をした場合には、新聞などのマス・メディアを通じた表現の場合よりも、名誉毀損罪の成立範囲を限定すべきであるとする見解もある。

民事上の損害賠償請求がなされた事案 →権利侵害の要件と違法性阻却の要件が問題とされた	▼ 最判昭 41.6.23 刑法 230 条の 2 における事実の公共性・公益性・真実性の要件は、民事上の損害賠償請求権の成否の判断の際にも妥当することを示した。
民法 723 条による救済が求められた事案 →謝罪広告と反論文掲載の可否が問題とされた	▼ 雑誌「諸君！」事件（東京地判平 4.2.25） 民法 723 条の「適当な処分」としては、「通常は、謝罪広告又は謝罪文の交付であるが、これに代えて又はこれと共に、反論文を掲載するのが有効・適切である場合には、反論文掲載請求が許容されることもありうる」としたが、本件事案では名誉毀損が成立しないとしたため、結論において反論文掲載請求を認めなかった。
裁判所による事前差止が求められた事案 →公務員・公職選挙の候補者の名誉を侵害する行為に対して差止請求が認められるかが問題とされた	▼ 北方ジャーナル事件（最大判昭 61.6.11・百選 68 事件） 「名誉は生命、身体とともに極めて重大な保護法益であり、人格権としての名誉権は、物権の場合と同様に排他性を有する権利というべき」であるとして、下記 3 要件の下、名誉権に基づく侵害行為の差止めを求めることができるとした〈予〉。 ① その表現内容が真実でなく、又はそれが専ら公益を図る目的のものでないことが明白であること ② 被害者が重大にして著しく回復困難な損害を被るおそれがあること ③ 口頭弁論又は債務者の審尋を行うのを原則とすること 結果的に本件では、口頭弁論又は債務者の審尋を経なくても 21条に反することなく、憲法上の要請に欠けることはないとした〈同〉。
裁判所による事前差止が求められた事案 →政治家の長女に関する記事の販売の差止めが認められるかが問題とされた〈予〉	▼ 週刊文春販売差止仮処分申立事件（東京高決平 16.3.31） ①公共の利益に関する事項に係るものといえないこと、②専ら公益を図る目的でないことが明白であること、③被害者が重大にして著しく回復困難な損害を被るおそれがあるときは、差止めの仮処分の申立てが認められる。 本件記事により、プライバシーの権利を侵害しているが、記事の内容それ自体としては、「人格に対する評価に常につながるものではないし、もとより社会制度上是認されている事象であって、日常生活上、人はどうということもなく耳にし、目にする情報の一つに過ぎない」。したがって、本件では、①②は認められるも、③の要件は認められないとして、差止めの仮処分の申立てを認めなかった。

(b) プライバシー権との関係〈司H23〉

言論によるプライバシー侵害が問題になるのは、主として私生活上の事

実が本人の意に反して公表される場合である。基本的には名誉の場合と同様に考えられるが、プライバシー侵害の場合は、真実性の証明により免責されることがない点で異なる。公表された内容が真実であればあるほど、被害者の被害が大きくなるからである。

<表現の自由とプライバシー侵害に関する判例の整理>

民事上の損害賠償請求がなされた事案 →権利侵害の要件と違法性阻却の要件が問題とされた	▼ 「宴のあと」事件（東京地判昭 39.9.28・百選 60 事件） プライバシー侵害の成立要件として、以下の 3 要件をみたす事柄の公開によって当該私人が実際に不快、不安の念を覚えたことを要すると判示した。 　① 公開された内容が私生活上の事実又は私生活上の事実らしく受け取られるおそれのある事柄であること 　② 一般人の感受性を基準にして当該私人の立場に立った場合公開を欲しないであろうと認められる事柄であること 　③ 一般の人々に未だ知られていない事柄であること ▼ ノンフィクション「逆転」事件（最判平 6.2.8・百選 61 事件） ある者の前科等にかかわる事実が著作物で実名を使用して公表された場合、①その者のその後の生活状況、②事件の歴史的・社会的意義、③その者の社会的活動及びその影響力等について、その著作物の目的・性格等に照らした実名使用の意義及び必要性をあわせて判断し、前科等にかかわる事実を公表されない法的利益が、これを公表する理由に優越する場合には、公表により被った精神的苦痛の賠償を請求することができると判示した。 ▼ 大阪高判平 12.2.29 犯罪報道において実名報道がなされた場合、①犯罪事実の態様・程度及び、②被疑者ないし被告人の地位、特質あるいは、③被害者側の心情などから見て実名報道が許容されることがあると判示した。
裁判所による事前差止が求められた事案 →プライバシー侵害行為に対して差止請求が認められるかが問題とされた	▼ 「エロス＋虐殺」事件（東京高決昭 45.4.13） 「人格的利益を侵害された被害者は、……加害者に対して、現に行われている侵害行為の排除を求め、或は将来生ずべき侵害の予防を求める請求権をも有する」としつつ、「右請求権の存否は、具体的事案について、被害者が排除ないし予防の措置がなされないままで放置されることによって蒙る不利益の態様、程度と、侵害者が右の措置によってその活動の自由を制約されることによって受ける不利益のそれとを比較衡量して決すべきである」と判示した。 ▼ 「石に泳ぐ魚」事件（最判平 14.9.24・百選 62 事件） モデル小説において名誉、プライバシーを侵害された場合に出版の差止めを認めることができるかが争われた事案で、小説中の登場人物（朴里花）とモデルとされた者（X）とが「容易に同定可能であり小説の公表によりXの名誉が毀損され、プライバシー及び名誉感情が侵害された」とした上で、「プライバシーにわたる事項を表現内容に含む小説の公表により公的立場にないXの名誉、プライバシー、名誉感情が侵害され」、「小説の出版等によりXに重大で回復困難な損害を被らせるおそれがある」として出版の差止めを認めた。

(2) わいせつ文書の規制

わいせつ的表現は刑法で禁じられている（刑法175条は、わいせつ文書の頒布・販売・公然陳列及び販売の目的による所持を処罰している）。

しかし、わいせつ的表現を表現の自由の範囲外として、「わいせつ」概念をもっぱら刑法の次元で論ずると、わいせつか否かの基準は多少なりとも不明確にならざるを得ないから、本来憲法上保障されるべき表現が、憲法の保障の外に置かれるおそれがある。

▼ チャタレイ事件（最大判昭32.3.13・百選51事件）

判旨： わいせつ文書とは徒に性欲を興奮又は刺激せしめ、且つ普通人の正常な性的羞恥心を害し、善良な性的道義観念に反するものをいう。著作自体が刑法175条のわいせつ文書に当たるかどうかの判断は当該著作物についてなされる事実認定の問題でなく、法解釈の問題である。その際の基準は一般社会において行われている良識すなわち社会通念である。この社会通念が如何なるものであるかの判断は現制度の下においては裁判官に委ねられている。

評釈： 本判決に対しては、わいせつ文書であるか否かが、表現の自由を厚く保障する憲法と切り離された形で、裁判官の主観的判断により抽象的に（具体的な危険とかかわりなく）決められるおそれが強くなるとの批判がある。

もっとも、この後の判例には、わいせつ概念を明確化しようとする努力が窺えるといわれている。

▼ 最判平20.2.19・平20重判6事件〈共存〉

事案： 日本において販売されていた、男性器の写り込んでいる写真集を外国から持ち込もうとしたところ、税関支所長が輸入禁止の通知処分をしたため、その取消し及び国家賠償請求を求めた。

判旨： 税関検査自体は、税関検査事件（最大判昭59.12.12・百選69事件）をひいて、検閲・過度に広汎ゆえに無効には当たらないと判示した。そのうえで、本件写真集の内容・写真家の評判等を総合的に考察し、好色的興味に訴えるものと認めることは困難であると判断し、いわゆるわいせつ書籍には当たらないと判示した。

評釈： 日本国内で販売されている出版物を国外に持ち出し、再び持ち込む際にも税関検査の対象となると判示した点でも新しい判断である。

<わいせつ性の判断方法に関する判例の変遷>

「悪徳の栄え」事件 （最大判昭 44.10.15・ 百選 52 事件）	「芸術的・思想的価値のある文書であっても、これを猥褻性を有するものとすることはなんらさしつかえない」という基本的立場を維持しつつ、「文書がもつ芸術性・思想性が、文書の内容である性的描写による性的刺激を減少・緩和させて、刑法が処罰の対象とする程度以下に」猥褻性を解消させる場合があることを認めた。また、文書の部分についての猥褻性は「文書全体との関連において判断されなければならない」として、いわゆる「全体的考察方法」をとることを明らかにした。
「四畳半襖の下張」事件 （最判昭 55.11.28・ 百選 53 事件）	下記 6 項目の要素を総合考慮し、その時代の健全な社会通念に照らして文書のわいせつ性を判断すべきであるとして、「全体的考察方法」の具体的内容を明らかにした。 ① 当該文書の性に関する露骨で詳細な描写叙述の程度とその手法 ② 右描写叙述の文書全体に占める比重 ③ 文書に表現された思想等と右描写叙述の関連性 ④ 文書の構成や展開 ⑤ 芸術性・思想性等による性的刺激の緩和の程度 ⑥ これらの観点から該文書を全体として見たときに、主として読者の好色的興味に訴えるものと認められるか否か

人
権

(3)　違法行為の教唆・せん動等

　　現行法上、犯罪ないし違法行為をせん動する表現を独立犯として処罰する規定が少なくない（破壊活動防止 38、国税犯則取締 22、地方税 21 等）。かかる「せん動罪」は、せん動された者が行為を実行する危険性があるというだけで処罰の対象とするものであるため、表現の自由を侵害する危険性が大きく、その合憲性が争われている（なお、最大判昭 24.5.18・百選 48 事件参照）。

▼　**渋谷暴動事件（最判平 2.9.28・百選 49 事件）**

判旨：　「破壊活動防止法 39 条及び 40 条のせん動は、政治目的をもって、各条所定の犯罪を実行させる目的をもって、文書若しくは図画又は言動により、人に対し、その犯罪行為を実行する決意を生ぜしめ又は既に生じている決意を助長させるような勢のある刺激を与える行為をすることであるから（同法 4 条 2 項参照）、表現活動としての性質を有している」が、「右のようなせん動は、公共の安全を脅かす現住建造物等放火罪……等の重大犯罪をひき起こす可能性のある社会的に危険な行為であるから、公共の福祉に反し、表現の自由の保護を受けるに値しないものとして、制限を受けるのはやむを得ない」として、右のようなせん動を処罰することは 21 条 1 項には違反しないと判示した。

評釈：　学説は、せん動処罰規定の合憲性を審査する基準・具体的行為の可罰

性を判定する基準の両面において、より厳しい基準を適用すべきであるとして、せん動罪の合憲性を「公共の福祉」により容認する判例を批判している。

(4) 虚偽表現〈司R元〉

虚偽表現とは、内容が虚偽であり、かつ、虚偽であることを知りながら故意になされた表現行為をいう (ex. フェイク・ニュース)。虚偽表現は、社会的混乱を招いたり、選挙の公正を害するおそれがあるという問題点を有しているため、表現の自由の保障範囲に含まれるのかが問題となる。

この点については、虚偽ではあっても種々の観点から有益な表現も様々に考えられることや、真実は誤りと衝突することによってより明確に認識されるのであるから、虚偽表現ですら公共的な議論に価値のある貢献をすることを理由に、虚偽表現であっても憲法上保障され得るものと解されている。

3 表現内容中立規制（表現の時・場所・方法に関する規制）〈司H25 司R3 予R3〉

表現内容中立規制とは、表現をそれが伝達する内容や効果に直接関係なく制限する規制である。

そして、表現内容規制 (⇒ p.188) については厳格な審査基準を適用して違憲審査を行うが、内容中立規制についてはより緩やかな審査基準により違憲審査を行うという、いわゆる表現内容規制・内容中立規制二分論を採る立場がある。

このような立場に対しては、①審査基準の構成の仕方が図式的になりすぎている、②人によって重要な意味を持つはずの表現の時・場所・方法等の規制の危険性を軽視している、といった批判がなされている〈司〉。

(1) 街頭演説、ビラ配り、ビラ貼り等の自由

マス・メディアが表現媒体をほぼ独占している現代において、街頭演説、ビラ配り、ビラ貼りなど、一般大衆が表現行為の主体たりうる表現手段の存在意義は大きいものがある。しかし、現行法においては、道路環境の維持、静穏の維持、美観風致の維持などを理由に、広汎な規制が敷かれている。そこで、これら規制の合憲性が争われることが少なくない。

(a) 道路環境の維持を理由とする規制

▼ **最判昭 35.3.3・百選〔第5版〕65 事件**

事案： 道路において街頭演説、ビラ配り、宣伝カーの使用などの表現行為を行うに当たっては所轄警察署長から道路使用の許可を得なければならないとされている（道路交通 77 Ⅰ④）ところ、かかる事前許可を得ずに道路上で演説して起訴された者が、街頭演説の許可制は 21 条 1 項に反すると争った（道路交通法の前身である道路交通取締法の合憲性が争われた）。

判旨： 「道路において演説その他の方法により人寄せをすることは、場合によっては道路交通の妨害となり、延いて、道路交通上の危険の発生、その他公共の安全を害するおそれがないでもないから、演説などの方法により人寄せをすることを警察署長の許可にかからしめ、無許可で演説などの為め人寄をしたものを処罰することは公共の福祉の為め必要であ」ると判示して、道路交通取締法を合憲とした。

評釈： 判例が「公共の福祉」のための必要性から直ちに合憲の結論を導いていることには批判が強い。なお、通説的見解は、この種の規制は、時・場所・方法といった表現の自由の態様に関する必要最小限度のものでなければならず、道路交通法による街頭演説の無制限な許可制は21条1項違反の疑いがあるとする。

(b) 静穏の維持を理由とする規制

軽犯罪法や騒音防止条例で、静穏を害する表現行為は制限されている（拡声器の使用制限等）。学説では、制限の範囲・方法が適切なものである限り憲法上許容されるとする見解が有力である。

(c) 美観風致の維持ないし公衆への危害防止を理由とする規制

▼ **大阪市屋外広告物条例違反事件（最大判昭43.12.18・百選55事件）**

事案： 電柱などにはり紙をすることを全面的に禁じた大阪市屋外広告物条例が21条に反しないかが争われた。

判旨： 「国民の文化的生活の向上を目途とする憲法の下においては、都市の美観風致を維持することは、公共の福祉を保持する所以であるから、この程度の規制は、公共の福祉のため、表現の自由に対し許された必要且つ合理的な制限と解することができる」と判示して、本条例は21条1項に反しないとした。

▼ **大分県屋外広告物条例事件（最判昭62.3.3・百選56事件）**

最大判昭43.12.18（百選55事件）とまったく同じ論旨が繰り返されたが、以下のような伊藤正己裁判官の補足意見が付されている。

「美観風致の維持という公共の福祉に適合する目的をもつ規制であるというのみで、たやすく合憲であると判断するには速断にすぎる」。

(d) 他人の財産権・管理権の保護を理由とする規制

▼ **最大判昭45.6.17・百選A7事件**

事案： みだりに他人の家屋その他の工作物にはり札をした者を処罰する軽犯罪法1条33号前段が21条1項等に反しないかが争われた。

判旨： 「軽犯罪法1条33号前段は、主として他人の家屋その他の工作物に関

する財産権、管理権を保護するために、みだりにこれらの物にはり札をする行為を規制の対象としているものと解すべきところ、たとい思想を外部に発表するための手段であっても、その手段が他人の財産権、管理権を不当に害するごときものは、もとより許されない……。したがって、この程度の規制は、公共の福祉のため、表現の自由に対し許された必要かつ合理的な制限であ」ると判示して、21条1項には反しないとした。

▼ 最判昭59.12.18・百選57事件〈予

事案：　駅構内でビラ配布・演説を行った者が、駅管理者からの退去要求を無視して滞留し続けたため、鉄道営業法35条違反及び不退去罪（刑130後段）により起訴された。

判旨：　鉄道管理者の財産権、管理権の保護を理由に、上記法規を適用して処罰しても21条1項に違反しないと判示した。

伊藤正己補足意見：「ある主張や意見を社会に伝達する自由を保障する場合に、その表現の場を確保することが重要な意味をもっている。特に表現の自由の行使が行動を伴うときには表現のための物理的な場所が必要となってくる。この場所が提供されないときには、多くの意見は受け手に伝達することができないといってもよい。一般公衆が自由に出入りできる場所は、それぞれその本来の利用目的を備えているが、それは同時に、表現のための場として役立つことが少なくない。道路、公園、広場などは、その例である。これを『パブリック・フォーラム』と呼ぶことができよう。このパブリック・フォーラムが表現の場所として用いられるときには、所有権や、本来の利用目的のための管理権に基づく制約を受けざるをえないとしても、その機能にかんがみ、表現の自由の保障を可能な限り配慮する必要がある」〈共。

▼ 最判平20.4.11・百選58事件〈同共予

事案：　自衛隊宿舎へビラ投函目的で立ち入ったところ、住居侵入罪（刑130前段）で起訴された。

判旨：「表現の自由は、民主主義社会において特に重要な権利として尊重されなければならず、被告人らによるその政治的意見を記載したビラの配布は、表現の自由の行使ということができる」。しかし、21条1項も、「表現の自由を絶対無制限に保障したものではなく、公共の福祉のため必要かつ合理的な制限」を受ける。本件では、「表現そのものを処罰することの憲法適合性が問われているのではなく、表現の手段……を処罰することの憲法適合性が問われているところ」、被告人らが立ち入った場所は、自衛隊・防衛庁（現防衛省）当局が職員等の集合住宅の共用部分及びその敷地として管理していた場所で、「一般に人が自由に出入りすることのできる場所ではない」。「表現の自由の行使のためとはいっても、このよ

うな場所に管理権者の意思に反して立ち入ることは、管理権者の管理権を侵害するのみならず、そこで私的生活を営む者の私生活の平穏を侵害するもの」である。したがって、本件被告人らの行為をもって住居侵入罪（刑130前段）の罪に問うことは、21条1項に違反するものではない。

▼ 最判平21.11.30・平22重判6事件〈団〉

事案： 7階建て分譲マンションの各階廊下などの共用部分に立ち入ったところ、住居侵入罪（刑130前段）で起訴された。

判旨： 憲法21条1項は、「表現の自由を絶対無制限に保障したものではなく、公共の福祉のため必要かつ合理的な制限」を受けるとし、最判平20.4.11と同様に、被告人を処罰することは憲法21条に違反しないとした。

▼ 最判平23.7.7・平23重判8事件

事案： 来賓として招かれた被告人は、卒業式の開式前、保護者に対し国歌斉唱時の着席を呼びかけ、退場を求める教頭及び校長に怒鳴り声を上げるなどしたため、卒業式は予定より約2分遅れての開式となった。被告人は、本件意見表明行為について威力業務妨害罪（刑234）で起訴された。

判旨： 表現の自由は民主主義社会において特に重要な権利として尊重されるが、絶対無制限に保障されるものではない。被告人の本件行為は、その場の状況にそぐわない不相当な態様で行われ、静穏な雰囲気の中で執り行われるべき卒業式の円滑な遂行に看過し得ない支障を生じさせたものとして、違法といえる。したがって、本件行為をもって威力業務妨害罪の罪に問うことは、憲法21条1項に違反しない。

(2) 選挙運動の自由

(a) はじめに

繰り返しになるが、選挙の基本原則の1つである「自由選挙」には、①選挙人が自らの意思に基づいて候補者や政党等に投票する自由（自由投票・強制投票の禁止）と、②候補者や市民が選挙運動を行う自由（選挙運動の自由）の2つがあるとされる。 ⇒p.121

ここでは、②選挙運動の自由について説明する。選挙運動は、表現活動の一形態として21条1項により保障されていると解するのが判例・通説である。そして、選挙運動は民主主義制度の根幹に関わる活動であり、本来、最も自由が尊重されるべき表現活動といえる。しかし、公職選挙法は、選挙運動に対して広く制約を課しており（下記(b)～(f)参照）、判例も「選挙の公正」を重視し、一貫して合憲判断を下している。

人
権

(b) 文書・図画の頒布等の禁止

　　公職選挙法146条は、選挙期間中の文書・図画の頒布等を禁止している。この規定が憲法21条1項に反しないかについて、判例（最大判昭30.3.30・百選156事件）は、「公共の福祉のため、憲法上許された必要且つ合理的的制限」であるとして合憲判断を示した。

▼　**最大判昭30.3.30・百選156事件**

　　「公職選挙法146条は、公職の選挙につき文書図画の無制限の頒布、掲示を認めるときは、選挙運動に不当の競争を招き、これが為却って選挙の自由公正を害し、その公明を保持し難い結果を来たすおそれがあると認めて、かかる弊害を防止する為、選挙運動期間中を限り、文書図画の頒布、掲示につき一定の規制をしたのであって、この程度の規制は、公共の福祉のため、憲法上許された必要且つ合理的的制限と解することができる」。

(c) 事前運動の禁止

　　公職選挙法129条は、選挙運動期間を法定した上で、選挙運動は「公職の候補者の届出のあった日から当該選挙の期日の前日まででなければ、することができない」と定めて、一切の事前運動を禁止している。この規定が憲法21条1項に反しないかについて、判例（最大判昭44.4.23）は、次のとおり判示して、合憲判断を示した。

▼　**最大判昭44.4.23**

　　「公職の選挙につき、常時選挙運動を行なうことを許容するときは、その間、不当、無用な競争を招き、……選挙の公正を害するにいたるおそれがあるのみならず、徒らに経費や労力がかさみ、経済力の差による不公平が生ずる結果となり、ひいては選挙の腐敗をも招来するおそれがある。このような弊害を防止して、選挙の公正を確保するために……選挙運動をすることができる期間を規制し事前運動を禁止することは、憲法の保障する表現の自由に対し許された必要かつ合理的な制限である」。

(d) 戸別訪問の禁止

　　公職選挙法138条1項は、「何人も、選挙に関し、投票を得若しくは得しめ又は得しめない目的をもつて戸別訪問をすることができない」と定めて、全ての者に対して戸別訪問を禁止している。この規定が憲法21条1項に反しないかについて、判例（最判昭56.6.15）は、次のとおり判示して、合憲判断を示した。

　　　→猿払事件判決（最大判昭49.11.6・百選12事件）と同じく「合理的関連性」の基準や間接的・付随的制約論を用いている

▼　最判昭 56.6.15 〈司共〉

　「戸別訪問の禁止は、意見表明そのものの制約を目的とするものではなく、意見表明の手段方法のもたらす弊害、すなわち、戸別訪問が買収、利害誘導等の温床になり易く、選挙人の生活の平穏を害するほか、これが放任されれば、候補者側も訪問回数等を競う煩に耐えられなくなるうえに多額の出費を余儀なくされ、投票も情実に支配され易くなるなどの弊害を防止し、もって選挙の自由と公正を確保することを目的としている」。この「目的は正当であり、それらの弊害を総体としてみるときには、戸別訪問を一律に禁止することと禁止目的との間に合理的な関連性がある」。

　そして、「戸別訪問の禁止によって失われる利益は、それにより戸別訪問という手段方法による意見表明の自由が制約されることではあるが、それは、もとより戸別訪問以外の手段方法による意見表明の自由を制約するものではなく、単に手段方法の禁止に伴う限度での間接的、付随的な制約にすぎない反面、禁止により得られる利益は、戸別訪問という手段方法のもたらす弊害を防止することによる選挙の自由と公正の確保であるから、得られる利益は失われる利益に比してはるかに大きい」。

　したがって、戸別訪問を一律に禁止する公職選挙法 138 条 1 項の規定は、「合理的で必要やむをえない限度を超えるものとは認められず、憲法 21 条に違反するものではない」。

　なお、この判例を引用して戸別訪問禁止を合憲とした判例（最判昭 56.7.21・百選 158 事件）の伊藤裁判官補足意見は、いわゆる「選挙ルール論」と呼ばれる考え方を述べている。

　すなわち、「選挙運動においては各候補者のもつ政治的意見が選挙人に対して自由に提示されなければならないのではあるが、それは、あらゆる言論が必要最少限度の制約のもとに自由に競いあう場ではなく、各候補者は選挙の公正を確保するために定められたルールに従って運動するものと考えるべきである。法の定めたルールを各候補者が守ることによって公正な選挙が行なわれるのであり、……このルールの内容をどのようなものとするかについては立法政策に委ねられている範囲が広」いとし、憲法 47 条（「選挙区、投票の方法その他両議院の議員の選挙に関する事項は、法律でこれを定める」）の規定を、「選挙運動のルールについて国会の立法の裁量の余地の広いという趣旨を含んでいる」ため、戸別訪問の禁止は「立法の裁量権の範囲を逸脱し憲法に違反すると判断すべきものとは考えられない」としている。

　　→もっとも、「選挙ルール論」に対しては、①そもそも選挙運動の自由を立法者の制度形成に依存する権利とみるべきかは疑問であるとの批判や、② 47 条から直ちに広い立法裁量を導くことはできないとの批

判がなされている

(e) 候補者届出政党に所属する候補者とそうでない候補者との間の選挙運動上の差異

公職選挙法150条1項は、候補者届出政党はテレビで政見放送を放送でき、その中で各候補者を紹介できるのに対し、候補者届出政党に所属しない小選挙区候補者に政見放送を認めないとする旨の規定を定めている。

判例（最大判平11.11.10・百選152②事件）は、「選挙制度の仕組みの具体的決定は、国会の広い裁量にゆだねられて」おり、「選挙運動をいかなる者にいかなる態様で認めるかは、選挙制度の仕組みの一部を成す」とした上で、次のとおり判示し、候補者届出政党に所属する候補者とそうでない候補者との間の政見放送に関する差異について、合憲判断を示した。

▼ **最大判平 11.11.10・百選 152 ②事件**〈民〉

衆議院小選挙区選挙について、「候補者届出政党にのみ政見放送を認め候補者を含むそれ以外の者には政見放送を認めないものとした」公職選挙法の規定は、「政見放送という手段に限ってみれば、候補者届出政党に所属する候補者とこれに所属しない候補者との間に単なる程度の違いを超える差異を設ける結果となるもの」ではあるが、「政見放送は選挙運動の一部を成すにすぎず、その余の選挙運動については候補者届出政党に所属しない候補者も十分に行うことができるのであって、その政見等を選挙人に訴えるのに不十分とはいえないことに照らせば、政見放送が認められないことの一事をもって、選挙運動に関する規定における候補者間の差異が合理性を有するとは到底考えられない程度に達している」とまではいえず、「これをもって国会の合理的裁量の限界を超えているということはでき」ないため、「憲法14条1項に違反するとはいえない」。

(f) 報道・評論の規制

公職選挙法148条3項は、選挙運動の期間中及び選挙の当日に限り、選挙に関する報道・評論の自由が認められる「新聞紙」又は「雑誌」に一定以上の頻度での発行などの要件を課している（同Ⅲ①イ参照）。この規定は、不定期に無償頒布される「新聞紙」「雑誌」による選挙に関する報道・論評を規制するものといえる。判例（最判昭54.12.20）は、次のとおり判示した。

▼ **最判昭 54.12.20**

公職選挙法148条3項は、「選挙目当ての新聞紙・雑誌が選挙の公正を害し特定の候補者と結びつく弊害を除去するためやむをえず設けられた規定であって……公正な選挙を確保するために脱法行為を防止する趣旨のもの」であり、かかる立法の趣旨・目的からすると、罰則規定（公選235の2②）にいう「報道又は評論」とは、「当該選挙に関する一切の報道・評論を指すのではなく、特定の候補者の得票について有利又は不利に働くおそれがある報道・評論をいう」

として、合憲限定解釈した。その上で、「右規定の構成要件に形式的に該当する場合であっても、もしその新聞紙・雑誌が真に公正な報道・評論を掲載したものであれば、その行為の違法性が阻却される」として、個別的に違法性を阻却する可能性を認め、公職選挙法148条3項は憲法21条1項に違反しないとした。

4　報道・取材の自由
(1)　報道の自由
(a)　保障の有無

　報道は、事実を知らせるものであり、特定の思想を表明するものではない。しかし、報道の自由も表現の自由の保障に含まれると解されている。
∵①　報道には、報道の受け手の側の意思形成に素材を提供する意味がある
　②　報道すべき事実の認識や選択に送り手の側の意思がはたらいている

▼　**博多駅テレビフィルム提出命令事件（最大決昭44.11.26・百選73事件）** 司共

　「報道機関の報道は、民主主義社会において、国民が国政に関与するにつき、重要な判断の資料を提供し、国民の『知る権利』に奉仕するものである」から、思想の表明の自由とならんで、事実の報道の自由は、表現の自由を規定した憲法21条の保障のもとにあることはいうまでもない」と判示した。

(b)　電波メディアによる報道の自由（放送の自由）

　電波メディアによる報道の自由に対しては、新聞・雑誌等の印刷メディアには許されない特別な規制が課されている（ex. 電波4、放送4）。
　このような公的規制を正当化する根拠として、以下のようなものが挙げられている。
①　放送用周波数は有限であり、放送に利用できるチャンネル数には限度がある（電波有限論）。
②　新聞と異なり、放送においては時間を単位としてスポンサーに番組が売られることになっているので、自由競争に放任すると、放送事業者は各時間帯の視聴率を極大化しようという強いコマーシャリズムに動かされ、番組編成が大衆受けのする通俗的なものに画一化する傾向が強い。
＊　放送法は、放送により国民が十分福祉を享受することができるように図るべく、放送事業について、公共放送事業者と民間放送事業者との二本立て体制を採っており、公共放送事業者を担うものとしてNHKを存立させ、その財政的基盤を受信設備設置者に負担させる受信料により確保するという仕組みを採用している。この点、放送法64条1項（「協会［NHK］の放送を受信することのできる受信設備を設置した者は、協会とその放送の受信についての契約をしなければなら

人権

ない」）が、国民の知る権利（金銭的な負担なく受信することのできる民間放送を視聴する自由、表現を受け取らない自由）等を侵害するとして争われた事件が、下記のＮＨＫ受信料訴訟である。

▼ ＮＨＫ受信料訴訟（最大判平 29.12.6・百選 77 事件）

「放送は、憲法 21 条が規定する表現の自由の保障の下で、国民の知る権利を実質的に充足し、健全な民主主義の発達に寄与するものとして、国民に広く普及されるべきものである。上記の目的を実現するため、放送法は、……公共放送事業者と民間放送事業者とが、各々その長所を発揮するとともに、互いに他を啓もうし、各々その欠点を補い、放送により国民が十分福祉を享受することができるように図るべく、二本立て体制を採ることとしたものである。」

「放送法 64 条 1 項は、原告の財政的基盤を確保するための法的に実効性のある手段として設けられたものと解されるのであり、法的強制力を持たない規定として定められたとみるのは困難である。」

放送について、「具体的にいかなる制度を構築するのが適切であるかについては、憲法上一義的に定まるものではなく、憲法 21 条の趣旨を具体化する前記の放送法の目的を実現するのにふさわしい制度を、国会において検討して定めることとなり、そこには、その意味での立法裁量が認められてしかるべきである」。

そして、「公共放送事業者と民間放送事業者との二本立て体制の下において、前者を担うものとして原告を存立させ、これを民主的かつ多元的な基盤に基づきつつ自律的に運営される事業体たらしめるためその財政的基盤を受信設備設置者に受信料を負担させることにより確保するものとした仕組みは……憲法 21 条の保障する表現の自由の下で国民の知る権利を実質的に充足すべく採用され、その目的にかなう合理的なものであると解されるのであり、かつ、放送をめぐる環境の変化が生じつつあるとしても、なおその合理性が今日までに失われたとする事情も見いだせないのであるから、これが憲法上許容される立法裁量の範囲内にあることは、明らかというべきである。このような制度の枠を離れて被告が受信設備を用いて放送を視聴する自由が憲法上保障されていると解することはできない」。

放送法 64 条 1 項は、受信設備設置者に対し、「受信契約の締結を強制するにとどまると解されるから、前記の同法の目的を達成するのに必要かつ合理的な範囲内のものとして、憲法上許容される」。

(2) 取材の自由

(a) 保障の有無

取材の自由が本条で保障されるかについては議論がある。判例は、博多駅テレビフィルム提出命令事件（最大決昭 44.11.26・百選 73 事件）において、取材の自由は憲法 21 条 1 項から直接導き出される権利ではないが、21 条の保障のもとにある「報道機関の報道が正しい内容をもつためには、

報道の自由とともに、報道のための取材の自由も、憲法 21 条の精神に照らし、十分尊重に値いするもの」であるとした⟨共⟩。

学説上は、取材の自由は報道の自由に含まれ、本条項で保障されるとする見解が多数である。

∵① 報道は取材・編集・発表という過程を経てなされ、報道の自由はそれらを全体として保障している
　② 多方面での自由な取材活動によってこそ、報道の自由ひいては国民の知る権利が全うされる

(b) 取材源秘匿権⟨予R5⟩

取材源秘匿権には広狭 2 つの意味があるとされている。狭義には、公衆に対する情報伝播の目的で、内々の信頼関係を通じて取材した場合の取材源の開示を強要されない権利をいい（もっとも、憲法上の権利か否かについては争いがある）、広義には、そのような信頼関係を通じて得られた情報（取材メモ、フィルムなど）の開示を強要されない権利をいうとされる。

 ＜取材源秘匿権に関する判例の整理＞

狭義の取材源秘匿権	新聞記者の証言拒絶権（刑事事件）	▼　石井記者事件（最大判昭 27.8.6・百選〔第 5 版〕77 事件） 　刑事訴訟法 149 条は新聞記者に類推できず、さらに、憲法 21 条は司法権の公正な発動について必要不可欠な証言の義務をも犠牲にして証言拒絶の権利までも保障したものではないとして、新聞記者の証言拒絶権は、刑訴法上も憲法上も認められないとした
	新聞記者の証言拒絶権（民事事件）	▼　証言拒絶（NHK 記者）事件（最決平 18.10.3・百選 71 事件）⟨司共⟩⟨予R5⟩ 　民事訴訟法 197 条 1 項 3 号にいう「職業の秘密」とは、その事項が公開されると、当該職業に深刻な影響を与え以後その遂行が困難になるものをいうが、それだけで直ちに証言拒絶が認められるものではなく、そのうち保護に値する秘密についてのみ証言拒絶が認められる。そして、「保護に値する秘密であるかどうかは、秘密の公表によって生ずる不利益と証言の拒絶によって犠牲になる真実発見及び裁判の公正との比較衡量により決せられる」とした上で、「当該報道が公共の利益に関するものであって、その取材の手段、方法が一般の刑罰法令に触れるとか、取材源となった者が取材源の秘密の開示を承諾しているなどの事情がなく、しかも、当該民事事件が社会的意義や影響のある重大な民事事件であるため、当該取材源の秘密の社会的価値を考慮してもなお公正な裁判を実現すべき必要性が高く、そのために当該証言を得ることが必要不可欠であるといった事情が認められない場合には、当該取材源の秘密は保護に値すると解すべきであり、証人は、原則として、当該取材源に係る証言を拒絶することができる」とした

人権

広義の取材源秘匿権	裁判所によるテレビフィルムの提出命令（＊）	▼　博多駅テレビフィルム提出命令事件（最大決昭 44.11.26・百選 73 事件）〈司共予〉 　　「公正な刑事裁判の実現を保障するために、報道機関の取材活動によって得られたものが、証拠として必要と認められるような場合には、取材の自由がある程度の制約を蒙ることとなってもやむを得ない」が、「審判の対象とされている犯罪の性質、態様、軽重および取材したものの証拠としての価値、ひいては、公正な刑事裁判を実現するにあたっての必要性の有無を考慮するとともに、他面において取材したものを証拠として提出させられることによって報道機関の取材の自由が妨げられる程度およびこれが報道の自由に及ぼす影響の度合その他諸般の事情を比較衡量して決せられるべきであり、これを刑事裁判の証拠として使用することがやむを得ないと認められる場合においても、それによって受ける報道機関の不利益が必要な限度をこえないように配慮されなければならない」。 　　そして、本件における報道機関の本件フィルムは、「証拠上きわめて重要な価値を有し、被疑者らの罪責の有無を判定するうえに、ほとんど必須のものと認められる状況にある。他方、本件フィルムは、すでに放映されたものを含む放映のために準備されたものであり、それが証拠として使用されることによって報道機関が蒙る不利益は、報道の自由そのものではなく、将来の取材の自由が妨げられるおそれがあるというにとどまる」とした 　→裁判所によるテレビフィルムの提出命令は適法
	検察事務官によるビデオテープの差押え（＊）	▼　日本テレビ事件（最決平元 .1.30）〈司予〉 　　検察事務官によるビデオテープの差押えに関する事案において、「公正な刑事裁判を実現するためには、適正迅速な捜査が不可欠の前提であり、報道の自由ないし取材の自由に対する制約の許否に関しては、両者の間に本質的な差異」はないとした。 　　そして、博多駅テレビフィルム提出命令事件の判断基準を参照しつつ、「本件ビデオテープは、証拠上極めて重要な価値を有し、事件の全容を解明し犯罪の成否を判断する上で、ほとんど不可欠のものであったと認められる。他方、本件ビデオテープがすべて原本のいわゆるマザーテープであるとしても、申立人は、差押当時においては放映のための編集を了し、差押当日までにこれを放映しているのであって、本件差押処分により申立人の受ける不利益は、本件ビデオテープの放映が不可能となり報道の機会が奪われるという不利益ではなく、将来の取材の自由が妨げられるおそれがあるという不利益にとどまる」とした 　→検察事務官によるビデオテープの差押えは適法

| 広義の取材源秘匿権 | 司法警察員によるビデオテープの差押え（＊） | ▼　ＴＢＳ事件（最決平2.7.9・百選74事件）〈司予〉
「報道機関の報道の自由は、表現の自由を規定した憲法21条の保障の下にあり、報道のための取材の自由も、憲法21条の趣旨に照らし十分尊重されるべきものであること、取材の自由も、何らの制約を受けないものではなく、公正な裁判の実現というような憲法上の要請がある場合には、ある程度の制約を受けることがある」として、博多駅テレビフィルム提出命令事件を引用し、「その趣旨からすると、公正な刑事裁判を実現するために不可欠である適正迅速な捜査の遂行という要請がある場合にも、同様に、取材の自由がある程度の制約を受ける場合があること、また、このような要請から報道機関の取材結果に対して差押をする場合において、差押の可否を決するに当たっては、捜査の対象である犯罪の性質、内容、軽重等及び差し押さえるべき取材結果の証拠としての価値、ひいては適正迅速な捜査を遂げるための必要性と、取材結果を証拠として押収されることによって報道機関の報道の自由が妨げられる程度及び将来の取材の自由が受ける影響その他諸般の事情を比較衡量すべきである」として、日本テレビ事件を引用している。
　そして、本件「ビデオテープは、事案の全容を解明して犯罪の成否を判断する上で重要な証拠価値を持つものであったと認められる。他方、本件ビデオテープは、すべていわゆるマザーテープであるが、申立人において、差押当時既に放映のための編集を終了し、編集に係るものの放映を済ませていたのであって、本件差押により申立人の受ける不利益は、本件ビデオテープの放映が不可能となって報道の機会が奪われるというものではなかった」とした
→司法警察員によるビデオテープの差押えは適法 |

＊　博多駅事件は、学生と機動隊が衝突した事件において、特別公務員暴行陵虐罪・公務員職権濫用罪に該当するかを判断するため、放映済みのテレビフィルムの提出を命じた事案である。日本テレビ事件は、被疑者が衆議院議員に現金を供与した行為が、贈賄罪に該当するかを判断するため、放映済みのテレビフィルムを差し押さえた事案である。ＴＢＳ事件は、暴力団組員の債権取立てについて、暴力行為等処罰に関する法律違反・傷害罪の成否を検討するため、放映済みのテレビフィルムを差し押さえた事案である。

(c)　法廷における取材制限

▼　北海タイムス事件（最大決昭33.2.17・百選〔第6版〕76事件）

事案：　　北海タイムス釧路支社報道部所属のカメラマンXは、強盗殺人事件の取材のために法廷内の新聞記者席にいた。Xは、公判廷における写真撮影は公開開始前に限る旨裁判所から告知されていたにもかかわらず、人定質問のために被告人が証言台に立つと、記者席を離れ、裁判官席のある壇上に登り、裁判長の制止を無視して壇上より被告人の写真1枚を撮影した。裁判所は、この行為が、法廷などの秩序維持に関する法律2条1項前段に該当するものとして過料に処し、Xの抗告も棄却されたので、最高裁に特別抗告を行い、原決定は憲法21条の保障する報道の自由・取材の自由を制限しているから取り消されるべき、と主張した。

決旨：　　「新聞が真実を報道することは、憲法21条の認める表現の自由に属し、またそのための取材活動も認められなければならない」。「しかし、憲法が国民に保障する自由であっても、……その自由も無制限であるということはできない。そして憲法が裁判の対審及び判決を公開法廷で行うことを規定しているのは、手続を一般に公開してその審判が公正に行われることを保障する趣旨に他ならないのであるから、たとい公判廷の状況を一般に報道するための取材活動であっても、その活動が公判廷における審判の秩序を乱し被告人その他訴訟関係人の正当な利益を不当に害するがごときものは、もとより許されない」。「公判廷における写真の撮影等は、その行われる時、場所等のいかんによっては、前記のような好ましくない結果を生ずる恐れがあるので、刑事訴訟規則215条は写真撮影の許可等を裁判所の裁量に委ね、その許可に従わないかぎりこれらの行為をすることができないことを明らかにしたものであって、右規則は憲法に反するものではない」。

▼　レペタ事件（最大判平元.3.8・百選72事件）〈司予〉

事案：　　アメリカ人弁護士であるXは、所得税法違反被告事件の公判期日に先立ち、傍聴席でのメモ採取を希望し、担当裁判長にメモを取ることの許可申請を行ったが、認められなかった。Xは、裁判所によるメモ採取不許可は違法であるとして憲法21条、82条、14条1項などに違反することを理由に、国家賠償法1条1項に基づき損害賠償を求めた。

判旨：　　「各人が自由にさまざまな意見、知識、情報に接し、これを摂取する機会をもつことは、その者が個人として自己の思想及び人格を形成、発展させ、社会生活の中にこれを反映させていく上において欠くこと」ができず、「民主主義社会における思想及び情報の自由な伝達、交流の確保という基本的原理を真に実効あるものたらしめるためにも必要」であるから、「情報等に接し、これを摂取する自由」は、憲法21条1項の「規定

人権

の趣旨、目的から、いわばその派生原理として当然に導かれる」。「筆記行為は……生活のさまざまな場面において行われ、極めて広い範囲に及んでいるから、そのすべてが憲法の保障する自由に関係することはできないが、さまざまな意見、知識、情報に接し、これを摂取することを補助するものとしてなされる限り、筆記行為の自由は憲法 21 条 1 項の規定の精神に照らして尊重される」。「裁判の公開が制度として保障されていることに伴い、傍聴人は法廷における裁判を見聞することができるのであるから、傍聴人が法廷においてメモを取ることは、その見聞する裁判を認識、記憶するためになされるものである限り、尊重に値し、故なく妨げられてはならない」。

「筆記行為の自由といえども、他者の人権と衝突する場合には……一定の合理的制限を受ける」。「筆記行為の自由は、憲法 21 条 1 項の規定によって直接保障されている表現の自由そのものとは異なるものであるから、その制限又は禁止には、……厳格な基準」は要求されない。

「法廷……において最も尊重されなければならないのは、適正かつ迅速な裁判を実現することである。……公正かつ円滑な訴訟の運営は、傍聴人がメモを取ることに比べれば、はるかに優越する法益である」から「メモをとる行為が……公正かつ円滑な訴訟の運営を妨げる場合には、それが制限又は禁止されるべきことは当然」だが、そのような事態に陥ることは「通常はあり得ないのであって、特段の事情のない限り、これを傍聴人の自由に任せるべきであり、それが憲法 21 条 1 項の規定の精神に合致する」。

(d)　国家秘密の保護

国家秘密とは、通常、軍事又は外交上の情報で、その公開が国家の安全を脅かすものをいうとされる。公務員が国家秘密を漏洩したり、他の者が国家秘密の漏洩を唆すなどした場合には、処罰の対象となる（国公 100、109 ⑫、111）。

ただ、記者の国家秘密に対する取材活動がすべて唆し罪（国公 111、109 ⑫）に該当するとして処罰の対象となると解すべきではなく、正当な取材活動の場合には処罰されないと解すべきであるとされている。

▼　外務省秘密電文漏洩事件（最決昭 53.5.31・百選 75 事件）

事案：　沖縄返還協定に関する外務省の極秘電文を新聞記者が外務省女性事務官から入手し、議員に流したため、事務官は国家公務員法 100 条 1 項違反、記者は同 111 条違反で起訴された。

決旨：　「国家公務員法 109 条 12 号、100 条 1 項にいう秘密とは、非公知の事実であって、実質的にもそれを秘密として保護するに値すると認められるものをいい……、その判定は司法判断に服する」ところ、本件電文は

「秘密」に該当し、本件新聞記者の取材行為は国家公務員法111条のそそのかし罪の構成要件に該当する。しかし、「取材の自由もまた、憲法21条の精神に照らし、十分尊重に値する」から、「報道機関が公務員に対し根気強く執拗に説得ないし要請を続けることは、それが真に報道の目的からでたものであり、その手段・方法が法秩序全体の精神に照らし相当なものとして社会観念上是認されるものである限りは」実質的に違法性を欠くというべきである。もっとも、本件取材活動は人格の尊厳を著しく蹂躙するものであり、その手段・方法において社会観念上是認することのできない不相当なものであるから、違法性を帯びると判示した。

5　インターネット上の表現の自由

(1)　はじめに

　情報通信技術の発達により、個人はマス・メディアを介さずインターネットを通じて自由に表現を世界中に発信することが可能となり、「送り手」としての地位を回復した。その反面、ＳＮＳ（ソーシャル・ネットワーク・サービス）上での多数の偽情報・誤情報や誹謗中傷が流通し、表現の自由の一般的な法理との調整を必要とする新たな問題点も提起されるに至っている。

　→なお、インターネットを利用した電子メールなどの1対1のやりとりは、通信の秘密（21Ⅱ）により保護される

(2)　インターネット上の名誉毀損

　今日では、マス・メディアによる名誉毀損よりも、個人によるインターネット上の名誉毀損が問題となることが多くなった。

　この点、インターネットの利用者は自己の見解を外部に向かって発信できることから、インターネットを利用している被害者は、自己に向けられた加害者のインターネット上の表現行為に対して言論による反論が可能である（対抗言論の法理）。そして、対抗言論が奏功すれば、被害者の社会的評価が害されるおそれはないことから、インターネットの利用者が名誉毀損をした場合には、マス・メディアが名誉毀損をした場合よりも名誉毀損罪（刑230Ⅰ）の成立範囲を限定すべきであるとの見解もある。

　→この見解に対しては、①インターネット上の全ての情報を知ることは不可能であり、自己の名誉を毀損する表現の存在すら知らない被害者に対して反論を要求すること自体不可能であるとの批判や、②言論の応酬により当不当を判断できるのは意見・論評であって、事実の摘示による名誉毀損の場合には、被害者と加害者が言論の応酬をしても、インターネットの利用者は真偽を判断できないとの批判がなされている

　判例（らあめん花月事件・最決平22.3.15・平22重判8事件🈲）は、「インターネット上に載せた情報は、不特定多数のインターネット利用者が瞬時

に閲覧可能であり、これによる名誉毀損の被害は時として深刻なものとなり
得ること、一度損なわれた名誉の回復は容易ではなく、インターネット上で
の反論によって十分にその回復が図られる保証があるわけでもないこと」な
どを考慮した上で、従来の「相当性の法理」（⇒ p.189）をこの場面でも適用
し、「行為者が摘示した事実を真実であると誤信したことについて、確実な
資料、根拠に照らして相当の理由があると認められるときに限り、名誉毀損
罪は成立しない」としている。

　また、次の判例（最大決平 30.10.17・平 30 重判 2 事件）は、Twitter
［注：現X。インターネットを利用してツイートと呼ばれる 140 文字以内の
メッセージ等を投稿することができるウェブサイト］上での裁判官のツイー
ト［注：現ポスト］が裁判官に許容される表現の自由の限度を逸脱したもの
と判示した。

▼　最大決平 30.10.17・平 30 重判 2 事件

事案：　東京高裁判事（当時）のXはツイッターの投稿につき 2 回の厳重注意
　　　処分を受けていたところ、その後も自らのツイッター・アカウントにお
　　　いて、犬の返還請求等に関する民事訴訟についての報道記事を閲覧する
　　　ことができるウェブサイトのリンクを貼るとともに、当事者の感情を傷
　　　つける内容の投稿をしたとして、東京高裁による懲戒申立てがなされた。
　　　なお、Xが投稿したツイートの内容は次のとおりである。「公園に放置さ
　　　れていた犬を保護し育てていたら、3 か月くらい経って、もとの飼い主が
　　　名乗り出てきて、『返して下さい』え？あなた？この犬を捨てたんでしょ？
　　　3 か月も放置しておきながら・・裁判の結果は・・」。
　　　　上記Xの投稿が懲戒事由を定めた裁判所法 49 条にいう「品位を辱める
　　　行状」に該当するかどうかが争われた。

決旨：　「裁判の公正、中立は、裁判ないしは裁判所に対する国民の信頼の基礎
　　　を成すものであり、裁判官は、公正、中立な審判者として裁判を行うこ
　　　とを職責とする者である。したがって、裁判官は、職務を遂行するに際
　　　してはもとより、職務を離れた私人としての生活においても、その職責
　　　と相いれないような行為をしてはならず、また、裁判所や裁判官に対す
　　　る国民の信頼を傷つけることのないように、慎重に行動すべき義務を負
　　　っているものというべきである」。
　　　　Xの「このような行為は、裁判官が、その職務を行うについて、表面
　　　的かつ一方的な情報や理解のみに基づき予断をもって判断をするのでは
　　　ないかという疑念を国民に与えるとともに」、「原告が訴訟を提起したこ
　　　とを揶揄するものともとれるその表現振りとあいまって、裁判を受ける
　　　権利を保障された私人である……原告の訴訟提起行為を一方的に不当と
　　　する認識ないし評価を示すことで、当該原告の感情を傷つけるものであ
　　　り、裁判官に対する国民の信頼を損ね、また裁判の公正を疑わせるもの

でもあるといわざるを得ない。したがって、Ｘの上記行為は、裁判所法49条にいう『品位を辱める行状』に当たるというべきである」。

「なお、憲法上の表現の自由の保障は裁判官にも及び、裁判官も一市民としてその自由を有することは当然であるが、Ｘの上記行為は、表現の自由として裁判官に許容される限度を逸脱したものといわざるを得ないものであって、これが懲戒の対象となることは明らかである」。

(3)　インターネット上の匿名表現の自由 同R3

インターネット上の匿名表現の自由も、表現の自由として21条の保護範囲に含まれる。そして、表現者が特定されない匿名での表現には、弱い立場の者であっても、社会的圧力にさらされやすい表現行為を萎縮せずに行い得るといったメリットがあり、ひいては国民の「知る権利」にも奉仕するものといえ、表現の自由として保護する価値は高いと解されている。

一方、インターネット上の匿名性がＳＮＳ上の誹謗中傷などの違法・有害表現の一因ともなっていることも事実である。そのため、ＳＮＳ上の誹謗中傷などの違法・有害表現による名誉毀損等がなされないよう、匿名表現の自由に対して必要最小限度の制約（侮辱罪（刑231）の法定刑の引上げなど）を課すことも許容されるが、インターネット上の表現行為について、一般的に実名を強制することまでは許容されないものと解されている。

(4)　通信事業者・検索事業者等に対する規制

インターネットに接続するには、インターネットに接続するサービスを提供する通信事業者（プロバイダ）を経由する必要がある。そのため、通信事業者はインターネット上の情報流通の要として機能するが、インターネット上の情報一般について基本的に関知するものではない。したがって、インターネット上に違法・有害な情報（名誉・プライバシー侵害、著作権侵害などの情報）が掲載された場合、その掲載者が責任を負うのは当然であるが、サービス提供者である通信事業者も同様に責任を負うことになるのか、通信事業者への規制が問題となる。

この点、青少年がインターネットを利用することにより犯罪被害に遭う事例も多く存在するため、規制の必要性がある一方、公権力がインターネット上に出回る表現の内容に着目して通信事業者を直接的に規律することは、インターネット上の表現の自由にとって深刻な影響を及ぼしかねない。そこで、現在では、通信事業者に対して、保護者の申出がない限りフィルタリングサービスの提供を義務づけるにとどめ、フィルタリングされる有害サイトの認定は民間の第三者機関に委ねるというような自主規制の仕組みがとられている。

なお、出会い系サイト規制法事件判決（最判平26.1.16・平26重判6事件）は、次のとおり判示した。

▼　**出会い系サイト規制法事件（最判平 26.1.16・平 26 重判 6 事件）**〈発展〉

事案：　いわゆる出会い系サイト規制法は、インターネット異性紹介事業について罰則を伴う届出制度などを定めている。Xは、無届けで出会い系サイトを運営したとして起訴されたが、本件届出制度は、インターネット上の表現の自由などを侵害すると主張して争った。

判旨：　出会い系サイト規制法は「児童買春その他の犯罪から児童（18歳に満たない者）を保護し、もって児童の健全な育成に資することを目的としているところ、……本法の目的は、もとより正当である」。そして、「同事業の利用に起因する児童買春その他の犯罪が多発している状況を踏まえると、それら犯罪から児童を保護するために、同事業について規制を必要とする程度は高い」。

　　　　また、本件届出制度は、「インターネットを利用してなされる表現に関し、そこに含まれる情報の性質に着目して事業者に届出義務を課すものではあるが、その届出事項の内容は限定されたものである。また、届出自体により、事業者によるウェブサイトへの説明文言の記載や同事業利用者による書き込みの内容が制約されるものではない上、他の義務規定を併せみても、事業者が、児童による利用防止のための措置等をとりつつ、インターネット異性紹介事業を運営することは制約されず、児童以外の者が、同事業を利用し、児童との性交等や異性交際の誘引に関わらない書き込みをすることも制約されない」。

　　　　以上を踏まえると、「本件届出制度は、上記の正当な立法目的を達成するための手段として必要かつ合理的なものというべきであって、憲法21条1項に違反するものではない」。

評釈：　本判決の「インターネット異性紹介事業を運営することは制約されず」などの文言から、インターネット上のサイトの開設・運営によって利用者に表現の場を提供するサイト事業者の行為も、表現の自由によって保障されるという趣旨を読み取ることができる。

　また、Google などの検索サービスを提供する検索事業者は「インターネット上の情報流通の基盤として大きな役割」を担っており、膨大な数のサイトが存在するインターネット上での知る権利を実効化する役割を果たしている。他方、検索サービスで特定の個人の氏名などを検索すると、その者の前科や過去の経済状況などに関する情報を掲載するサイトが検索結果として表示され、これにより事実を公表されない利益（人格権としてのプライバシー権）が侵害されるという問題もある。

　Google 検索結果削除事件決定（最決平 29.1.31・百選 63 事件）は、この問題について、次のとおり判示している。

▼　Google 検索結果削除事件（最決平 29.1.31・百選 63 事件）〈回〉

事案：　　Ｙが提供するインターネット上の検索サービスで、Ｘの居住する県名
　　　　　及び氏名を条件として検索すると、検索結果として、Ｘが犯した児童買
　　　　　春法違反に係る逮捕歴を含む内容のものが複数表示されることについて、
　　　　　Ｘは、人格権ないし人格的利益に基づき、本件検索結果の削除を求める
　　　　　仮処分命令の申立てをした。

決旨：　　「個人のプライバシーに属する事実をみだりに公表されない利益は、法
　　　　　的保護の対象となる」。

　　　　　他方、「検索事業者は、インターネット上のウェブサイトに掲載されて
　　　　　いる情報を網羅的に収集してその複製を保存し、同複製を基にした索引
　　　　　を作成するなどして情報を整理し、利用者から示された一定の条件に対
　　　　　応する情報を同索引に基づいて検索結果として提供するものであるが、
　　　　　この情報の収集、整理及び提供はプログラムにより自動的に行われるも
　　　　　のの、同プログラムは検索結果の提供に関する検索事業者の方針に沿っ
　　　　　た結果を得ることができるように作成されたものであるから、検索結果
　　　　　の提供は検索事業者自身による表現行為という側面を有する。また、検
　　　　　索事業者による検索結果の提供は、公衆が、インターネット上に情報を
　　　　　発信したり、インターネット上の膨大な量の情報の中から必要なものを
　　　　　入手したりすることを支援するものであり、現代社会においてインター
　　　　　ネット上の情報流通の基盤として大きな役割を果たしている。そして、
　　　　　検索事業者による特定の検索結果の提供行為が違法とされ、その削除を
　　　　　余儀なくされるということは、上記方針に沿った一貫性を有する表現行
　　　　　為の制約であることはもとより、検索結果の提供を通じて果たされてい
　　　　　る上記役割に対する制約でもある」。

　　　　　「以上のような検索事業者による検索結果の提供行為の性質等を踏まえ
　　　　　ると、検索事業者が、……その者のプライバシーに属する事実を含む記事
　　　　　等が掲載されたウェブサイトのＵＲＬ等情報を検索結果の一部として提
　　　　　供する行為が違法となるか否かは、当該事実の性質及び内容、当該ＵＲ
　　　　　Ｌ等情報が提供されることによってその者のプライバシーに属する事実
　　　　　が伝達される範囲とその者が被る具体的被害の程度、その者の社会的地
　　　　　位や影響力、上記記事等の目的や意義、上記記事等が掲載された時の社
　　　　　会的状況とその後の変化、上記記事等において当該事実を記載する必要
　　　　　性など、当該事実を公表されない法的利益と当該ＵＲＬ等情報を検索結
　　　　　果として提供する理由に関する諸事情を比較衡量して判断すべきもので、
　　　　　その結果、当該事実を公表されない法的利益が優越することが明らかな
　　　　　場合には、検索事業者に対し、当該ＵＲＬ等情報を検索結果から削除す
　　　　　ることを求めることができる」。

　　　　　「児童買春をしたとの被疑事実に基づき逮捕されたという本件事実は、
　　　　　他人にみだりに知られたくないＸのプライバシーに属する事実であるも

人
権

のではあるが、児童買春が……社会的に強い非難の対象とされ、罰則を
もって禁止されていることに照らし、今なお公共の利害に関する事項で
あるといえる。また、本件検索結果はＸの居住する県の名称及びＸの氏
名を条件とした場合の検索結果の一部であることなどからすると、本件
事実が伝達される範囲はある程度限られたものであるといえる」。

　「以上の諸事情に照らすと、Ｘが妻子と共に生活し、……一定期間犯罪
を犯すことなく民間企業で稼働していることがうかがわれることなどの
事情を考慮しても、本件事実を公表されない法的利益が優越することが
明らかであるとはいえない」。

　なお、近時の判例（最判令4.6.24・令4重判3事件）は、匿名登録制ＳＮ
Ｓ「Twitter」を運営する会社に対して、事実を公表されない法的利益が優
越する場合には、ツイートの削除を命ずることができるとしている。

▼　**ツイッター記事削除請求事件（最判令4.6.24・令4重判3事件）**

事案：　Ｘは、「Twitter」に投稿された各ツイートにより、Ｘのプライバシーに
　　　属する事実をみだりに公表されない利益等が侵害されたと主張して、
　　　「Twitter」を運営するＹ社に対し、人格権ないし人格的利益に基づき、本
　　　件各ツイートの削除を求めた。

判旨：　「個人のプライバシーに属する事実をみだりに公表されない利益は、法
　　　的保護の対象となる」。「このような人格的価値を侵害された者は、人格
　　　権に基づき、加害者に対し、現に行われている侵害行為を排除し、又は
　　　将来生ずべき侵害を予防するため、侵害行為の差止めを求めることがで
　　　きる」。そして、「ツイッターが、その利用者に対し、情報発信の場やツ
　　　イートの中から必要な情報を入手する手段を提供するなどしていること
　　　を踏まえると」、ＸがＹに対し、「人格権に基づき、本件各ツイートの削
　　　除を求めることができるか否かは、本件事実の性質及び内容、本件各ツ
　　　イートによって本件事実が伝達される範囲とＸが被る具体的被害の程度、
　　　Ｘの社会的地位や影響力、本件各ツイートの目的や意義、本件各ツイー
　　　トがされた時の社会的状況とその後の変化など、Ｘの本件事実を公表さ
　　　れない法的利益と本件各ツイートを一般の閲覧に供し続ける理由に関す
　　　る諸事情を比較衡量して判断すべきもので、その結果、Ｘの本件事実を
　　　公表されない法的利益が本件各ツイートを一般の閲覧に供し続ける理由
　　　に優越する場合には、本件各ツイートの削除を求めることができる」。

　　　　Ｘが旅館の女性用浴場の脱衣所に侵入したとの被疑事実で逮捕された
　　　という「本件事実は、他人にみだりに知られたくないＸのプライバシー
　　　に属する事実である」一方、「不特定多数の者が利用する場所において行
　　　われた軽微とはいえない犯罪事実に関するものとして、本件各ツイート
　　　がされた時点においては、公共の利害に関する事実であった」。しかし、
　　　「Ｘが受けた刑の言渡しはその効力を失っており（刑法34条の2第1項

人権

後段）、本件各ツイートに転載された報道記事も既に削除されていること
などからすれば、本件事実の公共の利害との関わりの程度は小さくなって
きている」。また、本件各ツイートは、「ツイッターの利用者に対して
本件事実を速報することを目的としてされたものとうかがわれ、長期間
にわたって閲覧され続けることを想定してされたものであるとは認め難
い」。さらに、「膨大な数に上るツイートの中で本件各ツイートが特に注
目を集めているといった事情はうかがわれないものの、Ｘの氏名を……
検索すると……本件各ツイートが表示されるのであるから、本件事実を
知らないＸと面識のある者に本件事実が伝達される可能性が小さいとは
いえない」。加えて、Ｘは、「公的立場にある者ではない」。

「以上の諸事情に照らすと、Ｘの本件事実を公表されない法的利益が本
件各ツイートを一般の閲覧に供し続ける理由に優越する」といえ、「Ｘ
は、Ｙに対し、本件各ツイートの削除を求めることができる」。

評釈： Google 検索結果削除事件決定（最決平 29.1.31・百選 63 事件）では、
「事実を公表されない法的利益が優越することが明らかな場合」にしか削
除は命じられないとしていたが、本判決は、「事実を公表されない法的利
益が……優越する場合」には削除を求めることができると判示し、「明ら
かな場合」でなくてもよいとしている。これは、「Twitter」はウェブサイ
トの１つにすぎないこと、「Twitter」の検索システムは「Google」のも
のとは性質が異なることなどから、「Google」が果たしている「インター
ネット上の情報流通の基盤として大きな役割」を「Twitter」には認めな
かったためではないかと評されている。

6 公務員の政治活動の自由の制約

(1) 公務員にも 21 条 1 項の保障は及ぶ。しかし、21 条 1 項に根拠を有すると
される政治活動の自由は、現行法上広汎に制約されており（国公 102、地公
36 など）、一般国民とは著しく異なった取扱いを受けている。かかる制約の
根拠を何に求めるべきかについては、学説上争いがある。

A説：15 条 2 項の「全体の奉仕者」に求める（「全体の奉仕者」論）

B説：公務員の職務の性質に求める（職務性質説）

C説：憲法が公務員関係という特別の法律関係の存在とその自律性を憲法
的秩序の構成要素として認めていること（15、73④等）に求める
（憲法秩序構成要素説）

(2) 公務員の政治活動に対する制約については、上記Ｃ説の立場から、ＬＲＡ
の基準の趣旨に従い公務員の地位・職務権限等の相違を勘案して実質的に検
討すべきであるとの見解が有力に主張されている。最高裁は、猿払事件判決
以降、上記Ａ説に依拠し、かつ「合理的関連性」の基準を用いて合憲性を判
断してきたとされるが、堀越事件・世田谷事件判決により、猿払判決は１つ
の事例判断として位置付け直されたとの評釈がある。

▼ 猿払事件（最大判昭49.11.6・百選12事件）司共予

事案： 郵政事務官で労働組合の役員であった者が、国会議員選挙のためのポスターを公営掲示板に掲示したことについて、国家公務員法102条1項・人事院規則14－7に違反するものとして起訴された。

判旨： 「行政の中立的運営が確保され、これに対する国民の信頼が維持されることは、憲法の要請にかなうものであり、公務員の政治的中立性が維持されることは、国民全体の重要な利益にほかならない……。したがって、公務員の政治的中立性を損うおそれのある公務員の政治的行為を禁止することは、それが合理的で必要やむをえない限度にとどまるものである限り、憲法の許容するところである」としたうえで、その合理的で必要やむを得ない限度にとどまるか否かの判断基準として次の3点を挙げ（いわゆる「合理的関連性」の基準）、結論において国家公務員法102条1項及び人事院規則14－7は21条1項に違反しないと判示した。

① 禁止の目的

「もし公務員の政治的行為のすべてが自由に放任されるときは、おのずから公務員の政治的中立性が損われ、ためにその職務の遂行ひいてはその属する行政機関の公務の運営に党派的偏向を招くおそれがあり、行政の中立的運営に対する国民の信頼が損われることを免れない。また、公務員の右のような党派的偏向は、逆に政治的党派の行政への不当な介入を容易にし、行政の中立的運営が歪められる可能性が一層増大するばかりでなく、そのような傾向が拡大すれば、本来政治的中立を保ちつつ一体となって国民全体に奉仕すべき責務を負う行政組織の内部に深刻な政治的対立を醸成し、そのため行政の能率的で安定した運営は阻害され、ひいては議会制民主主義の政治過程を経て決定された国の政策の忠実な遂行にも重大な支障をきたすおそれがあり、このようなおそれは行政組織の規模の大きさに比例して拡大すべく、かくては、もはや組織の内部規律のみによってはその弊害を防止することができない事態に立ち至るのである。したがって、このような弊害の発生を防止し、行政の中立的運営とこれに対する国民の信頼を確保するため、公務員の政治的中立性を損うおそれのある政治的行為を禁止することは、まさしく憲法の要請に応え、公務員を含む国民全体の共同利益を擁護するための措置にほかならないのであって、その目的は正当なものというべきである」。

② 禁止の目的と禁止される政治的行為との関連性

このような「弊害の発生を防止するため、公務員の政治的中立性を損うおそれがあると認められる政治的行為を禁止することは、禁止目的との間に合理的な関連性があるものと認められるのであって、たとえその禁止が、公務員の職種・職務権限、勤務時間の内外、国

　　の施設の利用の有無等を区別することなく、あるいは行政の中立的
　　運営を直接、具体的に損う行為のみに限定されていないとしても、
　　右の合理的な関連性が失われるものではない」。
　③　政治的行為を禁止することにより得られる利益と禁止することに
　　より失われる利益の均衡
　　　「公務員の政治的中立性を損うおそれのある行動類型に属する政治
　　的行為を、これに内包される意見表明そのものの制約をねらいとし
　　てではなく、その行動のもたらす弊害の防止をねらいとして禁止す
　　るときは、同時にそれにより意見表明の自由が制約されることには
　　なるが、それは、単に行動の禁止に伴う限度での間接的、付随的な
　　制約に過ぎない」。「他面、禁止により得られる利益は、公務員の政
　　治的中立性を維持し、行政の中立的運営とこれに対する国民の信頼
　　を確保するという国民全体の共同利益なのであるから、得られる利
　　益は、失われる利益に比してさらに重要なものというべきであり、
　　その禁止は利益の均衡を失するものではない」。

補足意見：　この事件の第一審判決（旭川地判昭43.3.25・百選194事件）
　　は、「法の定めている制裁方法よりも、より狭い範囲の制裁方法があり、
　　これによってもひとしく法目的を達成することができる場合には、法の
　　定めている広い制裁方法は法目的達成の必要最小限度を超えたものとし
　　て、違憲となる場合がある」としたうえで、非管理職である現業公務員
　　で、職務内容が機械的労務の提供にとどまる者が、勤務時間外に、国の
　　施設を利用することなく、かつ職務を利用し、もしくは公正を害する意
　　図なくして行った行為で、労働組合活動の一環として行われたと認めら
　　れるものに対してまで刑事罰を科すことを定めた国家公務員法110条1
　　項19号は、このような行為に適用される限度において、合理的な必要
　　最小限の域を超えるものとして、21条1項に違反すると結論付けた。

＊　なお、特定の内容の表現を禁止することは許されない関。猿払事件大法廷
　　判決も「意見表明そのものの制約をねらいとしてではなく、その行動のもた
　　らす弊害の防止をねらいとして禁止するときは、同時にそれにより意見表明
　　の自由が制約されることになるが、それは、単に行動の禁止に伴う限度での
　　間接的、付随的な制約に過ぎず……その禁止は利益の均衡を失するものでは
　　ない。」と留保を付している。

▼　①堀越事件（最判平24.12.7・百選13事件）関
　　②世田谷事件（最判平24.12.7）関

事案：　社会保険事務所の年金審査官である管理職的地位にない事務官X1
　　（①事件）と、厚生労働大臣官房の総括課長補佐である管理職的地位に
　　ある事務官X2（②事件）は、各々、衆議院議員総選挙の際、日本共産
　　党を支持する目的で、同党の機関紙等を配布したため、国家公務員法

102条1項、人事院規則14－7第6項7号、13号（5項3号）等に当たるとして起訴された。

判旨： 国家公務員法102条1項は、「公務員の職務の遂行の政治的中立性を保持することによって行政の中立的運営を確保し、これに対する国民の信頼を維持することを目的とする」。他方、「表現の自由（21条1項）としての政治活動の自由」は、「立憲民主政の政治過程にとって不可欠の基本的人権であって、民主主義社会を基礎付ける重要な権利である」。そのため、「公務員に対する政治的行為の禁止は、国民としての政治活動の自由に対する必要やむを得ない限度にその範囲が画されるべきものである」。国家公務員法102条1項の目的等や規制される政治活動の自由の重要性に加え、同項の規定が刑罰法規の構成要件となることを考慮すると、「同項にいう『政治的行為』とは、公務員の職務の遂行の政治的中立性を損なうおそれが、観念的なものにとどまらず、現実的に起こり得るものとして実質的に認められるものを指し、同項はそのような行為の類型の具体的な定めを人事院規則に委任したものと解するのが相当」である。公務員の職務の遂行の政治的中立性を損なうおそれが実質的に認められるかどうかは、「当該公務員の地位、その職務の内容や権限等、当該公務員がした行為の性質、態様、目的、内容等の諸般の事情を総合して判断する」。

本件罰則規定そのものの合憲性について、本件罰則規定が21条1項、31条に違反するかは、「本件罰則規定の目的のために規制が必要とされる程度と、規制される自由の内容及び性質、具体的な規制の態様及び程度等」を較量して判断されるところ、本件罰則規定の目的は合理的であり正当なものといえ、本件罰則規定による制限も必要やむを得ない限度にとどまり、不明確なものとも、過度に広汎な規制であるともいえない。よって、本件罰則規定は21条1項、31条に違反しない。

（①事件について）X1による本件配布行為は、「管理職的地位になく、その職務の内容や権限に裁量の余地のない公務員によって、職務と全く無関係に、公務員により組織される団体の活動としての性格もなく行われたものであり、公務員による行為と認識し得る態様で行われたものでもないから、公務員の職務の遂行の政治的中立性を損なうおそれが実質的に認められるものとはいえない」。そうすると、「本件配布行為は本件罰則規定の構成要件に該当しないというべきである」として、X1を無罪とした。

（②事件について）「管理職的地位の公務員が殊更にこのような一定の政治的傾向を顕著に示す行動に出ているのであるから、当該公務員による裁量権を伴う職務権限の行使の過程の様々な場面でその政治的傾向が職務内容に現れる蓋然性が高まり、その指揮命令や指導監督を通じてその部下等の職務遂行や組織の運営にもその傾向に沿った影響を及ぼすこ

とになりかねない」。したがって、Ｘ２による本件配布行為は、「当該公
務員及びその属する行政組織の職務の遂行の政治的中立性が損なわれる
おそれが実質的に生ずるものということができる」として、Ｘ２を有罪
とした。

▼ 市議会議員政治倫理条例と議員活動の自由（最判平26.5.27・平26 重判４事件）

事案：　Ｙ市においては、Ｙ市議会議員政治倫理条例（以下「本件条例」とい
う。）が制定されており、同条例４条１項は、議員、その配偶者若しくは
当該議員の２親等以内の親族が経営する企業（以下「２親等内親族企業」
という。）は市の工事等の請負契約を辞退しなければならない旨規定し、
同条例４条３項は、議員は市民に疑惑の念を生じさせないため、責任を
もって関係者の辞退届を提出するよう努めなければならない旨規定して
いる（以下、これらを「本件規定」といい、上記の規制を「２親等規制」
という。）。この２親等規制が議員の議員活動の自由等を侵害するもので
あるかが争われた。

判旨：　「本件規定が憲法21条１項に違反するかどうかは、２親等規制による
議員活動の自由についての制約が必要かつ合理的なものとして是認され
るかどうかによるものと解されるが、これは、その目的のために制約が
必要とされる程度と、制約される自由の内容及び性質、具体的な制約の
態様及び程度等を較量して決する」。本件条例の趣旨及び目的や本件条例
４条１項及び３項の文言等に鑑みると、「本件規定による２親等規制の目
的は、議員の職務執行の公正を確保するとともに、議員の職務執行の公
正さに対する市民の疑惑や不信を招くような行為の防止を図り、もって
議会の公正な運営と市政に対する市民の信頼を確保することにあるもの
と解され、このような規制の目的は正当なものということができる。」

「本件規定による２親等規制は、上記の目的に従い、議員の当該企業の
経営への実質的な関与の有無等を問うことなく、上告人〔市〕の工事等
の請負契約等の相手方が２親等内親族企業であるという基準をもって、
当該議員に対し、当該企業の辞退届を徴して提出するよう努める義務を
課すものであるが、議員が実質的に経営する企業であるのにその経営者
を名目上２親等以内の親族とするなどして地方自治法92条の２の規制の
潜脱が行われるおそれや、議員が２親等以内の親族のために当該親族が
経営する企業に特別の便宜を図るなどして議員の職務執行の公正が害さ
れるおそれがあることは否定し難く……、また、２親等内親族企業が上
告人〔市〕の工事等を受注することは、それ自体が議員の職務執行の公
正さに対する市民の疑惑や不信を招くものといえる。そして、議員の当
該企業の経営への実質的な関与の有無等の事情は、外部の第三者におい
て容易に把握し得るものではなく、そのような事実関係の立証や認定

は困難を伴い、これを行い得ないことも想定されるから、仮に上記のような事情のみを規制の要件とすると、その規制の目的を実現し得ない結果を招来することになりかねない。他方、本件条例4条3項は、議員に対して2親等内親族企業の辞退届を提出するよう努める義務を課すにとどまり、辞退届の実際の提出まで義務付けるものではないから、その義務は議員本人の意思と努力のみで履行し得る性質のものである。また、議員がこのような義務を履行しなかった場合には、本件条例所定の手続を経て、警告や辞職勧告等の措置を受け、審査会の審査結果を公表されることによって、議員の政治的立場への影響を通じて議員活動の自由についての事実上の制約が生ずることがあり得るが、これらは議員の地位を失わせるなどの法的な効果や強制力を有するものではない。これらの事情に加え、本件条例は地方公共団体の議会の内部的自律権に基づく自主規制としての性格を有しており、このような議会の自律的な規制の在り方についてはその自主的な判断が尊重されるべきものと解されること等も考慮すると、本件規定による2親等規制に基づく議員の議員活動の自由についての制約は、地方公共団体の民主的な運営におけるその活動の意義等を考慮してもなお、前記の正当な目的を達成するための手段として必要かつ合理的な範囲のものということができる。」

　以上に鑑みると、2親等規制を定める本件規定は、21条1項に違反するものではない。

▼　全逓プラカード事件（最判昭55.12.23・百選A3事件）

事案：　機械的労務に携わる非管理職の現業公務員が、特定の内閣の不支持を宣明する横断幕を持ってメーデーの集団示威行進に参加した行為が人事院規則14-7・国家公務員法102条1項に違反するとして、戒告の懲戒処分がなされたため、当該公務員が処分の取消しを求めた。

判旨：　猿払事件大法廷判決に依拠したうえで、上記行為に対して懲戒処分を行うことは、21条1項に違反するものではないと判示した。

▼　反戦自衛官懲戒免職事件（最判平7.7.6）

事案：　現職自衛官が公然と自衛隊非難の演説等を行ったことが自衛隊法52条及び58条1項に違反し、同法46条2号（現46条1項2号）の懲戒事由に当たるとして懲戒免職処分を受けたため、当該自衛官が当該免職処分の取消しを求めた。

判旨：　「隊員相互の信頼関係を保持し、厳正な規律の維持を図ることは、自衛隊の任務を適正に遂行するために必要不可欠であり、それによって、国民全体の共同の利益が確保されることになるというべきである。したがって、このような国民全体の利益を守るために、隊員の表現の自由に対して必要かつ合理的な制限を加えることは、憲法21条の許容するところ

であるということができる」として、結論において本件現職自衛官の行為を懲戒処分の対象とすることは 21 条 1 項に違反しないと判示した。

▼　**寺西判事補戒告事件（最大決平 10.12.1・百選 177 事件）** 司共

事案：　通信傍受法案に反対する集会に参加し「仮に反対の立場で発言しても積極的政治運動に当たるとは考えないが、パネリストとしての発言は辞退する」旨発言をした寺西判事補の行為が、裁判所法 52 条 1 号にいう「積極的に政治運動をすること」に該当するとして分限裁判で戒告の決定がなされたため、同判事補が抗告した。

決旨：　「憲法は、近代民主主義国家の採る三権分立主義を採用している」。そして、司法権の担い手たる「裁判官は、独立して中立・公正な立場に立ってその職務を行わなければならないのであるが、外見上も中立・公正を害さないように自律、自制すべきことが要請される。司法に対する国民の信頼は、具体的な裁判の内容の公正、裁判運営の適正はもとより当然のこととして、外見的にも中立・公正な裁判官の態度によって支えられるからである」。したがって、「裁判所法 52 条 1 号が裁判官に対し『積極的に政治運動をすること』を禁止しているのは、裁判官の独立及び中立・公正を確保し、裁判に対する国民の信頼を維持するとともに、三権分立主義の下における司法と立法、行政とのあるべき関係を規律することにその目的がある」。

そして、「目的の重要性及び裁判官は単独で又は合議体の一員として司法権を行使する主体であることにかんがみれば、裁判官に対する政治運動禁止の要請は、一般職の国家公務員に対する政治的行為禁止の要請より強いものというべきである。」

「以上のような見地に立って考えると、『積極的に政治運動をすること』とは、組織的、計画的又は継続的な政治上の活動を能動的に行う行為であって、裁判官の独立及び中立・公正を害するおそれがあるものが、これに該当すると解され、具体的行為の該当性を判断するに当たっては、その行為の内容、その行為の行われるに至った経緯、行われた場所等の客観的な事情のほか、その行為をした裁判官の意図等の主観的な事情をも総合的に考慮して決するのが相当である。」

「憲法 21 条 1 項の表現の自由は基本的人権のうちでもとりわけ重要なものであり、その保障は裁判官にも及び、裁判官も一市民として右自由を有することは当然」である。しかし、「右自由も、もとより絶対的なものではなく、憲法上の他の要請により制約を受けることがある」のであって、憲法上の特別な地位である裁判官の職にある者の言動については、おのずから一定の制約を免れないというべきである。「裁判官に対し『積極的に政治運動をすること』を禁止することは、必然的に裁判官の表現の自由を一定範囲で制約することにはなるが、右制約が合理的で必要や

むを得ない限度にとどまるものである限り、憲法の許容するところであるといわなければならず、右の禁止の目的が正当であって、その目的と禁止との間に合理的関連性があり、禁止により得られる利益と失われる利益との均衡を失するものでないなら、憲法21条1項に違反しない」というべきである。

そして、右の禁止の目的は、裁判官の独立及び中立・公正を確保し、裁判に対する国民の信頼を維持するとともに、三権分立主義のもとにおける司法と立法、行政とのあるべき関係を規律することにあり、この立法目的は、もとより正当である。また、裁判官が積極的に政治運動をすることは前記のように裁判官の独立及び中立・公正を害し、裁判に対する国民の信頼を損なうおそれが大きいから、積極的に政治運動をすることを禁止することと右の禁止目的との間に「合理的な関連性があることは明らかである」。「さらに、裁判官が積極的に政治運動をすることを、これに内包される意見表明そのものの制約をねらいとしてではなく、その行動のもたらす弊害の防止をねらいとして禁止するときは」、同時にそれにより意見表明の自由が制約されることにはなるが、それは「単に行動の禁止に伴う限度での間接的、付随的な制約にすぎ」、かつ、積極的に政治運動をすること以外の行為により意見を表明する自由までをも制約するものではない。|他面、禁止により得られる利益は、裁判官の独立及び中立・公正を確保し、裁判に対する国民の信頼を維持するなどというものであるから、得られる利益は失われる利益に比して更に重要なものというべきであり、その禁止は利益の均衡を失するものではない。そして、『積極的に政治運動をすること』という文言が文面上不明確であるともいえない。したがって、裁判官が『積極的に政治運動をすること』を禁止することは、もとより憲法21条1項に違反するものではない」。

四　通信の秘密（21 Ⅱ後段）

1　「通信の秘密」の保障の意味

「通信の秘密」とは、手紙や葉書だけではなく、広く電報や電話、インターネット上の通信等の秘密を含むと解されている〈回〉。

→通信は1つの表現行為であるから、その秘密の保障は、表現の自由の保障としての意味を有するが、その主たる目的は特定人間のコミュニケーションの保護にあり、プライバシーの権利の保障とその趣旨を同じくする〈回〉

2　通信の秘密の保障の範囲

通信の秘密の保障は、通信の内容だけではなく、通信の存在自体に関する事柄にも及ぶと解されている〈回〉。

ex.1　信書の差出人・受取人の氏名・住所、信書の差出個数・年月日等、電報の発信人もしくは受信人又は市外通話の通話申込者もしくは相手方の氏名・住所、発信もしくは配達又は通話の日時等

　　ex.2　インターネットのホームページは、不特定の者がアクセスできる点で
　　　　通信内容に秘匿性は認められず、捜査機関が令状なくしてアクセスして
　　　　も「通信の秘密」を害しない

3　「これを侵してはならない」の意味

　「これを侵してはならない」とは、積極的知得行為の禁止と漏洩行為の禁止
を意味する。

(1)　積極的知得行為の禁止

　　積極的知得行為の禁止とは、公権力は通信の内容及び通信の存在自体に関
する事柄について調査の対象としてはならないことを意味する。

　　　→「検閲」（21Ⅱ前段）よりも、禁止される対象が広い

　　　ex.　郵便法における郵便物の検閲禁止（郵便7、8Ⅰ）、電気通信事業法
　　　　における通信の検閲禁止（電気通信事業3、4Ⅰ）

(2)　漏洩行為の禁止

　　漏洩行為の禁止とは、通信業務従事者は職務上知りえた通信に関する情報
を相手（私人・公権力）に漏洩してはならないことを意味する。

　　　ex.　郵便の業務に従事する者及び電気通信事業に従事する者は、それぞ
　　　　れ職務上知りえた他人の秘密を守らなければならない（郵便8、電気
　　　　通信事業4）

　　　cf.　通信業務従事者には、郵便職員のみならず、日本電信電話株式会社
　　　　（NTT）や国際電信電話株式会社（KDDI）の社員も含まれうる

4　保障の限界

　通信の秘密も一定の内在的制約に服し、現行法上様々な制約が規定されてい
る（郵便32、33、関税122等）。

(1)　刑事手続上の制約

　　刑事訴訟法は、郵便物の押収（刑訴100、222）、接見交通にかかる通信物
の検閲、授受の禁止、押収（刑訴81）を認めている。

　　　→刑事訴訟法100条が通常の差押え（刑訴99）よりも緩やかな要件で差
　　　　押えを認めている点でその合憲性には強い疑問が呈されている

▼　**最決平 11.12.16・百選 59 事件**〈回〉

　　「電話傍受は、通信の秘密を侵害し、ひいては、個人のプライバシーを侵害す
る強制処分であるが、……捜査の手段として憲法上全く許されないものではな
い」。「被疑者が罪を犯したと疑うに足りる十分な理由があり、かつ、当該電話
により被疑事実に関連する通話の行なわれる蓋然性があるとともに、電話傍受
以外の方法によってはその罪に対する重要かつ必要な証拠を得ることが著しく
困難であるなどの事情が存する場合……法律の定める手続に従ってこれを行な
うことも憲法上許される」。

(2)　破産手続上の制約

　　破産法は、破産者に対する郵便物や電報について、破産管財人への配達や破産管財人による開披を認めている（破産81〜82）。

　　→個々の場合における制約の必要性を具体的に証明することなく、また差出人の性格を問うこともなく一律に配達・開披を認めている点で広汎に失するとの見解が有力である

(3)　在監関係における制約

　　⇒ p.62

第22条 〔居住・移転・職業選択の自由、外国移住・国籍離脱の自由〕

Ⅰ　何人も、公共の福祉に反しない限り、居住、移転及び職業選択の自由を有する。
Ⅱ　何人も、外国に移住し、又は国籍を離脱する自由を侵されない。

⇒明憲§22（居住移転の自由）

《注　釈》

一　職業選択の自由

1　職業選択の自由の意義

　　職業選択の自由とは、自己の従事すべき職業を決定する自由をいう。
　　→選択した職業を遂行する自由（営業の自由）も含まれる

▼　最大判昭35.1.27・百選〔第5版〕99事件

　　医療類似行為の禁止は、人の健康を害するおそれのある行為に限定する趣旨と解する限り公共の福祉上必要であるから、憲法に反しない。

▼　最大判昭38.12.4・百選90事件

　　タクシー事業に免許制を導入することは、公共の福祉の確保のために必要な制限であり、憲法に反しない。

2　職業選択の自由と営業の自由の関係

　　職業遂行上の諸活動のうちで、営利を目的とする継続的・自主的な活動である「営業の自由」も「職業選択の自由」に含まれるか。営業の自由の憲法上の根拠について争いがある。

＜営業の自由＞ 司共 司H18 司H26 司H30 司R2

人
権

		内容	理由	批判
人権説	22条説 判	営業の自由は職業選択・遂行の自由から構成される職業選択の自由（22Ⅰ）に含まれる	職業選択の自由の保障は、選択した職業を遂行する自由を保障されてはじめて実質化される	現実の営業活動は多岐にわたっており22条のみでは柔軟な規制をなしえない
	22条・29条説	営業の自由は、①営業することの自由と②営業活動の自由を含むが職業選択の自由（22Ⅰ）に含まれるのは①の自由のみであり、②の自由は財産権（29Ⅰ）から導かれる	①の自由は、個人の人格的価値とかかわるので制限に慎重になるべきであるが、②の自由に対しては高度の規制を加えることが可能となり、営業に対するきめ細かな規制が可能となる	実際の営業活動において「営業することの自由」と「営業活動の自由」を区別するのは困難である
公序説		営業の自由は人権としてではなく、「公序」として追求されたものである	①　「国家からの自由」を本質とする人権とは異なり、社会的な独占からの自由を確保するための規制原理である ②　人権とみることは、独占資本の自由を容認することとなり、「独占からの自由」という本来の意味が否認されてしまう	経済史学に拘泥しすぎており現代における営業の自由の在り方にそぐわない

3　「公共の福祉」（22Ⅰ）の意味

　「公共の福祉に反しない限り」という留保が加えられている理由は、以下の2つの制約に服することを示すためであるとされる。　⇒p.94

　①　社会生活における公共の安全・秩序維持の見地からの消極的な内在的制約

　②　福祉国家理念の実現という憲法の目標からの積極的な政策的制約

▼　**小売市場事件（最大判昭 47.11.22・百選 91 事件）**

　①個人の自由な経済活動からもたらされる種々の弊害を除去ないし緩和するために必要かつ合理的な規制を加えること、②福祉国家的理想のもとで、社会経済の均衡のとれた調和的発展を図るために必要かつ合理的な範囲で、個人の経済的活動に規制を加えることは、憲法の許容するところであるとした。

4　職業選択の自由と違憲審査基準 司H26 司R2 予H26

　職業選択の自由に対する法的規制の合憲性判定基準は、「合理性」の基準である。

(1) 規制目的二分論

「合理性」の基準は、職業活動の規制の目的に応じて2つに分けて用いられる。

① 消極的・警察的規制（消極目的規制）については「厳格な合理性」の基準（立法目的が重要なものかどうか、立法目的達成手段が立法目的と実質的な関連性を有するかを検討する基準をいう）が用いられる。

② 積極的・政策的規制（積極目的規制）については「明白性の原則」（「当該規制措置が著しく不合理であることの明白である場合」に限って違憲とする基準をいう）が用いられる。

(2) 規制の類型

＜職業選択の自由に対する規制の類型＞

<table>
<tr><th colspan="2"></th><th>内容</th><th>具体例</th></tr>
<tr><td rowspan="4">消極目的規制</td><td>許可制</td><td>「国民の健康」「善良な風俗」その他の警察目的から、一定の職業を行うについては行政庁の許可を要するとするもの</td><td>薬事法4条、食品衛生法52条、風営法3条、古物営業法3条等（＊1）</td></tr>
<tr><td>資格制</td><td>定の有資格者に限って当該職業に就くことができるとするもの</td><td>医師、薬剤師等</td></tr>
<tr><td>登録制</td><td>行政庁の公簿に記載することを要するとするもの</td><td>建築業、毒物劇物営業者等</td></tr>
<tr><td>届出制</td><td>届出を要するとするもの</td><td>理容業等</td></tr>
<tr><td rowspan="3">積極目的規制（＊2）</td><td colspan="2">安価・公平な郵便役務の提供、国家収入の確保等の目的から、そもそも私人が業として行うことを禁止するもの</td><td>かつての国による郵便事業の独占やたばこ・塩の専売等</td></tr>
<tr><td colspan="2">公衆の生活に必須のものでありながら、自由競争に適しない性質の事業について、その経営能力を有する者に特許を付与するもの</td><td>電気、ガス、鉄道、バス等</td></tr>
<tr><td colspan="2">供給過剰の防止・国の税収確保・中小企業の保護といった特定の政策目的から許可制を敷き、市場への新規参入を規制するもの</td><td>酒税法、小売商業調整特別措置法等</td></tr>
</table>

＊1 古物営業については、盗品が古物商に流されることを阻止し、犯罪の予防・鎮圧・検挙によって国民生活の安寧を図ることが、消極目的であるとされる。

＊2 従来、電気・ガス・鉄道等のいわゆる特許型と、食品衛生法や風俗営業等の許可型という分類は明確であったが、近年規制緩和による新規参入の容易さなどにより、その差異は相対化している。

人権

(3) 規制目的二分論に対する批判

 (a) 二分論を否定する見解

  経済的自由権の違憲審査基準について、消極目的規制と積極目的規制とに分けずに考える。

  ∵① すべての場合に積極目的か消極目的かのどちらかに区分しうるわけではなく、両目的が混在している場合や、一方を直接の目的としながら、他方もそれによって間接的に果たされることが期待されている場合も多い

   ② 消極目的規制は、国民の生命・健康保持のための規制であるのに、厳格な審査基準が採用されるのは疑問であり、むしろ広範な規制が許されるべきである

 (b) 二分論を修正する見解

  規制目的による類型化を基本に置き、それに規制態様の相違を加味して判断する。

  →職業を行うこと自体の規制、競争制限的規制を行う場合にはより厳格な審査基準を用いる

  ∵① 職業を行うこと自体の制限である狭義の職業選択の自由の制限は、すでに選択した職業を遂行する職業活動の制限よりも一般に厳しい制限といえる

   ② 「選択」の自由の規制立法の中でも、一定の資格・試験など人の職業適格性にかかわる制限を課す場合よりも、適正配置規制による競争制限のように、本人の能力に関係ない条件によって参入規制を課す場合の方が厳しい制限であるといいうる

5 判例

▼ **小売市場事件（最大判昭47.11.22・百選91事件）** 司共

事案： 小売市場と小売市場の間に適当な距離を置かなければならない旨定めている小売商業調整特別措置法の規定に反し起訴された者が、同法の距離制限は営業の自由を侵害すると争った。

判旨： 「個人の経済活動に対する法的規制は、個人の自由な経済活動からもたらされる諸々の弊害が社会公共の安全と秩序の維持の見地から看過することができないような場合に、消極的に、かような弊害を除去ないし緩和するために必要かつ合理的な規制である限りにおいて許されるべきことはいうまでもない。のみならず、憲法の他の条項をあわせ考察すると、憲法は、全体として、福祉国家的理想のもとに、社会経済の均衡のとれた調和的発展を企図しており、その見地から、すべての国民にいわゆる生存権を保障し、その一環として、国民の勤労権を保障する等、経済的劣位に立つ者に対する適切な保護政策を要請していることは明らかである。

このような点を総合的に考察すると、憲法は、国の責務として積極的な社会経済政策の実施を予定しているものということができ、個人の経済活動の自由に関する限り、個人の精神的自由等に関する場合と異なって、右社会経済政策の実施の一手段として、これに一定の合理的規制措置を講ずることは、もともと、憲法が予定し、かつ、許容するところと解するのが相当であ」る。

「法的規制措置の必要の有無や法的規制措置の対象・手段・態様などを判断するにあたっては、……相互に関連する諸条件についての適正な評価と判断が必要であって、このような評価と判断の機能は、まさに立法府の使命とするところであり、立法府こそがその機能を果たす適格を具えた国家機関であるというべきである」。よって、「個人の経済活動に対する法的規制措置については、立法府の政策的技術的な裁量に委ねるほかはなく、裁判所は、立法府の右裁量的判断を尊重するのを建前とし、ただ、立法府がその裁量権を逸脱し、当該法的規制措置が著しく不合理であることの明白である場合に限って、これを違憲として、その効力を否定することができるものと解するのが相当である。」

▼ 薬事法距離制限違憲判決（最大判昭50.4.30・百選92事件）〈司 共子〉

事案： 薬局を開設しようとした者が知事に開設の申請を行ったところ、薬局開設の距離制限規定に抵触するとして不許可処分を受けたので、その取消しを求めた。

判旨： 「職業は、人が自己の生計を維持するためにする継続的活動であるとともに、分業社会においては、これを通じて社会の存続と発展に寄与する社会的機能分担の活動たる性質を有し、各人が自己のもつ個性を全うすべき場として、個人の人格的価値とも不可分の関連を有するものである。……このような職業の性格と意義に照らすときは、職業は、ひとりその選択、すなわち職業の開始、継続、廃止において自由であるばかりでなく、選択した職業の遂行自体、すなわちその職業活動の内容、態様においても、原則として自由であることが要請されるのであり、したがって、右規定は、狭義における職業選択の自由のみならず、職業活動の自由の保障をも包含しているものと解すべきである。」

職業は、「本質的に社会的な、しかも主として経済的な活動であって、その性質上、社会的相互関連性が大きいものであるから、職業の自由は、それ以外の憲法の保障する自由、殊にいわゆる精神的自由に比較して、公権力による規制の要請」がつよい。「職業は、それ自身のうちになんらかの制約の必要性が内在する社会的活動であるが、その種類、性質、内容、社会的意義及び影響がきわめて多種多様であるため、その規制を要求する社会的理由ないし目的も、国民経済の円満な発展や社会公共の便宜の促進、経済的弱者の保護等の社会政策及び経済政策上の積極的なも

のから、社会生活における安全の保障や秩序の維持等の消極的なものに至るまで千差万別で、その重要性も区々にわたるのである」。

したがって、「これらの規制措置が憲法22条1項にいう公共の福祉のために要求されるものとして是認されるかどうかは、これを一律に論ずることができず、具体的な規制措置について、規制の目的、必要性、内容、これによって制限される職業の自由の性質、内容及び制限の程度を検討し、これらを比較考量したうえで慎重に決定されなければならない。この場合、右のような検討と考量をするのは、第一次的には立法府の権限と責務であり、裁判所としては、規制の目的が公共の福祉に合致するものと認められる以上、そのための規制措置の具体的内容及びその必要性と合理性については、立法府の判断がその合理的裁量の範囲にとどまるかぎり、立法政策上の問題としてその判断を尊重すべきものである。しかし、右の合理的裁量の範囲については、事の性質上おのずから広狭がありうるのであって、裁判所は、具体的な規制の目的、対象、方法等の性質と内容に照らして、これを決すべきものといわなければならない。」

「一般に許可制は、単なる職業活動の内容及び態様に対する規制を超えて、狭義における職業の選択の自由そのものに制約を課するもので、職業の自由に対する強力な制限であるから、その合憲性を肯定しうるためには、原則として、重要な公共の利益のために必要かつ合理的な措置であることを要し、また、それが社会政策ないしは経済政策上の積極的な目的のための措置ではなく、自由な職業活動が社会公共に対してもたらす弊害を防止するための消極的、警察的措置である場合には、許可制に比べて職業の自由に対するよりゆるやかな制限である職業活動の内容及び態様に対する規制によっては右の目的を十分に達成することができないと認められることを要するもの、というべきである。そして、この要件は、許可制そのものについてのみならず、その内容についても要求されるのであって、許可制の採用自体が是認される場合であっても、個々の許可条件については、更に個別的に右の要件に照らしてその適否を判断しなければならないのである」。

「許可制を採用したことは、それ自体としては公共の福祉に適合する目的のための必要かつ合理的措置」である。よって、許可制を採用したこと自体は合憲である。また、距離制限を掲げる適正配置規制を定めた許可条件について、目的は「主として国民の生命及び健康に対する危険の防止という消極的、警察的目的のための規制措置」であり「重要な公共の利益」といえる。

もっとも、この目的達成のための手段は「設置場所の制限」であるところ、薬局等の乱立により生じる「競争の激化―経営の不安定―法規違反という因果関係に立つ不良医薬品の供給の危険が、薬局等の段階にお

いて、相当程度の規模で発生する可能性があるとすることは、単なる観念上の想定にすぎず、確実な根拠に基づく合理的な判断とは認めがたい」。したがって、「設置場所の地域的制限のような強力な職業の自由の制限措置をとることは、目的と手段の均衡を著しく失するものであつて、とうていその合理性を認めることができない」。よって、適正配置規制を定めた許可条件は、22条1項に違反する。　⇒ p.482

▼ 西陣ネクタイ事件（最判平2.2.6・百選93事件）〈回〉

事案：　国産の生糸輸出の増進と養蚕業の経営の安定を目的として、外国産生糸の輸入を制限する法律が制定された。そこで、高額でしか原料の生糸を入手できなくなった織物業者が、かかる法律の制定により損害を受けたとして、国家賠償（国賠1Ⅰ）を求めた。

判旨：　「積極的な社会経済政策の実施の一手段として、個人の経済活動に対し一定の合理的規制措置を講ずることは、憲法が予定し、かつ、許容するところであるから、裁判所は、立法府がその裁量権を逸脱し、当該規制措置が著しく不合理であることの明白な場合に限って、これを違憲としてその効力を否定することができる」。

▼ 酒類販売の免許制（最判平4.12.15・百選94事件）〈国共〉

事案：　X社は、Y税務署長に対して、酒類販売業の免許の申請を行ったところ、酒税法上の免許拒否事由（経営の基礎が薄弱であると認められる場合）に該当することを理由に拒否処分（本件処分）を受けた。そこで、X社は、本件処分は違法であると主張して、その取消しを求めた。

判旨：　「一般に許可制は、単なる職業活動の内容及び態様に対する規制を超えて、狭義における職業選択の自由そのものに制約を課すもので、職業の自由に対する強力な制限であるから、その合憲性を肯定し得るためには、原則として、重要な公共の利益のために必要かつ合理的な措置であることを要する」。

「租税法の定立については、国家財政、社会経済、国民所得、国民生活等の実態についての正確な資料を基礎とする立法府の政策的、技術的な判断にゆだねるほかはなく、裁判所は、基本的にはその裁量的判断を尊重せざるを得ない……租税の適正かつ確実な賦課徴収を図るという国家の財政目的のための職業の許可制による規制については、その必要性と合理性についての立法府の判断が、……政策的、技術的な裁量の範囲を逸脱するもので、著しく不合理なものでない限り、これを憲法22条1項の規定に違反するものということはできない」。酒税法は、「酒税の確実な徴収とその税負担の消費者への円滑な転嫁を確保する必要」から、免許制を採用したものと解される。そして、「消費者への酒税の負担の円滑な転嫁を実現する目的で、これを阻害するおそれのある酒類販売業者を免

許制によって酒類の流通過程から排除することとしたのも、酒税の適正かつ確実な賦課徴収を図るという重要な公共の利益のために採られた合理的な措置」であり、また、「酒税は、本来、消費者にその負担が転嫁されるべき性質の税目であること、酒類の販売業免許制度によって規制されるのが、そもそも、致酔性を有する嗜好品である性質上、販売秩序維持等の観点からもその販売について何らかの規制が行われてもやむを得ないと考えられる商品である酒類の販売の自由にとどまることをも考慮すると、当時においてなお酒類販売業免許制度を存置すべきものとした立法府の判断が、前記のような政策的、技術的な裁量の範囲を逸脱するもので、著しく不合理であるとまでは断定し難い」。

評釈：　本判決は、先例として薬事法距離制限違憲判決を引用して、「許可制」の場合には「重要な公共の利益のために必要かつ合理的な措置であることを要する」と厳しい審査の必要を示唆しつつも、結果的には、租税立法が総合的な政策判断や専門技術的判断を要する等といったその特質を重く見て、財政目的のための職業の許可制による規制の審査基準として、立法府の判断が「著しく不合理」であるか否かとする基準を採用したものとされる（規制目的二分論の不採用）。

▼　製造たばこ小売販売業の適正配置規制（最判平5.6.25）〈回〉

たばこ事業法22条、23条に基づく製造たばこの小売販売業に対する適正配置規制は、従前のたばこ小売人指定制度に基づく小売人を保護することを目的とするものであるから「公共の福祉に適合する目的のために必要かつ合理的な範囲にとどまる措置」で、これが立法府の裁量権の範囲を逸脱し、「著しく不合理であることが明白であるとは認め難」く、憲法22条1項に違反しない。

▼　司法書士法の資格制（最判平12.2.8・百選95事件）〈回〉

事案：　行政書士であるXは、依頼者のために登記申請代理を行ったところ、司法書士以外の者が登記に関する手続の代理等の業務を行うことを禁止する司法書士法19条1項に違反したとして、起訴された。そこで、Xは、登記業務を司法書士に独占させる司法書士法は22条に反する等の主張をした。

判旨：　司法書士法は、登記制度が国民の権利義務等社会生活上の利益に重大な影響を及ぼすものであることなどにかんがみ、司法書士等以外の者が、他人の嘱託を受けて、登記に関する手続について代理する業務及び登記申請書類を作成する業務を行うことを禁止し、これに違反した者を処罰することにしたものであって、右規制が公共の福祉に合致した合理的なもので22条1項に違反するものでないことは、当裁判所の判例の趣旨に徴し明らかである。

▼　農作物共済の当然加入制（最判平17.4.26・平17重判8事件）

事案：　農作物共済の当然加入制が憲法22条1項に反しないかが争われた。

判旨：　農業災害補償法が、一定の稲作農業者を農業共済組合に当然加入させる仕組を採用したのは、「国民の主食である米の生産を確保するとともに、水稲等の耕作をする自作農の経営を保護することを目的と」したものである。そして、「当然加入制は、もとより職業の遂行それ自体を禁止するものではなく、職業活動に付随して、その規模等に応じて一定の負担を課するという態様の規制であること……に照らすと、……当然加入制は……必要性と合理性を有していたということができる」。「当然加入制の採用は、……立法府の政策的、技術的な裁量の範囲を逸脱するもので著しく不合理であることが明白であるとは認め難い。したがって、……憲法22条1項に違反するということはできない」。

▼　市議会議員政治倫理条例と企業の経済活動の自由（最判平26.5.27・平26重判4事件）

事案：　市議会議員政治倫理条例（以下「本件条例」という。）が定める2親等規制（⇒p.218参照）が企業の経済活動の自由等を侵害するものであるかが争われた（議員活動の自由に関する判示部分は前掲（⇒p.218））。

判旨：　2親等規制が憲法22条1項及び29条に違反するかどうかについてみると、「規制の対象となる企業の経済活動は上告人〔市〕の工事等に係る請負契約等の締結に限られるところ、2親等内親族企業であっても、……請負契約等に係る入札資格を制限されるものではない上、本件条例上、2親等内親族企業は上記の請負契約等を辞退しなければならないとされているものの、制裁を課するなどしてその辞退を法的に強制する規定は設けられておらず、2親等内親族企業が上記の請負契約等を締結した場合でも当該契約が私法上無効となるものではないこと等の事情も考慮すると、本件規定による2親等規制に基づく2親等内親族企業の経済活動についての制約」は、2親等規制の「正当な目的を達成するための手段として必要性や合理性に欠けるものとはいえず、2親等規制を定めた市議会の判断はその合理的な裁量の範囲を超えるものではない」。以上に鑑みると、2親等規制を定める本件規定は、22条1項及び29条に違反するものではない。

▼　風俗案内所規制条例事件（最判平28.12.15・百選A9事件）

事案：　青少年の健全な育成、府民の安全で安心な生活環境の確保を目的として、学校等の敷地から200m以内の区域における風俗案内所の営業を禁止し、違反者に対して刑罰を科すことを定めた京都府風俗案内所の規制に関する条例3条1項、16条1項1号が憲法22条1項に反しないか争

われた。

判旨：　「風俗案内所の特質及び営業実態に起因する青少年の育成や周辺の生活環境に及ぼす影響の程度に鑑みると」、本件条例が、「一定の範囲内における風俗案内所の営業を禁止し、これを刑罰をもって担保することは、公共の福祉に適合する上記の目的達成のための手段として必要性、合理性があるということができ」、風営法の風俗営業に対する規制を踏まえても、「京都府議会が……風俗案内所の営業を禁止する規制を定めたことがその合理的な裁量の範囲を超えるものとはいえないから、本件条例3条1項及び16条1項1号の各規定は、憲法22条1項に違反するものではない」。

▼　**要指導医薬品の対面販売規制（最判令3.3.18・令3重判8事件）**

事案：　医薬品、医療機器等の品質、有効性及び安全性の確保等に関する法律（以下「法」という。）上、薬局開設者又は店舗販売業者は要指導医薬品の販売又は授与に当たっては薬剤師による対面での情報提供及び指導を行わせなければならないとされている（法36の6ⅠⅢ。以下「本件各規定」という。）。店舗以外の場所にいる者に対する郵便その他の方法による医薬品の販売をインターネットを通じて行う事業者であった原告は、この規定が憲法22条1項に違反するなどと主張して、上記方法による医薬品の販売をすることができる権利ないし地位を有することの確認等を求めた。

判旨：　本件各規定は、「不適正な使用による国民の生命、健康に対する侵害を防止し、もって保健衛生上の危害の発生及び拡大の防止を図ることを目的とするものであり、このような目的が公共の福祉に合致することは明らかである」。そして、「本件各規定の目的を達成するため」、薬剤師による対面での情報提供及び指導を行うとすることには「相応の合理性がある」。また、本件各規定は、「対面による情報提供及び指導においては、直接のやり取りや会話の中で、その反応、雰囲気、状況等を踏まえた柔軟な対応をすることにより、説明し又は強調すべき点について、理解を確実に確認することが可能となる一方で、電話やメールなど対面以外の方法による情報提供及び指導においては、音声や文面等によるやり取りにならざるを得ないなど、理解を確実に確認する点において直接の対面に劣るという評価を前提とするものと解されるところ、当該評価が不合理であるということはできない」。

　本件各規定により販売方法が規制されている要指導医薬品は市場規模が小さく、その多くは一定期間が経過すれば規制のない一般用医薬品に移行することが予定されていることに照らすと、「本件各規定は、職業選択の自由そのものに制限を加えるものであるとはいえ、職業活動の内容及び態様に対する規制にとどまるものであることはもとより、その制

限の程度が大きいということもできない」。よって、「本件各規定による規制の目的、必要性、内容、これによって制限される職業の自由の性質、内容及び制限の程度に照らすと、本件各規定による規制に必要性と合理性があるとした判断が、立法府の合理的裁量の範囲を超えるものであるということはできない」ため、本件各規定は憲法22条1項に違反しない。

▼　あん摩マッサージ指圧師養成施設不認定事件（最判令4.2.7・令4重判9事件）

事案：　あん摩マッサージ指圧師養成施設で、視覚障害者以外の者を養成するものについて、視覚障害者であるあん摩マッサージ指圧師の生計の維持が著しく困難とならないようにするため、必要があるときは認定をしないことができる旨の規定の合憲性が争われた。

判旨：　本件規定の合憲性判断に当たっては、「重要な公共の利益のために必要かつ合理的な措置であることについての立法府の判断が、その政策的、技術的な裁量の範囲を逸脱し、著しく不合理であることが明白な場合」かどうかという審査基準を用いるとした。このように、許可制が問題となっているにもかかわらず、比例原則を厳格に適用しない理由としては、「対象となる社会経済等の実態についての正確な基礎資料を収集した上、多方面にわたりかつ相互に関連する諸条件について、将来予測を含む専門的、技術的な評価を加え、これに基づき、視覚障害がある者についていかなる方法でどの程度の保護を図るのが相当であるかという、社会福祉、社会経済、国家財政等の国政全般からの総合的な政策判断を行うことを必要とするものである。このような規制措置の必要性及び合理性については、立法府の政策的、技術的な判断に委ねるべきものであり、裁判所は、基本的にはその裁量的判断を尊重すべき」であるからとした。

　以上を踏まえ、本件規定は、「重要な公共の利益のために必要かつ合理的な措置であることについての立法府の判断が、その政策的、技術的な裁量の範囲を逸脱し、著しく不合理であることが明白であるということはできない」ため、22条1項に違反しないとした。

人
権

＜公衆浴場法の距離制限規定に関する判決＞

判例 ＼ 事案	公衆浴場法２条１項は公衆浴場の適正配置のため、公衆浴場業を知事の許可制としているところ、知事の許可を受けずに公衆浴場業を営んだ者が起訴された
最大判昭 30.1.26 ・百選 89 事件	公衆浴場が「多数の国民の日常生活に必要欠くべからざる、多分に公共性を伴う厚生施設である」こと、したがって、適正配置に必要な措置を採らないときは、「その偏在により、多数の国民が日常容易に公衆浴場を利用しようとする場合に不便を来すおそれなきを保し難く、また、その濫立により、浴場経営に無用の競争を生じその経営を経済的に不合理ならしめ、ひいて浴場の衛生設備の低下等好ましからざる影響を来すおそれなきを保し難い」として、「国民保健及び環境衛生」の見地からする弊害防止を公共の福祉の内容と捉え、距離制限規定を合憲と判断した
最判平元 .1.20〈回〉	公衆浴場法による適正配置規制は、公衆浴場業者の廃転業を防止し、健全で安定した経営を行えるようにして国民の保健福祉を維持しようとするものであり、積極的、社会経済政策的な規制目的に出た立法であるから、立法府のとった手段がその裁量権を逸脱し、著しく不合理であることが明白でない以上、憲法に違反しないとした
最判平元 .3.7・平元重判 10 事件	保健衛生の確保と自家風呂をもたない国民にとって必要不可欠な厚生施設の確保という消極・積極２つの目的を認定し、適正配置規制は右目的を達成するための必要かつ合理的な範囲の手段であるとした

二　居住・移転の自由

　1　居住・移転の自由の意義

　　　居住・移転の自由とは、自己の欲する地に住所又は居所を定める自由、あるいはそれを変更する自由及び自己の意に反して居住地を変更されることのない自由をいう。

　　　この居住・移転の自由は、歴史的には、職業選択の自由の当然の前提として自由に住所を定め、他の場所に移動することを認めたところに由来するものとされている〈回〉。

　2　居住・移転の自由の法的性格〈回〉

　　　本条１項は、職業選択の自由と並べて居住・移転の自由を保障しているが、それは単に経済的自由としてだけではなく、人身の自由、表現の自由、人格形成の自由といった多面的・複合的性格を有する権利として理解されるようになっている。

　3　居住・移転の自由に対する制約

　⑴　居住・移転の自由は、人身の自由や表現の自由としての側面を有する複合的な権利としての性格をもつことから、その規制の性質に応じて、公共の福祉の内容及び違憲審査の基準を考えるべきであるとする見解が有力である。

(2) 制約の類型

　　居住・移転の自由に対する制約は、規制目的に応じて、①主として経済的自由の側面に向けられるものと、②主として人身の自由の側面に向けられるものとに区別できる。それぞれの制約についての代表例は、以下のようなものである。

＜居住・移転の自由の制約例＞

経済的自由の側面に向けられた制約	① 破産者は、裁判所の許可がなければその居住地を離れることができない（破37）→破産者自身による情報提供が、破産状態の徹底的究明という目的を達成するために最も有効な手段であり、そのために破産者の居住地制限をすることは合理的であるから、合憲と解されている〈予共〉 ② 自衛官は、防衛省令で定めるところに従い、防衛大臣が指定する場所に居住しなければならない（自衛隊55）→国民が自ら志願して自衛官の職業を選択した結果、自衛官としての職務の特殊性に基づく居住地制限を加えられても、合憲と解されている〈司共〉
人身の自由の側面に向けられた制約〈司H29〉	① 懲役刑・禁錮刑による拘禁 ② 夫婦の同居義務（民752）・親権者の子に対する居所指定権（民821）→①②の制限は、事物の性質上当然に認められる制限として正当化される ③ 特定の病気の患者に対する居住移転の制限、強制入院・隔離（感染症19、20、26、精神保健29）→害悪発生の蓋然性が高く、規制の緊急性と必要性を認めるに足りる最小限度の措置として、合憲と解されている ④ 裁判所による被告人に対しての住居制限（刑訴93Ⅲ、95）→被告人の出頭を確保するという公共の利益が認められるため、合憲と解されている

＊ 市町村長は、地域の秩序が破壊され住民の生命や身体の安全が害される危険性が高度に認められるような特別の事情がある場合であっても、転入届を受理しないことは許されない（最判平15.6.26）〈司〉。

▼ 住宅条例の暴排条項の合憲性（最判平27.3.27・百選106事件）〈司〉

事案：　X市の市営住宅条例46条1項柱書は、「市長は、入居者が次の各号のいずれかに該当する場合において、当該入居者に対し、当該市営住宅の明渡しを請求することができる。」と規定し、同項6号として、「暴力団員であることが判明したとき（同居者が該当する場合を含む。）。」（以下「本件規定」という）と規定している。Yは、X市の市営住宅に基づき入居の決定を受けていたところ、Yが暴力団員であることが発覚したため、X市は、本件規定に基づき、賃貸借契約を解除して本件住宅の明渡し等を求めた。

　　これに対して、Yは、本件規定は暴力団員を合理的な理由なく不利に

人権

扱う点で憲法14条1項に違反するとともに、居住の自由を制限する点で憲法22条1項に違反し、無効である等と主張して争った。

判旨： 「地方公共団体は、住宅が国民の健康で文化的な生活にとって不可欠な基盤であることに鑑み、低額所得者、被災者その他住宅の確保に特に配慮を要する者の居住の安定の確保が図られることを旨として、住宅の供給その他の住生活の安定の確保及び向上の促進に関する施策を策定し、実施するものであって」、「地方公共団体が住宅を供給する場合において、当該住宅に入居させ又は入居を継続させる者をどのようなものとするのかについては、その性質上、地方公共団体に一定の裁量がある」。

暴力団員は「集団的に又は常習的に暴力的不法行為等を行うことを助長するおそれがある団体の構成員と定義されているところ、このような暴力団員が市営住宅に入居し続ける場合には、当該市営住宅の他の入居者等の生活の平穏が害されるおそれを否定することはできない。他方において、暴力団員は、自らの意思により暴力団を脱退し、そうすることで暴力団員でなくなることが可能であり、また、暴力団員が市営住宅の明渡しをせざるを得ないとしても、それは、当該市営住宅には居住することができなくなるというにすぎず、当該市営住宅以外における居住についてまで制限を受けるわけではない」。

「以上の諸点を考慮すると、本件規定は暴力団員について合理的な理由のない差別をするものということはできない。したがって、本件規定は、憲法14条1項に違反しない」。

また、「本件規定により制限される利益は、結局のところ、社会福祉的観点から供給される市営住宅に暴力団員が入居し又は入居し続ける利益にすぎず、上記の諸点に照らすと、本件規定による居住の制限は、公共の福祉による必要かつ合理的なものであることが明らかである。したがって、本件規定は、憲法22条1項に違反しない」。

評釈： 暴力団員という地位は、暴力団からの脱退が可能であるという点で、「人が社会において占める継続的な地位」たる社会的身分には当たらないと解される。もっとも、社会的身分に当たらないということから直ちに14条1項に違反しないということはできず、事柄の性質に即応して合理的な区別といえるかどうかを検討する必要があるところ、本判決は、暴力団員が市営住宅に入居し続けることで他の入居者の生活の平穏が害されるおそれがあること、市営住宅以外での居住についてまで制限を加えるものではないことを指摘して、14条1項に反しないとしている。

三　短期的・一時的移動の自由　同R2

　居住又は居住目的の移動だけでなく、旅行や日常生活のための外出などの国内における短期的・一時的移動についても、22条1項によって保障されるかが問題となる。

　判例（旅券発給拒否（帆足計）事件、最大判昭33.9.10・百選105事件）は、「憲法22条2項の『外国に移住する自由』には外国へ一時旅行する自由を含むものと解すべき」であるとしている。この判例を踏まえると、国内における短期的・一時的移動も22条1項の保障に含まれていると解することができる。

　∵　「居住」・「移住」は生活の本拠を全面的に移動することを指すが、これを憲法が保障しているのであれば、その一時的・部分的なものと考えられる短期的・一時的移動も当然に保障される

　これに対し、短期的・一時的移動は、22条1項の「移転」にも「移住」にも含まれず、一般的自由又は幸福追求権（13）の問題であるとする見解もある。

四　海外渡航の自由

　海外渡航の自由も、経済的自由の側面と精神的自由の側面を併せもつ複合的性格の人権である〈予〉。

1　憲法上の根拠

　海外渡航とは、広くは外国居住を含むが、狭義には一時的な外国旅行を意味する。海外渡航の自由が憲法上保障されているとする点については争いないが、その根拠規定に関して、争いがある。

＜海外渡航の自由＞〈司〉

学説	内容	理由
22条2項説 **（最大判昭33.9.10・百選105事件）**	移住の自由に含まれる	①　永住のための出国の自由を保障しながら一時的渡航を保障しないとは思えない ②　22条は国内に関連するものを1項に、外国に関連するものを2項にまとめて規定している
22条1項説	移転の自由に含まれる	①　文言上、「渡航」を「移住」に含めるより「移転」に含めるのが自然である ②　2項は、半永久的な日本からの脱出を保障したものとみるべきである
13条説	一般的自由又は幸福追求権の一部として保障される	「旅行」は動き回る観念であり、居住所の変更を意味する「移転」とも、ある場所への定住を意味する「移住」とも異なる

2　旅券法13条1項7号の合憲性

　外国旅行に際しては旅券の所持が義務付けられているところ、「著しく、かつ直接に日本国の利益又は公安を害する行為を行うおそれがあると認めるに足りる相当の理由がある者」に対して、外務大臣が旅券の発給を拒否することができると定める旅券法13条1項7号の合憲性が問題となる。

＜旅券法 13 条 1 項 7 号の合憲性＞

学説		内容	理由
違憲説		旅券法 13 条 1 項 7 号の「公安を害する行為を行うおそれ」という文言は漠然不明確な基準であり違憲である	① 海外渡航の自由は精神的自由権に準ずる保障を受ける ② 漠然かつ不明確な規定は恣意的裁量による自由の制限を意味する
合憲説	犯罪限定説	旅券法 13 条 1 項 7 号の「行為」を「犯罪行為」と合憲限定解釈することで合憲となる	① 法条は可能な限り合憲的に解釈すべきである ② ただ、旅券発給行為は単なる公証行為であり、国内・国際情勢の判断を発給行為に介在させる余地はない
	合理的制限説	旅券法 13 条 1 項 7 号は公共の福祉のための合理的制限を定めたものといえる	① 海外渡航の自由は、他の自由と違い国際的外交的側面から特別の制限を受ける ② 国際情勢や外交上の影響といった複雑専門的判断では政治的裁量を尊重すべきである

▼ **旅券発給拒否（帆足計）事件（最大判昭 33.9.10・百選 105 事件）**

◀共予▶

　　憲法 22 条 2 項の「外国に移住する自由」には、外国へ一時旅行する自由も含まれるが、この自由も、公共の福祉のための合理的制限に服するのであり、旅券発給を拒否することができる場合として、旅券法 13 条 1 項 5 号（現 7 号）が「著しく且つ直接に日本国の利益又は公安を害する行為を行う虞があると認めるに足りる相当の理由がある者」と規定したのは、外国旅行の自由に対し、公共の福祉のために合理的な制限を定めたものと見ることができ、憲法に違反しない、と判示した。

3　外国人の出入国の自由◀予▶
　(1)　外国人の入国の自由　⇒ p.50
　(2)　外国人の出国の自由
　　　外国人の出国の自由は、入国の自由と異なり、外国人にも憲法上保障されると解されている。もっとも、その憲法上の根拠につき争いがある。

＜外国人の出国の自由＞

学説	理由
22 条 2 項説◀判▶	22 条 2 項で保障される外国移住の自由に含めることができる
22 条 1 項説	22 条 2 項は日本人に関する規定であり、外国人は 1 項で保障される

学説	理由
98条2項説	憲法は「すべての者は、いずれの国（自国を含む）からも自由に離れる」権利を保障する国際人権B規約12条2項を、98条2項の「日本国が締結した条約」として「誠実に遵守する」との立場に立つ

(3) 外国人の再入国の自由

　判例・通説は、外国人の出国の自由は憲法により保障された権利であるとするが、「出国」には「帰国」を前提とするものもある。そこで、在留外国人の「帰国」、すなわち、再入国の自由が憲法上の権利かどうか争いとなる。

＜外国人の再入国の自由＞

学説	内容
22条説	在留外国人の再入国は22条で憲法上保護された権利であるが、その性質上、日本国民の帰国の自由と全く同じものとして憲法上保障されているわけではなく、日本の国益を侵害する「明白かつ現在の危険」が存在するような場合に限って再入国を許可しないことが可能である
98条説	外国人の入国が憲法上の権利でない以上、その再入国も憲法次元の問題とはなりえず、出国の自由と同様に条約もしくは国際慣習法によって決すべきであるが、再入国に新規入国とは異なる特別の配慮を加え、日本の安全・国民の福祉に危害が及ぶ可能性といったものを考慮して、最低限度の規制を行うことは許される

※　98条説を採用すると、国家の自由裁量的判断の余地が広く認められるおそれがありそうに見えるが、同説が根拠とする国際人権（B）規約12条4項の「自国に戻る」の定めは「定住国」に戻ることの保障を含むと解しうることなどから、定住外国人に関しては、国家的裁量の余地について、実質的には両説に差は生じないとされている。

▼　**森川キャサリーン事件（最判平4.11.16・百選A2事件）**〈回〉

　外国人の再入国の自由について、「我が国に在留する外国人は、憲法上、外国へ一時旅行する自由を保障されているものでない」とする。また、国際人権B規約12条4項の「自国」は「国籍国」のみを指すと判示した。

五　国籍離脱の自由

1　本条2項は国籍を離脱する自由を保障する。

　→日本国民は現に外国に居所又は住所を有しなくても無条件に国籍を離脱することができる

　＊　国籍離脱の自由は、無国籍になる自由を含まない。

　　∵　国際社会は無国籍になる自由は認めていない

2 国籍法の規定

(1) 国籍法は本条2項を受けて、本人の志望に基づく国籍離脱の規定を置く。

ex.1 「日本国民は、自己の志望によつて外国の国籍を取得したときは、日本の国籍を失う。」(国籍11Ⅰ)

ex.2 「外国の国籍を有する日本国民は、法務大臣に届け出ることによつて、日本の国籍を離脱することができる。」(国籍13Ⅰ)

cf. 日本国民が国籍を離脱するのに法務大臣の「許可」を必要とすることは違憲の疑いが濃い

(2) 外国国籍を有する日本人について一定の条件の下で国籍を喪失させる旨の規定も置き、重国籍の解消を図っている(国籍11Ⅱ、12、15Ⅲ、16)。

しかし、重国籍の禁止は憲法上明文で規定されておらず、外国人がその国籍を有するまま日本に帰化するものと定めても、直ちに違憲とはならない。

第23条 〔学問の自由〕

学問の自由は、これを保障する。

[趣旨] 明治憲法には学問の自由に関する規定は存在していなかった。この点、学問は既存の価値や考えを批判し、創造活動を行うことにその本質をもち、時の権力の干渉を受けやすいので現行憲法で特に保障された。

23条は、個人の人権としての学問の自由のみならず、特に大学における学問の自由の保障を趣旨とするものであり、それを担保するための大学の自治の保障を含んでいる。

《注 釈》

一 学問の自由の保障

1 学問の自由の保障の内容

(1) 学問の自由の内容は、通常、次の4つが挙げられる。

① 学問研究の自由

② 学問研究発表の自由

③ 大学における教授の自由 司R4

④ 大学の自治 ⇒ p.243

(2) ①については19条の思想及び良心の自由、②については21条1項の表現の自由の保障に含まれるが、さらにそのうえに学問の自由を保障するのは、学問の研究というものが、常に従来の考え方を批判して新しいものを生み出そうとする努力であるから、それに対しては特に高度の自由が要求されるためであると解されている。

判例は、学問の自由は、①学問研究の自由と②学問研究発表の自由を含み、また、特に大学におけるこれらの自由を保障する趣旨であるとする判。

▼　東大ポポロ事件（最大判昭38.5.22・百選86事件）〈司共〉

事案：　大学内で大学公認の学生団体「ポポロ劇団」が大学の正式な許可を得て開催した演劇発表会に、警察官達が学生等に関する情報収集のために、私服で潜入していた。その警察官達を捕らえ、再び学内に侵入しない旨の始末書に署名させる過程で、逃走しようとする警察官を逮捕し、オーバーの襟に手をかけたり警察手帳を奪うなどの暴行を加えたとして、被告人学生が、暴力行為等処罰法1条1項違反で起訴された。

判旨：　23条の学問の自由は、「学問的研究の自由とその研究結果の発表の自由とを含むものであって」、「一面において、広くすべての国民に対してそれらの自由を保障するとともに、他面において、大学が学術の中心として深く真理を探究することを本質とすることにかんがみて、特に大学におけるそれらの自由を保障することを趣旨としたものである。教育ないし教授の自由は、学問の自由と密接な関係を有するけれども、必ずしもこれに含まれるものではない。しかし、大学については、憲法の右の趣旨と、……（学校教育法52条が定める大学の目的）とに基づいて、大学において教授その他の研究者がその専門の研究の結果を教授する自由は、これを保障されると解する」。

　　　「大学における学問の自由を保障するために、伝統的に大学の自治が認められている。この自治は、とくに大学の教授その他の研究者の人事に関して認められ、大学の学長、教授その他の研究者が大学の自主的判断に基づいて選任される。また、大学の施設と学生の管理についてもある程度で認められ、これらについてある程度大学に自主的な秩序維持の権能が認められている」。大学の学問の自由と自治は「直接には教授その他の研究者の研究、その結果の発表、研究結果の教授の自由とこれらを保障するための自治とを意味する」。「大学の施設と学生は、これらの自由と自治の効果として、施設が大学当局によって自治的に管理され、学生も学問の自由と施設の利用を認められる」。

2　学問研究の自由・学問研究発表の自由の限界

（1）　学問研究の自由の限界〈司共〉〈司H21〉

　　　学問研究は、内面的な精神活動として思想・良心の自由の一部を構成し、公権力・社会的権力から自由・独立の立場にあるべきであるという性質から、本来自由に委ねられる必要がある。しかし、近年の急激な科学技術の発展の下、その先端分野における研究の進展は、環境破壊やプライバシー侵害、人間の生命・健康に対する危害など、人間の生存そのものを脅かし人間の尊厳を根底から揺るがす重大な側面を含み、研究者の自主的規制によっては上記の脅威・危険を除去することが困難な場合がある。そのため、通説は、例外的に法律による必要最小限度の規制を認めている。

人権

ex. 原子力研究のような大規模技術、遺伝子組換のような遺伝子技術、臓器移植・体外受精・遺伝子治療のような医療技術

(2) 学問研究発表の自由の限界

学問の自由は、真理探究そのものに向けられる作用であり、実社会にはたらきかけようという実践的な政治的社会活動は本条の問題にならない。

→ある行為が実践的な政治的社会活動に属するか否かの判断は難しく、学問研究を使命とする人や施設による研究は、真理探究のためのものであるとの推定をはたらかせるべきである

cf. 芸術は感性的・情的な活動であるので、「学問」には含まれない

→ 21条1項による保障と関連付けるのが一般的である

▼ **東大ポポロ事件（最大判昭38.5.22・百選86事件）**〈団〉

「学生の集会が真に学問的な研究またはその結果の発表のためのものでなく、実社会の政治的社会的活動に当る行為をする場合には、大学の有する特別の学問の自由と自治は享有しない……。また、その集会が学生のみのものでなく、とくに一般の公衆の入場を許す場合には、むしろ公開の集会と見なされるべきであり、すくなくともこれに準じるものというべきである。」「本件集会は、真に学問的な研究と発表のためのものでなく、実社会の政治的社会的活動であり、かつ公開の集会またはこれに準じるものであって、大学の学問の自由と自治は、これを享有しないといわなければならない。したがって、本件の集会に警察官が立ち入ったことは、大学の学問の自由と自治を犯すものではない」。

▼ **第一次教科書訴訟（最判平5.3.16・百選88事件）**〈団共〉

「教科書は、……学術研究の結果の発表を目的とするものではなく、本件検定は、申請図書に記述された研究結果が、たとい執筆者が正当と信ずるものであったとしても、いまだ学界において支持を得ていなかったり、あるいは当該学校、当該教科、当該科目、当該学年の児童、生徒の教育として取り上げるにふさわしい内容と認められない……場合に、教科書の形態における研究結果の発表を制限するにすぎない」。したがって、本件教科書検定は学問の自由を保障した憲法23条の規定に違反しない。

3 学問の自由と教育の自由

学問の自由から導きだされる教授の自由は、大学における教授の自由に限られるのか、初等教育機関における教師の教育の自由も含むのかにつき争いがある。

＜学問の自由と教育の自由＞

	内　　　容	理　　　由
A説	学問の自由から導きだされる教授の自由は大学における教授の自由に限定され、初等中等教育機関の教師の教育の自由は23条によっては保障されていない（＊）	①　学問の自由が、沿革上、大学における教授の自由のみを含めていた ②　大学における学生が批判能力を備えているのに対して、初等中等教育機関の児童生徒は批判能力が十分ではない
B説	学問の自由の保障範囲を、大学のみならず初等中等教育機関の教師の教育の自由にも拡大する	学問と教育との内在的関連性を強調し、23条の学問の自由に新たに教育条項としての意義を付与すべきである

＊　A説と同様、学問の自由（23）の中に教育の自由を含めない立場に立ちながら、初等中等教育機関の教師の教育の自由が憲法上の権利であること、及び学問の自由が教育の自由のための不可欠の前提となっていることを認める見解もある。
　　→憲法上の根拠については26条に求める見解と13条に求める見解がある

人権

▼　第二次教科書訴訟第一審（杉本判決・東京地判昭45.7.17・百選87事件）

　　下級教育機関においては児童生徒に対する教育的配慮が必要となるが、「このような教育的配慮が正しくなされるためには、児童、生徒の心身の発達、心理、社会環境との関連について科学的知識が不可欠であり、教育学はまさにこのような科学であり」、「こうした教育的配慮をなすこと自体が一つの学問的実践であり、学問と教育とは本質的に不可分一体というべきである」と判示して、教師の教育の自由を23条の学問の自由の一環として承認している。

▼　旭川学テ事件（最大判昭51.5.21・百選136事件）〈同共〉

　　学問の自由は、学問研究の結果を教授する自由をも含むとしたうえで、普通教育においても、「一定の範囲における教授の自由が保障される」ことを認めた。しかし、「大学教育の場合には、学生が一応教授内容を批判する能力を備えていると考えられるのに対し、普通教育においては、児童生徒にこのような能力がなく、教師が児童生徒に対して強い影響力、支配力を有することを考え、また、普通教育においては、子どもの側に学校や教師を選択する余地が乏しく、教育の機会均等をはかる上からも全国的に一定の水準を確保すべき強い要請があること等に思いをいたすときは、普通教育における教師に完全な教授の自由を認めることは、とうてい許されない」と判示した。

二　大学の自治

1　憲法上の根拠

　　大学の自治につき憲法上明文の規定はない。しかし、学問の自由と大学の自治が密接不可分の関係にあることを前提にして、大学の自治が23条によって

243

保障されていると解するのが通説である。

→大学の自治を学問の自由そのものを保障するための客観的な制度的保障と
する制度的保障論が有力である

* 26条1項によって保障される教育を受ける権利が、大学教育を受ける権
利を含むものであって、大学は、その国民の教育を受ける権利を保障しなけ
ればならない場としてまず位置付けられ、そのような大学において、それぞ
れ学問研究と教育の自由ないし自主性が保障されなければならないとして、
大学の自治は23条のみならず、26条でも保障されるとする立場もある。

▼　**東大ポポロ事件（最大判昭38.5.22・百選86事件）**〈司〉　⇒ p.241

評釈：　「大学の学問の自由と自治は、大学が（学術の中心として）深く真理を
探求し、専門の学芸を教授研究することを本質とすることに基づく」と
いう判示部分から、大学の自治が学問の自由と密接不可分の関係にある
ことが明らかにされており、23条を根拠に大学の自治を認めているもの
と解されている。

2　大学の自治の範囲〈司R4〉
(1)　大学が自主的に決定できる自治の範囲
①　学長・教授その他の研究者の人事
②　大学の施設の管理
③　学生の管理
→①の人事の自治が最も重要で基本的なものである
ex.1　大学の教員の人事については、法令で教員の資格が定められてい
るだけで、大学が自主的に決定でき、完全な大学の自治が認められ
ている
ex.2　国立大学の人事異動について、申出が明らかに違法無効と客観的
に認められる場合でない限り、その申出に応ずべき義務、すなわち
相当の期間内に申出のあった者を学長、教員及び部局長として任命
しなければならない（東京地判昭48.5.1・百選〔第5版〕95事件）
〈司〉
cf.1　判例（東大ポポロ事件）も大学の自治の範囲を①②③と理解するが、
大学の施設と学生の管理については「ある程度」で認められるという
限定を付す
cf.2　近時の学説は、前述の3つに加え、④研究教育の内容及び方法の自
主決定権、⑤予算管理における自治、を挙げる
(2)　警察権との関係
学問研究活動は、既成の価値や認識を再検討して新しい価値を創造し、自
然と社会の法則を発見していく人間の精神活動であり、警察権力の監視や統

制と本来的に相容れないものである。そのため、警察権力からの大学の自主性の確保は、特に重要な意味をもってくる。そこで、②大学の施設及び③学生の管理に関して、特に警察権との関係が問題になる。

(3) 学問の自由との関係〈司H21 司R4〉

　　大学の自治は、学問の自由を制度的に保障するものといえるが、大学の自治と学問の自由が対立的な関係に立つ場面がありうる。

　　ex. 大学教授が授業中に行った所属学部の執行部への批判を理由として、当該学部が当該教授の授業開講を認めない措置を採る場合〈共〉

▼　**東大ポポロ事件（最大判昭38.5.22・百選86事件）** ⇒ p.241

　　評釈：　学問的活動と政治的社会的活動とを区別するに際し、大学により承認された団体により正規の手続を経て大学構内にある教室といった研究及び教育を達成する施設において、ある集会が行われた場合は、原則として大学の管理者の自律的判断が尊重されるべきであり、大学の管理者の自律的判断を尊重しなかった最高裁判決には疑問がある、との批判がなされている。

▼　**愛知大学事件（名古屋高判昭45.8.25・百選〔第5版〕94事件）** 〈司共〉

　　大学は、現行犯その他通常の犯罪捜査のための警察権の行使を拒むことはできない。ただし、「犯罪捜査のためといえども、学内立入りの必要性の有無はこれを警察側の一方的（主観的）認定に委ねられるとすれば、やがて、その面から実質的に大学の自主性がそこなわれる」おそれがある。「そこで、緊急その他已むことを得ない事由ある場合を除き、大学内への警察官の立入りは、裁判官の発する令状による場合は別として、一応大学側の許諾または了解のもとに行うことを原則とすべきである」。「しかし、許諾なき立入りは、必ずしも全て違法とは限らない。結局、学問の自由、大学の自治にとって警察権の行使が干渉と認められるのは、それが、当初より大学当局側の許諾了解を予想し得ない場合、特に警備情報活動としての学内立入りの如き場合ということになる」。

　　＊　愛知大学事件では、警備公安活動のために学内に立ち入ることが主に問題となるが、同時に当事者である警察官は「挙動不審者を発見し、職務質問したところ、逃亡したため窃盗犯人と思料し入構した」と述べているため、犯罪捜査のための学内立入り問題も生じる。

3　大学の自治の主体

　　教授その他の研究者が大学の自治の主体であることについて異論はない。また、かつては学生も大学の自治の主体であるべきだとの主張もあったが、学生は教授と地位も役割も異なる以上、大学の自治の主体ではないと解されている。

　　もっとも、学生がもっぱら営造物としての大学の利用者にすぎないのか、大学における不可欠の構成員なのかについては争いがある。

＜大学の自治における学生の地位＞

	内容	理由
A説	学生をもっぱら営造物（公共のために用いる施設）の利用者として捉え、大学の自治の主体であることを否定する（営造物利用者説）	学生は、教授その他の研究者の自由と自治に基づいて施設が大学当局によって自治的に管理されることの反射的効果として、学問の自由と施設の利用を認められるにすぎない
B説	学生を、大学における不可欠の構成員として、大学自治の運営について要望し、批判し、あるいは反対する権利を有する者として捉える（＊）	①　学生は、学問を学び教育を受ける者としてその学園の環境や条件の保持及びその改変に重大な利害関係を有している ②　学生は教員から学ぶだけでなく教員に対して学問的示唆を供することもあり、学問研究及び学習の主体として大学の不可欠の構成員である

＊　B説の論者も、学生が自治の主体的構成者として管理運営に対する参加権を一般的にもつことまでは承認せず、法律の定めるところに従い、それぞれの大学が自主的に決定すべき事柄であるとする。

▼　**東大ポポロ事件（最大判昭38.5.22・百選86事件）**〈回〉　⇒ p.241

　　判旨：　大学の自治における学生の自治について、教授その他の研究者の「自由と自治の効果として、施設が大学当局によって自治的に管理され、学生も学問の自由と施設の利用を認められる」と判示した。上記営造物利用者説を採り、学生は大学の自治の主体ではないとした。

　　評釈：　大学には、他の営造物と異なり研究と教育の場としての特殊性が認められ、学生と教員との精神と精神の交渉過程こそが大学の特色であるとの批判がなされている。

第24条　〔家族生活における個人の尊厳と両性の平等〕

Ⅰ　婚姻は、両性の合意のみに基いて成立し、夫婦が同等の権利を有することを基本として、相互の協力により、維持されなければならない。

Ⅱ　配偶者の選択、財産権、相続、住居の選定、離婚並びに婚姻及び家族に関するその他の事項に関しては、法律は、個人の尊厳と両性の本質的平等に立脚して、制定されなければならない。

⇒Ⅰ：民§742①・747（両性の合意）、民§752（夫婦の同居と協力）

　　Ⅱ：民§2（個人の尊厳と両性の平等）

[趣旨]家族生活における両性の平等は、13条、14条からも当然に導かれるが、家族生活における両性の平等が特に本条で規定されたのは、明治憲法時代の男尊女卑思想に貫かれた「家」制度の解体や、家族の身分行為に対する同意権等の戸主権の否定と、新しい近代的な家族制度の構築を指示したものと解される〈共〉。

《注　釈》

一　24条1項

1　「婚姻は、両性の合意のみに基いて成立し」の意義

　①何人も、自己の意に反する相手と婚姻を強制されず、②婚姻の成立が当事者本人以外の第三者の意思によって妨げられないという婚姻の自由を認めたものである。

2　「夫婦が同等の権利を有することを基本とし」の意義

　14条1項の両性の平等の原則を夫婦関係に適用したものである。

▼　**夫婦別産制の合憲性（最大判昭36.9.6・百選〔第6版〕33事件）**

　　憲法24条は、「継続的な夫婦関係を全体として観察した上で、婚姻関係における夫と妻とが実質上同等の権利を享有することを期待した趣旨の規定と解すべく、個々具体的な法律関係において、常に必ず同一の権利を有すべきものであるというまでの要請を包含するものではない」とし、民法762条1項の規定（夫婦別産制）は、夫と妻の双方に平等に適用されるばかりでなく、配偶者の一方の財産取得に他方が協力しているとしても、財産分与請求権、相続権、扶養請求権等を行使することによって夫婦間の実質的平等が確保されるから、同条項は憲法に違反しないとした。

▼　**再婚禁止期間違憲判決（最大判平27.12.16・百選28事件）** 〈司共〉

　　憲法14条1項における法の下の平等は「事柄の性質に応じた合理的な根拠に基づくものでない限り、法的な差別的取り扱いを禁止する趣旨」である。本件規定は「再婚をする際の要件に関し男性と女性を区別しているから、このような区別をすることが事柄の性質に応じた合理的な根拠に基づくものと認められない場合には、本件規定は憲法14条1項に違反する」。

　　「憲法24条2項は、……婚姻及び家族に関する事項について、具体的な制度の構築を第一次的には国会の合理的な立法裁量に委ねるとともに、その立法に当たっては、個人の尊厳と両性の本質的平等に立脚すべきであるとする要請、指針を示すことによって、その裁量の限界を画したものといえる。」また、憲法24条1項は、「婚姻をするかどうか、いつ誰と婚姻をするかについては、当事者間の自由かつ平等な意思決定に委ねられるべきであるという趣旨を明らかにしたものと解される」。そして、「婚姻をするについての自由は、憲法24条1項の規定の趣旨に照らし、十分尊重に値するものと解することができる」。「そうすると、婚姻制度に関わる立法として、婚姻に対する直接的な制約を課すことが内容となっている本件規定については、その合理的な根拠の有無について以上のような事柄の性質を十分考慮に入れた上で検討をすることが必要である。」

　　そこで、本件規定の憲法適合性は「立法目的に合理的な根拠があり、かつ、その区別の具体的な内容が上記の立法目的との関連において合理性を有するものであるかどうかという観点から」判断する。

　「本件規定の立法目的は、女性の再婚後に生まれた子につき父性の推定の重複を回避し、もって父子関係をめぐる紛争の発生を未然に防ぐことに」あり、「父子関係が早期に明確となることの重要性に鑑みると、このような立法目的には合理性がある」。「夫婦間の子が嫡出子となることは婚姻による重要な効果であるところ、嫡出子については出産の時期を起点とする明確で画一的な基準から父性を推定し、父子関係を早期に定めて子の身分関係の法的安定を図る仕組みが設けられた趣旨に鑑みれば」、「100日について一律に女性の再婚を制約すること」は「上記立法目的との関係において合理性を有する」。100日を超過して6か月とした部分は、婚姻の自由が「十分尊重されるべきものであることや妻が婚姻前から懐胎していた子を産むことは再婚の場合に限られないことを考慮すれば、再婚の場合に限って……厳密に父性の推定が重複することを回避するための期間を超えて婚姻を禁止する期間を設けることを正当化することは困難である」。以上からすると、「本件規定のうち100日超過部分は」、原告が「前婚を解消した日から100日を経過した時点までには」、「国会に認められる合理的な立法裁量の範囲を超え」、合理性を失っていた。

▼　夫婦同氏制合憲判決（最大判平27.12.16・百選29事件）司共

事案：　「夫婦は、婚姻の際に定めるところに従い、夫又は妻の氏を称する」（夫婦同氏制）と規定する民法750条（本件規定）は、①氏の変更を強制されない自由（13）、②平等原則（14Ⅰ）、③婚姻の自由（24）を侵害するから、同条の改廃を怠った立法不作為は国賠法上違法であるとして、損害賠償請求訴訟が提起された。

判旨：①について

　「氏名は、社会的にみれば、個人を他人から識別し特定する機能を有するものであるが、同時に、その個人からみれば、人が個人として尊重される基礎であり、その個人の人格の象徴であって、人格権の一内容を構成する」。「しかし、氏は、婚姻及び家族に関する法制度の一部として法律がその具体的な内容を規律しているものであるから、……具体的な法制度を離れて、氏が変更されること自体を捉えて直ちに人格権を侵害し、違憲であるか否かを論ずることは相当ではない」。

　「本件で問題となっているのは、婚姻という身分関係の変動を自らの意思で選択することに伴って夫婦の一方が氏を改めるという場面であって、自らの意思に関わりなく氏を改めることが強制されるというものではない。」

　「氏は、個人の呼称としての意義があり、名とあいまって社会的に個人を他人から識別し特定する機能を有するものであることからすれば、自らの意思のみによって自由に定めたり、又は改めたりすることを認めることは本来の性質に沿わないもの」であるところ、「氏に、名とは切り離された存在として社会の構成要素である家族の呼称としての意義がある

ことからすれば、氏が、親子関係など一定の身分関係を反映し、婚姻を含めた身分関係の変動に伴って改められることがあり得ることは、その性質上予定されている」。

以上に鑑みると、「婚姻の際に『氏の変更を強制されない自由』が憲法上の権利として保障される人格権の一内容であるとはいえない。本件規定は、憲法13条に違反するものではない」。

②について

「本件規定は、……夫婦がいずれの氏を称するかを夫婦となろうとする者の間の協議に委ねているのであって、その文言上性別に基づく法的な差別的取扱いを定めているわけではな」いから、「夫婦となろうとする者の間の個々の協議の結果として夫の氏を選択する夫婦が圧倒的多数を占めることが認められるとしても、……憲法14条1項に違反するものではない。」

③について

「憲法24条は、1項において……婚姻をするかどうか、いつ誰と婚姻をするかについては、当事者間の自由かつ平等な意思決定に委ねられるべきであるという趣旨を明らかにしたものと解される。」

「本件規定は、婚姻の効力の一つとして夫婦が夫又は妻の氏を称することを定めたものであり、婚姻をすることについての直接の制約を定めたものではな」く、「仮に、婚姻及び家族に関する法制度の内容に意に沿わないところがあることを理由として婚姻をしないことを選択した者がいるとしても……憲法24条1項の趣旨に沿わない制約を課したものと評価することはできない。」

「婚姻及び家族に関する事項は、関連する法制度においてその具体的内容が定められていくものであることから、当該法制度の制度設計が重要な意味を持つものであるところ、憲法24条2項は、具体的な制度の構築を第一次的には国会の合理的な立法裁量に委ねるとともに、その立法に当たっては、同条1項も前提としつつ、個人の尊厳と両性の本質的平等に立脚すべきであるとする要請、指針を示すことによって、その裁量の限界を画したものといえる。」

「そして、憲法24条が、本質的に様々な要素を検討して行われるべき立法作用に対してあえて立法上の要請、指針を明示していることからすると、その要請、指針は、単に、憲法上の権利として保障される人格権を不当に侵害するものでなく、かつ、両性の形式的な平等が保たれた内容の法律が制定されればそれで足りるというものではないのであって、憲法上直接保障された権利とまではいえない人格的利益をも尊重すべきこと、両性の実質的な平等が保たれるように図ること、婚姻制度の内容により婚姻をすることが事実上不当に制約されることのないように図ること等についても十分に配慮した法律の制定を求めるものであり、この点でも立法裁量に限定的な指針を与えるものといえる。」

人権

「婚姻及び家族に関する事項は、国の伝統や国民感情を含めた社会状況における種々の要因を踏まえつつ、それぞれの時代における夫婦や親子関係についての全体の規律を見据えた総合的な判断によって定められるべきものである」から、「憲法24条にも適合するものとして是認されるか否かは、当該法制度の趣旨や同制度を採用することにより生ずる影響につき検討し、当該規定が個人の尊厳と両性の本質的平等の要請に照らして合理性を欠き、国会の立法裁量の範囲を超えるものとみざるを得ないような場合に当たるか否かという観点から判断すべきもの」である。

このような観点から、本件規定の憲法24条適合性について検討する。「氏は、家族の呼称としての意義があるところ、現行の民法の下においても、家族は社会の自然かつ基礎的な集団単位と捉えられ、その呼称を一つに定めることには合理性が認められる」。「夫婦が同一の氏を称することは、上記の家族という一つの集団を構成する一員であることを、対外的に公示し、識別する機能を有している」など一定の意義を有する。他方、氏の変更により「いわゆるアイデンティティの喪失感」や「従前の氏を使用する中で形成されてきた他人から識別し特定される機能が阻害される不利益」、「個人の信用、評価、名誉感情等にも影響が及ぶという不利益」が生じることは否定しがたく、妻となる者がかかる不利益を受ける場合が多い。しかし、夫婦同氏制は「婚姻前の氏を通称として使用することまで許さないというものではなく、近時婚姻前の氏を通称として使用することが社会的に広まっているところ、上記の不利益は、このような氏の通称使用が広まることにより一定程度は緩和されうるものである」。

以上を総合的に考慮すると、「本件規定の採用した夫婦同氏制が、夫婦が別の氏を称することを認めないものであるとしても、……個人の尊厳と両性の本質的平等の要請に照らして合理性を欠く制度であるとは認めることはできない。したがって、本件規定は、憲法24条に違反するものではない。」

評釈：　夫婦同氏制をめぐる裁判の背景には、法律上は夫・妻どちらの氏でも選択可能という平等の形をとってはいるものの、現実には約96%近くが夫の氏を選択しており、女性の結婚改姓が当然とされてきたという現状がある。そのため、750条に対しては、女性としての自立した生き方を阻害するなどの批判があった。本判決は夫婦同氏制を定める民法の規定を合憲としたものではあるが、あくまで憲法違反の問題は生じないとしたにとどまり、最良の制度のあり方は国会の議論に委ねられているといえる。本判決自身も、なお書きにおいて、選択的夫婦別氏制といった「制度の在り方は、国会で論ぜられ、判断されるべき事柄にほかならない」としている。

▼　**最決令2.3.11・令2重判1事件**

事案：　戸籍上男性であるが、幼少時から女性であるとの意識を有していたX
　　　　は、女性と婚姻した。その後、Xは、女性への性別適合手術を受けたが、
　　　　婚姻したまま、「性同一性障害者の性別の取扱いの特例に関する法律」
　　　　（以下「本法」という。）に基づき、戸籍の性別を女性に変更する審判を
　　　　求めた。
　　　　　本法3条1項2号は、「現に婚姻をしていないこと」（非婚要件）を性
　　　　別の取扱いの変更の審判が認められるための要件として求めている。そ
　　　　こで、本件では、非婚要件を性別取扱いの変更要件とすることは、幸福
　　　　追求権や婚姻の自由を侵害して違憲かどうかが争われた。

決旨：　非婚要件を求める本法「3条1項2号の規定は、現に婚姻をしている
　　　　者について性別の取扱いの変更を認めた場合、異性間においてのみ婚姻
　　　　が認められている現在の婚姻秩序に混乱を生じさせかねない等の配慮に
　　　　基づくものとして、合理性を欠くものとはいえないから、国会の裁量権
　　　　の範囲を逸脱するものということはできず、憲法13条、14条1項、24
　　　　条に違反するものとはいえない。」

▼　**最大決令3.6.23**

　　　「平成27年大法廷判決以降にみられる女性の有業率の上昇、管理職に占める
女性の割合の増加その他の社会の変化や、いわゆる選択的夫婦別氏制の導入に
賛成する者の割合の増加その他の国民の意識の変化といった原決定が認定する
諸事情等を踏まえても、平成27年大法廷判決の判断を変更すべきものとは認
められない」ことから、民法750条は憲法24条に違反しない。

　　　なお、「夫婦の氏についてどのような制度を採るのが立法政策として相当かと
いう問題と、夫婦同氏制を定める現行法の規定が憲法24条に違反して無効で
あるか否かという憲法適合性の審査の問題とは、次元を異にするものであ」り、
「この種の制度の在り方は、平成27年大法廷判決の指摘するとおり、国会で論
ぜられ、判断されるべき事柄にほかならない」。

3　夫婦間の協力義務

　　民法は、夫婦間の協力義務について、夫婦の同居・協力義務（民752）、婚
姻費用の分担（民760）、日常家事債務の連帯責任（民761）、親権の共同行使
（民818）等の規定を設けて、夫婦の協力義務を具体化している。

二　24条2項

1　「配偶者の選択」

　　配偶者の選択につき、法律は、個人の尊厳（13前段）と両性の本質的平等
に立脚して制定されなくてはならない、という意味である。

　　→1項の「婚姻は、両性の合意のみに基いて成立し」と同じ意味

2　「財産権」

　旧民法下にあった身分関係に基づく財産権の不平等を、本条の趣旨に沿って廃止したものである。

3　「相続」

　第二次大戦前の我が国の家制度の中心をなした家督相続は、通常は長男が相続するものであった（旧民964以下）が、本条に反するものとして廃止された。

　なお、非嫡出子相続分（旧民900④ただし書）については、本書14条部分を参照。

▼　**婚外子差別規定違憲決定（最大決平25.9.4・百選27事件）**　⇒ p.103

4　「住居の選定」

　民法は、親権者が子の居所を指定する権利を認めている（民821）が、これは未成年者保護のためのものであり、本条に違反しない。

5　「離婚」

　旧民法では、妻の姦通は離婚原因とされていたが、夫の姦通は離婚原因ではなかった。そこで、本条の趣旨に沿い、夫の不貞行為も妻のそれと同様に離婚原因として平等化した（民770 I ①）。

第25条　〔生存権と国の使命〕 同H22

I　すべて国民は、健康で文化的な最低限度の生活を営む権利を有する。

II　国は、すべての生活部面について、社会福祉、社会保障及び公衆衛生の向上及び増進に努めなければならない。

[趣旨] 本条1項の保障する生存権は、社会権の中で原則的な規定であり、国民が誰でも、人間的な生活を送ることができることを権利として宣言したものである。2項は、1項の趣旨を実現するために、国に生存権の具体化について努力する義務を課している。

《注　釈》

一　生存権の法的性格

　生存権には、一般に、自由権的側面と社会権的側面があるとされる。

1　自由権的側面

　生存権の自由権的側面とは、国民各自が自らの手で健康で文化的な最低限度の生活を維持する自由を有し、国家はそれを阻害してはならないことを意味するとされる。この自由権的側面については、法規範性・裁判規範性を認めるのが一般的である。

▼　総評サラリーマン税金訴訟（最判平元 .2.7・百選133事件）〈同〉

　　所得税法上の給与所得にかかる課税関係規定が給与所得者の「健康で文化的な最低限度の生活」を侵害し、25条に反するのではないかが争われた事案において、第一審判決は、25条について、「この規定は……18、19世紀における自由権的基本権から一歩を進めた国家の積極的関与による生存権的基本権を保障した点に重大な意義を有するものである」としたうえで、「同時に国家は国民自らの手による健康で文化的な最低限度の生活を維持することを阻害してはならないのであって、これを阻害する立法、処分等は憲法の右条項に違反して無効といわねばならない」と判示し、25条の自由権的側面の法的効力を肯定した（第二審も同じ）。しかし、本件最高裁判決は、この点に関しての判断を明示せず、「憲法25条の規定の趣旨にこたえて具体的にどのような立法措置を講ずるかの選択決定は、立法府の広い裁量にゆだねられており、それが著しく合理性を欠き明らかに裁量の逸脱・濫用と見ざるをえないような場合を除き、裁判所が審査判断するのに適しない事柄である」とした。

2　社会権的側面

　　生存権の社会権的側面とは、国民は健康で文化的な最低限度の生活を営むことの実現を国家に対して求めることができる、ということを意味するとされる。

(1)　学説

　　生存権の社会権的側面の法的性格をいかに解すべきか。

<生存権の法的性格>〈同共〉

	プログラム規定説	法的権利説	
内容	25条1項は、国家に対する政治的義務以上のものは定めていない	国民は人間に値する生存を営むために必要な措置を講ずることを要求する権利を保障されており、国家はそれに対応する法的義務を負う	
		抽象的権利説〈下〉	具体的権利説
		国民は直接25条を根拠として裁判所に救済を求めることができない	国民は法律が制定されていなくても、25条を直接の根拠として立法不作為の違憲確認訴訟を提起できる
理由	① 資本主義社会では自助の原則が妥当する ② 生存権の実現には予算が必要である	25条1項の「健康で文化的な最低限度の生活」の内容は抽象的であり、それのみでは裁判の基準になりえない	25条1項の権利内容は憲法上行政権を拘束するほどには明確ではないが、立法権を拘束するほどには明確である

		プログラム規定説	法的権利説	
法規範性		×	○	○
裁判規範性	法律なし	直接25条1項に基づく具体的な生活扶助請求	×	×	×
		立法不作為の違憲確認訴訟	×	×	○
	法律あり		×	○	○

(2) 判例

▼ **朝日訴訟（最大判昭42.5.24・百選131事件）** 〈司共〉

事案： 厚生大臣（当時）が設定した生活扶助基準及び保護変更決定が25条1項に違反するかが争われた。

判旨： 「本件訴訟は、上告人の死亡と同時に終了し」たとしつつ、「なお、念のため」として憲法判断を行った。

生存権は「具体的権利としては、憲法の規定の趣旨を実現するために制定された生活保護法によって、はじめて与えられているというべきである。……もとより、厚生大臣の定める保護基準は、生活保護法8条2項所定の事項を遵守したものであることを要し、結局には憲法の定める健康で文化的な最低限度の生活を維持するにたりるものでなければならい。しかし、健康で文化的な最低限度の生活なるものは、抽象的な相対的概念であり、その具体的内容は、文化の発達、国民経済の進展に伴って向上するのはもとより、多数の不確定的要素を綜合考量してはじめて決定できるものである。したがって、何が健康で文化的な最低限度の生活であるかの認定判断は、いちおう、厚生大臣の合目的的な裁量に委ねられており、その判断は、当不当の問題として政府の政治責任が問われることはあっても、直ちに違法の問題を生ずることはない」。「ただ、現実の生活条件を無視して著しく低い基準を設定する等憲法および生活保護法の趣旨・目的に反し、法律によって与えられた裁量権の限界をこえた場合または裁量権を濫用した場合には、違法な行為として司法審査の対象となることをまぬかれない」。

▼ **堀木訴訟（最大判昭57.7.7・百選132事件）** 〈司共予〉〈司R5〉

事案： 全盲の視力障害者として障害福祉年金を受給していた者が、同時に寡婦として子どもを養育していたので、児童扶養手当の受給資格の認定を

申請したところ、年金と手当との併給禁止規定に基づいて申請が却下された。そこで、右併給禁止規定が25条、14条、13条に反しないかが争われた。

判旨：　本条にいう「『健康で文化的な最低限度の生活』なるものは、きわめて抽象的・相対的な概念であって、その具体的内容は、その時々における文化の発達の程度、経済的・社会的条件、一般的な国民生活の状況等との相関関係において判断決定されるべきものであるとともに、右規定を現実の立法として具体化するに当たっては、国の財政事情を無視することができず、また、多方面にわたる複雑多様な、しかも高度の専門技術的な考察とそれに基づいた政策的判断を必要とするものである。したがって、憲法25条の規定の趣旨にこたえて具体的にどのような立法措置を講ずるかの選択決定は、立法府の広い裁量にゆだねられており、それが著しく合理性を欠き明らかに裁量の逸脱・濫用と見ざるをえないような場合を除き、裁判所が審査判断するのに適しない事柄である」。「憲法25条の規定の要請にこたえて制定された法令において、……合理的理由のない不当な差別的取扱をしたり、あるいは個人の尊厳を毀損するような内容の定めを設けているときは……憲法14条及び13条違反の問題を生じうることは否定しえない」。「とりわけ身体障害者、母子に対する諸施策及び生活保護制度の存在などに照らして総合的に判断すると、右差別がなんら合理的理由のない不当な差別であるとはいえない」。「また、本件併給調整条項が児童の個人としての尊厳を害し、憲法13条に違反する恣意的かつ不合理な立法であるといえない」。

評釈：　純粋なプログラム規定説によれば、25条の裁判規範性は否定されることになる。朝日訴訟判決・堀木訴訟判決では、行政府・立法府の「裁量権の逸脱・濫用」には司法審査が及び、違憲・違法と判断されることがあるとされており、裁判規範性が認められているといえる。また、堀木訴訟判決では、25条の他に14条、13条も問題になりうる旨述べており、25条とは別に審査がなされている。

▼　学生無年金訴訟（最判平19.9.28・百選134事件）〈司書〉

事案：　いわゆる「学生無年金者（平成元年法改正により現在の学生は国民年金法の強制適用の対象となっている）」であるXらは、大学在学中に障害を負ったため、知事に対して障害基礎年金の受給裁定を申請したが、不支給処分を受けた。Xらは、「国は無年金者が生じることのないよう適切な立法処置を講ずべきであった」として国に対し国家賠償請求訴訟を提起した。

　以下の要旨は①改正前国民年金法が20歳以上の学生を強制加入例外としたことについて、②無拠出年金を支給する旨の規定を設けるなどの措置を講じなかったが故に、20歳以上の学生と（障害福祉年金受給者た

る）20歳前障害者の者との間に差別状態を産み出していた立法不作為についてのものである。

判旨：1　改正前国民年金法が20歳以上の学生を強制加入例外としたことについて

堀木訴訟を踏襲し、保険者側の実情や制度趣旨等を考慮した上で任意加入を認め、20歳以上の学生の意思に委ねる「措置は、著しく合理性を欠くということはできず、加入等に関する区別が何ら合理的理由のない不当な差別的取扱いであるということもできない」。

「加入等に関する区別によって……障害基礎年金等の受給に関し差異が生じていたところではある」が、保険料拠出に関する要件の緩和や、その程度については「国民年金事業の財政及び国の財政事情にも密接に関連する事項であって、立法府は、これらの事項の決定について広範な裁量を有するというべきであるから、……上記判断を左右するものとはいえない」。よって憲法25条、14条1項に違反しない。

2　無拠出年金を支給する旨の規定を設けるなどの措置を講じなかった立法不作為について

「無拠出制の年金給付の実現は、……財政事情に左右されるところが大きいこと等にかんがみると」立法府は諸施策につき「拠出制の年金の場合に比べて広汎な裁量を有しているというべきである。……初診日において20歳以上の学生である者は……任意加入によって被保険者となる機会を付与されて」おり、「……障害者基本法、生活保護法等による諸施策が講じられていること等をも勘案すると、……所論の措置を講じるかどうかは、立法府の裁量の範囲に属する事柄というべきであって、そのような立法措置を講じなかったことが、著しく合理性を欠くということはできない。……両者の取扱いの区別が、何ら合理的理由のない不当な差別的取扱いであるということもできない」。よって、上記立法不作為が憲法25条、14条1項に違反するということはできない。

▼　最判平18.3.28・平18重判9事件

事案：　介護保険の保険者である旭川市は、第1号被保険者であり生活保護法上の要保護者（市町村民税は非課税とされる。）Xに対し、介護保険条例に基づき介護保険料の賦課処分を行い、同保険料を老齢基礎年金から特別徴収の方法（いわゆる天引き）により徴収した。これに対し、Xは、本件賦課処分と特別徴収はそれぞれ憲法14条1項、25条に違反すると主張して、保険料の返還及び国家賠償請求（国賠1Ⅰ）をした。

判旨：　介護保険制度においては、「低所得者に対して配慮した規定が置かれているのであり、また、介護保険制度が国民の共同連帯の理念に基づき設けられたものであること」にかんがみると、本件介護保険条例が、介護保険の第1号被保険者のうち、生活保護法上の要保護者で市町村民税が

非課税とされる者について、「一律に保険料を賦課しないものとする旨の規定又は保険料を全額免除する旨の規定を設けていないとしても、それが著しく合理性を欠くということはできないし、また、経済的弱者について合理的な理由のない差別をしたものということはでき」ず、**本件条例**が上記規定を設けていないことは、**憲法14条1項、25条に違反しない**。

　また、「特別徴収の制度は、市町村における保険料収納の確保と事務の効率化を図るとともに、第1号被保険者の保険料納付の利便を図るために導入されたもの」であり、特別徴収の対象は老齢退職年金給付のうち年額が一定額以上のものであるところ、老齢基礎年金等の公的年金制度は、老後の所得保障の柱としてその日常生活の基礎的な部分を補うことを主な目的とする一方、介護保険の第1号被保険者の保険料は、高齢期の要介護リスクに備えるために高齢者に課されるものであり、その日常生活の基礎的な経費に相当するということができる。そして、一定額を下回る老齢退職年金給付を特別徴収の対象としていないことを踏まえれば、老齢退職年金給付から上記保険料を特別徴収することが、上記公的年金制度の趣旨を没却するものということはできない。したがって、「特別徴収の制度は、著しく合理性を欠くということはできないし、経済的弱者を合理的な理由なく差別したものではないから、**憲法14条、25条に違反しない**」。

▼　老齢加算廃止判決（最判平24.2.28・百選135事件）〈司〉〈司R5〉

事案：　老齢加算制度（生活保護受給者のうち70歳以上の高齢者の特別の需要に対し一定額を加算して保護費を支給する制度）について、厚生労働大臣は、平成16年度以降段階的に老齢加算を減額し、平成18年度において、保護基準の改定により老齢加算を完全に廃止した（以下、「本件改定」という。）。

　　　　東京都内に居住し生活保護法に基づく生活扶助を受給していたXらは、本件改定に基づき生活扶助の支給額を減額する保護変更決定を受けた。そこで、Xらは、本件改定が生活保護法及び憲法25条1項等に違反すると主張した。

判旨：　厚生労働大臣は「老齢加算の支給を受けていない者との公平や国の財政事情といった見地に基づく加算の廃止の必要性を踏まえつつ、被保護者の……期待的利益についても可及的に配慮するため、その廃止の具体的な方法等について、激変緩和措置の要否などを含め、……専門技術的かつ政策的な見地からの裁量権を有しているものというべきである」。

　　　　「老齢加算の廃止を内容とする保護基準の改定は、①当該改定の時点において70歳以上の高齢者には老齢加算に見合う特別な需要が認められず、高齢者に係る当該改定後の生活扶助基準の内容が高齢者の健康で文

化的な生活水準を維持するに足りるものであるとした厚生労働大臣の判断に、最低限度の生活の具体化に係る判断の過程及び手続における過誤、欠落の有無等の観点からみて裁量権の範囲の逸脱又はその濫用があると認められる場合、あるいは、②老齢加算の廃止に際し激変緩和等の措置を採るか否かについての方針及びこれを採る場合において現に選択した措置が相当であるとした同大臣の判断に、被保護者の期待的利益や生活への影響等の観点からみて裁量権の範囲の逸脱又はその濫用があると認められる場合」に生活保護法 3 条、8 条 2 項に違反し、違法となるとしたが、結論として、厚生労働大臣の裁量権の逸脱・濫用はないとした。

▼ 生活保護国籍要件事件（最判平 26.7.18・平 26 重判 11 事件）

事案： 永住者の在留資格を有する中国籍の X が、生活保護法に基づく生活保護申請をしたところ、市福祉事務所長から申請却下処分を受けたため、永住資格を有する外国人も生活保護法による保護の対象に含まれるとしてこれを争った。

判旨： 「旧生活保護法は、その適用の対象につき『国民』であるか否かを区別していなかったのに対し、現行の生活保護法は、1 条及び 2 条において、その適用の対象につき『国民』と定めたものであり、このように同法の適用の対象につき定めた上記各条にいう『国民』とは日本国民を意味するものであって、外国人はこれに含まれないものと解される。そして、現行の生活保護法が制定された後、現在に至るまでの間、同法の適用を受ける者の範囲を一定の範囲の外国人に拡大するような法改正は行われておらず、同法上の保護に関する規定を一定の範囲の外国人に準用する旨の法令も存在しない」。したがって、「生活保護法を始めとする現行法令上、生活保護法が一定の範囲の外国人に適用され又は準用されると解すべき根拠は見当たらない」。また、「我が国が難民条約等に加入した際の経緯を勘案しても、本件通知を根拠として外国人が同法に基づく保護の対象となり得るものとは解されない」。「以上によれば、外国人は、行政庁の通達等に基づく行政措置により事実上の保護の対象となり得るにとどまり、生活保護法に基づく保護の対象となるものではなく、同法に基づく受給権を有しないものというべきである」。

二 生存権の実現

1 立法による具体化

生存権を具体化する立法として、生活保護法、社会保障制度として国民健康保険法、社会福祉の分野では児童福祉法、その他公害規制に関する諸立法が制定されている。

cf. 災害対策基本法は、生存権を具体化した立法ではない

2 裁判による実現

(1) 具体的な救済方法

(a) 生存権の自由権的側面の法的効果を求める場合

→生活困窮者に対して通常の国民よりも高額の税金を課した場合

ex. 総評サラリーマン税金訴訟（最判平元.2.7・百選133事件）

(b) 25条を具体化する法律の存在を前提に、行政処分の合憲性を争う場合

→生活保護法の存在を前提として、同法に基づく厚生大臣の保護基準設定行為の違法性を争う場合

ex. 朝日訴訟（最大判昭42.5.24・百選131事件）

(c) 25条を具体化する法律の規定の合憲性を争う場合

→生活保護の受給権を法律によって制限している場合、生存権を具体化する法律が生存権の要請をみたしていない場合

ex. 堀木訴訟（最大判昭57.7.7・百選132事件）

(d) 立法不作為の合憲性を争う場合

①立法義務付け訴訟、②立法不作為の違憲確認訴訟、③国家賠償請求訴訟といった訴訟形態がある。

(2) 生存権の違憲審査基準

堀木訴訟最高裁判決は「明白性の原則」を採用する。学説にも最高裁の立場に賛同するものも少なくない。もっとも、人間としての最低限度の生活保障の場合と、より快適な生活保障の場合を分け、前者の場合には最低限度の生活水準は具体的・客観的に決められるとして「厳格な合理性の基準」を、後者の場合には立法府の政策判断を尊重し「明白性の原則」を適用すべきであるとする見解も有力に主張されている。

* 1項・2項分離論〈司共〉

堀木訴訟控訴審判決（大阪高判昭50.11.10）は、救貧施策を意味する生活保護の場合には25条1項の問題として処理し、それ以外のいわゆる防貧施策を意味する社会保障施策の場合には25条2項の問題として処理し、2項の場合には1項の場合に比べてはるかに広い立法裁量に委ねられるとした。

←社会保障立法が現実に救貧施策として用いられている場合であっても立法者が立法趣旨を防貧施策と捉えていた場合には、訴訟の段階においては立法裁量が広汎に認められてしまうとして、1項・2項分離論を否定し、両者を一体的に捉える立場が通説である

3 制度後退禁止原則〈司共〉〈司R5〉

制度後退禁止原則とは、国が、憲法の趣旨を具体化するために法律レベルで制度を創設した場合、ひとたび制度を創設した以上、これを廃止し、又は内容の縮減・後退をさせる措置は、原則として憲法上許されないとするものであ

人権

る。たとえば、生存権を具体化する趣旨の法律（生活保護法等）が制定された
場合、その法律は憲法 25 条と一体をなし、その法律の定める保護基準を正当
な理由なくして引き下げることは、原則として違憲であるとする。もっとも、
制度後退禁止原則の採否を明示した判例はない（cf. 老齢加算廃止判決・最判
平 24.2.28・百選 135 事件参照）。

　制度後退禁止原則の論拠としては、25 条 2 項の社会保障等の施策について
「向上及び増進に努めなければならない」とする文言上の根拠、生存権の法的
性格について抽象的権利説（⇒ p.253）を採った場合における論理的帰結等が
挙げられる。もっとも、制度後退禁止原則に対しては、① 25 条 1 項が禁止し
ているのは「健康で文化的な最低限度の生活」の水準を下回ることであり、保
護基準の引下げによっても「健康で文化的な最低限度の生活」の水準を上回る
場合にまで、正当な理由を必要とする根拠を 25 条 1 項から導くことはできな
い、② 25 条を具体化する趣旨の法律についてのみ、過去の国会の判断が現在
及び将来の国会を拘束すると解することは困難である、といった批判が加えら
れている。

三　環境権
1　意義
　環境権とは一般に、良い環境を享受しこれを支配する権利とされている。
2　背景
　1960 年代から経済の高度成長が始まり、それに伴い、大気汚染、騒音など
の公害が著しく進んだ。そういった背景の下、環境を保全し、良好な環境の中
で国民が生活できるために環境権が提唱されてきた。
3　憲法上の根拠　⇒ p.91
　環境権には、良い環境を妨げられないという自由権的側面と個人の生存に不
可欠な良い環境を確保することを求めうるという社会権的側面とがあるとされ
る。
　自由権的側面については、13 条後段の幸福追求権に根拠を求めるのが一般
的である（個人の人格権の外延）。他方、社会権的側面については、環境権を
具体化し実現するには公権力による積極的な環境保全ないし改善のための施策
が必要であるとして、25 条も根拠となると解する考えが有力である。
(1)　内容
　権利の内容については、大気、水、日照などの自然的な環境に限定する考
えが多数説である。
　　∵　遺跡、寺院、又は公園、学校などの文化的・社会的環境まで含める
　　　　と、環境権の内容が広汎になりすぎ、権利性が弱められる
(2)　法的性格
　環境権は、所有権や人格権と並ぶ具体的権利であり裁判において損害賠償

や差止めを求める根拠になる権利といえるかについては争いがあるも、環境権の概念の不明確性を理由にこれを否定する立場が有力である。

▼　**最判平 18.3.30**

　　良好な景観の恵沢を享受する利益（「景観利益」）は、法律上保護に値するものと解するのが相当である。

　　ある行為が良好な景観の恵沢を享受する利益に対する違法な侵害に当たるといえるためには、少なくとも、その行為が、刑罰法規や行政法規の規制に違反するものであるなど、その態様や程度の面において社会的に容認された行為としての相当性を欠くことが求められる。

第26条　〔教育を受ける権利、教育を受けさせる義務〕

Ⅰ　すべて国民は、法律の定めるところにより、その能力に応じて、ひとしく教育を受ける権利を有する。

Ⅱ　すべて国民は、法律の定めるところにより、その保護する子女に普通教育を受けさせる義務を負ふ。義務教育は、これを無償とする。

［趣旨］本条は、教育を受ける権利、及びその権利保障の1つの具体化として無償の義務教育を規定する。このように、教育が権利として規定されたのは、教育が、個人が人格を形成し、社会において有意義な生活を送るために不可欠の前提をなすためである。また、教育は民主国家の存立と発展を担う健全な国民の育成という意味をも有する。

《**注　釈**》

一　教育を受ける権利の法的性格

　　教育を受ける権利も自由権としての性格を有していることは否定されないが、今日では、国家に対して合理的な教育制度の整備とそこでの適切な教育を要求する権利として位置付けられている。

　　→社会権としての性格を併有する

　　　＊　教育を受ける権利は、学校教育のみに限られるわけではなく、家庭教育及び勤労の場所その他社会において行われる社会教育も含まれる（教基12、13参照）。

1　自由権的側面

　　教育を受ける権利の自由権的側面たる教育の自由（⇒ p.264）は、一般に法的権利として認められている。

▼　**旭川学テ事件（最大判昭 51.5.21・百選 136 事件）**

　　子どもが「自由かつ独立の人格として成長することを妨げるような国家的介入、例えば、誤った知識や一方的な観念を子どもに植えつけるような内容の教育を施すことを強制する」ことは許されない、と判示した。

2　社会権的側面

　　教育を受ける権利の社会権的側面については、25条の場合と同様プログラム規定と捉える立場もあるが、法的権利と捉える立場が有力である。

　＊　具体的にどのような制度を定めるかは「法律の定めるところ」による。

　　　→具体的法律として、教育基本法、学校教育法が制定されている

二　教育を受ける権利の内容

1　学習権

　　今日では、教育を受ける権利を「一般に子どもが教育を受けて学習し、人間的に発達・成長していく権利」（子どもの学習権）を軸にして捉えられるようになってきている。

▼　**旭川学テ事件（最大判昭51.5.21・百選136事件）**〈共〉

　　26条の「規定の背後には、国民各自が、一個の人間として、また、一市民として、成長、発達し、自己の人格を完成、実現するために必要な学習をする固有の権利を有すること、特に、みずから学習することのできない子どもは、その学習要求を充足するための教育を自己に施すことを大人一般に対して要求する権利を有するとの観念が存在していると考えられる」とした。

2　教育の機会均等

(1)　「能力に応じて、ひとしく」（26Ⅰ）の意義

　　「能力に応じて、ひとしく」とは、一般に、各人の適性や能力の違いに応じて異なった内容の教育をすることが許されることを意味するもの、すなわち、一般的平等原則（14Ⅰ）が教育の領域にも及ぶことを確認するものと解されてきた。

　　しかし、今日、教育を受ける権利は「子どもの学習権」を軸にして捉えられるようになっている。そのため、今日では、「能力に応じて、ひとしく」とは、一般的平等原則の確認にとどまらず、子どもの心身の発達に応じた教育を保障することを意味すると解されるようになっている。

　　　→心身障害児のために一般の場合以上の条件整備を行うことなどを積極的に要請する意味を含んでいる（教基4ⅠⅡ参照）

▼　**筋ジストロフィー少年高校入試訴訟（神戸地判平4.3.13・百選138事件）**

　　障害を有する児童、生徒をすべて普通学校で教育すべきであるという立場に立つものではないとしつつも、「たとえ施設、設備の面で、原告にとって養護学校が望ましかったとしても、少なくとも、普通高等学校に入学できる学力を有し、かつ、普通高等学校において教育を受けることを望んでいる原告について、普通高等学校への入学の途が閉ざされることは許されるものではない。健常者で能力を有するものがその能力の発達を求めて高等普通教育を受けることが教育を受ける権利から導き出されるのと同様に、障害者がその能力の全面的発達

を追求することもまた教育の機会均等を定めている憲法その他の法令によって
認められる当然の権利である」と判示した。

(2)　経済的保障

　　義務教育の無償（26Ⅱ後段）は教育の機会均等の最小限度の保障である。
さらに、国は、経済的理由により就学困難な者に対して積極的に配慮し、教
育の機会均等が損なわれないようにしなければならない（教基4Ⅱ、学校教
育18参照）。

3　義務教育の無償（26Ⅱ後段）

　　子どもにとっての普通教育を受ける権利は、①親権者に対しては普通教育を
受けさせる義務を、②国家に対しては義務教育制度の整備義務を意味する。こ
の義務教育の実質的確保のため、26条2項後段は「義務教育は、これを無償
とする」と定める。

　　もっとも、ここにいう「無償」の範囲については争いがある。

＜義務教育の無償の範囲＞

	内容	理由
無償範囲法定説	国民の義務教育に要する費用を可能な限り無償とすべきことを国の責務として宣言したものであり、無償の範囲は、そのときの国の財政事情に応じ、別に法律で具体化される	①　26条は生存権的基本権の一種であり、25条と同様に解すべきである ②　国の積極的行為がなされるためには、権利主体・内容・手続が明確でなければならないが、本条は抽象的である ③　国の財政事情によっては、権利の具体的実現が不可能な場合もある
授業料無償説	義務教育に要する費用で無償とされる範囲は、授業料だけに限られる	①　義務教育無償規定が、戦前においてさえも国公立の義務教育学校の授業料は不徴収の建前をとってきた事情を背景としている ②　憲法が保護者に子女を就学させる義務を課しているのは、親の本来有している子女を教育すべき責務を全うさせる趣旨に出たものであるから、義務教育に要する一切の費用は、当然に国がこれを負担しなければならないものとはいえない
就学必需費無償説	無償の範囲は、義務教育の授業料にとどまらず、教科書代・教材費・学用品費その他義務教育就学に必要な一切の費用を含む	教育を受ける権利は国家に対する請求権であるから、国家はこの権利を実質化するために、積極的役割を果たさなければならない

▼ **教科書費国庫負担請求事件（最大判昭39.2.26・百選A11事件）**〈択〉

「無償とは授業料不徴収の意味と解するのが相当」であるとしたうえで、国は、その他の教育に関する費用をも負担するのが望ましいが、「それは、国の財政等の事情を考慮して立法政策の問題として解決すべき事柄」であるとして、26条2項後段には反しない、と判示した。

三 教育の自由と教育権

1 教育の自由

（1）根拠

教育の自由は、憲法の明文規定はないが、憲法上保障された自由であると一般に解されている。もっとも、その根拠については、13条説、23条説、26条説の争いがある。 ⇒ p.243

（2）内容

（a）親権者の教育の自由

親権者の教育の自由は、子どもの学習権に対応するものであるから、親権者の責務という色彩を帯びる。よって、本質的には公権力による干渉からの自由といえる。

もっとも、親権者の教育の自由は、子どもに普通教育を受けさせる義務（26Ⅱ）によって制限されると解されており、子女に普通教育を受けさせない親権者に対し、法律により制裁を加えることも許される〈司〉。

▼ **旭川学テ事件（最大判昭51.5.21・百選136事件）**〈司共〉

「親は、子どもに対する自然的関係により、子どもの将来に対して最も深い関心をもち、かつ、配慮をすべき立場にある者として、子どもの教育に対する一定の支配権、すなわち子女の教育の自由を有すると認められるが、このような親の教育の自由は、主として家庭教育等学校外における教育や学校選択の自由にあらわれる」。

（b）教師の教育の自由

公教育制度の下では、教師は、親権者から親権者の教育の自由を委託される関係に立つ。そこで、教師の教育の自由が問題とされる。

もっとも、教師の教育の自由は、一般の自由権と異なり、責務としての色彩が濃いと考える見解が有力である。

∵① 教師の教育の自由も、親権者の教育の自由と同様、子どもの学習権に仕える限りでの自由といえる

② 教師は子ども・親権者に対する関係では、権力を行使する立場にある

2　教育権の所在

　　子どもに教育を施す主体、子どもに対する教育の内容を決定するのは誰か。
　公権力は教師の教育の自由にどこまで干渉できるかが問題となる。

＜教育権の所在＞

	内容	理由
国家教育権説	教育権の主体は国家であり、国家は公教育を実施する教師の教育の自由に制約を加えることが原則として許される	議会制民主主義の原理からは、国民の総意は国会を通じて法律に反映されるから、国は法律に準拠して公教育を運営する責務と権能を有する
国民教育権説	教育権の主体は、親及びその付託を受けた教師を中心とする国民全体であり、国は教育の条件整備の任務を負うにとどまるので、公教育の内容及び方法については原則として介入できない	教育の実施に当たる教師は、国民全体に対して教育的・文化的責任を負う形で教育内容・方法を決定・遂行すべきであり、それは23条の学問の自由により支えられている
折衷説〈判〉	教育の本質からして教師に一定の自由が認められると同時に、国の側も一定の範囲で教育内容について決定する権能を有する →教師の教育の自由と国家の介入権が衝突する場合、どちらが正当かを判断するには、さらに個別的・実質的検討が必要	国家教育権説・国民教育権説いずれも極端である

▼　旭川学テ事件（最大判昭51.5.21・百選136事件）〈司共〉

　事案：　全国中学一斉学力調査の違憲性が争われた。

　判旨：　「子どもの教育の内容を決定する権能が誰に帰属するとされているかについては、二つの極端に対立する見解があ」る。「すなわち、一の見解は、子どもの教育は、親を含む国民全体の共通関心事であり、公教育制度は、このような国民の期待と要求に応じて形成、実施されるものであって、そこにおいて支配し、実現されるべきものは国民全体の教育意思であるが、この国民全体の教育意思は、憲法の採用する議会制民主主義の下においては、国民全体の意思の決定の唯一のルートである国会の法律制定を通じて具体化されるべきものであるから、法律は、当然に、公教育における教育の内容及び方法についても包括的にこれを定めることができ、また、教育行政機関も、法律の授権に基づく限り、広くこれらの事項について決定権限を有する、と主張する」。

　　これに対し、「他の見解は、子どもの教育は、憲法26条の保障する子どもの教育を受ける権利に対する責務として行われるべきもので、このような責務をになう者は、親を中心とする国民全体であり、公教育とし

ての子どもの教育は、いわば親の教育義務の共同化ともいうべき性格を
もつのであって、……子どもの教育の内容及び方法については、国は原則
として介入権能をもたず、教育は、その実施にあたる教師が、その教育
専門家としての立場から、国民全体に対して教育的、文化的責任を負う
ような形で、その内容及び方法を決定、遂行すべきものであり、このこ
とはまた、憲法23条における学問の自由の保障が、学問研究の自由ばか
りでなく、教授の自由をも含み、教授の自由は、教育の本質上、高等教
育のみならず、普通教育におけるそれにも及ぶと解すべきことによって
も裏付けられる、と主張する」。

　しかし、「右の二つの見解はいずれも極端かつ一方的であり、そのいず
れをも全面的に採用することはできない」。

　「子どもの教育は、教育を施す者の支配的権能ではなく、何よりもま
ず、子どもの学習をする権利に対応し、その充足をはかりうる立場にあ
る者の責務に属するものとしてとらえられている」。しかしながら、「子
どもの教育が、専ら子どもの利益のために、教育を与える者の責務とし
て行われるべきものであるということからは、このような教育の内容及
び方法を、誰がいかにして決定すべく、また、決定することができるか
という問題に対する一定の結論は、当然には導き出されない」。

　確かに、「普通教育の場においても、例えば教師が公権力によって特定
の意見のみを教授することを強制されないという意味において、また、
子どもの教育が教師と子どもとの間の直接の人格的接触を通じ、その個
性に応じて行われなければならないという本質的要請に照らし、教授の
具体的内容及び方法につきある程度自由な裁量が認められなければなら
ないという意味においては、一定の範囲における教授の自由が保障され
るべきことを肯定できないではない。しかし、大学教育の場合には、学
生が一応教授内容を批判する能力を備えていると考えられるのに対し」、
普通教育においては、児童生徒に教育内容を批判する「能力がなく、教
師が児童生徒に対して強い影響力、支配力を有することを考え、また
……子どもの側に学校や教師を選択する余地が乏しく、教育の機会均等
をはかる上からも全国的に一定の水準を確保すべき強い要請があること
等に思いをいたすときは、普通教育における教師に完全な教授の自由を
認めることは、とうてい許されない」。

　国も「憲法上は、あるいは子ども自身の利益の擁護のため、あるいは
子どもの成長に対する社会公共の利益と関心にこたえるため、必要かつ
相当と認められる範囲において、教育内容についてもこれを決定する権
能を有する」。

　「教育に……政治的影響が深く入り込む危険があることを考えるとき
は、教育内容に対する……国家的介入についてはできるだけ抑制的であ
ることが要請されるし、……子どもが自由かつ独立の人格として成長する

ことを妨げるような国家的介入、例えば、誤った知識や一方的な観念を子どもに植えつけるような内容の教育を施すことを強制するようなことは、憲法26条、13条の規定上からも許されない」。

3 教科書訴訟

教科書の出版には、文部省の実施する検定に合格することが必要となる（学校教育34、49、70等参照）。かかる教科書検定は、教育権の所在との関係で、26条に反しないかが問題とされる。

＊ 教科書訴訟は、26条との関係のほかにも、21条、23条との関係も問題となる。 ⇒p.167、242

＜教科書訴訟＞〈国〉

判例		内容
第一次教科書訴訟	高津判決（東京地判昭49.7.16）	国家教育権説の立場から、国の教育内容への関与を大幅に認め、教科書検定制度を合憲とした
	上告審判決（最判平5.3.16・百選88事件）	教科書検定は、普通教育においては教育内容が正確かつ中立・公正であり、全国的に一定の水準を維持し、児童・生徒の心身の発達段階に応じたものでなければならないという要請にこたえるものであるうえに、右検定を経た教科書を使用することが、教師に憲法上認められた教育上の裁量の余地を奪うものではないから、26条に反しない →基本的に旭川学テ事件大法廷判決の立場に立って、教科書検定を全面的に合憲とした
第二次教科書訴訟	杉本判決（東京地判昭45.7.17・百選87事件）	国民教育権説の立場から、国の教育内容への関与を基本的に否定し、そして、「大綱的基準」を超えた検定は違憲・違法となるとした

※1 第一次教科書訴訟の上告審判決は文部大臣の判断が裁量権の範囲を逸脱した場合には、国家賠償法上違法となるとしつつも、本件においては「看過し難い過誤」があったとは認められず、「文部大臣の本件各検定処分に……裁量権の逸脱の違法があったとはいえ」ないとする。
※2 1980年代の検定処分を争って提訴された国家賠償請求訴訟（第三次教科書訴訟）の上告審判決（最判平9.8.29）では、4か所の検定処分が裁量逸脱として違法とされた。

▼ **平成元年改正教科書検定制度の合憲性（最判平17.12.1・平17重判7事件）**

事案： 高等学校公民科現代社会の教科書用図書の検定申請をしたところ、執筆部分について検定意見通知を受けた共同執筆者の一人である原告が、教科書検定制度の違憲・違法を主張して損害賠償（国賠1Ⅰ）を請求した。

判旨：　①教育の自由（憲26、13、23）違反について、平成5年最判、平成9年最判を基本的に踏襲して、新たな判断を加えることなく、教育の自由違反はないとした。②憲法21条、23条、31条について、これらの規定に違反するものでないことは先例の趣旨に徴して明らかであるとした。③裁量権の逸脱について、いずれも看過し難い過誤があったとは認められず、裁量権の範囲の逸脱はないとした。

4　学習指導要領

（1）　意義

　　学習指導要領とは、学校教育法施行規則に基づいて定められた、教育課程全般にわたる配慮事項や総合学習時間の取扱いなどの総則と、各教科、道徳及び特別活動の目標、内容及び内容の取扱いを定める告示である。

（2）　法的性質

　　学習指導要領は、前述のとおり告示にすぎず、法的拘束力の有無について争いがあったが、判例は法的拘束力を認める傾向にある。

▼ 旭川学テ事件（最大判昭51.5.21・百選136事件）

判旨：　学習指導要領が全体としては「大綱的基準」といえるので、教育基本法の禁止する「不当な介入」に当たらないとした。

▼ 伝習館高校事件（最判平2.1.18・百選137事件）〔司共〕

事案：　Y（教育委員会）が、教科書を使わず授業を行うなどした教諭Xを懲戒免職したことに対し、教師は憲法23条に基づき独自の教育の自由を有することなどから、学習指導要領は法的性質を有せず、それに基づく処分が違法であると争った。

判旨：　「高等学校の教育は、高等普通教育及び専門教育を施すことを目的とするものではあるが、中学校の教育の基礎の上に立って、所定の修業年限の間にその目的を達成しなければならず……、また、高等学校においても、教師が依然生徒に対し相当な影響力、支配力を有しており、生徒の側には、いまだ教師の教育内容を批判する十分な能力は備わっておらず、教師を選択する余地も大きくない」。「これらの点からして、国が、教育の一定水準を維持しつつ、高等学校教育の目的達成に資するために、高等学校教育の内容及び方法について遵守すべき基準を定立する必要があり、特に法規によってそのような基準が定立されている事柄については、教育の具体的内容及び方法につき高等学校の教師に認められるべき裁量にもおのずから制約が存する」。

評釈：　同日付けの別事件である伝習館高校事件判決（最判平2.1.18）は、「高等学校学習指導要領……は法規としての性質を有する」と判示している。

四　教育を受けさせる義務

1　就学義務

(1)　意義

26条2項前段の教育を受けさせる義務は、1項の教育を受ける権利を実質化するため定められたものである。

→教育を受けさせる義務は、親権者（子女を使用する者も含む）が負うのであって、子どもに義務があるわけではない〈司〉。また、保護者がこの義務に違反した場合、制裁が科される〈共〉

＊　教育を受けさせる義務は、「普通教育」を受けさせる義務であり、学校教育を受けさせる義務に限られる〈司〉。

(2)　「法律の定めるところにより」（26Ⅱ前段）

教育を受けさせる義務の内容は、「法律の定めるところ」による。これを受けて教育基本法・学校教育法が制定されている。

＊　教育基本法

平成18年改正教育基本法は、これまでの教育基本法の理念（「人格の完成」「個人の尊厳」など）を維持しつつ、道徳心、自律心、公共の精神など、新しい時代の教育の基本理念を明示している（前文、1章）。とりわけ、愛国心条項（2⑤）は、憲法19条との関係で議論の余地があるとされる。

2　就学義務の猶予・免除

児童の保護者は、児童が「病弱、発育不完全その他やむを得ない事由のため、就学困難と認められる」場合には、市町村の教育委員会によって就学義務の猶予ないし免除を受けることができる（学校教育18）。

→「その他やむを得ない事由」には、児童の失踪、少年院への収容等が含まれる

第27条　〔勤労の権利・義務、勤労条件の基準、児童酷使の禁止〕

Ⅰ　すべて国民は、勤労の権利を有し、義務を負ふ。

Ⅱ　賃金、就業時間、休息その他の勤労条件に関する基準は、法律でこれを定める。

Ⅲ　児童は、これを酷使してはならない。

[趣旨] 憲法は、25条で生存権を保障し、国民の生存のための国の積極的な配慮を義務付けている。しかし、各自の生存は第一次的には各自が働くことによって確保されるのが原則である。そこで、本条は単なる「労働の自由」としてではなく、適切な労働条件における労働の機会を国民に保障することによって、生存権の具体化を実現しようとするものである。

《注　釈》

一　勤労の権利及び義務（27 Ⅰ）

1　勤労の権利

(1)　権利の性質

勤労の権利は、国民は①一般に勤労の自由を侵害されないという自由権的側面と②勤労者が国に対して生活配慮の諸施策を要求するという社会権的側面を有する。もっとも、自由権的側面は22条1項の職業選択・営業の自由の保障と重なることから、本条の積極的意義は、後者の社会権的側面の方にあるといわれている。

＊　社会権的側面の法的性格については、生存権の場合と同様に争いがある〈同〉。

(2)　国の施策

勤労の権利を実質化するための国の施策として、職業安定法、雇用保険法、男女雇用機会均等法などの多数の法律が制定されている。

2　勤労の義務〈同〉

(1)　義務の内容〈共〉

働く能力ある者は自らの勤労により生活を維持すべきことを義務として課している。

→国家が国民に対し勤労を強制することの法的根拠にはならない〈同〉

(2)　義務の法的性格〈同〉

単なる精神的・道徳的な指示にとどまるだけではなく、働く能力があり、その機会もあるのに働かない者は、生存権の保障が及ばないなどの不利益な扱いを受けても仕方がないという意味が含まれると解する立場が有力である。

ex. 生活保護法4条1項は、勤労の義務を尽くしたことを給付の条件とする

二　勤労条件の基準（Ⅱ）

27条2項は、「賃金、就業時間、休息その他の勤労条件に関する基準」を法律で定めることを要求している。これは、国が経済的弱者たる労働者の保護のために立法により、労使間の契約に介入し、労働条件の基準を決めることによって契約自由の原則を修正することを意味する。

→本条項を具体化するものとして、労働基準法が制定されている

三　児童酷使の禁止（Ⅲ）〈共〉

27条3項は、「児童は、これを酷使してはならない」と定めている。児童の酷使は、特に害悪が大きく、その意味で労働保護がまず児童の保護からなされたという沿革的意味から、特に本項が設けられたといわれている。

> **第28条　〔労働基本権〕**
>
> 　勤労者の団結する権利及び団体交渉その他の団体行動をする権利は、これを保障する。

⇒労組§2・5～12の6（労働組合）、国公§108の2～108の7・地公§52～56（公務員の職員団体）、国公§108の2Ⅴ・地公§52Ⅴ（団体結成の禁止）、労組§1・6・7②（不当労働行為の禁止）、労組§14～18（労働協約）、国公§108の5・地公§55（交渉）、国公§98ⅡⅢ・地公§37（争議行為の制限・禁止）

[趣旨] 本条の趣旨は、使用者に対して経済的弱者の地位にある労働者に対して、団結して交渉する権利を付与することによって労使間の実質的不平等を除去し、もって使用者と実質的に対等の立場に立つことを確保せしめる点にある。

《注　釈》

一　総説

1　労働基本権の意義

　　労働基本権は、団結権、団体交渉権、団体行動権（争議権）の3つからなる（労働三権ともいわれる）。

　　この三権は有機的につながりをもち、労働者の生活を守るために個々にそれぞれ独自の機能・意義を有している。

2　労働基本権の複合的性格 〈司〉

　　労働基本権は、国民一般の権利ではなく、勤労者という社会の一定層にある者だけに保障される権利であり、労働基本権の保障には、大きく分けて3つの側面がある。

(1)　国家権力からの自由という側面（国家の刑罰権からの自由）〈司〉

　　　労働者には争議行為の自由、労働放棄の自由が認められ、国家は争議行為・労働放棄に対して刑罰を科しえない（労組1Ⅱ参照）。

(2)　民事上の権利という側面 〈司共〉

　　　正当な争議行為は民事責任が免除され、解雇や損害賠償等の理由とすることはできない。

　　　→私人間に直接適用される

　　　→労働組合法8条が正当な争議行為の民事免責を定めるのは、憲法の確認規定である

　　＊　使用者の経済的自由権との調整が必要となるから、(1)の場合よりは広い制約が認められる。

(3)　国家（国、地方の労働委員会）による行政的救済を受ける権利という側面（社会権的側面）〈予〉

　　　この側面を実現するため、不当労働行為に対する救済命令制度（労組7、

27 の 12）がある。

3　労働基本権享有の主体

「勤労者」とは、労働力を提供して対価を得て生活する者をいう。

→公務員は「勤労者」に当たるが◀同、小作人・漁民・小商工業者等、自己の計算において業を営む者は「勤労者」に当たらない

cf.　現に職をもたないからといって「勤労者」に当たらないわけではない

4　労働基本権の制限

労働基本権は、労働者の生きる権利として保障されるから、二重の基準の理論との関係では、精神的自由と経済的自由との中間に位置すると考えられている。

→規制立法について立法府の裁量を過度に重視すべきでなく、ある程度厳格に審査することを要する

5　公務員の労働基本権〈同〉

(1)　公務員も「勤労者」に当たる以上、労働基本権が保障される。しかし、公務員の職務の公共性（職務の停滞により国民生活に重大な支障をもたらさないようにすること）の観点から一定の制約を受けざるを得ない。

ただ、その制約根拠を何に求めるかについては説が分かれている。

cf.　現行法上の公務員に対する労働基本権の制限

①　警察職員、消防職員、自衛隊員、海上保安庁又は刑事施設に勤務する職員に対する労働三権のすべての否定〈同〉

②　非現業の国家公務員・地方公務員に対する団体交渉権の制限及び争議権の否定（ただし、現業の国家公務員・地方公務員については、争議権を禁止しているが、団体交渉権は認めている）

③　国営企業の国家公務員（国有林野事業等）・地方公営企業の地方公務員に対する争議権の否定

＜公務員の労働基本権に対する制約の根拠と限界＞

	制約の根拠	制約の限界
A説	15条2項の「全体の奉仕者」に求める	左の根拠に関する争いにかかわらず、学説上は、個々の公務員の職務上の地位や職務の内容に即した必要最小限度の制約にとどめられるべきであるという点で一致している
B説	公務員の職務の性質に求める	
C説	憲法が公務員関係という特別の法律関係の存在とその自律性を憲法秩序の構成要素として認めていること（15、73④等）に求める	

(2)　判例の流れ〈同〉

かつての判例は、13条後段の「公共の福祉」と15条2項の「全体の奉仕

者」を根拠に、公務員の労働基本権の一律禁止を合憲としていたが、全逓東京中郵事件判決（最大判昭 41.10.26・百選 139 事件）において公務員の労働基本権が原則的に承認された。しかし、全農林警職法事件判決（最大判昭 48.4.25・百選 141 事件）によって、実質的にはかつての判例と異ならなくなるに至っている。

(a) 初期の判例

「公共の福祉」や「全体の奉仕者」という抽象的な原則を根拠に公務員の争議権の禁止を合憲とした。

(b) 労働基本権保障を重視する流れ

▼ **全逓東京中郵事件（最大判昭 41.10.26・百選 139 事件）** 〈予R4〉

事案： 春闘に際し、被告人は、郵便局職員を勤務時間に食い込む職場集会に参加するよう説得し、現に従業員を職場から離脱させた行為が、郵便物不取扱いの罪の教唆罪に問われた。

判旨： 労働基本権は、すべての勤労者に保障されるが、「何らの制約も許されない絶対的なものではな」く、「国民生活全体の利益の保障という見地からの制約を当然の内在制約として内包している」。この点、労働基本権の制限については、①「労働基本権が勤労者の生存権に直結し、それを保障するための重要な手段である点を考慮すれば、その制限は、合理性の認められる必要最小限度のもの」にとどめなければならず、②「職務または業務の停廃が国民生活全体の利益を害し、国民生活に重大な障害をもたらすおそれのあるものについて、これを避けるために必要やむを得ない場合について考慮されるべき」である。また、③違反者に対して課せられる不利益については、必要な限度を超えてはならず、「とくに、勤労者の争議行為等に対して刑事制裁を科することは、必要やむを得ない場合に限られるべきであり、同盟罷業、怠業のような単純な不作為を刑罰の対象とするについては、特別に慎重でなければならない」。そして、④「職務または業務の性質上からして、労働基本権を制限することがやむを得ない場合には、これに見合う代償措置が購ぜられなければならない。以上のことは、「すでに制定されている法律を解釈適用する」際にも、十分に考慮されなければならないとして、五現業・三公社の職員の争議行為の全面的禁止を合憲とした。また、同禁止に違反して行われた争議行為も正当な争議行為として刑事免責の適用を受けることを認め、被告人の争議行為が「正当なものであるかいなかを具体的事実関係に照らして認定判断し」、「罪責の有無を判断しなければならない」として、破棄差戻しの判決をした。

人権

▼ **都教組事件（最大判昭44.4.2・百選140事件）**〈司〉

事案： 都教組が、加盟組合員に有給休暇を一斉に請求し勤務時間中に行われる集会に参加することを指令したことが地方公務員法37条1項・61条4号違反であるとして起訴された。

判旨： 地方公務員法37条1項、61条4号を文字通り解釈し一切の争議を禁止するものとすれば、必要やむを得ない限度の制約を超えるものとして「違憲の疑を免れない」。しかし、「法律の規定は、可能な限り、憲法の精神にそくし、これと調和しうるよう、合理的に解釈されるべきもの」である。そのように考えた場合、違法性の弱い争議行為については地方公務員法にいう「争議行為に該当しないと判断すべき」である。また、刑罰が科されるあおり行為についても、「争議行為に通常随伴して行われる行為のごときは、処罰の対象とされるべきものではない」。

(c) 労働基本権制限を緩やかに認める流れ〈司〉

▼ **全農林警職法事件（最大判昭48.4.25・百選141事件）**〈司共予〉〈予R4〉

事案： 全農林労組が時間内職場大会を開いたところ、正午出勤を指令し、職場大会への参加を慫慂した労組幹部が、国家公務員法98条5項［改正前］が禁じている争議行為をあおる行為に対し刑事罰を規定した同法110条1項17号によって起訴された。

判旨： 憲法28条は、いわゆる労働基本権を保障しているところ、この保障は、「憲法25条のいわゆる生存権の保障を基本理念とし、憲法27条の勤労の権利および勤労条件に関する基準の法定の保障と相まって勤労者の経済的地位の向上を目的とするものである。このような労働基本権の根本精神に即して考えると、公務員は……勤労者として自己の労務を提供することにより生活の資を得ているものである点において一般の勤労者と異なることはないから、憲法28条の労働基本権の保障は公務員に対しても及ぶ」。もっとも、労働基本権は、「勤労者の経済的地位の向上のための手段として認められたものであって、それ自体が目的とされる絶対的なものではないから、おのずから勤労者を含めた国民全体の共同利益の見地からする制約を免れないものであり、このことは、憲法13条の規定の趣旨に徴しても疑いのないところである（この場合、憲法13条にいう「公共の福祉」とは、勤労者たる地位にあるすべての者を包摂した国民全体の共同の利益を指すものということができよう。）。」

「公務員は、公共の利益のために勤務するものであり、公務の円滑な運営のためには、その担当する職務内容の別なく、それぞれの職場においてその職責を果すことが必要不可欠であって、公務員が争議行為に及ぶことは、その地位の特殊性および職務の公共性と相容れないばかりでなく、多かれ少なかれ公務の停廃をもたらし、その停廃は勤労者を含めた国民全体の共同利益に重大な影響を及ぼすか、またはその虞がある」。よ

って、公務員の「労働基本権に対し必要やむをえない限度の制限を加えることは、十分合理的な理由がある」。

①「公務員の場合は、その給与の財源は国の財政とも関連して主として税収によって賄われ、私企業における労働者の利潤の分配要求のごときものとは全く異なり、その勤務条件はすべて政治的、財政的、社会的その他諸般の合理的な配慮により適当に決定されなければならず、しかもその決定は民主国家のルールに従い、立法府において論議のうえなされるべきもので、同盟罷業等争議行為の圧力による強制を容認する余地は全く存しないのである。」「公務員による争議行為が行なわれるならば、……民主的に行なわれるべき公務員の勤務条件決定の手続過程を歪曲することともなって、憲法の基本原則である議会制民主主義……に背馳し、国会の議決権を侵す虞れすらなしとしないのである。」

②「私企業においては、極めて公益性の強い特殊のものを除き、一般に使用者にはいわゆる作業所閉鎖（ロックアウト）をもって争議行為に対抗する手段があるばかりでなく、労働者の過大な要求を容れることは、企業の経営を悪化させ、企業そのものの存立を危殆ならしめ、ひいては労働者自身の失業を招くという重大な結果をもたらすこととともなるのであるから、労働者の要求はおのずからその面よりの制約を免れない」。また、「一般の私企業においては、その提供する製品または役務に対する需給につき、市場からの圧力を受けざるをえない関係上、争議行為に対しても、いわゆる市場の抑制力が働くことを必然とするのに反し、公務員の場合には、そのような市場の機能が作用する余地がないため、公務員の争議行為は場合によっては一方的に強力な圧力となり、この面からも公務員の勤務条件決定の手続をゆがめることとなるのである。」

③「法は、これらの制約に見合う代償措置として身分、任免、服務、給与その他に関する勤務条件についての周到詳密な規定を設け、さらに中央人事行政機関として準司法機関的性格をもつ人事院を設けている」。よって、「国公法98条5項がかかる公務員の争議行為およびそのあおり行為等を禁止するのは、勤労者をも含めた国民全体の共同利益の見地からするやむをえない制約というべきであって、憲法28条に違反するものではないといわなければならない」。

→全逓東京中郵事件判決を踏襲した全司法仙台事件判決（最大判昭44.4.2）が変更された〈同〉

＊　上記判旨に関して、最判平12.3.17・平12重判7事件は、人事院勧告の実施が凍結されても、国家公務員の労働基本権の制約に対する代償措置がその本来の機能を果たしていなかったとはいえないとした〈同予〉。

▼ **岩教組学テ事件（最大判昭51.5.21・百選143事件）** 予

　　全農林警職法事件判決における法理は、非現業地方公務員の労働基本権の制限についても妥当し、非現業地方公務員も地方公共団体の住民全体の奉仕者として、実質的には住民全体に対して労務提供義務を負うという特殊な地位を有するとした上で、その労務の内容は公共的性質を有すること、非現業地方公務員の勤務条件も法律及び条例によって定められること、人事委員会又は公平委員会の制度も設けられていること等を理由に、非現業地方公務員の争議行為の全面的禁止を合憲とし、都教組事件判決を覆した。

▼ **全逓名古屋中郵事件（最大判昭52.5.4・百選142事件）** 予 予R4

　　全農林警職法事件判決における法理は、五現業・三公社の職員の労働基本権の制限についても妥当し、勤務条件の決定に関して非現業の国家公務員と基本的に同一であること、市場の抑制力がないこと、職務内容が公共的性質を有すること、代償措置も設けられていること等を理由に、五現業・三公社の職員の争議行為の全面的禁止を合憲とし、旧公労法17条1項違反の争議行為であっても労組法1条2項の刑事免責規定の適用があるとした全逓東京中郵事件判決を覆した。

二　団結権

1　団結権の意義

　　団結権とは、労働条件の維持・改善のために使用者と対等の交渉ができる団体（主として労働組合）を結成したり、それに参加したりする権利をいう。

2　団結権保障の意味

(1)　団結すること一般は、結社の自由（21 I）によって保障されているが、本条の団結権の保障は、とりわけ労働者の積極的権利として、労働組合として団結することの保障である。

(2)　団結権には団体自体の自由の保障も当然に含まれ、公権力や使用者が労働組合内部の問題に不当に介入することは禁止されている（労組7③）。

3　労働組合の団結権と労働者個人の権利の調整

(1)　団結権は、労働者の結成する団体について、使用者に対抗するうえでの立場を強化することを目的として保障されるものであるから、その目的を達成するための加入強制や内部統制などの組織強制は、一定程度で認められる。

(2)　もっとも、組織強制は労働者個人の権利と抵触する場合があるため、両者の調整が必要となる。

(a)　労働組合への加入強制と労働者個人の権利

　　労働組合への加入強制は、結社をしない自由（結社の自由の一内容）を制限することになるが、団結権が結社の自由と別に規定されたのは、団結権には労働者が組合に参加しない自由を制限できるところに特色があるか

らだとして、合憲とするのが学説上多数である。

　　　→労働者が組合から脱退した場合には、使用者はその労働者を解雇しな
　　　　ければならないとする労使間の協定（ユニオン・ショップ協定）《共》
　　　　も認められる

▼　**三井倉庫港運事件（最判平元.12.14）**《司共》

　　　ユニオン・ショップ協定のうち、締結組合以外の他の組合に加入している者や、
　　締結組合から脱退・除名されたが他の組合に加入し又は新たな組合を結成した者に
　　ついて、使用者の解雇義務を定める部分は、**労働者の組合選択の自由や他の組合
　　の団結権を侵害するものであり、民法90条の規定により無効と解すべきである。**

　(b)　労働組合の統制権と組合員の権利
　　　労働組合の統制権は、労働組合の団結権を確保するために必要であるか
　　ら、組合固有の権利として認められる。しかし、組合の活動は、政治活動
　　や社会活動をも必要な限度で含むため、個々の組合員の権利との調整が問
　　題となる。

▼　**三井美唄労組事件（最大判昭43.12.4・百選144事件）**《司共予》

　　事案：　北海道美唄市の市議会議員選挙において、労働組合の統一候補の決定
　　　　　　に反対して独自に立候補した組合員が統制処分（1年間の組合員として
　　　　　　の権利停止等）を受けたが、その統制処分が公職選挙法225条3号の選
　　　　　　挙妨害罪違反に問われた。
　　判旨：　労働組合が組合員に対し、勧告又は説得の域を超え、立候補を取りやめ
　　　　　　ることを要求し、これに従わないことを理由に当該組合員を統制違反者と
　　　　　　して処分するのは、その統制権の限界を超えるものであって違法である。
　　＊　　また、国労広島地本事件（最判昭50.11.28・百選145事件）では、組合
　　　の統制権は、組合員個人の基本的利益との調和の観点から限定され、組合の
　　　政治活動への協力を強制することは許されず、その費用についても同様に解
　　　すべきであるとされた。　⇒p.59

三　**団体交渉権**
　1　団体交渉権の意義
　　　団体交渉権とは、労働者の団体がその代表を通じて、労働条件について使用
　　者と交渉する権利をいう。
　　　→交渉により労使間で合意に達した事項について労働協約を締結することが
　　　　でき、規範的効力をもつ
　　　　cf.　労働協約に反する労働契約は無効となる（労組16）
　2　団体交渉権保障の意味
　　　労働者の団体として交渉することにより、使用者と対等の立場で交渉するこ
　　とが可能となり、労働条件の自主的決定が確保されることになる。

人
権

3　団体交渉権の社会権的側面

　　労働組合法は、労働委員会の救済手続を設けており（同法27）、同委員会
は、正当な理由なく団体交渉を拒否した使用者に対し、団体交渉に応じるよう
命令を発することができる（労働組合に対して団体交渉に応じるよう命令を発
することができる旨は規定されていない）。

四　団体行動権（争議権）

1　団体行動権の意義

　　団体行動権とは、労働者の団体が労働条件の実現を図るために団体行動を行
う権利をいう。その中心は争議行為である。

2　団体行動権保障の意味

　　団体行動権も団体交渉権と同様、労使間の実質的対等性を確保するために保
障されたものである。

3　争議行為の正当性

　　正当な争議行為は、憲法・労働組合法で保障された権利の行使であるから、
刑事責任を課されず、民事上の債務不履行・不法行為責任を免除される〈司〉。

　　争議権は私人間においても直接適用される権利であり、契約自由の原則が制
限される。

　　→使用者と労働者の間の契約により、正当な争議行為に対する民事免責を排
　　　除することはできない〈予〉

　　この点、正当な争議行為の範囲が問題となるが、一般に、その目的、手段・
態様等に着目して判断する必要があるとされる。

　⑴　目的の正当性

　　　目的に関しては、いわゆる政治スト（特定政府の退陣とか特定の法律の制
　　定・改廃等の政治的要求ないし抗議を掲げて行うストライキ）の合法性が最
　　も問題となる。

　　　この点、政治スト一般の合法・違法を論じる説もあるが、①純粋な政治ス
　　トと②労働者の経済的地位の向上に密接にかかわる経済的政治ストとを区別
　　したうえで、後者は合法であるとする説が有力である。

▼　**全農林警職法事件（最大判昭48.4.25・百選141事件）**

　　　使用者に対する経済的地位の向上と直接関係があるとはいえない政治的目的
　のために**争議行為**を行うことは、私企業の労働者であると公務員であるとを問
　わず、本条の保障を受けない。

　⑵　手段ないし態様の正当性

　　⒜　生産管理〈司〉

　　　　生産管理とは、勤労者が、自らが稼働する工場の施設を占拠し、使用者
　　　の指揮、命令を排除して、自ら生産活動等の業務を遂行することをいう。

▼　山田鋼業事件（最大判昭25.11.15・百選A12事件）

「わが国現行の法律秩序は私有財産制度を基幹として成り立っており……、企業者側の私有財産の基幹を揺がすような争議手段は許されない」。「同盟罷業」（ストライキ）は「財産権の侵害を生ずるけれども、それは労働力の給付が債務不履行となるに過ぎない」のに対し、「生産管理」は「企業経営の権能を権利者の意思を排除して非権利者が行う」ものであるから、同盟罷業と異なり違法性は阻却されないとし、「生産管理」は正当な争議行為とはいえない旨判示している。

　　(b)　暴力の行使
　　　　→いかなる場合でも正当な行為ではない（労組1Ⅱただし書）

《その他》

・労働組合の内部統制については、部分社会の法理も問題となりうる。
　　→労働組合は、団結権を確保するために自律権を有しており、組合員に対して統
　　　制権を行使できるが、労働組合の組合員の除名処分に対しては司法審査が及ぶ
・争議行為を行った労働者は、争議期間中に労務の提供を停止した以上、この期間
　中の賃金請求権を有しないのが原則である（ノーワーク・ノーペイの原則）。
　　→その争議行為が、正当であると違法であるとを問わない司

第29条　〔財産権〕

Ⅰ　財産権は、これを侵してはならない。
Ⅱ　財産権の内容は、公共の福祉に適合するやうに、法律でこれを定める。
Ⅲ　私有財産は、正当な補償の下に、これを公共のために用ひることができる。

⇒民§206（所有権の内容）、明憲§27（所有権の不可侵）

［沿革］18世紀末の近代憲法においては、財産権は個人の不可侵の人権と理解されていた。憲法29条1項及び3項は、近代立憲主義の財産権観をそのまま再現したものとされる。しかし、社会福祉国家思想の進展に伴って、財産権は社会的な拘束を負ったものと考えられるようになった。同条2項は、社会福祉国家思想を示したものとされる。第二次世界大戦後の憲法のほとんどすべては、この思想に基づいて財産権を保障している。

《注　釈》

一　財産権保障の意味

　1　29条1項・2項の構造
　　　29条1項と同条2項を整合的に理解すれば、同条1項は、法律で定める財産権の不可侵を規定したものということになる。しかし、このような解釈では、違憲の問題が生じないことになり、憲法が財産権を保障した意義が著しく減殺されてしまう。

∴　財産権についていかなる法律上の規律を定めても、それがそのまま財産権の内容となる以上、財産権の「制約」がそもそも観念されないことになる

　そこで、判例・通説は、立法府が財産権の内容を形成するに当たり、29条1項・2項が一定の限界を設定しているものと解している。すなわち、29条1項は制度的保障としての「私有財産制」を保障しており、「私有財産制」を変更して社会主義体制へと移行するには憲法改正によらなければならないという限界があるとする。また、29条1項は「私有財産制」のみならず個人の現に有する具体的な財産権をも保障しており（現存保障）、法律によって不利益に財産権を変更することは財産権の「制約」に当たり、その限界が29条2項の「公共の福祉」であるとする。

　森林法共有林事件判決（最大判昭62.4.22・百選96事件）も、次のとおり判示して、おおむね上記の立場を説示したものと考えられている。

▼　**森林法共有林事件（最大判昭62.4.22・百選96事件）**

　「憲法29条は、1項において『財産権は、これを侵してはならない。』と規定し、2項において『財産権の内容は、公共の福祉に適合するやうに、法律でこれを定める。』と規定し、私有財産制度を保障しているのみでなく、社会的経済的活動の基礎をなす国民の個々の財産権につきこれを基本的人権として保障するとともに、社会全体の利益を考慮して財産権に対し制約を加える必要性が増大するに至ったため、立法府は公共の福祉に適合する限り財産権について規制を加えることができる、としているのである」。

2　私有財産制

　私有財産制とは、生産手段の私有を内容とする資本主義体制の保障を意味する（体制保障説）。私有財産制という制度の核心となるのは「個人が財産を取得・保持する可能性」（生産手段の私有）であり、このことは、22条1項が営業の自由を保障していることに表れている。

　→「個人が財産を取得・保持する可能性」（生産手段の私有）を否定して社会主義体制へと移行することは、制度の核心に反して許されず、憲法改正が必要となる

　これに対し、私有財産制という制度の核心となるのは「人間が、人間としての価値ある生活を営む上に必要な物的手段の享有」（個人の生存に不可欠の物的手段の保障）であると解する見解（人間に値する生活財保障説）もある。

　→この見解によれば、社会主義体制へと移行することは、憲法改正を要しない

　もっとも、この見解に対しては、社会主義体制への移行が可能であればその旨の明文の規定があるのが通常であるとの批判がなされている。

3　現存保障〈予H29〉

(1)　「財産権」の意義〈司共〉

　　現存保障の対象となる「財産権」には、一切の財産的価値を有する権利が含まれる。したがって、「財産権」には、所有権などの物権のほか、債権・知的財産権、水利権・河川利用権などの公法上の権利、さらに入会権のような慣習に基づく伝統的な権利も含まれる。

　　　　→公法上の権利も現存保障の対象となる「財産権」に含まれる以上、各種の社会保障受給権も給付決定などによって権利として確定した場合には、25条と並んで29条1項の保護範囲に含まれる

　　もっとも、いったん法律に基づいて取得した財産権であっても、「公共の福祉」（29Ⅱ）に適合する限り、事後の「法律」による制約を受ける。　⇒下記(3)参照

　　ただし、29条2項は「法律」で財産権の内容を定めると規定しているため、「政令」による財産権の制約は、法律の委任がある場合を除き、許されない〈同〉。

(2)　条例による財産権の制約の可否〈司〉

　　では、「条例」による既得の財産権の制約は認められるか。

　　「条例」とは、地方公共団体がその自治権に基づいて制定する自主法のことをいい、地方公共団体の事務に関する事項しか規律できないが、かかる事務に関する事項であれば、住民の基本的人権を制約することも可能と解されている。もっとも、憲法が条文の文言上「法律」で定めることを要求している事項（法律留保事項。29Ⅱのほか、31、84参照）についても、「条例」による規制が可能かどうかが問題となる。　⇒p.504、533

▼　奈良県ため池条例事件（最大判昭 38.6.26・百選 98 事件）〈共〉

事案：　Xらは、県内のため池の堤とうにおいて農作物を耕作してきたが、ため池の堤とうに農作物を植えることなどを禁止する条例により、同堤とう上での耕作が禁止された。そこで、同条例が29条に反しないかが争われた。

判旨：　「ため池の堤とうを使用する財産上の権利を有する者」は、本条例により「その財産権の行使を殆んど全面的に禁止されることになるが、それは災害を未然に防止するという社会生活上の已むを得ない必要から来ることであって、……公共の福祉のため、当然これを受忍しなければならない責務を負う」。

　　「ため池の破損、決かいの原因となるため池の堤とうの使用行為は、憲法でも、民法でも適法な財産権の行使として保障されていないものであって、憲法、民法の保障する財産権の行使の埒外にあるものというべく、従って、これらの行為を条例をもって禁止、処罰しても憲法および法律

に牴触またはこれを逸脱するものとはいえないし、また右条項に規定するような事項を、既に規定していると認むべき法令は存在していないのであるから、これを条例で定めたからといって、違憲または違法の点は認められない」。

評釈: 本判決によると、「条例」による財産権の制限を認めたようにも読めるが、ため池の堤とうの使用行為は29条の保護範囲外（憲法の保障する財産権の「埒外」）にある以上、「条例」によっても規制することができると述べているにすぎない。すなわち、本判決は、「条例」が実質的には法律に準ずるものであるから、「条例」により財産権を規制してもよいとまでは判示していない点に留意すべきである。

学説の中には、財産権の「内容」の規制は法律による必要があるので条例でこれを定めることは許されないが、財産権の「行使」の規制は条例で定めることも許されると解する見解（限定説）もある。しかし、財産権の「内容」と「行使」を区別することは極めて困難であるとの批判がなされている。

そこで、条例は「公選の議員をもって組織する地方公共団体の議会の議決を経て制定される自治立法」（最大判昭37.5.30・百選208事件）であり、実質的には法律に準ずるものであるから、条例により地域の特性に応じた財産権の規制は可能であると一般に解されている。

→もっとも、当該財産権が一地方の利害を超えて全国民の利害に関わるものであったり、全国的な取引の対象となりうるものである場合には、当該財産権の内容の規制は、原則として法律によらなければならない

(3) 事後の法律による財産権の内容変更について

▼ **国有農地売払特措法事件（最大判昭53.7.12・百選99事件）**

事案: 国有農地の旧所有者への売払対価を不利に変更する（買収の対価相当額から時価の7割に変更する）国有農地売払特措法の遡及適用が、憲法29条に違反するとして争われた。

判旨: 「法律でいったん定められた財産権の内容を事後の法律で変更しても、それが公共の福祉に適合するようにされたものである限り、これをもって違憲の立法ということができないことは明らかである。そして、右の変更が公共の福祉に適合するようにされたものであるかどうかは、いったん定められた法律に基づく財産権の性質、その内容を変更する程度、及びこれを変更することによって保護される公益の性質などを総合的に勘案し、その変更が当該財産権に対する合理的な制約として容認されるべきものであるかどうかによって、判断すべき」である。

売払いの対価を時価の7割に変更する措置は、地価の高騰による利益をすべて旧所有者に取得させるのは相当でないという公益上の要請と、

旧所有者の権利に対する配慮とを調和させることを図ったものであるから、公共の福祉に適合し、憲法に違反しない。

二 財産権の規制 司H18 予H29

　財産権は、他の自由権と異なり、どの範囲の財産が誰にどのような条件で帰属するのかというルール（法制度）を前提として初めて成立する自由である。そして、現代社会が複雑・多様化すればするほど、法制度もそれに対応できるように設定・変更されなければならない。29条2項は、こうした法制度の設定・変更が法律の役割であることを明確化したものである。

　このように、現代社会では、財産権は法律によって定められた財産を取得・維持する権利であり、「国家による自由」などといわれ、国家はその法制度の内容に関して立法裁量を有する。しかし、財産権も個人の尊厳の原理（13）に立脚する権利である以上、その立法裁量にも限界がある。そこで、29条2項が「公共の福祉に適合するやうに」と規定して、財産権の内容形成の限界を示している。

　森林法共有林事件判決（最大判昭62.4.22・百選96事件）は、次のように判示した。

▼ 森林法共有林事件（最大判昭62.4.22・百選96事件）司共

事案：　共有林の分割を求めたが、（旧）森林法186条（共有森林につき持分価額2分の1以下の共有者に分割請求権を否定している）で分割の制限が規定されているため目的を達成できなかった者が、（旧）森林法186条が財産権を保障する憲法29条に違反すると争った。

判旨：1　憲法29条は、「私有財産制度を保障しているのみでなく、社会的経済的活動の基礎をなす国民の個々の財産権につきこれを基本的人権として保障するとともに、社会全体の利益を考慮して財産権に対し制約を加える必要性が増大するに至ったため、立法府は公共の福祉に適合する限り財産権について規制を加えることができる」。

　　　2　「財産権は、それ自体に内在する制約があるほか、……立法府が社会全体の利益を図るために加える規制により制約を受けるものであるが、この規制は、財産権の種類、性質等が多種多様であり、また、財産権に対し規制を要求する社会的理由ないし目的も、社会公共の便宜の促進、経済的弱者の保護等の社会政策及び経済政策上の積極的なものから、社会生活における安全の保障や秩序の維持等の消極的なものに至るまで多岐にわたるため、種々様々でありうるのである」。

　　　　したがって、「財産権に対して加えられる規制が憲法29条2項にいう公共の福祉に適合するものとして是認されるべきものであるかどうかは、規制の目的、必要性、内容、その規制によって制限される財産権の種類、性質及び制限の程度等を比較考量して決すべきものである

人権

が、裁判所としては、立法府がした右比較考量に基づく判断を尊重すべきものであるから、立法の規制目的が前示のような社会的理由ないし目的に出たとはいえないものとして公共の福祉に合致しないことが明らかであるか、又は規制目的が公共の福祉に合致するものであっても規制手段が右目的を達成するための手段として必要性若しくは合理性に欠けていることが明らかであって、そのため立法府の判断が合理的裁量の範囲を超えるものとなる場合に限り、当該規制立法」は憲法29条2項に反する。

3　「共有物分割請求権は、各共有者に近代市民社会における原則的所有形態である単独所有への移行を可能」にするものであるから、「当該共有物がその性質上分割することのできないものでない限り、分割請求権を共有者に否定することは、憲法上、財産権の制限に該当し、かかる制限を設ける立法は、憲法29条2項にいう公共の福祉に適合することを要するものと解すべきところ、共有森林はその性質上分割することのできないものに該当しないから、共有森林につき持分価額2分の1以下の共有者に分割請求権を否定している森林法186条は、公共の福祉に適合するものといえないときは、違憲の規定として、その効力を有しないものというべきである」。

4　森林法186条の目的は「森林の細分化を防止することによって森林経営の安定を図り、ひいては森林の保続培養と森林の生産力の増進を図り、もって国民経済の発展に資することにある」。かかる目的は、「公共の福祉に合致しないことが明らかであるとはいえない」。

　「森林が共有となることによって、当然に、その共有者間に森林経営のための目的的団体が形成されることになるわけではなく、また、共有者が当該森林の経営につき相互に協力すべき権利義務を負うに至るものではないから、森林が共有であることと森林の共同経営とは直接関連するものとはいえない」。よって、森林法186条の立法目的と「合理的関連性があるとはいえない」。

　「共有森林につき持分価額2分の1以下の共有者からの民法256条1項に基づく分割請求の場合に限って、他の場合に比し、当該森林の細分化を防止することによって森林経営の安定を図らなければならない社会的必要性が強く存すると認めるべき根拠は、これを見出すことができないにもかかわらず、森林法186条が分割を許さないとする森林の範囲及び期間のいずれについても限定を設けていないため、同条所定の分割の禁止は、必要な限度を超える極めて厳格なものとなっているといわざるをえない」。

　森林法186条による分割請求権の制限は、同条の「立法目的との関係において、合理性と必要性のいずれをも肯定することのできないことが明らかであって、……憲法29条2項に違反し、無効である」。

　もっとも、上記判決以降の重要判例である証券取引法事件判決（最大判平14.2.13・百選97事件）は、森林法共有林事件判決の比較考量に関する判示部分をほぼ踏襲しているものの、同判決を先例として引用せず、「消極的」「積極的」といった文言を削除し、さらに立法裁量に関する判示部分も踏襲することなく、次のとおり判示した。

▼　証券取引法事件（最大判平 14.2.13・百選 97 事件）

事案：　証券取引法［注：金商法］164条1項は、主要株主等が、その地位により取得した秘密を不当に利用したトレードのみならず、外形的に見てそのおそれのあるトレードすべてについて、会社の株式の短期売買差益を会社が請求することができる旨規定していた。この規定に基づいて、会社から短期売買差益の請求を受けた株主が、この規定は憲法29条1項に違反すると主張して争った。

判旨：　「財産権は、それ自体に内在する制約がある外、その性質上社会全体の利益を図るために立法府によって加えられる規制により制約を受けるものである。財産権の種類、性質等は多種多様であり、また、財産権に対する規制を必要とする社会的理由ないし目的も、社会公共の便宜の促進、経済的弱者の保護等の社会政策及び経済政策に基づくものから、社会生活における安全の保障や秩序の維持等を図るものまで多岐にわたるため、財産権に対する規制は、種々の態様のものがあり得る。このことからすれば、財産権に対する規制が憲法29条2項にいう公共の福祉に適合するものとして是認されるべきものであるかどうかは、規制の目的、必要性、内容、その規制によって制限される財産権の種類、性質及び制限の程度等を比較考量して判断すべきものである」。

　　　　本件規定は「上場会社等の役員又は主要株主がその職務又は地位により取得した秘密を不当に利用することを防止することによって、一般投資家が不利益を受けることのないようにし、国民経済上重要な役割を果たしている証券取引市場の公平性、公正性を維持するとともに、これに対する一般投資家の信頼を確保するという経済政策に基づく目的を達成するためのもの」であり、その目的は正当である。また、①秘密の不当利用等を要件とすることで目的を損なう結果となりかねないこと、②株主に売買取引を禁止するものではなく、その利益の保持を制限するにすぎず、それ以上の財産上の不利益を課すものではないことから、このような「規制手段を採ることは、……立法目的達成のための手段として必要性又は合理性に欠けるものであるとはいえない」。

　　　　以上より、本件規定の「規制目的が正当であり、規制手段が必要性又は合理性に欠けることが明らかであるとはいえない」から、本件規定は「公共の福祉に適合する制限を定めたものであって、憲法29条に違反するものではない」。

人権

その後の一連の判例も、先例として引用されるのは森林法共有林事件判決ではなく証券取引法事件判決であり、次のような判示がなされるものが多い。

▼ **最判平21.4.23・平21重判7事件**

事案： 団地の建物が一括して建て替えられることになり、これに反対する住民が、建物区分所有法70条は憲法29条に違反するとして争った。

判旨： 「法70条1項の定めは、なお合理性を失うものではない」。「建て替えに参加しない区分所有者……の経済的損失については相応の手当がされている」。「規制の目的、必要性、内容、その規制によって制限される財産権の種類、性質及び制限の程度等を比較衡量して判断すれば、区分所有法70条は、憲法29条に違反するものではない」。

以上より、立法による財産権の内容形成（財産権規制立法）の限界に関する現在の判例法理は、「規制目的二分論」や「立法裁量論」に立脚することなく、規制目的の正当性と規制手段の合理性、場合によっては必要性の有無を審査するというものと考えられている。

三 財産権の侵害と損失補償

1 29条3項の趣旨・沿革

29条3項は、「私有財産は、正当な補償の下に、これを公共のために用ひることができる」と規定している。これを損失補償という。

ex. 公共事業（道路・公園の建設など）のために私有地を一方的に収用する公共収用

損失補償の趣旨は、本来は社会全体で負担すべき損失を特定の個人が被った場合に、平等原則（14）によりその「特別の犠牲」を国民の一般的な負担に転嫁させ、もって社会全体の負担の公平を図る点にある。

29条3項は、29条1項と同じく近代立憲主義の財産権観をそのまま再現したものと考えられている一方、同条2項は福祉国家理念を背景として制定されたと考えられており、両者の歴史的沿革は異なる。

2 「公共のために用ひる」の意味◀司▶

「公共のために用ひる」とは、直接公共の用に供するための特定の私有財産の収用・制限（公用収用・公用制限）をいう。例えば、公共事業（病院・学校・鉄道・道路・空港・公園・ダムなど）のための収用がその典型例として挙げられる。また、駐留米軍の用に供するための土地の強制的な使用・収用も、「公共のために用ひる」に当たる（最判平15.11.27）。

→自作農創設を目的とする農地買収のように、特定の個人が受益者となる場合でも、収用全体の目的が社会公共の利益（公益）のためであれば、「公共のために用ひる」に当たる（最判昭29.1.22・百選〔第6版〕105事件参照）◀司▶

3　補償の要否〈司H18 予H29〉

(1)　特別犠牲説

　　私有財産を「公共のために用ひる」場合において、「正当な補償」が必要になるのはどのような場合かが問題となる。

　　繰り返しになるが、損失補償の趣旨は、本来は社会全体で負担すべき損失を特定の個人が被った場合に、平等原則（14）によりその「特別の犠牲」を国民の一般的な負担に転嫁させ、もって社会全体の負担の公平を図る点にある。そのため、「特別の犠牲」（特定の人に対し、特別に財産上の犠牲を強いた場合）に当たる場合には、補償が必要となる（特別犠牲説）。

　　それでは、「特別の犠牲」の有無はどのように判断すべきか。補償の要否の判定基準が問題となる。

人
権

＜補償の要否の判定基準＞

学説	A説（従来の通説）	B説（現在の有力説）
内容	(1)　侵害行為の対象が広く一般人か特定の個人ないし集団か（形式的基準） (2)　侵害行為が内在的制約として受忍すべき限度内か、それを超えて財産権の実質ないしは本質的内容を侵すほど強度なものか（実質的基準） という2つの基準で判断	(1)　財産権の剥奪ないし当該財産権の本来の効用の発揮を妨げることとなるような侵害については、当然に補償が必要 (2)　その程度に至らない規制については ①　当該財産権の制約が社会的共同生活の調和のために必要とされる場合は財産権の内在的制約として補償は不要 ②　特定の公益目的のため当該財産権の本来の社会的効用とは無関係に偶然に規制を課す場合は補償が必要
理由	(1)　特定人のみに財産権制約の負担を負わせるのは平等原則に反する（1項について制度的保障とみる立場から導かれる） (2)　財産権の本質を害する程度の強度の制約をしながら補償を不要とするのは29条1項による財産権の保障に反する（1項について財産権の保障とみる立場から導かれる）	(1)　私有財産の制限が一般的か特定的かの区別は相対的である (2)　特に土地所有権は、高度の社会的規制が内在的制約として予定されるので補償を不要とすべき場合が多い (3)　「公共のために用ひる」方法は極めて多様であり、補償の有無・程度について個別的具体的な考察が求められる

学説	A説（従来の通説）	B説（現在の有力説）
2項と3項の捉え方	2項と3項は別個独立の関係 (1) 2項は公共の福祉のため一般人を対象として補償なしで受忍限度内の制約を認める規定 (2) 3項は公共のために用いることを目的として、特定人に対して補償を要件として受忍限度を超える制約（特別の犠牲）を認める規定 →2項と3項とを択一的に捉える（2項の規制が認められるなら3項の補償は不要、3項で補償が必要なら2項による規制ではない）	2項による一般的な制限でも、各人に保障された権利又は権利の実質を失わしめることとなるような強度の財産権の規制である場合には29条3項の問題となり補償を要する →2項による規制がなされる場合でも3項で補償が必要になる場合があることを認める →2項による規制の可否と3項による補償の要否とは別問題

（2） 判例

　(a) 消極目的・積極目的二分論

　　　一般に、適法な消極目的規制については、前記B説（現在の有力説）の「財産権の内在的制約」に当たり、補償は不要と解されている。

　　　前出の奈良県ため池条例事件判決（最大判昭38.6.26・百選98事件）も、条例によりため池の堤とうに農作物を植えることなどを禁止されても、「災害を未然に防止するという社会生活上の已むを得ない必要」から、「ため池の堤とうを使用する財産上の権利を有する者は何人も、公共の福祉のため、当然これを受忍しなければならない責務を負う」として、29条3項の補償を要しないとしている。

　　　もっとも、河川附近地制限令事件判決（最大判昭43.11.27・百選102事件）は、相当の資本を投下して砂利採取事業を営んできた者について、当該地域が河川附近地と指定されたことで被った損失は「特別の犠牲」に当たる余地があるとしている。

　(b) 土地の公共性

　　　土地の利用規制についても、土地の公共性の観点から、補償は不要とされる場合が多いとされる。「財産権の内在的制約」として補償を不要とした裁判例としては、自然公園法による岩石採取の制限（東京地判昭61.3.17・百選104事件）などが挙げられる。

　　　また、判例（最判平17.11.1）は、都市計画法に基づく建築制限による損失は、「一般的に当然に受忍すべきものとされる制限の範囲を超えて特別の犠牲を課せられたものということがいまだ困難である」として、補償を不要と判断している。

(c) 戦争被害

▼ 韓国人戦争犠牲者補償請求事件（最判平16.11.29・百選7事件）

「軍人軍属関係のXらが被った損失は、第二次世界大戦及びその敗戦によって生じた戦争犠牲ないし戦争損害に属するものであって、これに対する補償は、憲法の全く予想しないところというべきであり、このような戦争犠牲ないし戦争損害に対しては、単に政策的見地からの配慮をするかどうかが考えられるにすぎない」（最大判昭43.11.27参照）。

「いわゆる軍隊慰安婦関係のXらが被った損失は、憲法の施行前の行為によって生じたものであるから、憲法29条3項が適用されないことは明らかである」。

(d) 公物使用権

行政財産の使用許可が取消し（撤回）された場合の補償の要否について、判例（最判昭49.2.5）・学説は、公物使用権は公益上の必要が生じた場合には撤回されるという内在的制約を負った権利であるとして、補償を原則として否定している。

▼ 市営と畜場の廃止と損失補償の要否（最判平22.2.23・平22重判9事件）

事案：　A市は、運営していた「と畜場」の存続が困難となったため、市営と畜場を廃止することとした。A市は、その廃止に伴い、長年にわたって市営と畜場を利用してきた業者に対して支援金を支出したところ、この支出の違法性が争われた。

判旨：　「利用業者等は、市と継続的契約関係になく、本件と畜場を事実上独占的に使用していたにとどまるのであるから、利用業者等がこれにより享受してきた利益は、基本的には本件と畜場が公共の用に供されたことの反射的利益にとどまる」。本件と畜場の廃止による「不利益は住民が等しく受忍すべきものであるから、利用業者等が本件と畜場を利用し得なくなったという不利益は、憲法29条3項による損失補償を要する特別の犠牲には当たらない」。

4　「正当な補償」（29Ⅲ）

(1) 意義

29条3項の補償が必要になるとした場合、次に「正当な補償」の意義が問題となる。この点については、①完全補償説（補償対象となる財産の客観的な市場価格を全額補償すべきであるという立場）と、②相当補償説（当該財産について合理的に算定される相当額であれば、市場価格を下回ることがあっても是認されるとする立場）の対立がある。

(2) 判例の立場

農地改革事件判決（最大判昭28.12.23・百選100事件）は、自作農創設特

措法において定められた農地の「買収対価」（自創法6Ⅲ）が通常の取引価格と比べて低廉であったため、これが29条3項にいう「正当な補償」といえるかどうかが問題となった事案において、29条3項の「正当な補償とは、その当時の経済状態において成立することを考えられる価格に基き、合理的に算出された相当な額をいうのであって、必しも常にかかる価格と完全に一致することを要するものでない」とし、結論として「自創法6条3項の買収対価は憲法29条3項の正当な補償にあたる」とした。この判例では、②相当補償説が採られたものと解されている。

その後、土地収用法による補償金の額が問題となった事案において、判例（最大判昭48.10.18・百選101事件）は、土地収用法における損失補償について、「完全な補償、すなわち、収用の前後を通じて被収用者の財産価値を等しくならしめるような補償をなすべきであり、金銭をもって補償する場合には、被収用者が近傍において被収用地と同等の代替地等を取得することをうるに足りる金額の補償を要する」と判示した。この判例では、①完全補償説が採られたものと解されている。

一方、収用された土地所有者が、土地収用法71条に基づいて決定された補償金額では近傍類地を取得するのに十分な補償を受けられないと主張し、土地収用法71条が憲法29条3項に違反するかどうかが争われた事案において、判例（最判平14.6.11）は、先例として昭和48年判決ではなく農地改革事件判決を引用し、再び②相当補償説を採用して土地収用法71条を合憲と判断した。

(3) 判例の立場の整理

以上の判例の立場を整合的に捉えつつ、損失補償の趣旨を踏まえると、次のように整理するのが妥当と考えられている。

すなわち、平等原則（14）により特別の犠牲を国民の一般的な負担に転嫁させ、もって社会全体の負担の公平を図るという損失補償の趣旨に照らすと、原則として、29条3項の「正当な補償」とは、「完全な補償」を要求する①完全補償説が妥当である。一方、財産権の規制によってそもそも自由な取引価格を想定できない場合（農地改革事件判決・平成14年判決の事案）には、補償金額を客観的な市場価格と一致させることが困難である以上、②相当補償説の立場に立ち、合理的に算出された相当な額をもって「正当な補償」と解するのが妥当であると解される。

(4) 補償の時期

▼ **最大判昭24.7.13**

「憲法は『正当な補償』と規定しているだけであって、補償の時期についてはすこしも言明していないのであるから、補償が財産の供与と交換的に同時に履行さるべきことについては憲法の保障するところではない」。

(5) 収用目的の消滅

▼ 最大判昭46.1.20

「私有財産の収用が正当な補償のもとに行なわれた場合においてその後にいたり収用目的が消滅したとしても、法律上当然に、これを被収用者に返還しなければならないものではない」としつつも、当該物件をなお国に保有させ、その処置を国の裁量にまかせるべきであるとする合理的理由もないから、被収用者に買収農地を売り払う制度は立法政策的に当を得たものであるとした。

(6) 正当な補償の内容と生活権補償

「正当な補償」を完全な補償と理解した場合には、通常の収用等の場合に必要とされる完全な補償の内容は、収用の対象となった財産の市場価格の補償の他、原則として移転料や営業上の損失等、付帯的損失を含む。

問題は、財産権制限によって従来の生活を根本的に変えざるを得なくなる場合（たとえば、山奥の村がダム建設で水没し住民が離村・転業を余儀なくされるような場合）に、付帯的損失を含む金銭的補償にとどまらず、生活を立て直すための生活権補償まで行う必要があるかという点である。

生活権補償については、憲法上の要請と解する見解と立法政策による補償と解する見解とが対立している。そして、前者の内部で、25条を根拠条文とするのか、29条3項を根拠条文とするのかについて争いがある。

＜生活権補償＞

	内容	理由	帰結
A 説	25条の生存権を根拠とする	29条3項は財産権の客観的価格の損失を補填する規定であり、生活権補償は財産的補償とはいえないから、25条の文化的生存権を根拠とすべきである	25条は具体的権利性がないと考えるのが一般的であるから、立法なくしては生活再建措置を求められないことになる
B 説	「正当な補償」を25条の生存権保障の趣旨に照らして解釈し、生活権補償は29条3項による憲法上の要請であるとみるべきである	① 生活権補償をしなければ、財産の収用による損失を完全に補償したとはいえない ② 財産が権利者の生存権を実質的に支えるものとしての意味をもっている場合には、生存権保障という観点をもいれて、「正当な補償」を考える必要がある	29条3項は具体的権利と考えるのが通説的見解であるから、同条項に基づき国に生活再建措置を求めることが可能とも思える →しかし、生活再建措置等の生活権補償をどのような手段により図るべきかについては明確といえず、立法による具体化が必要と解する見解が有力である

人権

▼　徳山ダム事件（岐阜地判昭55.2.25）

「ダム建設に伴い生活の基盤を失うことになる者についての補償も公共用地の取得に伴う一般の損失補償の場合と異ならず、あくまで財産権の補償に由来する財産的損失に対する補償、すなわちその基本は金銭補償であり」、生活再建措置のあっせんは、憲法29条3項にいう「正当な補償」には含まれないと判示した。

5　直接憲法に基づく補償請求の可否〈司H18 予H29〉

損失補償の請求は、特定の私有財産の収用ないし制限を規定する根拠法令等の具体的な規定に基づいて行われる。では、問題となっている収用ないし制限が29条3項により補償が要求されるものであるにもかかわらず、当該根拠法令が補償規定を欠く場合、その収用ないし制限を定める規定は違憲無効となるのかが問題となる。

この問題について、河川附近地制限令事件判決（最大判昭43.11.27・百選102事件）は、法令が補償規定を欠く場合であっても、憲法29条3項を直接の根拠として損失補償を請求することができるとした上で、制限等を定めた規定を直ちに違憲無効の規定と解すべきではないとした。

▼　河川附近地制限令事件（最大判昭43.11.27・百選102事件）〈司共〉

事案：　砂利採取販売業者であるXは、従来から労働者を雇い入れて砂利採取を行っていたが、河川附近地制限令により、砂利の採取には知事の許可が必要となった。Xは許可申請をしたが却下されたため、無断で砂利の採取を継続したところ、同令に違反したとして起訴された。Xは、河川附近地制限令は特定の人に対して特別に財産上の犠牲を強いるものであるのに、補償規定がないことから憲法29条3項に違反し無効であると主張した。

判旨：　Xは、河川附近地の指定により「相当の資本を投入して営んできた事業が営み得なくなるために相当の損失を被る筋合であるというのである。そうだとすれば、その財産上の犠牲は、公共のために必要な制限によるものとはいえ、単に一般的に当然に受忍すべきものとされる制限の範囲をこえ、特別の犠牲を課したものとみる余地が全くないわけではなく、憲法29条3項の趣旨に照らし、……Xの被った現実の損失については、その補償を請求することができるものと解する余地がある」。

しかし、河川附近地制限令「4条2号による制限について同条に損失補償に関する規定がないからといって、同条があらゆる場合について一切の損失補償を全く否定する趣旨とまでは解されず、Xも、その損失を具体的に主張立証して、別途、直接憲法29条3項を根拠にして、補償請求をする余地が全くないわけではないから、……同令4条2号およびこの制限違反について罰則を定めた同令10条の各規定を直ちに違憲無効の規定と解すべきではない」。

6　国家補償の谷間🎯

　公権力の行使により国民に損害が生じた場合の救済方法としては、①損失補償と②国家賠償請求がある。①損失補償は、適法な公権力の行使により、特定の者に財産上の特別の犠牲が生じた場合に、公平の理念に基づいて、その損失を補填するものであるのに対し、②国家賠償請求は、公務員の故意又は過失による違法な行為によって生じた損害の賠償を請求するものである。

　したがって、適法な公権力の行使によって損失が生じたものの「特別の犠牲」とは言い難い場合や、公務員の違法ではあるが故意・過失がない行為によって損害が生じた場合については、①②のいずれによっても救済されないことになる。これが「国家補償の谷間」と呼ばれる問題であり、とりわけ予防接種禍（社会を伝染病から予防するという公共の利益のために強制的・勧奨的に行われる予防接種は、たとえ接種者が注意を尽くしても不可避的に死亡を含む重篤な副反応が生じる場合があり、「悪魔のくじ」ともいわれる）で問題となる。

　この点について、最高裁判所の判例は存在しないが、下級審レベルでは、下記の図表のうち、29条3項類推適用説を採るもの（東京地判昭59.5.18・百選103事件）や、29条3項勿論解釈説を採るもの（大阪地判昭62.9.30）がある。

　もっとも、その後の裁判例（東京高判平4.12.18）は、（当時）厚生大臣の過失を緩やかに認定し、国家賠償法による救済を広く認めるようになったため、予防接種禍の救済のために損失補償を援用する必要性は小さくなっているとされる。

＜予防接種禍＞

	理由	批判
17条説	①　国家賠償法1条1項の故意・過失は、公務員個人の主観的責任要件として捉えるのではなく、行為の客観的瑕疵を意味するものと解すべきである ②　国家賠償法1条1項の故意・過失は、公務員の過失を推定すれば足りる	過失責任を拡大してもカバーしきれない場合が生じうる →17条説が十分機能するためには予防接種の「悪魔のくじ」的性格を払拭し、法律による補償体制を抜本的に解決する必要がある
29条3項類推適用説	①　13条後段の趣旨に照らし、財産上特別の犠牲が課せられた場合と、生命・身体に対し特別の犠牲が課せられた場合とで、後者の方のみを不利に扱うことを許す合理的理由はない ②　生命・身体の損害も財産的価値に換算できる ③　予防接種は公共の利益となっているので、「公共のために用ひる」ことと同視できるが、文言上、類推解釈とせざるを得ない	①　29条2項は財産権の内容は法律で定めるとしているが、生命・身体を「財産」と定めた法律はない ②　生命・身体への被害は複雑多様であって、客観的評価が困難である ③　生命・身体までも補償さえすれば収用できることになりかねない

	理由	批判
29条3項勿論解釈説	財産権侵害に補償がなされる以上、財産権以上に重要な利益である生命・身体の侵害に対して補償がなされるのは当然である	① 文理上無理がある ② 29条3項類推解釈説に対する批判と同様の批判があてはまる

▼ 東京地判昭59.5.18・百選103事件

事案： 予防接種を受けた結果その副作用で死亡ないし後遺症を残すに至った被害児及び親が国に対し国家賠償を求め、併せて29条3項に基づき損失補償を請求した。

判旨： 「予防接種により、その生命、身体について特別の犠牲を強いられた各被害児及びその両親に対し、右犠牲による損失を、これら個人の者のみの負担に帰せしめてしまうことは……到底許されるものではなく、……被告国が負担すべきものと解するのが相当である」。「憲法13条後段、25条1項の規定の趣旨に照らせば、財産上特別の犠牲が課せられた場合と生命、身体に対し特別の犠牲が課せられた場合とで、後者の方を不利に扱うことが許されるとする合理的理由は全くない」。「従って、生命、身体に対して特別の犠牲が課せられた場合においても、右憲法29条3項を類推適用し、かかる犠牲を強いられた者は、直接憲法29条3項に基づき、被告国に対し正当な補償を請求することができると解するのが相当である」。

第30条 〔納税の義務〕

国民は、法律の定めるところにより、納税の義務を負ふ。

⇒地自§223（地方税）、明憲§21（納税の義務）、明憲§62Ⅰ（租税法定主義）

[趣旨] 国民主権国家では、国民の納める税金によってのみ国家の財政が維持され、国家の存立と国政の運営が可能となることから、納税の義務は国民の当然の義務とされる〈共〉。

《注 釈》

・納税の義務は「法律の定めるところにより」具体化される〈同共〉。
　→租税法律主義（84）の趣旨が重ねて述べられている

・法律で外国籍の者から徴税することは違憲ではない〈同〉。

第31条 〔法定の手続の保障〕

何人も、法律の定める手続によらなければ、その生命若しくは自由を奪はれ、又はその他の刑罰を科せられない。

⇒地自§14Ⅲ・15Ⅱ（条例による罰則）

《注 釈》

一 「法律の定める手続」の意味

1 本条の性格

31条は「法律の定める手続によらなければ」と規定し、一般法としての適正手続を保障しているが、①手続を法律で定めさえすれば、その内容の当否は問われないのか。また、②本条は実体（犯罪・刑罰の要件）を法律で定めること、及びその適正さを要求していないのか、問題となる。

＜31条の性格＞供

	手続 法定	手続 適正	実体 法定	実体 適正	理由
A説	○				① 条文の文言解釈として素直である ② 手続の適正は32条、実体の法定は39条や73条6号、実体の適正は13条でそれぞれ保障されている
B説	○	○			① 条文は「手続」と規定するので手続の法定と適正が31条で保障される ② 実体の法定は他の条項で保障されており、31条に含める必要はない ③ 告知・聴聞の機会を保障すべきである
C説	○		○		① 「法律の定める手続」は「法律の定める方法」であり、刑事手続のみならず罪刑の法定をも含む ② 罪刑法定主義の具体化が明示的（39等）であるのに、罪刑法定主義そのものが黙示的で明文上の根拠がないとするのは不均衡
D説	○	○	○		罪刑法定主義は31条に含まれるが、実体（罪刑）の適正は他の条文（14、21）に含まれるので31条が要求すると解する必要はない
E説 通	○	○	○	○	① 31条は、適正な実体をも要求するアメリカの憲法の適正手続条項に淵源を有する ② 人権保障には適正な手続・内容の法定が不可欠であり、憲法上どの条文に反するのか不明確な場合があるので31条に読みとる必要がある

※ E説以外の立場も○印のついていない部分の保障を全く否定するわけではなく、他の条文（13、14、21、73⑥ただし書など）に保障の根拠を求めるのが通常である。

2 適正な手続の法定

(1) 手続の法定

刑事手続の定めは、国会によって制定される「法律」（形式的意味の法律）によってしかなしえない。

ただし、77条はこの例外を定めている。

→最高裁判所が（77条3項により、委任があれば下級裁判所も）、規則により刑事訴訟に関する手続を定めることは許される

(2) 手続の適正

本条は手続の適正さをも保障する<small>▨</small>。告知・聴聞（弁解・防御）を受ける権利や、違法収集証拠の排除法則がその適正さの内容をなす。

* 告知・聴聞を受ける権利とは、公権力が国民に刑罰その他の不利益を科す場合には、当事者にあらかじめその内容を告知し、当事者に弁解と防御の機会を与えなければならないという内容をなす。

▼ **第三者所有物没収事件（最大判昭37.11.28・百選107事件）** <small>▨</small>

事案： 関税法118条1項により密輸した貨物を没収された者が、没収した貨物には被告人以外の者の所有物が含まれており、所有者に財産権擁護の機会を全く与えることなく没収したのは29条1項に反すると主張して争った。

判旨： 関税法118条1項の規定による没収は、「被告人の所有に属すると否とを問わず、その所有権を剥奪して国庫に帰属せしめる処分であって、被告人以外の第三者が所有者である場合においても、被告人に対する附加刑としての没収の言渡により、当該第三者の所有権剥奪の効果を生ずる」。

「第三者の所有物を没収する場合において、その没収に関して当該所有者に対し、何ら告知、弁解、防禦の機会を与えることなく、その所有権を奪うことは、著しく不合理であって、憲法の容認しないところである」。「けだし、憲法29条1項は、財産権は、これを侵してはならないと規定し、また同31条は、何人も、法律の定める手続によらなければ、その生命若しくは自由を奪われ、又はその他の刑罰を科せられないと規定しているが、前記第三者の所有物の没収は、被告人に対する附加刑として言い渡され、その刑事処分の効果が第三者に及ぶものであるから、所有物を没収せられる第三者についても、告知、弁解、防禦の機会を与えることが必要であって、これなくして第三者の所有物を没収することは、適正な法律手続によらないで、財産権を侵害する制裁を科するに外ならないからである。そして、このことは、右第三者に、事後においていかなる権利救済の方法が認められるかということとは、別個の問題である」。然るに、関税法118条1項は、「その所有者たる第三者に対し、告知、弁解、防禦の機会を与えるべきことを定めておらず、また刑訴法その他の法令においても、何らかかる手続に関する規定を設けていない」。したがって、「関税法118条1項によって第三者の所有物を没収することは、憲法31条、29条に違反する」。

そして、「かかる没収の言渡を受けた被告人は、たとえ第三者の所有物

人
権

に関する場合であっても、被告人に対する附加刑である以上、没収の裁判の違憲を理由として上告をなしうることは、当然である。のみならず、被告人としても没収に係る物の占有権を剥奪され、またはこれが使用、収益をなしえない状態におかれ、更には所有権を剥奪された第三者から賠償請求権等を行使される危険に曝される等、利害関係を有することが明らかであるから、上告によりこれが救済を求めることができる」。

▼ 余罪と量刑（最大判昭42.7.5・百選〔第6版〕114事件）

事案：　起訴された普通郵便物の窃取のほか、検察官に対して被告人がなした供述から明らかになったその他の犯罪事実を量刑として考慮したことが憲法31条、38条3項に反しないか争われた。

判旨：　「刑事裁判において、起訴された犯罪事実のほかに、起訴されていない犯罪事実をいわゆる余罪として認定し、実質上これを処罰する趣旨で量刑の資料に考慮し、これがため被告人を重く処罰することが、不告不理の原則に反し、憲法31条に違反するのみならず、自白に補強証拠を必要とする憲法38条3項の制約を免れることとなるおそれがあって、許されない」。もっとも、「刑事裁判における量刑は、被告人の性格、経歴および犯罪の動機、目的、方法等すべての事情を考慮して、裁判所が法定刑の範囲内において、適当に決定すべきものであるから、その量刑のための一情状として、いわゆる余罪をも考慮することは、必ずしも禁ぜられるところでない」。

3　適正な実体の法定

(1)　実体の法定（罪刑法定主義）

罪刑法定主義（刑罰の実体を法律で定めるべしということ）は、近代憲法以来の重要な原理である。日本国憲法にはこれを明確に定める規定はないが、通説は本条に根拠を求めている。

(2)　実体の適正

刑罰の実体が法律で定められていても、それが人権を侵害するような内容であってはならない。そこで、本条は実体の適正をも保障している。

→実体の適正の内容として通常挙げられるのは、①刑罰法規の明確性、②罪刑の均衡、③刑罰の謙抑主義である

＜通説からの31条の保障内容＞

	法定	内容の適正
手続面	刑事手続の法定	法の支配の現れ ①　公平な裁判所であること ②　告知・聴聞の権利の保障など

	法定	内容の適正
実体面	罪刑法定主義 （形式的法定の側面）	罪刑法定主義（内容の適正の側面） ① 刑罰法規の明確性 ② 罪刑の均衡 ③ 謙抑性など

✒ ＊　刑罰法規の明確性〈司H20 司H30 司R元〉

　刑罰法規は明確でなければならない（明確性の原則）。

∵①　刑罰法規は、国民に法規の内容を明確にし、違法行為を公平に処罰するのに必要な事前の「公正な告知」を与えるものでなければならない

②　刑罰法規は、法規の執行者たる行政の恣意的な裁量権を制限するものであることが必要である

　問題となっている刑罰法規が明確性の原則に反するかどうかについては、「通常の判断能力を有する一般人の理解において、具体的場合に当該行為がその適用を受けるものかどうかの判断を可能ならしめるような基準が読みとれるかどうか」によって決定される（徳島市公安条例事件、最大判昭50.9.10・百選83事件）。

▼　**徳島市公安条例事件（最大判昭50.9.10・百選83事件）**

事案：　徳島市公安条例では、集団行進等の際の遵守事項として「交通秩序を維持すること」と定められていた。そして、この遵守事項に違反した場合には罰則が科せられることになっていた。被告人は、集団行進の際に、だ行進するよう刺激を与えたことから、「交通秩序を維持すること」に違反するとして起訴された。

判旨：　「およそ、刑罰法規の定める犯罪構成要件があいまい不明確のゆえに憲法31条に違反し無効であるとされるのは、その規定が通常の判断能力を有する一般人に対して、禁止される行為とそうでない行為とを識別するための基準を示すところがなく、そのため、その適用を受ける国民に対して刑罰の対象となる行為をあらかじめ告知する機能を果たさず、また、その運用がこれを適用する国又は地方公共団体の機関の主観的判断にゆだねられて恣意に流れる等、重大な弊害を生ずるからである」。

　　　　そこで、「ある刑罰法規があいまい不明確のゆえに憲法31条に違反するものと認めるべきかどうかは、通常の判断能力を有する一般人の理解において、具体的場合に当該行為がその適用を受けるものかどうかの判断を可能ならしめるような基準が読みとれるかどうかによってこれを決定すべきである」と判示した。

補足：　判旨では、「一般人」を基準にするとされているが、法令の名宛人が一般人でなければ基準となる主体は変わることになると解されている。

▼ **福岡県青少年保護育成条例事件（最大判昭60.10.23・百選108事件）**

　　福岡県青少年保護育成条例10条1項が禁止する『淫行』とは、広く青少年に対する性行為一般をいうものと解すべきではなく、「青少年を誘惑し、威迫し、欺罔し又は困惑させる等その心身の未成熟に乗じた不当な手段により行う性交又は性交類似行為」のほか、「青少年を単に自己の性的欲望を満足させるための対象として扱っているとしか認められないような性交又は性交類似行為」をいうものと解するのが相当である。『淫行』の意義を右のように解釈するときは、同規定につき処罰の範囲が不当に広すぎるとも不明確であるともいえないから31条に違反するものとはいえないと判示した。

▼ **破壊活動防止法のせん動罪と表現の自由（最判平2.9.28・百選49事件）**

事案：　被告人が「沖縄返還協定」批准反対集会において、参加した多数の学生・労働者の前で「本集会に結集した全ての諸君が自らの攻撃性をいかんなく発揮し、自ら武装し、機動隊をせん滅せよ」「一切の建物を焼き尽くして渋谷大暴動を必ず実現する」等と演説を行った。これが破防法39条、40条の「せん動」に当たるとして起訴された。

判旨：　破防法4条2項の定義規定により「せん動」に当たるかは明らかであり、漠然としているとはいえない。

二　行政手続との関係

　国民の生活に対する行政的介入が頻繁に見られる現代国家においては、行政手続が適正に行われるべきことが、国民の権利を保障するうえで重要な課題となっている。そこで、本条の保障を行政手続にも及ぼすべきではないかが問題とされている。

＜行政手続と31条＞

	学説	理由	批判
肯定説	直接適用説	① 31条が刑事手続のみを規定したのは、消極国家の下では刑罰権が国民の自由に対する最大の脅威であったからにすぎない ② 現代の福祉国家では、国家が国民生活に対し多様な形でかかわりをもつに至っており、行政権の行使による国民の自由侵害の危険性が大きくなっている	① 文理上無理がある ② 行政手続における例外を認めてしまうと、逆に刑事手続における保障を弱めかねない
	準用・類推適用説	① 直接適用説の理由参照 ② 準用・類推適用することで、行政手続による人権侵害を防止する一方で刑事手続での保障を弱体化させることを防止できる	31条が刑事手続以外に準用ないし類推適用されうる憲法上の根拠が必ずしも明らかではない

人権

学説	理由	批判
否定説	① 個別の人権規定や13条により手続の適正も当然に要請される以上、あえて31条以下の規定に依拠する必要はない ② 31条の文言と位置からは、刑事手続以外の生命・自由の剥奪を想定しているとは解しえない	① 13条は人権侵害を実体面で規制するものゆえ、そこに手続的規制を読み込むのは不自然である ② 13条は抽象的規定だから、理論上の具体化が必要である

▼ 成田新法事件（最大判平 4.7.1・百選 109 事件）〈司共〉〈司R元〉

事案： 告知・聴聞の機会を与えることなく工作物の使用を禁止する処分を定めたいわゆる成田新法が31条に反しないかが争われた。

判旨： 「憲法31条の定める法定手続の保障は、直接には刑事手続に関するものであるが、行政手続については、それが刑事手続ではないとの理由のみで、そのすべてが当然に同条による保障の枠外にあると判断することは相当ではない。しかしながら、同条による保障が及ぶと解すべき場合であっても、一般に、行政手続は、刑事手続とその性質においておのずから差異があり、また、行政目的に応じて多種多様であるから、行政処分の相手方に事前の告知、弁解、防御の機会を与えるかどうかは、行政処分により制限を受ける権利利益の内容、性質、制限の程度、行政処分により達成しようとする公益の内容、程度、緊急性等を総合較量して決定されるべきものであって、常に必ずそのような機会を与えることを必要とするものではないと解するのが相当である」。

▼ 逃亡犯罪人引渡法 35 条 1 項の合憲性（最決平 26.8.19・平 26 重判 12 事件）

事案： 逃亡犯罪人引渡法35条1項の規定が、同法14条1項に基づく逃亡犯罪人の引渡命令につき、行政手続法第3章の適用を除外して、逃亡犯罪人に弁明の機会を与えていないことが憲法31条に反しないかが争われた。

決旨： 「逃亡犯罪人引渡法14条1項に基づく逃亡犯罪人の引渡命令は、東京高等裁判所において、同法9条に従い逃亡犯罪人及びこれを補佐する弁護士に意見を述べる機会や所要の証人尋問等の機会を与えて引渡しの可否に係る司法審査が行われ、これを経た上で、引渡しをすることができる場合に該当する旨の同法10条1項3号の決定がされた場合に、これを受けて、法務大臣において引渡しを相当と認めるときに上記決定の司法判断を前提とする行政処分として発するものである。このような一連の手続の構造等を踏まえ、当該処分により制限を受ける逃亡犯罪人の権利

利益の内容、性質、制限の程度、当該処分により達成しようとする公益の内容、程度、緊急性等を総合較量すれば、同法35条1項の規定が、……上記の手続全体からみて逃亡犯罪人の手続保障に欠けるものとはいえず、憲法31条の法意に反するものということはできない。」

第32条 〔裁判を受ける権利〕

何人も、裁判所において裁判を受ける権利を奪はれない。

⇒裁判所§1（裁判所）、裁判所§3Ⅱ（行政機関の裁判と裁判所の役割）、明憲§24（裁判を受ける権利）

[趣旨] 裁判を受ける権利は、政治権力から独立の公平な司法機関に対して、すべての個人が平等に権利・自由の救済を求め、かつ、そのような公平な裁判所以外の機関から裁判されることのない権利である。それは、近代立憲主義とも密接に関連し、とりわけ、裁判所による違憲審査制を採用した日本国憲法（81）の下では、個人の基本的人権の保障を確保し、「法の支配」を実現するうえで不可欠の前提となる権利である。

《注 釈》

裁判を受ける権利の意義

1 刑事事件
裁判所の裁判によらなければ刑罰を科せられないことをいう。
→自由権の一種であり、37条1項で重ねて保障されている

2 民事・行政事件
自己の権利・利益が不法に侵害されたとき、裁判所に対して損害の救済を求める権利が保障されることをいう。
→裁判請求権又は訴権を保障するもので、国家による裁判の拒絶を禁止する意味をもつ
→明治憲法（61）と異なり、通常の裁判所に対して行政事件訴訟の提起が認められるようになった
cf. 憲法32条は、訴訟の当事者が訴訟の目的たる権利関係につき裁判所の判断を求める法律上の利益を有することを前提として、かかる訴訟につき本案の裁判を受ける権利を保障したものであって、右利益の有無にかかわらず常に本案につき裁判を受ける権利を保障したものではない（最大判昭35.12.7）

▼ 最判平 13.2.13・百選 127 事件

事案： 民事訴訟法下では、上告受理の申立てに対して、最高裁が同法 318 条 1 項の要件をみたすと判断しない限り、上告は認められないこととされているが、かかる上告制限規定が憲法 32 条に違反しないかが争われた。

判旨： 「いかなる事由を理由に上告をすることを許容するかは審級制度の問題であって、憲法が 81 条の規定するところを除いてはこれをすべて立法の便宜に定めるところにゆだねていると解すべき」である。

▼ 許可抗告制度の合憲性（最決平 10.7.13・平 10 重判 2 事件）

事案： 民訴法 337 条の許可抗告制度が憲法 32 条に反するとして争われた。

決旨： 下級裁判所のした裁判に対して最高裁判所に抗告を許すか否かは、審級制度の問題であって、それは憲法が 81 条の規定するところを除いてはこれをすべて立法に委ねている。

▼ 最判平 21.7.14・平 21 重判 8 事件⊡

事案： 即決裁判手続が憲法 32 条、38 条 2 項に反しないかが争われた。

判旨： 刑訴法 403 条の 2 第 1 項は、憲法 32 条に違反するものでない。「即決裁判手続の制度自体が所論のような自白を誘発するものとはいえないから、憲法 38 条 2 項違反をいう所論は前提を欠く。」

二　裁判を受ける権利の性格

裁判を受ける権利は、多くの場合、いわゆる国務請求権ないし受益権の 1 つとして位置付けられ、同時に国民の権利を確保するための具体的権利としての意義を有する。

三　「裁判所において裁判を受ける」の意味

1　「裁判所」

(1)　76 条 1 項の「最高裁判所及び法律の定めるところにより設置する下級裁判所」をいう。特別裁判所の禁止（76Ⅱ前段）、行政機関による終審裁判の禁止（76Ⅱ後段）、裁判官の独立（76Ⅲ等）などの原則は、裁判を受ける権利の内実をなす。

→本条は裁判を行う場所についてまで規定するものではないから、裁判所以外の場所での開廷も許される（裁判所 69Ⅱ）

cf.　前審として行政庁によりなされる行政不服審査（⇒ p.444）は、「裁判所」による裁判ではないから、処分を行った者と不服審査の判断をする者が別々でなくても 32 条に反しない

(2)　管轄違いの裁判所による裁判の合憲性

「裁判所」とは、訴訟法で定める管轄権を有する具体的裁判所の意味か。管轄違いの裁判所により裁判がなされた場合の合憲性が問題となる。

＜管轄違いの裁判所による裁判の合憲性＞

	32条の「裁判所」	管轄違いの裁判所による裁判
否定説 （最大判昭24.3.23）	32条は裁判所以外の機関によって裁判されることはないことを保障したものであって、訴訟法で定める管轄権を有する具体的裁判所において裁判を受ける権利を保障したものではない	違法であるが、違憲ではない
肯定説	32条の「裁判所」は、単に憲法及び法律で設置された裁判所を意味するのではなく、その事件について法律上正当な管轄権を有する裁判所を意味する	違憲

2 「裁判」

本条は、基本的には伝統的な公開・対審の訴訟手続による裁判を受ける権利を保障している。

∵ 「裁判」は、単に「裁判所」による裁判というだけでなく、紛争を公正に解決するにふさわしい手続によってなされるべきであるから、裁判を受ける権利は、一定の手続の保障をもその内実として含んでおり、その手続として特に重要なのは、歴史的に形成されてきた公開・対審の原則である

(1) 公開・対審の訴訟手続

(a) 公開とは、秘密裁判を排し傍聴の自由を認めるということである。⇒ p.497

(b) 対審とは、訴訟当事者が裁判官の面前で相互の主張を口頭で戦わせることである。

　→いわゆる当事者主義、口頭弁論主義の手続により裁判が進められなければならないことを意味する

(2) 非訟手続と裁判を受ける権利

(a) 非訟事件の意義

当事者間の権利義務に関する紛争を前提とせず、紛争の予防のために裁判所が一定の法律関係を形成するという性質の事件をいう。

　→その手続は職権探知主義を原則とし、審理も非公開とされる（一種の民事行政又は行政手続に属する）

(b) 訴訟の非訟化

現代では私人の生活に対する国家の後見的介入の要請が強まり、当事者間の紛争を非訟手続によって処理する立法が現れた（訴訟の非訟化）。

そこで、これらの事件につき、公開・対審の訴訟手続をしなくても、本条（及び82条）に違反しないかが問題となる。

人権

303

＜非訟手続と裁判を受ける権利＞

	内容	32条と82条との関係	批判
公開非公開政策説	32条は、裁判所でない機関によって裁判が行われることのないことを保障したにすぎず、ある事件の裁判に際して伝統的な公開・対審・判決の訴訟手続によるか、そうでない非訟手続によるかは、事件の性質によって政策的に決定されるべきである	32条の「裁判」と82条1項の「裁判」とは切り離して考えることになる	現代国家において訴訟の非訟化の要請が強くなったとはいえ、公開対審原則という伝統をあまりに無視するものである
訴訟事件公開説	32条の「裁判」は、「純然たる訴訟事件につき当事者の主張する①権利義務の存否を②終局的に確定する」確認裁判をいい、このような裁判は公開・対審・判決の訴訟手続によることを要する（＊1）	32条の「裁判」と82条1項の「裁判」は同意義になる	「性質上純然たる訴訟事件」と「性質上非訟事件」との境界が不明確である
折衷説	32条は82条で保障される公開・対審・判決の手続を原則としつつ、その事件の内容・性質に応じた最も適切な手続の整った裁判を受ける権利を保障したものである（＊2）	32条の「裁判」と82条1項の「裁判」とは異なることになる	82条はその条文の位置からみて司法権の作用に向けられた定めであって、固有の意味の司法権に属しない裁判はその対象外となるはずであり、性質上純然たる訴訟事件ではない非訟事件の裁判は、82条の「裁判」に当たらないはずである

＊1　この立場によれば、非訟事件については、実体的な権利義務を確定することを目的としない場合、又は権利義務関係について審理判断することがあっても、その判断が終局的でなく訴訟手続でその権利義務の存否を争いうるという場合には、公開法廷における対審及び判決による必要はなく、非訟事件の裁判の手続をどう定めようと32条・82条違反の問題は生じないことになる。

＊2　この立場によれば、公開・対審の原則に対する例外は、それが非訟事件だからというのではなく、事件の性質・内容によって決せられるため、非訟事件においてもそれが適切である場合には82条1項の「裁判」として公開が要請されることになる。

▼ 最大決昭35.7.6・百選124事件〈回〉

「性質上純然たる訴訟事件につき、当事者の意思いかんに拘わらず終局的に、事実を確定し当事者の主張する権利義務の存否を確定するような裁判が……公開の法廷における対審及び判決によってなされないとするならば……憲法82条に違反すると共に、同32条が……裁判請求権を認めた趣旨をも没却するものといわねばならない」と判示し、訴訟事件公開説を採った。

▼　最大決昭40.6.30・百選125事件

事案：　夫婦同居等の家事審判事項の審判を非公開で行うことを定める（旧）家事審判法が憲法32条、82条に反しないかが争われた。

決旨：　（旧）家事審判法による「審判確定後は、審判の形成的効力については争いえないところであるが、その前提たる同居義務自体については公開の法廷における対審及び判決を求める途が閉ざされているわけではない。従って、同法の審判に関する規定は何ら憲法82条、32条に抵触」しない。

評釈：　本判決に対しては、ひとたび家事審判が出ても、当事者がその前提である権利義務自体を訴訟事件として争う態度に出るならば、紛争は蒸し返されて、家事審判を認めた意味もなくなるとの批判がなされている。

　　(3)　裁判員制度と裁判を受ける権利

　　　　一般国民が参加した裁判所が憲法の保障する「裁判所」といえるかが問題となる。

　　　　→裁判員制度合憲判決（最大判平23.11.16・百選175事件）参照　⇒ p.313

　3　裁判と訴訟費用

　　　民事・行政の訴訟提起のためにはかなりの経済的負担を伴うため、その費用を工面できないと裁判を受ける権利は有名無実なものとなるおそれがある。

　　　そこで、この権利を実質的なものとするには、貧困者に対する法律扶助の制度が必要となるが、本条は法律扶助を国の責任とまではしていない。

　　　→憲法上は刑事事件について国選弁護人の制度が定められているだけである（37Ⅲ）

第33条　〔逮捕に対する保障〕

　何人も、現行犯として逮捕される場合を除いては、権限を有する司法官憲が発し、且つ理由となってゐる犯罪を明示する令状によらなければ、逮捕されない。

⇒刑訴§212（現行犯）、刑訴§213～217（現行犯逮捕）、刑訴§199～204・209（令状による逮捕）、刑訴§210・211（緊急逮捕）、明憲§23（逮捕・監禁・審問・処罰に対する保障）

《注　釈》

一　令状主義の原則

　　本条は、①不当な逮捕の抑止、②被逮捕者の防御権の保護を実現すべく、逮捕は、原則として司法官憲（裁判官に限る）の発する令状に基づかなければならないとしている。

　1　「逮捕」の意義

　　　憲法33条にいう「逮捕」とは、犯罪の嫌疑を理由として身体を拘束するこ

人権

とをいう。

→刑事訴訟法でいうところの逮捕に限られず、勾引、勾留、鑑定留置もこれに含まれる

2 「理由となつてゐる犯罪を明示する令状」の意義

これが要求されるのは、一般的探索あるいは別罪証拠の探索を許すような一般令状を禁止する趣旨であり、容疑の犯罪名のみならず、その犯罪事実を明示するものでなければならない。

二 令状主義の例外及びその他の問題

1 現行犯逮捕

憲法は現行犯の場合を令状主義の例外としている。

∵① 犯罪とその犯人が明らかであり誤った逮捕を行うおそれが少ない

② 逃亡や罪証隠滅を阻止するために直ちに逮捕する必要が高く、令状を取っている余裕がないのが通常である

2 緊急逮捕

令状主義の原則からは、逮捕状は逮捕の前に取っておくことが必要である。ところが、刑事訴訟法210条は、緊急の場合には、まず逮捕し、その後で逮捕状を請求する方式を認めており、これが合憲かどうかが問題となる。

▼ **最大判昭 30.12.14・百選 110 事件**

「厳格な制約の下に、罪状の重い一定の犯罪のみについて、緊急已むを得ない場合に限り、逮捕後直ちに裁判官の審査を受けて逮捕状の発行を求めることを条件とし、被疑者の逮捕を認めることは、憲法 33 条規定の趣旨に反するものではない」とした。

3 行政手続との関係

身体の拘束は、刑事手続以外でも行われることがある。たとえば、①出入国管理及び難民認定法による不法入国者の強制収容・要急収容、②麻薬及び向精神薬取締法による強制入院、③精神保健及び精神障害者福祉に関する法律による強制入院、④感染症法による強制入院・強制隔離、⑤警察官職務執行法による泥酔者等の一時的保護などである。学説には、身体の拘束という重大な利益にかかわる以上、これらの手続にも本条を類推適用すべきとする見解もある。

第34条 〔抑留・拘禁に対する保障〕

何人も、理由を直ちに告げられ、且つ、直ちに弁護人に依頼する権利を与へられなければ、抑留又は拘禁されない。又、何人も、正当な理由がなければ、拘禁されず、要求があれば、その理由は、直ちに本人及びその弁護人の出席する公開の法廷で示されなければならない。

⇒刑訴 §204〜208 の 2 （被疑者の勾留）、刑訴 §30 （弁護人依頼権）、刑訴 §76・

77・203・204（弁護人依頼権の告知）、刑訴§82～86（勾留理由の開示）、裁判所§69・70（公開の法廷）

《注　釈》

一　抑留・拘禁理由の告知（34前段）

1　「抑留又は拘禁」の意義

(1)　「抑留」とは比較的短期の身体拘束をいい、刑事訴訟法にいう逮捕・勾引に伴う留置がこれに当たる。

(2)　「拘禁」とは比較的長期の身体拘束をいい、刑事訴訟法にいう勾留、鑑定留置がこれに当たる。

2　「理由」の意義

①犯罪の嫌疑（十分特定性をもつ具体的事実として告げられなければならない）と、②抑留・拘禁の必要性（逃亡・罪証隠滅のおそれ）を含む。

二　弁護人依頼権（34前段）

1　適用範囲

本条は、被疑者か被告人かに関係なく適用がある。

→被疑者段階においても、少なくとも身体を拘束される場合には、弁護人依頼権が保障される

cf.　接見交通権（刑訴39Ⅰ）

▼　最大判平11.3.24・百選120事件

本条前段の「弁護人に依頼する権利は、身体の拘束を受けている被疑者が、拘束の原因となっている嫌疑を晴らしたり、人身の自由を回復するための手段を講じたりするなど自己の自由と権利を守るため弁護人から援助を受けられるようにすることを目的とするもの」であり、**被疑者と弁護人等との接見交通権**を規定した刑事訴訟法39条1項の規定は「**憲法の保障に由来するものである**ということができる。……もっとも、憲法は、刑罰権の発動ないし刑罰権発動のための捜査権の行使が国家の権能であることを当然の前提とするものであるから、被疑者と弁護人等との接見交通権が憲法の保障に由来するからといって、これが刑罰権ないし捜査権に絶対的に優先するような性質のものということはできない。……**憲法34条は、身体の拘束を受けている被疑者に対して弁護人から援助を受ける機会を持つことを保障するという趣旨が実質的に損なわれない限りにおいて」**、法律で接見交通権の行使と捜査権の行使とを合理的に調整する規定を設けることを否定するものではないというべきである。刑事訴訟法39条3項本文は接見交通権の行使につき捜査機関が制限を加えることを認めているが、同項が接見交通権を制約する程度は低いこと、**接見を制限しうる場合は**限られた範囲においてであることなどからすれば、「刑訴法39条3項本文の規定は、憲法34条前段の弁護人依頼権の保障の趣旨を実質的に損なうものではないというべきである」。

人
権

2 「依頼する権利」の意味

　　国選弁護人に対する権利が規定されていないために、37 条 3 項との対比上、被疑者段階では国選弁護人の権利は憲法上保障されていない。

　∵　37 条 3 項が「被告人」という文言を用いている

三　拘禁理由の開示（34 後段）

　抑留・拘禁については「理由」の告知が必要だが、拘禁の場合はさらに「正当な理由」（ある程度の証拠の提示によって支えられた理由）を公開法廷で要求することによって不当な拘禁の防止を図っている。

▼　**最大決昭 33.10.15・百選 123 事件**

　　法廷等の秩序維持に関する法律による制裁は従来の刑事的行政的処罰のいずれの範ちゅうにも属しないところの特殊の処罰であり、裁判所又は裁判官の面前における現行犯的行為に対して適用されるものであるから、令状の発付、勾留理由の開示、訴追、弁護人依頼権等刑事裁判に関し憲法の要求する諸手続の範囲外にあるのみならず、常に証拠調べを要求されることもない。

第 35 条　〔住居侵入・捜索・押収に対する保障〕

Ⅰ　何人も、その住居、書類及び所持品について、侵入、捜索及び押収を受けることのない権利は、第 33 条の場合を除いては、正当な理由に基いて発せられ、且つ捜索する場所及び押収する物を明示する令状がなければ、侵されない。

Ⅱ　捜索又は押収は、権限を有する司法官憲が発する各別の令状により、これを行ふ。

⇒Ⅰ：刑訴 §99〜127（押収・捜索）、刑訴 §218〜220（差押・捜索等と令状）
　Ⅱ：刑訴 §106・107・218・219（令状）、明憲 §25（住所の不可侵）

《注　釈》

一　令状主義の原則

　本条は、証拠収集方法の代表例たる捜索・押収につき、裁判官の発する令状を要求することにより、司法的抑制、一般令状の禁止、被捜索・押収者の防御権の保障を実現しようとしたものである。

1 「正当な理由」の事前審査

　　令状主義は裁判所の事前のチェック（司法的抑制）を保障する。「正当な理由」（犯罪の嫌疑と捜索・押収の必要）につき、捜査官ではなく裁判所が判断する。

2 捜索する場所及び押収する物の明示

　　①裁判官が発する令状に、捜索する場所及び押収する物の明示を要求し、かつ、②捜索又は押収は、各別の令状により行わねばならないと定め、一般令状を禁じている。

3　令状の呈示

　　捜索・押収を行う者は、原則として、被捜索・押収者に令状を呈示し、立会いを認めなければならない。

　　∵　令状主義は、司法的抑制にとどまらず、被捜索・押収者の防御権の保障をも目的としている

二　保障対象

　　35条1項の保障対象には、「住居、書類及び所持品」に限らず、これらに準ずる私的領域に「侵入」されることのない権利が含まれる（最大判平29.3.15・百選112事件）。

▼　ＧＰＳ捜査と憲法35条（最大判平29.3.15・百選112事件）〈共〉

　　ＧＰＳ捜査は、「個人の行動を継続的、網羅的に把握することを必然的に伴うから、個人のプライバシーを侵害し得るものであり、また、そのような侵害を可能とする機器を個人の所持品に秘かに装着することによって行う点において、公道上の所在を肉眼で把握したりカメラで撮影したりするような手法とは異なり、公権力による私的領域への侵入を伴うものというべきである。

　　憲法35条は、『住居、書類及び所持品について、侵入、捜索及び押収を受けることのない権利』を規定しているところ、この規定の保障対象には、『住居、書類及び所持品』に限らずこれらに準ずる私的領域に『侵入』されることのない権利が含まれる」。その上で、ＧＰＳ捜査は「個人のプライバシーの侵害を可能とする機器をその所持品に秘かに装着することによって、合理的に推認される個人の意思に反してその私的領域に侵入する捜査手法」であり、「個人の意思を制圧して憲法の保障する重要な法的利益を侵害する」ものであるとして、令状がなければ行うことができない「強制の処分」に当たると判示した。

三　逮捕による捜索・押収

　　「第33条の場合」の意義について、判例（最大判昭30.4.27・百選113事件）は、「不逮捕の保障の存しない場合を除いては」という解釈を採っているものと解されている。この解釈によれば、現行犯として逮捕する要件が備わっていれば、「不逮捕の保障の存しない場合」に当たるので、現実に逮捕したかどうかを問わず、令状なく住居に侵入し捜索・押収ができることになる〈共〉。

四　行政手続との関係

　　行政庁の行う「行政調査」と呼ばれる手続（行政に必要な情報を収集する目的で、他人の土地や家屋に立ち入り、種々の検査を行い、場合によっては検査のために対象物を収去したりすること）においては、刑事手続の場合のように、相手方の抵抗を実力で排除して行うことは、通常認められていない。しかし多くの場合、調査の妨害に対して罰則を科すことで、間接的に強制する方法が採られている。

　　そこで、このような行政手続に、35条が適用・準用されるかが問題となる。

＜行政手続と 35 条＞

	内容	理由
否定説	行政手続に 35 条は適用（準用・類推適用を含む）されない	① 35 条は刑事手続にのみ適用される ② 行政手続に裁判官の令状を要求すれば、行政への指揮監督権を裁判所に与えることになり、権力分立に反する
肯定説	行政手続であっても、性質上可能な限り 35 条の適用（準用・類推適用を含む）があるものの、性質に応じて合理的な例外がある	① 35 条が行政手続に及ばないとすると、行政手続を通じて 35 条の保障が有名無実化される ② 犯罪の嫌疑を受けている者でさえ無令状捜査から守られる権利があるのに、犯罪の嫌疑を受けていない者にかかる保障がないのは不均衡かつ不合理である

▼ **国税犯則取締法違反事件（最大判昭 30.4.27・百選 113 事件）** 司共

　「少くとも現行犯の場合に関する限り、法律が司法官憲によらずまた司法官憲の発した令状によらずその犯行の現場において捜索、押収等をなし得べきことを規定したからとて、立法政策上の当否の問題に過ぎないのであり、憲法 35 条違反の問題を生ずる余地は存しない」としたうえで、国税犯則取締法 3 条 1 項が裁判官の許可状なしに臨検、捜索、差押えをなしうる場合を定めていても、違憲ではないと判示した。

▼ **川崎民商事件（最大判昭 47.11.22・百選 114 事件）** 司H29

　憲法 35 条 1 項の規定は、「本来、主として刑事責任追及の手続における強制について、それが司法権による事前の抑制の下におかれるべきことを保障した趣旨であるが、当該手続が刑事責任追及を目的とするものでないとの理由のみで、その手続における一切の強制が当然に右規定による保障の枠外にあると判断することは相当ではない」としつつ、旧所得税法 63 条の質問検査（収税官吏が税務調査に当たり納税義務者等に質問し、帳簿等の物件を検査でき、これを拒否した者には罰則が適用されるという制度）は、刑事責任追及のための資料の取得収集に直接結び付く作用を一般的に有するものとはいえず、また、強制の度合いも、直接的物理的な強制と同視すべきほどに相手方の自由意思を著しく拘束するものではないとして、「あらかじめ裁判官の発する令状によることをその一般的要件としないからといって、これを憲法 35 条の法意に反するものとすることはでき」ないと判示した。

▼ 成田新法事件（最大判平 4.7.1・百選 109 事件） 司H29

　「行政手続は、刑事手続とその性質においておのずから差異があり、また、行政目的に応じて多種多様であるから、行政手続における強制の一種である立入にすべて裁判官の令状を要すると解するのは相当ではなく、当該立入が公共の福祉の維持という行政目的を達成するため欠くべからざるものであるかどうか、刑事責任追及のための資料収集に直接結び付くものであるかどうか、また強制の程度・態様が直接的なものであるかどうかなどを総合判断して、裁判官の令状の要否を決めるべきである」としたうえで、新東京国際空港の安全確保に関する緊急措置法3条3項は、裁判官の発する令状を要せずに立入りが可能であるとしているが、立入りが認められるのは同条1項に基づく使用禁止命令がすでに発せられている工作物についてその命令の履行を確保するために必要な限度にとどめられること、刑事責任追及のための資料収集に直接結び付くものではないこと、強制の程度・態様が直接的物理的なものではないこと、等を総合判断すれば、本条の法意に反するものではないと判示した。

▼ 税関職員による郵便物の無令状検査と憲法 35 条（最判平 28.12.9・平 29 重判 11 事件）

　憲法 35 条の規定は行政手続にも及びうること、関税法に基づく検査手続は行政上の目的達成に向けられた手続であることを指摘しつつ、「国際郵便物に対する税関検査は国際社会で広く行われており、国内郵便物の場合とは異なり、発送人及び名宛人の有する国際郵便物の内容物に対するプライバシー等への期待がもともと低い上に、郵便物の提示を直接義務付けられているのは、検査を行う時点で郵便物を占有している郵便事業株式会社であって、発送人又は名宛人の占有状態を直接的物理的に排除するものではないから、その権利が制約される程度は相対的に低い」とした上で、「税関検査の目的には高い公益性が認められ、大量の国際郵便物につき適正迅速に検査を行って輸出又は輸入の可否を審査する必要があるところ、その内容物の検査において、発送人又は名宛人の承諾を得なくとも、具体的な状況の下で、上記目的の実効性の確保のために必要かつ相当と認められる限度での検査方法が許容されることは不合理といえない」とした。そして、税関職員らが輸入禁制品の有無等を確認するため、本件郵便物を開披し、その内容物を鑑定に付すなどした本件郵便物検査は、行政上の目的を達成するために必要かつ相当な限度での検査であったといえ、無令状で行われた本件郵便物検査は「憲法 35 条の法意に反しない」と判示した。

第３６条 〔拷問及び残虐な刑罰の禁止〕

公務員による拷問及び残虐な刑罰は、絶対にこれを禁ずる。

[趣旨]本条は、捜査から刑の執行までの刑事手続において、その目的から必要とされる以上の苦痛を被疑者・被告人・受刑者に科すべきでないという、適正手続の

要請を象徴的に表現したものである。捜査の過程における不必要な苦痛の代表が拷問、刑罰におけるそれが残虐刑である。

《注 釈》

一 拷問の禁止

1 「公務員による拷問」の意味

  (1) 「公務員」とは、一般的には国又は地方公共団体の公務に参与することを職務とする者すべてを含むが、ここで主として念頭に置かれているのは、警察や検察等の職務に従事する者である。

  (2) 「拷問」とは、被疑者や被告人から自白を得るため肉体的・生理的な苦痛を与えることをいう。

2 拷問を「絶対に」禁ずるの意味

公共の福祉を理由とする例外を一切認めないという意味である。

二 残虐な刑罰の禁止

1 「残虐な刑罰」の意味

「残虐な刑罰」とは、憲法における刑罰の一般目的に照らして不必要な苦痛を伴う刑罰をいう。

  →刑罰の目的が、憲法から一義的に導き出されるわけではなく、文化水準に照らして反人道的と感じられるような刑罰が、「残虐な刑罰」となる

2 死刑の合憲性

死刑が「残虐な刑罰」に該当するかどうかは、刑罰の目的に照らして死刑が必要かどうかという観点から判断すべきであり、死刑の威嚇力による一般予防の現実的効果をどう評価するかが結論を左右する。

▼ 最大判昭23.3.12・百選115事件

判旨： 死刑そのものは「残虐な刑罰」に当たらない。しかし「その執行の方法等がその時代と環境とにおいて人道上の見地から一般に残虐性を有するものと認められる場合」（火あぶり、はりつけ、さらし首、釜ゆで等）には、「残虐な刑罰」となる。

評釈： 本判決は、13条後段や31条が死刑の存在を前提としているという理解を根拠に判断されたものである。

第37条 〔刑事被告人の権利〕

Ⅰ すべて刑事事件においては、被告人は、公平な裁判所の迅速な公開裁判を受ける権利を有する。

Ⅱ 刑事被告人は、すべての証人に対して審問する機会を充分に与へられ、又、公費で自己のために強制的手続により証人を求める権利を有する。

Ⅲ 刑事被告人は、いかなる場合にも、資格を有する弁護人を依頼することができる。被告人が自らこれを依頼することができないときは、国でこれを附する。

[趣旨]憲法は本条とは別に、裁判を受ける権利と裁判の公開原則について一般的に規定しているが（32、82）、本条1項は、特に刑事被告人の権利を明確にするため、公平・迅速・公開の要件が満たされる必要があることを明らかにした。本条2項は、被告人に対して、前段で証人審問権、後段で証人喚問権を保障する。これらの権利は、公正な裁判を確保するうえでの基礎的前提条件をなすものである。本条3項は、前段で弁護人依頼権を、後段で国選弁護人に対する権利を保障する。これは、刑事事件において、法律の素人である被告人が実質的かつ十分な防御活動を行うためには、法律の専門家である弁護人が不可欠である、という思想に基づく（実質的当事者主義の実現）。

《注　釈》
一　公平な裁判所の迅速な公開裁判を受ける権利（37Ⅰ）
　1　「公平な裁判所」の裁判
　(1)　意義
　　　「公平な裁判所」の裁判とは、構成その他において偏頗のおそれのない裁判所による裁判をいう（最大判昭23.5.5）。
　　→「公平な裁判」を直接保障した規定ではない
　　ex. 公平な裁判所の裁判である以上、個々の事件において法律の誤解又は事実の誤認等によりたまたま被告人に不利益な裁判がなされても、それがいちいち本条1項に触れる違憲裁判になるというものではない（最大判昭23.5.5）

▼　**裁判員制度合憲判決（最大判平23.11.16・百選175事件）**

　事案：　①憲法には国民の司法参加を想定した規定がないところ、裁判員制度に基づき裁判員が構成員となった裁判体は、憲法上の「裁判所」に当たらず、これによる裁判は憲法31条・32条・37条1項・76条1項・80条1項に違反しないか、②裁判員制度の下では、裁判官は裁判員の判断に影響・拘束されることになるから、裁判官の職権行使の独立を保障した憲法76条3項に違反しないかが、本件で問題となった。
　　＊　なお、本件では、③裁判員が構成員となった裁判体は「特別裁判所」（76Ⅱ前段）に該当しないか（⇒p.444）、④裁判員制度は裁判員となる国民に意に反する苦役に服させるものとして、憲法18条後段に違反しないか（⇒p.130）も問題となった。
　判旨：1　上記①について
　　　憲法に「明文の規定が置かれていないことが、直ちに国民の司法参加の禁止を意味するものではない」。
　　　大日本帝国憲法では、「法律ニ定メタル裁判官ノ裁判」を受ける権利が保障されていたのに対し、現憲法32条が保障するのは「裁判所において裁判を受ける権利」であり、表現が改められたこと、「最高裁

所と異なり、下級裁判所については、裁判官のみで構成される旨を明示した規定を置いていない」こと等からすると、「国民の司法参加と適正な刑事裁判を実現するための諸原則とは、十分調和させることが可能であり、憲法上国民の司法参加がおよそ禁じられていると解すべき理由はなく」、憲法は、「一般的には国民の司法参加を許容しており、……上記の諸原則が確保されている限り、……その内容を立法政策に委ねていると解される」。

「80条1項が、裁判所は裁判官のみによって構成されることを要求しているか否かは、結局のところ、憲法が国民の司法参加を許容しているか否かに帰着する問題である。既に述べたとおり、憲法は、最高裁判所と異なり、下級裁判所については、国民の司法参加を禁じているとは解されない。したがって、裁判官と国民とで構成する裁判体が、それゆえ直ちに憲法上の「裁判所」に当たらないということはできない」。

また、「裁判員制度の仕組みを考慮すれば、公平な『裁判所』における法と証拠に基づく適正な裁判が行われること（憲法31条、32条、37条1項）は制度的に十分保障されている上、裁判官は刑事裁判の基本的な担い手とされているものと認められ、憲法が定める刑事裁判の諸原則を確保する上での支障はないということができる」。

したがって、憲法31条、32条、37条1項、76条1項、80条1項に違反しない。

2　上記②について

憲法76条3項によれば、裁判官は憲法及び法律に拘束されるところ、上記のように「憲法が一般的に国民の司法参加を許容しており、裁判員法が憲法に適合するようにこれを法制化したものである以上、……裁判官が時に自らの意見と異なる結論に従わざるを得ない場合があるとしても、それは憲法に適合する法律に拘束される結果であるから、同項違反との評価を受ける余地はない」。

また、「元来、憲法76条3項は、裁判官の職権行使の独立性を保障することにより、他からの干渉や圧力を受けることなく、裁判が法に基づき公正中立に行われることを保障しようとするものであるが、裁判員制度の下においても、法令の解釈に係る判断や訴訟手続に関する判断を裁判官の権限にするなど、裁判官を裁判の基本的な担い手として、法に基づく公正中立な裁判の実現が図られており」、こうした点からも、裁判員制度は、憲法76条3項の趣旨に反するものではない。

(2)　公平な裁判所の実現

＜公平な裁判所の実現方法＞

裁判所全体の在り方 （抽象的な制度論）	組織構造の在り方	①　裁判所は、機構上、訴追機関とは別個独立の組織でなければならない ②　裁判所は外部の圧力から独立したものでなければならない
	裁判過程・手続構造の在り方	起訴状一本主義や当事者主義が公平な裁判所の要請する手続の基本構造か否かが問題となる
事件担当裁判所の構成（具体的制度）		裁判官等の除斥、忌避、回避の制度（刑訴20以下、377、刑訴規9以下）が設けられている（＊）

＊　実際に地方裁判所で関与した事件を高等裁判所で担当しなければ、ある裁判官が地方裁判所と高等裁判所の裁判官を兼務することも、本条1項に反せず許される（裁判所28Ⅰ参照）。

▼　**最高裁判所長官忌避申立て決定（最大決平23.5.31・平23重判3事件）**

事案：　裁判員裁判により、有罪の判決を受けた被告人が、裁判員制度の違憲性を主張している場合において、最高裁長官が、裁判員制度の実施に係る司法行政に関与したことを理由に忌避の申立てをした。

決旨：　「最高裁判所長官は、最高裁判所において事件を審理裁判する職責に加えて、……司法行政事務の職責をも併せ有しているのであって（裁判所法12条1項参照）、こうした司法行政事務に関与することも、法律上当然に予定されているところであるから、そのゆえに事件を審理裁判する職責に差し支えが生ずるものと解すべき根拠はない。もとより、……司法行政事務への関与は、具体的事件との関係で裁判員制度の憲法上の適否について法的見解を示したものではないことも明らかである」として忌避の申立てを却下した。

2　「迅速な」裁判

(1)　意義

　　「迅速な」裁判とは、適正な裁判を確保するのに必要な期間を超えて不当に遅延した裁判でない裁判をいう。

　　「迅速な」裁判が要請される理由として、まず国家側からは、①証拠が散逸するのを回避する必要があり、②犯罪の一般予防の観点から速やかに処罰する方が効果も大きく、③（身柄を拘束しない場合）逃亡・再犯・証人威迫の可能性を小さくするため、という点が指摘される。他方、被告人側から

人権

は、①自己に有利な証拠の散逸を防止し、②身体拘束の長期化を回避するとともに、③訴追による心理的・物質的負担を最小限にするため、という点が指摘される。

　もっとも、37条1項が保障するのは被告人の権利としての「迅速な」裁判であるので、国家側の利益はここでの問題とならない。

(2)　「迅速な」裁判の法的性質

▼　**高田事件（最大判昭47.12.20・百選116事件）**

事案：　起訴後15年以上にもわたって審理が中断されていた被告人について、迅速な裁判を受ける権利（37Ⅰ）の侵害を理由に手続を打ち切ることが可能であるか問題となった。

判旨：　憲法37条1項の保障する迅速な裁判を受ける権利は、憲法の保障する基本的人権の1つであり、右条項は、単に迅速な裁判を一般的に保障するために必要な立法上及び司法行政上の措置をとるべきことを要請するにとどまらず、さらに個々の刑事事件について、現実に右の保障に明らかに反し、審理の著しい遅延の結果、迅速な裁判を受ける被告人の権利が害されたと認められる異常な事態が生じた場合には、これに対処すべき具体的規定がなくとも、もはや当該被告人に対する手続の続行を許さず、その審理を打ち切るという非常救済手段がとられるべきことをも認めている趣旨の規定であると解する。

　「異常な事態」に至っているか否かは、「遅延の期間のみによって一律に判断されるべきではなく、遅延の原因と理由などを勘案して、それ遅延がやむをえないものと認められないかどうか、これにより右の保障条項がまもろうとしている諸利益がどの程度実際に害せられているかなど諸般の情況を総合的に判断して決せられなければならない」。例えば、「事件の複雑なために、結果として審理に長年月を要した場合などはこれに該当しないこともちろんであり、さらに被告人の逃亡、出廷拒否または審理引延しなど遅延の主たる原因が被告人側にあった場合には、被告人が迅速な裁判をうける権利を自ら放棄したものと認めるべきであって、たとえその審理に長年月を要したとしても、迅速な裁判をうける被告人の権利が侵害されたということはできない」。

　なお、「被告人側が積極的に期日指定の申立をするなど審理を促す挙に出なかったとしても、その一事をもって、被告人が迅速な裁判をうける権利を放棄したと推定することは許されない」。

3　「公開」裁判　⇒p.497

　「公開」裁判とは、その対審及び判決が公開の法廷で行われる裁判をいう。

→本条1項の公開裁判は、82条の定める公開原則を、刑事裁判に関して被告人の権利という側面から規定したものである

二　証人に関する権利（37 Ⅱ）

1　証人審問権

⑴　本条 2 項前段の証人審問権は、被告人に審問の機会が十分に与えられない証人の証言には証拠能力は認められない、という趣旨の直接審理の原則を保障している。これに基づく制度が、刑事訴訟法の定める伝聞証拠禁止の原則である（刑訴 320）。

　　もっとも、判例は、直接審理を厳格に要求するものとは解していない。

▼　最大判昭 24.5.18

　　「憲法第 37 条第 2 項に、刑事被告人はすべての証人に対し審問の機会を充分に与えられると規定しているのは、裁判所の職権により、又は訴訟当事者の請求により喚問した証人につき、反対訊問の機会を充分に与えなければならないと言うのであって、被告人に反対訊問の機会を与えない証人其他の者……の供述を録取した書類は、絶対に証拠とすることは許されないと言う意味をふくむものではない。」

⑵　証人尋問の際、ビデオリンク方式によることとされた場合には、被告人は、映像と音声の送受信を通じてであれ、証人の姿を見ながら供述を聞き、自ら尋問することができるのであるから、被告人の証人審問権を侵害しているとはいえない（最判平 17.4.14・百選 186 事件）〈司〉。

2　証人喚問権

　証人審問権（37 Ⅱ前段）が専ら被告人にとって不利益な証人に関する権利であったのに対し、証人喚問権（37 Ⅱ後段）は、被告人にとって有利な証人に関する権利である。被告人は、この証人喚問権を行使することにより、被告人が「公費で自己のために強制的手続により証人を求める」ことができる。

　もっとも、判例（最大判昭 23.6.23）〈司〉は、「裁判所がその必要を認めて訊問を許可した証人」だけ喚問できるとしている。

　→裁判所は、刑事被告人が自身の弁護のために必要だと主張している証人全員の尋問を採用しなければならないわけではない

　また、判例（最大判昭 23.12.27）〈司〉は、証人喚問権は被告人の防御権を充分に行使させるための権利であるから、「公費で」といっても、これは有罪判決を受けた被告人に対して訴訟費用の負担を命じてはならないという趣旨ではない旨判示している。

三　弁護人依頼権（37 Ⅲ）　⇒ p.307

1　弁護人依頼権の内容

(1)　「依頼することができる」の意味

▼ **最大判昭24.11.30**

判旨：　弁護人依頼権は被告人自ら行使すべきものであり、裁判所、検察官等は被告人がこの権利を行使する機会を与え、その行使を妨げなければよい。憲法は弁護人依頼権を特に被告人に告げる義務を裁判所に負わせているものではない。

評釈：　学説では、弁護人依頼権を被告人に告げる義務があるとする立場が有力である。

∵①　弁護人依頼権が実質的に行使できるように、依頼権の告知、依頼方法の教示なども憲法が要請していると解すべきである

②　依頼権は弁護人の援助を得るために認められたものであるから、援助が実質的に得られることまで保障内容に入ると考えなければならない

(2)　「いかなる場合にも」の意味

▼ **最決昭40.7.20**

決旨：　氏名を記載することができない合理的な理由がないのに署名しないで弁護人選任届（刑訴規17、18）を提出した場合、その届けによってした被告人の弁護人選任は無効である。

→氏名を黙秘する被告人に弁護人選任の効力を認めなくても、黙秘権や弁護人選任権の侵害にはならない

評釈：　学説からは、被告人が明示的に権利を放棄したような場合でない限り、この権利の制限につながるような解釈は認めるべきではないとの批判がなされている。

∵　本条項の表現の中に刑事手続においては弁護人の存在は不可欠であるという憲法の立場を読み取るべきである

2　国選弁護人依頼権

本条3項後段は、前段の弁護人依頼権を実質化すべく、国選弁護人依頼権を保障する。

(1)　国選弁護人依頼権は権利であるから、自らそれを行使しようとする者にのみ保障すればよく、被告人からの請求をまって国選弁護人を付すことにしている刑事訴訟法36条は合憲とされる（最大判昭24.11.2）。

→自ら請求しなければ権利の放棄とみなされる

(2)　国選弁護人依頼権の存在を被告人に告知することは憲法上の要請ではない▼判。

cf.　刑事訴訟法は被告人に権利の存在を告知することにしている（刑訴77、272）

(3)　国選弁護人の費用は、すべて国が負担するとは限らない（刑訴181、500参照）。

▼　最判昭54.7.24

　　被告人の再度の国選弁護人請求に対し、裁判所がこれに応ずる義務があるかについて、最高裁は、訴訟法上の権利は誠実にこれを行使し濫用してはならないとした上で、「被告人がその権利を濫用するときは、それが憲法に規定されている権利を行使する形をとるものであっても、その効力を認めないことができる」とし、「このような場合には、形式的な国選弁護人請求があっても、裁判所としてはこれに応ずる義務を負わない」と判示した。

第38条　〔自己に不利益な供述の強要禁止、自白の証拠能力〕

Ⅰ　何人も、自己に不利益な供述を強要されない。
Ⅱ　強制、拷問若しくは脅迫による自白又は不当に長く抑留若しくは拘禁された後の自白は、これを証拠とすることができない。
Ⅲ　何人も、自己に不利益な唯一の証拠が本人の自白である場合には、有罪とされ、又は刑罰を科せられない。

[趣旨] 本条は、刑事手続における自白偏重、それに伴う拷問その他の不当な人権侵害の弊害を根絶しようとするものである。1項で総則的に不利益供述強要の禁止を規定し、2項及び3項で1項の趣旨を具体的に裏付けるべく自白法則及び補強法則を規定する。

《注　釈》

一　38条1項

　　本条1項の規定は、アメリカ合衆国憲法修正5条の定める自己負罪拒否の特権に由来する。

1　「自己に不利益な供述」の意味

　　「自己に不利益な供述」とは、本人の刑事責任に関する不利益な供述、すなわち有罪判決の基礎となる事実、量刑上不利益となる事実等の供述をいう〈過〉。

　　cf.　本条1項の保障は、刑事手続における被疑者・被告人に限らず証人にも及ぶ（刑訴146）

　　氏名の供述は、「原則としてここにいわゆる不利益な事項に該当するものではない」（最大判昭32.2.20）から、氏名の供述を強要しても38条1項には違反しない〈共〉。

2　「強要されない」の意味

「強要」には、①供述拒否を処罰したり、拷問を加えたりするいわゆる直接強制と、②供述拒否に対し法律上あるいは事実上の不利益を科すという間接強制とがありうる。本条1項は、この双方が許されないことを規定したと解されている。

cf.　弁護人の立会いなくして被疑者を取り調べることは、本条1項に反しない

∵　弁護人の立会いがないからといって、取調べにおいて、「強要」がなされるわけではない

3　行政手続との関係

行政上の諸目的を達成するために、法律で、特定の事項について、質問への答弁、届出、記帳などを義務付け、それを罰則によって強制することがある（ex. 所得税法、道路交通法、麻薬及び向精神薬取締法）。このような義務付けが不利益な供述の強制として憲法違反となるか。本条1項が行政手続にも適用されるか問題となる。

＜38条1項と行政手続との関係＞

	内容	理由
A説	行政手続への適用を否定する（適用否定説）	①　38条1項は、沿革上、もっぱら刑事手続のみに関する規定である ②　38条1項を根拠に行政手続における自己に不利益な陳述や申告の拒否を認めると、行政法規の目的が達成できなくなる
B説	原則として行政手続にも38条1項の適用を肯定するが、行政目的達成のために答弁や報告等の義務を課すことが必要不可欠であるという場合に限って、当該義務を課すことも許される（適用限定肯定説）	行政目的上、一定の場合に申告・報告義務を課す必要のあることも否定できない
C説	行政手続への適用を肯定する（適用肯定説）	行政権が肥大化し人権侵害のおそれのある現代では、刑事手続以外にも38条1項の保障を及ぼす必要がある

▼　川崎民商事件（最大判昭47.11.22・百選114事件）

税務上の質問検査について、本条1項の保障は、「純然たる刑事手続においてばかりではなく、それ以外の手続においても、実質上、刑事責任追及のための資料の取得収集に直接結びつく作用を一般的に有する手続には、ひとしく及ぶ」と判示した。

しかし、旧所得税法の質問検査（現234 I）は性質上刑事責任の追及を目的

とするものではないから、質問検査は憲法35条、38条に反しないとして、結論において、被告人を有罪とした。

▼ 最判昭29.7.16・百選118事件

麻薬取締法における麻薬の不正使用と帳簿記帳の義務との関係については、麻薬取扱者として免許された者は、当然に取締法規の命じる「一切の制限又は義務に服することを受諾しているもの」と考えるべきであるとして、黙秘権の放棄を擬制し、憲法38条1項に反しない旨判示した。

▼ 最大判昭37.5.2・百選117事件 〈囲〉

道路交通取締法24条、同施行令67条（現道交法72Ⅰ）が定める、交通事故の際の運転者による事故内容に関する報告義務は、警察官が交通事故に対する処理をなすにつき必要な限度においてのみ負担するものであって、それ以上に、刑事責任を問われるおそれのある事故の原因その他の事項までも右報告義務のある事項に含まれるものではないから、報告義務違反の処罰は、憲法38条1項に反しない旨判示した。

▼ 最判昭54.5.10

覚醒剤の輸入について関税法111条の無許可輸入罪の成立を認めることについて、同法67条による貨物輸入の際の申告は、関税の公平確実な賦課徴収及び税関事務の適正円滑な処理を目的とする手続であって、刑事責任追及を目的とする手続でないことはもとより、そのための資料の取得収集に直接結び付く作用を一般的に有するものでなく、また、当該申告は本邦入国者すべてに対し品目の如何を問わず義務付けられるものであって、行政目的達成上必要かつ合理的な制度であるとして、憲法38条1項に反しない旨判示した。

▼ 最判昭56.11.26

改正前の外国人登録法3条1項・18条1項が、不法入国した外国人にも登録申請義務を課していることについて、「外国人の居住関係及び身分関係を明確にし、もって在留外国人の公正な管理に資することを目的とする手続であって、刑事責任の追及を目的とする手続でないことはもとより、そのための資料収集に直接結びつく作用を一般的に有するものでもない」との理由で、憲法38条1項に反しない旨判示した。

人権

▼ **最判平 9.1.30 〈同〉**

　道路交通法 67 条 2 項の規定による警察官の呼気検査は、酒気を帯びて車両等を運転することの防止を目的として運転者らから呼気を採取してアルコール保有の程度を調査するものであって、その供述を得ようとするものではないから、右検査を拒んだものを処罰する同法 120 条 1 項 1 号の規定は、本条 1 項に違反しない旨判示した。

▼ **最判平 16.4.13**

　医師法 21 条が定める、医師が異常死体を検案した際の警察署への届出義務は、警察官の被害拡大防止措置等のための「行政手続上の義務」であり、「届出人と死体とのかかわり等、犯罪行為を構成する事項の供述までも強制されるものではない」。また、「医師免許は、人の生命を直接左右する診療行為の資格を付与するとともに、それに伴う社会的責務を課すものである」から、届出義務により不利益を被るとしても「医師免許に付随する合理的根拠のある負担として許容される」。

4　黙秘権の告知について

　刑事訴訟法は、被疑者取調べに際して黙秘権の告知を要求しているが（刑訴 198 Ⅱ）、かかる要請が本条 1 項の直接要請するところか否かについて学説は消極的である。

▼ **最判昭 59.3.27・百選 119 事件**

　供述拒否権の告知を要するものとすべきかどうかは、立法政策の問題であるから、国税犯則取締法に供述拒否権告知の規定を欠き、収税官吏が犯則嫌疑者に対し同法 1 条の規定に基づく質問をするに当たりあらかじめ右の告知をしなかったからといって、その質問手続が本条 1 項に違反することとなるものではないとした。

二　38 条 2 項

　本条 2 項は、①「強制、拷問若しくは脅迫による自白」と②「不当に長く抑留若しくは拘禁された後の自白」の証拠能力を否定した（自白法則）。刑事訴訟法 319 条 1 項は、さらに「その他任意にされたものでない疑のある自白」の証拠能力も否定している。

　　ex.1　「強制」に当たるか否かは、個別・具体的に判断されるべきである〈判〉

　　ex.2　「不当に長く抑留若しくは拘禁された後の自白」には、自白と不当に長い抑留又は拘禁との間に因果関係がないことが明らかに認められる場合の自白は含まれない〈判〉

三　38条3項

1　補強法則

　　本条3項は、証拠能力ある自白でも、その証明力を補強する証拠が別にない限り、有罪の証拠とすることができないことを定めたものである（補強法則）判。

2　公判廷の自白

▼　公判廷における被告人の自白と「本人の自白」（最大判昭23.7.29・百選A10事件）

　　事案：　被告人の公判廷における供述を唯一の証拠とした有罪の判決が憲法38条3項に反しないかが争われた。

　　判旨：　公判廷における被告人の自白は憲法38条3項の本人の自白に含まれない。

　　刑事訴訟法319条2項も補強法則について定め、「公判廷における自白であると否とを問わず」という文言を用いている。同条項と本条3項との関係について、判例は、本条3項は公判廷外の自白について定めたものであり、刑事訴訟法319条2項は、憲法の趣旨を一歩前進させて、公判廷の自白についても補強証拠を要する旨を定めたものであると解している（最判昭24.6.29）。

3　余罪と量刑

　　起訴状に書かれていない犯罪事実をいわゆる余罪として認定し、これを実質上処罰する趣旨の下に重い刑を科することは、31条及び38条3項に違反する（最大判昭42.7.5・百選〔第6版〕114事件）団。　⇒p.297

第39条　〔遡及処罰の禁止・一事不再理〕

　何人も、実行の時に適法であつた行為又は既に無罪とされた行為については、刑事上の責任を問はれない。又、同一の犯罪について、重ねて刑事上の責任を問はれない。

《注　釈》

一　39条前段前半

1　趣旨

　　本条前段前半は、事後法の禁止ないし遡及処罰の禁止を定めるもので、罪刑法定主義の重要な帰結の1つである。これは、行為時に適法な行為につき、事後立法によって遡及的に処罰することは、著しく正義に反し、個人の生活を極めて不安たらしめることから規定された。

2　手続規定の遡及適用

　　本条前段前半は、一般に、実体法の遡及禁止を定めたものと解されている。ただ、手続法の遡及も禁止されるかについて見解は分かれている。

▼ **最大判昭25.4.26**

「単に上告理由の一部を制限したに過ぎない」訴訟手続の改正規定を適用して、その制定前の行為を審判することは、「たといそれが行為時の手続法よりも多少被告人に不利益であるとしても」本条の「趣旨を類推すべき場合と認むべきではない」とした。

二　39条前段後半・後段

1　前段後半

「既に無罪とされた行為」とは、裁判において無罪判決が確定した行為をいう。

ex. 検察官の不起訴処分、犯罪後の刑の廃止又は大赦は「既に無罪とされた行為」に当たらない〔判〕

2　後段

我が国の裁判権により刑事責任を重ねて問うことを排除するものである。

ex.1　すでに占領軍軍事裁判所の裁判を経た事実につき、重ねて我が国で処罰しても本条後段に違反しない〔判〕

ex.2　詐欺その他不正の行為により税を免れた者を脱税犯として処罰し、そのうえ、その者から重加算税を徴収しても本条後段に反しない（最大判昭33.4.30・百選122事件）

3　前段後半・後段の意味

(1)　本条前段後半と後段は、大陸法的な一事不再理の発想と英米法的な二重の危険の禁止の発想を混在させているため、本条前段後半と後段にいう「刑事上の責任を問はれない」がそれぞれ何を意味するものかについて見解が分かれている。

＜39条前段後半・後段の意味＞

	前段後半	後段	帰結	批判
A説	一事不再理（＊1）	二重処罰の禁止	「刑事上の責任を問はれない」とは、処罰されないという意味である	二重処罰が許されないことは、39条をまつまでもなく、13条の趣旨からいって当然である
B説		二重の危険（＊2）	「刑事上の責任を問はれない」とは、手続的負担を負わせられないという意味である	前段の「責任を問はれない」という同一の文言が、前半との関係では実体的処罰を受けないという意味だとされ、後半との関係では手続的負担を受けないという意味だとされる点で、不自然な解釈である（＊3）

＊1　一事不再理とは、同一の事件は、一度審理し終えたならば、再度審理することはないという原則を意味する。

＊2　二重の危険とは、被告の座に立たされ物質的にも心理的にも大変な負担を負う被告人の利益と国家の訴追の必要性との調整から、国家に一度だけは訴追を認め、再度同じ負担を負わせられることのない権利を被告人に保障しようとする原則を意味する。

＊3　この批判に対して、本条前段前半との関係でも手続的負担を負わせられない（起訴すること自体が許されない）という意味に解し、統一的に理解することが可能であるとの反論がなされている。

(2)　検察官上訴の合憲性

▼　**最大判昭 25.9.27・百選 121 事件**

「危険とは、同一の事件においては、訴訟手続の開始から終末に至るまでの一つの継続的状態と見るを相当とする。されば、一審の手続も控訴審の手続もまた、上告審のそれも同じ事件においては、継続する一つの危険の各部分たるにすぎない」として、検察官上訴を合憲と判断した。

第40条　〔刑事補償〕

何人も、抑留又は拘禁された後、無罪の裁判を受けたときは、法律の定めるところにより、国にその補償を求めることができる。

[趣旨] 刑事裁判が、有罪・無罪を判断するプロセスである以上、抑留又は拘禁された者が結果として無罪になる場合があることは制度上当然予想されていることであり、それは国家の違法行為ということはできない。しかし、結果として無罪とされた者は、その刑事裁判の遂行により、本来必要のなかった抑留・拘禁等の人権制限措置を受けたわけであり、それに対して相応の補償をすることによって、公平の要請がみたされることになる。そこで、本条は官憲の違法行為や故意・過失にかかわりなく、結果に対する補償請求を認めた 司共。

→身柄が拘束されなかった者には、裁判で無罪となっても補償請求は認められない

cf.　明治憲法にはこの種の規定がなく、昭和6年に刑事補償法が制定されたが、それは国の恩恵的施策という性格のものであった。日本国憲法はこれを憲法上の権利の地位にまで高め、その具体的実施については、憲法施行後に新たに制定された刑事補償法が定めている

《**注　釈**》

一　刑事補償請求権の要件

1　「抑留又は拘禁」

(1)　「抑留又は拘禁」には、未決の抑留（留置）・拘禁（勾留）のみならず、本条の趣旨から、自由刑の執行、労役場留置、死刑執行のための拘置も含まれる。

(2) 抑留又は拘禁された被疑事実が不起訴となった場合は本条の保障の問題は生じないが、不起訴となった事実に基づく抑留拘禁であっても、そのうちに実質上は、無罪となった事実についての抑留拘禁であると認められるものがあるときはその部分の抑留及び拘禁もこれを包含するものと解するのが相当である（最大決昭31.12.24・百選129事件）〈司共〉。

(3) 「抑留又は拘禁」は、刑事訴訟法による拘禁及び勾留に限られない（刑補1参照）。

　　ex. 少年法による拘禁

2　「無罪の裁判」

(1) 「無罪の裁判」とは、刑事訴訟法による無罪判決が確定したときと一般に解されているが、刑事補償法は、「刑事訴訟法の規定による免訴又は公訴棄却の裁判を受けた者は、もし免訴又は公訴棄却の裁判をすべき事由がなかったならば無罪の裁判を受けるべきものと認められる充分な事由があるとき」（刑補25Ⅰ）には、補償の請求をなしうるとして、憲法の定める範囲を超えて補償の範囲を拡大している。

　　ex.1　公訴の提起に対して、公訴提起の手続が違法であるとして公訴棄却の判決を受けた場合、その罪につき大赦が行われて免訴判決を受けた場合は、いずれも本条の適用はない

　　ex.2　公訴提起に対し、適用された法律が違憲であると判断されて無罪判決を受けたときは、起訴状記載の公訴事実の存在を認定できた場合であっても本条の適用がある

(2) 少年法23条2項による不処分決定が、非行事実が認められないことを理由とするものであっても、「無罪の裁判」には当たらない（最決平3.3.29・百選130事件）〈司共〉。

　　∵　右処分は、当該事件について刑事訴追をし、又は家庭裁判所の審判に付することを妨げる効力を有しない

　＊　「本人が、捜査又は審判を誤まらせる目的で、虚偽の自白をし、又は他の有罪の証拠を作為することにより、起訴、未決の抑留若しくは拘禁又は有罪の裁判を受けるに至つたものと認められる場合」には、裁判所の裁量により補償の一部又は全部をしないことがある（刑補3①）。

(3) ある者に対して公訴提起されて有罪判決を受けて懲役刑の執行を受けた後、再審を請求して再審で無罪判決を受けた場合、刑の執行部分も含めて、補償請求できる。

　　∵　再審を請求して再審で無罪の判決の場合も、40条にいう「無罪の裁判を受けたとき」に当たる

二　刑事補償請求権の内容

1　補償金額の決定

　　補償金の額を定めるには「拘束の種類及びその期間の長短、本人が受けた財産上の損失、得るはずであつた利益の喪失、精神上の苦痛及び身体上の損傷並びに警察、検察及び裁判の各機関の故意過失の有無その他一切の事情を考慮」しなければならない（刑補4Ⅱ）。

2　国家賠償請求権との関係〈司〉

　　無罪判決が確実に予測できるのに起訴した場合など、抑留等に違法性が認められる場合には、国家賠償の対象にもなる（刑補5Ⅰ）。

　　cf.　刑事補償を受けるべき同一の原因について、国家賠償その他が行われる
　　　　場合には、補償額は調整される（刑補5ⅡⅢ）

3　刑事補償請求権の時効期間

　　補償の請求は、無罪の裁判が確定した日から3年以内に、その裁判をした裁判所に対してしなければならない（刑補6、7）。

— MEMO —

完全整理　択一六法

統　治

第4章　国会

《概　説》

一　代表民主制

1　民主主義の理念を実現する統治方法

＜直接民主制と代表民主制＞

	定義	国家意思の決定
直接民主制	国民が直接立法その他の統治作用を行う制度	国民自ら
代表民主制 （間接民主制）	国民の公選にかかる議員を全部又は一部の構成分子とする合議体としての議会が主権者たる国民に代わって統治権を行使する制度	代表者のみ

2　日本国憲法における民主制
　(1)　日本国憲法は代表民主制（間接民主制）を原則とする（前文1段、41、43）。
　　　∵①　国家の統一的意思の形成には実質的な討論の確保が必要である
　　　　②　直接民主制を採用すると多数決主義的民主主義に陥る危険があり、少数者の人権侵害の危険が増大する
　　　　③　国民は国政について適切な判断を行う政治的素養と時間をもたない
　(2)　日本国憲法は例外的に直接民主制を採用している。
　　　ex.　憲法改正承認の国民投票（96）、最高裁判所裁判官の国民審査（79Ⅱ）、地方自治特別法の住民投票（95）

二　選挙

1　意義
　　選挙とは、有権者からなる選挙人団によって国会議員を選定する行為であり、国会という国家機関を組織するうえで、不可欠の前提となる行為である。

2　代表民主制と選挙
　　代表民主制においては、議会の行動は国民の意思を反映するものとみなされる。そして、民主主義原理に照らし、議会及びその構成分子たる議員の地位は、国民の意思によって直接に正当化されていなければならない。それゆえ、代表民主制と国民による直接的な選挙という選任方法とは密接不可分の関係にある。

3　選挙の基本原理　⇒p.120

4 議員定数不均衡 ⇒ p.351
5 選挙・投票の方法 ⇒ p.364
6 選挙に関する訴訟

選挙の適法・公正を確保するため、公職選挙法は、選挙の不法・不正を広く裁判所に訴えて争い、是正する途を開いている。

＜選挙に関する訴訟＞

選挙人名簿に関する訴訟	選挙人名簿の登録に関し不服のある選挙人が提起できる選挙人名簿に関する訴訟（公選 24、25）
選挙訴訟	選挙人・公職の候補者であれば誰でも、選挙の全部又は一部の無効を主張して争うことのできる訴訟（公選 204、205）
当選訴訟	選挙自体は有効であるが、当選人の決定に誤りがあるとして、当選しなかった者が争う訴訟（公選 208、209）

三 政党

1 意義

政党とは、政治上の意見を同じくする人々が、その意見を実現するために組織する任意の団体をいう。

2 代表民主制と政党

代表民主制は、国民の多様な意思が議会を通じて国政に反映されてはじめて有効に機能する。政党は、国民の様々な意見・利益を国政に反映させる最も有力な媒体であり、代表民主制が機能するうえで不可欠の役割を担う。それゆえ、代表民主制の国家は、政党が政府を組織して統治を行う、政党国家の形態をとる。

3 権力分立制度への影響 同共

現代国家においては国民と議会を媒介する組織として政党が発達し、政党が国家意思の形成に事実上主導的な役割を演じており、権力分立制度は、伝統的な議会と政府の関係から政府・与党と野党の対抗関係へと機能的に変化している。

▼ 共産党袴田事件（最判昭 63.12.20・百選 183 事件）同

「政党は、政治上の信条、意見等を共通にする者が任意に結成する政治結社であって、内部的には、通常、自律的規範を有し、その成員である党員に対して政治的忠誠を要求したり、一定の統制を施すなどの自治権能を有するものであり、国民がその政治的意思を国政に反映させ実現させるための最も有効な媒体であって、議会制民主主義を支える上においてきわめて重要な存在である」。

統治

4　日本国憲法と政党

(1)　憲法の態度〈司〉

　　日本国憲法は、結社の自由（21Ⅰ）を保障するだけで、政党に関する特別の規定を何ら設けていない。しかし、憲法の定める議会制民主主義は政党を無視しては到底その円滑な運用を期待することはできないとして、憲法は政党の存在を当然に予定していると解されている（八幡製鉄事件、最大判昭45.6.24・百選8事件）〈司〉。

　　→トリーペルの発展図式にいう「承認・合法化」の段階にあるといえる

　　　＊　トリーペルの発展図式とは、国家の政党に対する態度の歴史的変遷について、①敵視する段階、②無視する段階、③承認及び合法化する段階（日本）、④憲法的編入（ドイツ）の段階に分ける見解をいう。

　　cf.　ドイツの憲法では、政党の存在意義、設立、内部秩序に関する規定が設けられ、さらに自由な民主的基本秩序に反する政党は連邦憲法裁判所によって違憲とする旨が定められている

　　　　→トリーペルの発展図式にいう「憲法的編入」の段階に踏み出したといわれている

(2)　政党に関する法律

　　政治資金規正法、政党助成法、政党交付金の交付を受ける政党等に対する法人格の付与に関する法律、公職選挙法、国家公務員法などの法律で、それぞれの目的に応じた政党に関する定めが置かれている〈司共〉。

　＊　政治資金規正法の政党要件

　　政治団体のうち、①所属国会議員5人以上のもの、又は②前回の衆議院議員総選挙又は前回もしくは前々回の参議院議員通常選挙のいずれかの選挙における得票率2パーセント以上のものが「政党」とされている（政治資金規正3Ⅱ）。

　＊　政党助成法の政党要件

　　政党助成法に基づく助成の対象となる政党は、①衆議院議員又は参議院議員を5人以上有する政治団体（政党助成2Ⅰ①）か、又は②1人以上の衆議院議員又は参議院議員を有するもので、かつ、直近の国政選挙において、有効投票総数の2％以上の得票をした政治団体（政党助成2Ⅰ②）である。

　　　→同法に対しては、助成の対象となる政党が政治的にある程度の地位を獲得した既存政党に限定されているため、既成政党が優遇される一方、新たな政党の登場が抑制されるとの批判がなされている〈司〉

《その他》

・憲法上政党に関する特別の規定は何ら設けていない以上、その公的性格を重視して他の種類の結社と区別し、法的強制力をもって政党の内部秩序を民主的原則に

適合すべきことを要求することは憲法上許されない〈司〉。

・政党に対しては、高度の自主性と自律性を与えて自主的に組織運営をなしうる自由を保障しなければならない（共産党袴田事件、最判昭63.12.20・百選183事件 ⇒ p.441）。そのため、法律により、政党の役員・党員等の名簿、活動計画書を提出させたうえで政党の設立を許可する制度を設けることは、政党の自主性・自律性を害する度合いが強く、違憲である〈司〉。また、政党がその公認候補を自由に選定・決定するという政党の自律権の制約も憲法上の争点となっている〈予H25〉。

・政党と概念上区別される「会派」（国会46参照）とは、国会の議院内で活動をともにする議員の団体（院内団体）で、2人以上の議員で結成できる。通常、同一政党に属する議員は同一会派に属する。また院内活動の便宜上、複数の政党から結成すること、無所属議員が集まって結成することもある。

第41条 〔国会の地位・立法権〕

国会は、国権の最高機関であつて、国の唯一の立法機関である。

⇒国公 §16（人事院規則・指令）

［趣旨］本条は、国会を「国権の最高機関」と位置付け、「国の唯一の立法機関」として国会が立法権を独占することを明らかにした。行政権についての65条、司法権についての76条1項とあいまって、三権分立を定めるものである。

《注　釈》

一　国権の「最高機関」の意義

本条は、国会を「国権の最高機関」としている。これは、国会が国民の代表機関としての性格をもつことに鑑み、特に国会を最高機関の地位に置いたものと解される。

では、「最高機関」の意味をどのように捉えるべきか、権力分立との関係で問題となる。

＜「最高機関」（41）の意義＞〈司〉

	内容	理由	批判
政治的美称説	41条が「最高機関」と規定したのは、国民代表機関たる国会が国政の中心に位置する重要な国家機関であることを政治的に強調したものであって、法律的に厳格に解釈すべきものではない	① 内閣・裁判所もそれぞれが担当する権限については他の機関の命令には服しないという意味で、最高独立機関である ② 裁判所が法律に対する違憲審査権を有する（81）ことから、国会の意思が常に他の国家機関に優越し、終局的であるとはいえない	行政権の機能増大・権限の肥大化を追認してしまうことになる

	内容	理由	批判
統括機関説	国会は、国家の活動を創設・保持し、終局的な決定を下すという意味で最高機関であり、国家作用を行う種々の機関に対して統括をなす権限を有する	① 国民全体を国権の源泉者とする日本国憲法では、国会が国権の統括機関である ② 国権の発動は、多数の国家機関によって行われるのであるから、国家全体の目的を達するために、特にこれらの統括を任務とする機関が必要である	国家活動を創設したり国政を終局的に決定するのは、本来は主権者たる国民の任務であって、国会の役割ではない
総合調整機関説	国会は国政全般がうまく機能するよう絶えず配慮する責任を負う地位にある点で「最高機関」という話には法的意味がある →国家諸機関の機能及び相互関係を解釈する際の解釈準則となる	① 行政権の拡大を防止するためには、「最高機関」を法的な意味をもつものと積極的に解釈し、国会の権限を強化すべきである ② 行政府・司法府の組織や権能は憲法の枠内で法律によって具体化され、これらの機関の行為は一般に法律に準拠して行われる	最高機関性の法的評価は、統治機構における国会の権限の検討にとどまることなく、国民との関係においても検討されるべきである

※　いずれの説に立っても、所属不明な権限は国会にあると推定すべき根拠となる。すなわち、「最高機関」に法的意味を認める統括機関説・総合調整機関説に立つ場合には、国会が「最高機関」であることがその根拠となる。また、「最高機関」に法的意味を認めない政治的美称説に立つ場合でも、国会が国民の代表機関であるがゆえに国政の中心に位置する重要な国家機関であって、最も国民に近い機関であることがその根拠となる。

二　「唯一の」立法機関

　　国会が国の「唯一の」立法機関であるとは、①国会中心立法の原則と、②国会単独立法の原則の2つを意味する。

　1　国会中心立法の原則

　　　国の行う立法は、憲法に特別の定めがある場合を除いて、常に、国会を通じてなされなくてはならないという原則をいう司予

　　　→国会中心立法の原則の例外としては、以下のものが問題となる

　　　　① 議院規則（58Ⅱ）、最高裁判所規則（77Ⅰ）司予

　　　　② 執行命令（73⑥）

　　　　③ 委任命令（委任立法）

　　　　④ 条例（94）

　(1)　議院規則（58Ⅱ）・最高裁判所規則（77Ⅰ）

　　　　議院規則・最高裁判所規則が国会中心立法の原則の例外に当たるかについては、「立法」の意味（⇒ p.341）と関連して争いがある。「立法」の意味につき、一般的・抽象的法規範の定立と捉える立場からは、例外であることが承認されることになる（三1で紹介する他の説からは、規則は「立法」とは

統
治

無関係であり、国会中心立法の原則の例外ということはできないとされる）。

(2)　執行命令

　　執行命令とは、法律の規定を実施する細則を定める命令をいう。

　　ここでは、「法律」ではなく「憲法」を直接に執行するための命令を制定しうるか、という問題がある。

　　この点、学説は一般に、国会の唯一の立法機関性と関連付けつつ、「憲法及び法律」（73⑥）は一体的に把握すべきとして、否定的に解している。

(3)　委任命令（委任立法）

　　委任命令（委任立法）とは、通常、法律がその所管事項を他の国法形式（特に命令）に委任することをいう。

　　ここでは、(a)委任命令の可否・限界、(b)再委任の可否、という問題がある。

(a)　委任命令の可否・限界〈司予〈司H20

　　委任命令が可能か、という問題について、今日これを否定する見解はほとんど見受けられない。その理由としては、①国家の性格が自由国家（消極国家）から社会国家（積極国家）に変わり、国家の任務が飛躍的に増大し、複雑化したこと（必要性）、②73条6号ただし書は委任命令を容認しその存立を前提としていること（許容性）、という2つが挙げられる。

　　ただ、委任命令が可能であるとしても、判例（最大判昭37.5.30・百選208事件）・通説は、法律の授権が不特定な一般的の白紙委任的なものであってはならないとしている。そこで、次のような限界を設ける見解が有力である。

　　①　憲法上、国会に「留保」されている事項については、特別の解釈上の根拠が存しない限り、命令等の他の国法形式への委任は許されない。

　　②　憲法上特別の規定がない限り命令等の委任立法は法律を改廃できる効力を有するものであってはならず、形式上法律的効力に劣る法的効力をもつものでなければならない。

　　　　委任立法が授権の限界を超えるか否かについて争いがある場合、その判断権は国会にあり、国会は独自の解釈権の行使により、当該委任立法の無効を決議できる。

＊　罰則の委任の可否・限界（最大判昭37.5.30・百選208事件）

　　73条6号ただし書は、特に法律の委任がある場合においては、法律以下の法令（政令・条例）で罰則（すなわち犯罪構成要件及び刑を定める法規）を設けることができることを示す〈刑〈司予。

　　もっとも、罰則の委任は、罪刑法定主義の原則からいって特に厳格性が要求され、犯罪構成要件については立法目的と概括的構成要件が、刑を定める法規についてはその原則が、法律で定められなければならない〈通〈共。

▼ **最判昭33.5.1・百選205事件**

判旨： 人事院規則14－7は「国家公務員法102条1項に基き、一般職に属する国家公務員の職責に照らして必要と認められる政治的行為の制限を規定したものであるから、……実質的に何ら違法、違憲の点は認められないばかりでなく、右人事院規則には国家公務員法の規定によって委任された範囲を逸脱した点は何ら認められず、形式的にも違法ではない」と判示した。

評釈： 本判決は白紙的な委任を合憲としたとみる見解がある。

▼ **猿払事件（最大判昭49.11.6・百選12事件）** 〈囮〉

判旨： 国家公務員法102条1項により人事院規則で定めることが委ねられる「政治的行為」は、「公務員組織の内部秩序を維持する見地から課される懲戒処分を根拠づけるに足りるものであるとともに、国民全体の共同利益を擁護する見地から科される刑罰を根拠づける違法性を帯びるものである」としたうえで、「それが同法82条による懲戒処分及び同法110条1項19号による刑罰の対象となる政治的行為の定めを一様に委任するものであるからといって、そのことの故に、憲法の許容する委任の限度を超えることになるものではない」と判示した。

評釈： 本判決には、公務員関係内における規律として定める場合と刑罰の構成要件として定める場合とを区別しない立法の委任は、少なくとも刑罰の対象となる禁止行為の規定の委任に関する限り、41条、15条1項、16条、21条及び31条に違反するとの反対意見が付されている。

▼ **最判平3.7.9** 〈囮〉

事案： 監獄法施行規則120条（現刑事施設及び被収容者の処遇に関する規則）により、義理の姪（当時10歳）との面会の許可申請を不許可処分とされた在監者Ⅹが、同規則120条の違憲性を主張した。

判旨： 同規則120条が「原則として被勾留者と幼年者との接見を許さないこととする」と規定することについて、「たとえ……幼年者の心情を害することがないようにという配慮の下に設けられたものであるとしても、それ自体、法律によらないで、被勾留者の接見の自由を著しく制限するものであって、（監獄）法50条の委任の範囲を……超えた無効のもの」である。

評釈： 本事案につき、原々審判決は、法45条が認める例外として、①逃亡防止・証拠保全、②監獄内秩序の維持、③幼年者の心情保護という目的からの接見制限を挙げるのに対し、本件最高裁判決は、③の目的を否定した。未決勾留者の接見が原則として自由であるとすれば、例外は厳格に解するべきであり、少なくとも法の明示がない限り③を認める必要はない。それゆえ、学説は、最高裁の判断を妥当としている。

▼ 児童扶養手当事件（最判平14.1.31・百選206事件）

事案： Xは、婚姻によらないで懐胎した児童を出産・監護し、児童扶養手当
の支給を受けてきたが、当該児童が父親から認知されたことを理由に、
Y県知事から、児童扶養手当法施行令1条の2第3号のかっこ書「（父か
ら認知された児童を除く）」により、児童扶養手当受給資格喪失処分を受
けた。

判旨： 児童扶養手当法4条1項各号は、世帯の生計維持者としての父による
現実の扶養を期待できない児童を支給対象児童として定めているが、父
によって認知された婚姻外懐胎児童については、同項各号に準ずる状態
が続いており、それを支給対象から除外する本件括弧書は法の委任の趣
旨に反する。

▼ 医薬品インターネット販売規制と薬事法の委任の範囲（最判平25.1.11・百選A19事件）

事案： 新薬事法の施行に伴って制定された新薬事法施行規則（以下「新施行
規則」という。）では、店舗以外の場所にいる者に対するインターネット
販売は第3類医薬品に限って行うことができ、第1類・第2類医薬品の
販売等及び情報提供はいずれも店舗において専門家との対面により行わ
なければならない旨の規定が設けられた。そこで、インターネット販売
事業者であるXは、Y（国）に対し、新施行規則の上記規定が新薬事法
の委任の範囲を逸脱する規制を定める違法なものであって、無効である
等と主張した。

判旨： 「旧薬事法の下では違法とされていなかった郵便等販売に対する新たな
規制は、郵便等販売をその事業の柱としてきた者の職業活動の自由を相
当程度制約するものであることが明らかである」。「新施行規則の規定が、
これを定める根拠となる新薬事法の趣旨に適合するもの……であり、そ
の委任の範囲を逸脱したものではないというためには、……郵便等販売を
規制する内容の省令の制定を委任する授権の趣旨が、上記規制の範囲や
程度等に応じて明確に読み取れることを要する」。

新薬事法の諸規定には郵便等販売を規制すべきとの趣旨を明確に示す
規定がないこと、国会が新薬事法を可決するに際して、一部医薬品に係
る郵便等販売を禁止すべきであるとの意思を有していたとはいい難いこ
とから、「新薬事法の授権の趣旨が、第1類医薬品及び第2類医薬品に係
る郵便等販売を一律に禁止する旨の省令の制定までをも委任するものと
して、上記規制の範囲や程度等に応じて明確であると解するのは困難で
ある」。

したがって、上記新施行規則は、新薬事法の委任の範囲を逸脱し違
法・無効である。

統治

(b)　再委任の可否

　　再委任とは、法律の委任により定められた政令が当該委任事項をさらに
府令・省令又は行政官庁の告示に委任することをいう。かかる再委任は憲
法上許されるか。

＜再委任の可否＞

	内容	理由
否定説	法律自体に再委任を認める規定が存在しない場合には許されない	法律自体に再委任を認める規定が存在しない場合に、法律が委任の対象となる命令を指定した趣旨は、あくまでその命令で定めることを要求する法意である
肯定説	法律に明文の規定がなくとも、①やむを得ない合理的理由があり、②受任者の実質的な裁量の余地が厳しく限定されていれば、再委任も許される	①　事柄の性質上、委任命令で直接に定めることが困難であり、あるいは適当でないと認められる事項については、合理的な範囲内での再委任が許されるとみるのが常識的である ②　再委任の範囲が厳格に限定されていれば、41条の趣旨を没却するおそれも少ない

▼　**最大判昭 33.7.9・百選 A18 事件**

　判旨：　酒税法 54 条（現 46 条）が所定の事項の定めを命令に委ねた点につ
き、酒税法 54 条の規定は「帳簿の記載等の義務の……内容の一部たる記
載事項の詳細を命令の定めるところに一任しているに過ぎないのであっ
て、立法権がかような権限を行政機関に賦与するがごときは憲法上差支
ないことは、憲法 73 条 6 号本文および但書の規定に徴し明白である」と
判示した。

　評釈：　本件では、犯罪構成要件の定めの再委任が問題となっており、これに
ついては罪刑法定主義の理念から再委任の可否一般とは別個に吟味され
るべきである。そして、学説は一般に、再委任をすることについてやむ
を得ない事情が認められるとともに、再委任の範囲が相当に絞られてい
る場合には、たとえその内容が犯罪構成要件に関する定めであるとして
も、再委任が許されるとみる方がむしろ合理的であるとして、判例に賛
成している。

(4)　条例

　　条例が国会中心立法の例外かにつき争いがあるが、①条例の制定は、国会
の法律制定と同じ性質の行為であること、②国会と同様住民の選挙により選
出される議員で構成される地方議会によって制定される（94）ものであるか
ら、例外とする必要はないとするのが通説である。

2 国会単独立法の原則

国会による立法は、国会以外の機関の参与を必要としないで成立するという原則をいう《司》。

→国会単独立法の原則の例外としては、以下のものが問題となる

① 内閣の法律案提出権

② 裁判所の法律案提出権

③ 地方自治特別法制定のための住民投票（95）

④ 国民投票制

⑤ 憲法改正のための国民投票（96）

⑥ 天皇による公布（7①）

⑦ 国務大臣の署名・内閣総理大臣の連署（74）

⑴ 内閣の法律案提出権《司》

⒜ 内閣法5条は、内閣に法律案提出権を認めている。これは国会単独立法の原則に反しないか。この点は、41条が法律案提出をも「立法」に含まれるとして国会に独占的に帰属させる趣旨なのか否かと関連する。

＜内閣法5条の合憲性＞《司》

学説	内容	理由
合憲説《通》	法律案提出は「立法」には含まれず、国会以外の機関に法律案提出を認めうる	法律案提出は立法過程の不可欠の要素ではあるが、立法そのものではなく、むしろ立法の契機を与えるところの立法の準備行為とみるべきである →立法の核心は法律案の審議・決定にある
違憲説	法律案提出は「立法」に含まれ、国会以外の機関に法律案提出を認めることはできない	① 法律案提出は法律制定作用そのものだから、国会以外の機関が行うことはできない ② 法律案提出は法律制定作用の中で最も重要なはたらきをなすものであるから、国会以外の機関に認めることは実質的にも妥当ではない

⒝ ⒜で見たように、内閣に法律案提出権を認めることは憲法上許されるとするのが通説である。では逆に、現行の内閣法5条を改正して内閣には法律案提出権を一切認めないとすることは許されるか。内閣の法律案提出権は憲法上要請された権限なのか否かが問題となる。

統治

＜内閣の法律案提出権は憲法上の権限か＞〈同〉

	理　由
肯定説	①　福祉主義（25）実現のための政策決定には専門的・技術的判断能力が不可欠であるが、議員はそのような能力がなく、立法能力においても有能な官僚を駆使できる内閣に法律案提出権を認める必要がある ②　内閣は国会に対して連帯責任を負う以上、国会に対して相対的に自立した地位をもつために、自分自身の政策を追求できる手段が必要である ③　72条の「議案」の中には、法律案が含まれる
否定説 （＊）	①　肯定すれば議会主義の形骸化を容認することになり、行政権への過度の権力集中を招くおそれがある ②　内閣の法律案提出権を憲法上の権限として捉えることは、主権者たる国民の意思とかけ離れた国家意思形成が行われる危険がある ③　72条は内閣が提出権をもつ議案について、内閣総理大臣が代表して国会に提出することができる旨を定めたにすぎず、法律案提出権の根拠とすることはできない

＊　否定説に立ちつつ、現在では内閣の法律案提出権は先例において確立されていることから、内閣の法律案提出権の根拠は憲法全体の精神と先例あるいは慣習法に求めることも可能であるとする見解もある。

cf.　明治憲法は明文で内閣の法案提出権を認めていた（明憲38）

(2)　裁判所の法律案提出権

　　裁判所は、具体的な事件・争訟を客観的な法に従って解決するという本来的に受動的な機関であり、裁判所がそうした作用を全うするためには、裁判官の職権行使の独立と司法府の独立を不可欠の要件とする。にもかかわらず、最高裁判所に法律案提出権を認めると、裁判所がその成立に向けて政治的駆け引きに関与することになり司法の政治化を招き、裁判所の独立が失われかねない。

　　それゆえ、裁判所に法律案提出権を認めることは憲法上許容されないとするのが一般的である。

(3)　地方自治特別法制定のための住民投票（95）　⇒ p.537

　　41条は立法権をすべて国会に属せしめており、他方、憲法を全体的にみると間接民主制が志向されているのであるから、地方自治特別法制定のための住民投票は国会単独立法の例外に位置付けられる。

(4)　国民投票制

　　国民投票制は、狭義には、選挙以外の事項について国民自らが決定する国民表決（レファレンダム）を意味し、広義には、それに加えて国民が立法に関する提案を行う国民発案（イニシアチブ）等も含めて理解される。

　　ここでは、立法との関係で国民表決、国民発案といった制度を導入することが許されるか、ということが問題になる。この点、有力な見解は、①国民

統治

表決については、国会の立法権を拘束しない諮問的なものである限り導入は憲法の枠内における立法政策であるとする。他方、②国民発案については、それが国民の立法請願（16）に類するものであれば憲法上問題はないとしても、議案の「提出」（72）に類するものならば、その導入には憲法上何らかの根拠を要するとしている。

⑸　憲法改正のための国民投票（96）

憲法改正は、国会の発議に加えて国民投票による承認が必要であり、41条の「立法」を実質的意味に解するという前提に立つ限り（⇒三）、やはり41条の国会単独立法の例外に位置付けるべきであるとされている。

⑹　天皇による公布（7①）

天皇による公布はすでに成立した法律を国民一般に知らしめる表示行為であり、施行の要件ではあるが、拒否のできない義務的なものであるから、国会単独立法の例外ではない。

⑺　国務大臣の署名・内閣総理大臣の連署（74）

法律への署名・連署は拒否することのできない形式的なもので、その欠缺が法律の効力を左右するものではないから、国会単独立法の例外ではない。

三　唯一の「立法」機関

1　「立法」の意味

⑴　形式的意味の立法か実質的意味の立法か

形式的意味の立法とは、内容のいかんを問わず、国会の議決により成立する国法の一形式としての「法律」を制定することをいう。しかし、一般に日本国憲法上、国会の権限に帰属する「立法」は、この意味において理解すべきではなく、実質的意味において理解すべきものとされている。

∵　41条の「立法」を形式的意味の立法と理解すると、それは同語反復である（59参照）か、せいぜい国会以外の機関が「法律」の形式で法規範を定立することを禁ずるだけのことになってしまう

⑵　実質的意味の立法

実質的意味の立法とは、一般に、「法規」という特定の内容の法規範を定立する作用であるとされる。では、「法規」とは具体的にどのようなものをいうのか。「法規」の捉え方によって国会に独占的に帰属されるべき「立法」権の範囲が異なることから問題となる。

＜実質的意味の立法＞

	内容	理由
A説	国民の権利義務に関する法規範をいい、その属性として一般性を備えることが要求される →伝統的な法規概念を拡張（＊1）	① 現代の行政国家現象において拡大した行政権が、必然的に国民生活に積極的に関与し、給付行政といった権利付与の場面で不平等やその他の不利益を国民に与えることがあるため、それを統制する意義をもつ ② 議会に留保された「法律」の概念の歴史的沿革・学説史に適合するうえ、日本の現行法制に関する論理的説明にも優れている
B説	国民の権利義務を定める規範に加えて、国家と機関との関係に関する法規範をも包摂する一般性を有する法規範である	① 国家機関、とりわけ行政機関が現代において果たす役割に注目すると、行政機関等の国家機関の活動だけではなく、その組織についても実質的意味の立法の内容としなければならない ② 法の支配、人による恣意的支配の防止という見地からは法規範の一般性が要請される
C説 <通	およそ一般的・抽象的な法規範をすべて含む（＊2） <通	① 民主主義の憲法体制の下では、「実質的意味の法律」はより広く捉えられるべきである ② 法律の受範者及び法律の規制が及ぶ場合ないし事件が不特定であることによって、法律が誰に対しても平等に適用され、事件の処理について予測可能性がみたされることになり、経済社会の発展が促される

＊1 伝統的な法規概念とは、法規を「国民の権利を侵害し、国民に義務を課す法規範」と捉えるものをいう。
　　批判：① この考え方は、ドイツ立憲君主制において、国民の権利・利益に関する事項を、君主の行政権（行政立法権）から議会に移すという意義を有したが、現代民主主義においてはもはやその意義を失っている
　　　　　② この立場によれば、権利・利益を付与することは、法律によらず命令でなしうることになり、法律による行政の原則に反する
＊2 法規の一般性とは、不特定多数人に適用される法規範であること、抽象性とは、不特定多数の場合ないし事件に適用される法規範であることをいう。

2　行政の内部部局に関する事項
　　行政組織のうち、部局の設置・分離にかかわる事項は「立法」概念に含まれないのか、含まれるとすれば、政令で定めることが許されるのかが問題となる（国組7参照）<司。

＜行政の内部部局に関する事項＞

	「立法」の意味	行政の内部部局に関する事項は「立法」概念に含まれるか
A説	国民の権利義務に関する法規範をいい、その属性として一般性を備えることが、要求される	行政組織は国民の権利義務とは関係がないから、「立法」概念には含まれない →もっとも、法治主義の原則、73条4号等に鑑み、行政組織の基本事項の法定は要請されるが、国民の権利義務に関する事項を命令に委任する場合とは異なるので、厳格な委任の法理は妥当せず、国家行政組織法7条4項のような包括的授権も許される
B説	国民の権利義務を定める規範に加えて、国家と機関との関係に関する法規範をも包摂する一般性を有する法規範である	行政の内部部局の設置・分離にかかわる事項は「立法」概念に含まれる →これを政令で定めることができるかは、委任立法の限界の問題となる
C説	およそ一般的・抽象的な法規範をすべて含む通	行政の内部部局の設置・分離にかかわる事項は「立法」概念に含まれる →しかし、必ずしも法律で規定しなければならない事項ではない（任意的法律事項）ので政令で定めることも許される ∵　当該国家機関の自律的ルール設定権も重要であるし、内部組織の在り方いかんは国民の利害に直接かかわるものではない

3 措置法（処分的法律）の合憲性

　措置法とは、個別具体的な事件について法律が制定されるものをいう（いわゆる処分的法律）。これには以下のような危険がある。

　① 議会と政府の憲法上の関係を破壊するなど、権力分立を侵害する危険

　② 法律による狙い打ちにより人権を侵害する危険

　そこで、このような措置法（処分的法律）は、立法の一般性（及び抽象性）に反し許されないのではないかが問題となる。

＜措置法（処分的法律）の合憲性＞

<table>
<tr><th colspan="2">内容</th><th>理由</th></tr>
<tr>
<td rowspan="2">原則合憲説</td>
<td>国民の平等を侵害せず、かつ、権力分立原理の核心を侵し議会・政府の憲法上の関係を決定的に破壊するものでない場合であれば、国会は処分的法律を制定できる（平等保障説）</td>
<td>① 行政権への民主的統制・福祉国家の要請（25）の観点からは、権力分立・平等原則に反しない限り、国会に処分的法律についても制定する権限を認めるべきである
② 他の事件に適用される可能性があれば、法律の一般性・抽象性には必ずしも反しない</td>
</tr>
<tr>
<td>処分的法律は本来的には行政行為であるが、その重要性を考慮して、政府の決定からはずされて国会の「法律」事項とされたものである（法律事項説）</td>
<td>処分的法律の問題は、国会が「法律」という形式を用いて一般性を要件とする実質的意味の法規範以外のものを定めうるかという問題であるところ、裁判的性格を有する定めは、司法権独立の原則から許されないが、行政的性格を有する定めは社会国家の要請から憲法上許容される</td>
</tr>
<tr>
<td>原則違憲説</td>
<td>処分的法律は法規の一般性・抽象性に反する</td>
<td>① 立法の一般的性格は、国民が人による恣意的な支配意思の対象とされないこと、すなわち、人間を、予見可能な規範の下に、かつ平等の配慮と尊重をもって扱うという法の支配の要請にかかわっている
② 95条は、個別的法律の存在を前提としているようにも見受けられるが、他方で、地方自治を守る趣旨から特に住民投票を要求して個別的法律に対して著しく防御的な姿勢を示している</td>
</tr>
</table>

第42条 〔両院制〕

国会は、衆議院及び参議院の両議院でこれを構成する。

⇒国会 §83〜98（両議院の関係）、明憲 §33（貴族院と衆議院）

《注 釈》

一 二院制の類型・存在理由

　1 二院制の類型

＜二院制の類型＞

類型	内容	採用例
貴族院型	立憲君主制下の貴族団体を基礎に第二院を構成し、貴族的要素を代表するとともに、民選の第一院に対して抑制を加えるもの	イギリス議会の貴族院、戦前の帝国議会の貴族院
連邦制型	連邦制という二元的な国家構造に由来するものであり、連邦国民の全体を代表する第一院の他に、連邦構成国（支邦・州）を代表する第二院が要請されるもの	アメリカ、ドイツ、オーストリア、インド、オーストラリア、ブラジル

類型	内容	採用例
民主的第二次院型	貴族制度も存在せず、連邦国家でもない単一国家において、「一方の院が他方の院の軽率な行動をチェックし、そのミスを修正する」ために、第二院が二次的なものとして付置されるもの	日本、ベルギー、イタリア

cf. 一院制を設ける理由は、行政府が立法府に対する責任を負う場合、両者の関係を定めやすい点にある

2　存在理由

　　民主政にとっては、国民の意思を代表する機関は１つで足りるはずなのに、第二院が設けられる理由としては以下のようなものが挙げられる。

　　① 議会の専制の防止
　　② 下院と政府との衝突の緩和
　　③ 下院の軽率な行為・過誤の回避
　　④ 民意の忠実な反映

＊　下院の議員の任期は、上院の議員の任期より短いのが一般的である。

＊　貴族院型の上院　→終身議員が原則となり世襲議員を含む場合が多い

＊　元老院型の上院　→国家への功績者や高い学識者が議員に含まれる場合、その任期は終身もしくは相当程度長期であることが多い

＊　立憲君主制下の上院　→民主制下の上院に比べ、任期が長い場合が多い

　　∵　旧勢力側から新しい民主主義勢力側に出される妥協点として存在する

＊　上院が選挙制である場合の任期は、非選挙制である場合の任期に比べて短いことが多い。

　　∵　民意を正しく反映させるため

▼　二院制の趣旨（最大判平 24.10.17・百選 150 事件）

　　二院制の趣旨は、「議院内閣制の下で、限られた範囲について衆議院の優越を認め、機能的な国政の運営を図る一方、立法を始めとする多くの事柄について参議院にも衆議院とほぼ等しい権限を与え、参議院議員の任期をより長期とすることによって、多角的かつ長期的な視点からの民意を反映し、衆議院との権限の抑制、均衡を図り、国政の運営の安定性、継続性を確保しようとしたものと解される」。

二　我が国における両院相互の関係

1　組織の関係

　(1)　共通点

　　　衆参両院ともに、「全国民を代表する選挙された議員」で組織される（43 Ⅰ）。
　　　→成年者による普通選挙により議員を選出（15 Ⅲ、44）

統治

(2) 相違点

　　議員の任期は、衆議院議員が4年（解散の場合にはその任期前に終了、45）、参議院議員が6年で3年ごとに半数改選される（46）。

　　→参議院議員は衆議院議員よりも身分的に安定し、3年ごとの半数改選により議院としての活動の継続性が図られる

　　→衆議院に対する第二院としての抑制機能を期待したもの

(3) その他

　　両院それぞれの議員の定数（43Ⅱ）、議員及び選挙人の資格（44）、選挙区、投票方法その他選挙に関する事項（47）については、法律に委任されている。

2　活動の関係

(1) 独立活動の原則〈共〉

　　両院はそれぞれ独立に議事を行い、議決する。

　　→二院制から導かれる当然の原則とされる

　　cf.1　両院協議会（59Ⅲ、60Ⅱ、61、67Ⅱ）はこの原則の憲法上の例外である

　　　　　→両議院の意思が異なるときでも、できるだけ国会の意思を成立させることが望ましいことに由来する

　　　　　→両院協議会は、各議院で選挙された各々10人の委員によって組織される（国会89）〈共〉

　　cf.2　両議院の常任委員会が合同で開く合同審査会制度（国会44）や、議案について委員長又は発議者が他方の議院で提案理由を説明することができる制度（国会60）は、国会法上の例外である

(2) 同時活動の原則

　　両院は、同時に召集され、同時に閉会する。

　　→二院制から導かれる当然の原則とされる

　　ex.　衆議院が解散すれば、参議院も同時に閉会する（54Ⅱ本文）

　　cf.　参議院の緊急集会（54Ⅱただし書、Ⅲ）はこの原則の例外である

3　権能の関係

　　日本国憲法は、多くの重要な問題について衆議院の優位を認めている（下院優越型）〈共〉

　　∵①　議員の任期、解散制度等からみて、衆議院の方が民意に密着した会議体であり、民主政治の徹底に資する

　　　②　二院対等の場合と比較して、国会と内閣の関係が単純化され、強い内閣による安定した統治を実現しうる

　　cf.　明治憲法では二院対等が原則とされた

＜衆議院の優越＞〈共〉

	衆議院が優越（＊1）（＊2）	両議院が対等
議決効力	① 法律案の議決（59Ⅱ） ② 予算の議決（60Ⅱ） ③ 条約締結の承認（61） ④ 内閣総理大臣の指名（67Ⅱ）	① 皇室の財産授受についての議決（8） ② 予備費の支出の承諾（87Ⅱ） ③ 決算の審査（90Ⅰ） ④ 憲法改正の発議（96Ⅰ前段）
権限	① 予算先議権（60Ⅰ） ② 内閣不信任決議権（69）	

＊1　法律上の衆議院の優越事項として、国会の臨時会・特別会の会期の決定、国会の会期の延長（国会13）がある。

＊2　参議院の緊急集会の場合には暫定的ながら参議院の意思だけで国会の意思が成立する（54Ⅰただし書、Ⅲ）。

《その他》

・各議院の議長は、議院の秩序を保持し、議事を整理し、議院の事務を監督し、議院を代表する（国会19）。このような権限を有することから、議長は党派的中立・公正であることが望まれ、近年議長に選ばれた者は概ね党籍を離脱している。しかし、未だ慣例化はしておらず、法規化もなされていない。

第43条 〔両議院の組織〕

Ⅰ　両議院は、全国民を代表する選挙された議員でこれを組織する。

Ⅱ　両議院の議員の定数は、法律でこれを定める。

⇒公選§4ⅠⅡ（議員の定数）

[趣旨] 本条は、両議院とも「全国民を代表する選挙された議員」で組織すると述べ、前文1段が「権力は国民の代表者がこれを行使」するとしていることとあいまって、代表民主制を採用することを示したものである。

《注　釈》

一　「代表」（43Ⅰ）の意味

1　「代表」概念〈司〉

本条1項の「代表」がいかなる代表概念を指すか、という問題がある。この点については、選挙により表明される国民の多元的な意思、社会の実勢力が国会にできるだけ反映されるべきであるとする社会学的意味の代表を指す、とする見解が通説である。

2　「全国民を代表する」の意味〈司〉

自由委任（ないし代表委任）の原則を表したものである（選出方法は問わない）。

→① 議員は、選挙方法のいかんを問わず、すべての国民を代表する者として全国民のために活動すべきであること

② 議員は、自らの選挙区の選挙人の個別具体的な指示に法的に拘束され

統治

ることなく、自己の良心に基づき自由に意見を表明し、表決を行う権
利を有すること

→自由委任の原則との関係で、(a)政党による党議拘束の可否、(b)比例代表選
出議員の党籍変動が生じた場合に当該議員の議席を喪失させることの可否
が問題となる（二、三参照）

3　複選制

他の職務のためにすでに選挙された者が、議員を選挙する複選制は、国民と
選出された議員との間に大きな隔たりがあり、43条1項に抵触するおそれが
ある。　⇒ p.124

二　政党の党議拘束〈同予〉

政党が、議員に対して党議拘束を行うことは、議員を全国民の代表とした43
条1項の趣旨に反しないかが問題となる。

この点、政党からの除名をもって党議拘束を図ることは43条1項の趣旨に反
しないが、議席喪失に結び付けることは43条1項の趣旨に反すると解されてい
る。

∵①　政党は、国民がその政治的意思を国政に反映させ実現させるための最も
有効な媒体であることからすれば、議員は政党の指図に従ってこそ実質的
に全国民の代表となるのであり、党議拘束は社会学的代表の理念を実現す
る有力な手段といえる

②　政党からの除名は、議員が政党に対して政治的責任を負うだけである
が、議席喪失は、議員が政党に対して法的責任を負うことになり自由委任
に反する

三　比例代表選出議員の党籍変更と議員資格の喪失〈同共予〉

比例選挙（政党を基礎にその得票数に比例して議席配分を行う選挙）において
選出された衆議院・参議院の国会議員も「全国民の代表」にほかならないが、国
会法は、比例代表選出議員が、選出された選挙における所属政党を変更して他の
政党に所属する者になったとき（党籍を変更した場合）は、退職者となる（議員
の資格を失う）旨規定している（国会109の2ⅠⅡ参照）。

このような規定は、自由委任の原則との関係で問題があると指摘されている。
比例代表選出議員であっても「全国民の代表」であるとの理解を強調すれば、上
記の国会法109条の2の規定や、党の方針に従わない議員が当該政党を除名され
た場合に議員資格を失わせる制度を設けることは、自由委任の原則に抵触し、
43条1項に違反すると解する余地がある。

一方、比例選挙は政党中心の選挙であるとの理解を強調すれば、上記の国会法
109条の2の規定や、党の方針に従わない議員が当該政党を除名された場合に議
員資格を失わせる制度を設けることは、43条1項に違反しないと考えられる。

上記の2つの理解をともに重視すると、例えば、議員の自発的な党籍変更に限

り議員資格を失うという制度を設けても 43 条 1 項には反しないと考えられるが、議員の党籍変更一般を直ちに議員資格の喪失に結びつける制度を設けることは、自由委任の原則に抵触し、43 条 1 項に違反する疑いが生じる。

なお、いずれの考え方に立っても、比例代表選出議員ではなく小選挙区選出議員について、党の方針に従わない議員が当該政党を除名された場合に議員資格を失わせる制度を設けることは、43 条 1 項に違反する。

∵　小選挙区制は、1 つの選挙区から 1 人の議員を選出する制度であり、政党中心の選挙である比例選挙と異なる

四　政党からの除名と繰上補充

選挙後、政党が名簿の次点者を除名したうえで、欠員が生じた場合に、名簿上の次々点者を当選人とすることができるか。

▼　日本新党繰上補充事件（最判平 7.5.25・百選 155 事件）

当選訴訟（公選 208）は、選挙会等による当選人決定の適否を審理し、これが違法である場合に当該当選人決定を無効とするものであるから、当選人に当選人となる資格がなかったとしてその当選が無効とされるのは、「選挙会等の当選人決定の判断に法の諸規定に照らして誤りがあった場合に限られ」る。選挙会等の判断に誤りがないにもかかわらず、当選訴訟において「裁判所がその他の事由を原因として当選を無効とすることは、実定法上の根拠がないのに裁判所が独自の当選無効事由を設定することにほかならず、法の予定するところではない」。したがって、「名簿届出政党等による名簿登載者の除名が不存在又は無効であることは、除名届が適法にされている限り、当選訴訟における当選無効の原因とはならない」として、専ら手続法上の問題とした。

五　議員の定数

本条 2 項を受けて、両議院を構成すべき議員の数（議員定数）は、公職選挙法によって定められている。

＜現行の議員定数（公選 4 Ⅰ Ⅱ）＞

衆議院議員定数		参議院議員定数（＊）	
465 人		248 人	
小選挙区選出議員	比例代表選出議員	選挙区選出議員	比例代表選出議員
289 人	176 人	148 人	100 人

＊　法律を改正して、参議院議員の定数を、衆議院議員の定数と同数又は多くしたとしても、憲法に違反するものではない。

第44条 〔国会議員及び選挙人の資格〕

両議院の議員及びその選挙人の資格は、法律でこれを定める。但し、人種、信条、性別、社会的身分、門地、教育、財産又は収入によつて差別してはならない。

[趣旨] 本条は、両議院の議員及び選挙人の資格を法律で定めるものとしたうえで、その際の差別の禁止を憲法上の要請として規定したものである。広義の普通選挙の原則（⇒ p.120）、平等選挙の原則（⇒ p.121）を確認する意味を有する。

《注 釈》

一 議員及び選挙人の資格

選挙権・被選挙権に関しては、公職選挙法が規定している。

1 積極的要件

(1) 選挙権

① 日本国民

② 年齢満 18 年以上の者（公選9Ⅰ）

なお、日本国民で年齢満 18 年以上の者は、憲法改正に関する国民投票の投票権を有する（国民投票3）。ただし、これは平成 26 年改正国民投票法の施行後 4 年を経過した日（平成 30 年 6 月 21 日）以後に行われる国民投票に限られ、施行後 4 年を経過するまでの間に国民投票が行われる場合には、投票権は満 20 年以上の日本国民に与えられる（国民投票附則Ⅱ）。

(2) 被選挙権

① 日本国民

② 衆議院議員：年齢満 25 年以上の者（公選10Ⅰ①）

参議院議員：年齢満 30 年以上の者（公選10Ⅰ②）

2 消極的要件（選挙権・被選挙権を有しない者）

(1) ① 禁錮以上の刑に処せられその執行を終わるまでの者（公選11Ⅰ②）

② 禁錮以上の刑に処せられその執行を受けることがなくなるまでの者（刑の執行猶予中の者を除く）（公選11Ⅰ③）

→受刑者・仮釈放者の選挙権制限（公選11Ⅰ②③）の憲法適合性については、かねてより疑義が呈されている。この点について、最高裁判例はないが、下級審レベルでは「公職選挙法 11 条 1 項 2 号が受刑者の選挙権を一律に制限していることについてやむを得ない事由があるということはできず、同号は、憲法 15 条 1 項及び 3 項、43 条 1 項並びに 44 条ただし書に違反するものといわざるを得ない」という違憲判断が示されている（大阪高判平 25.9.27・平 25 重判 11 事件）

③ 公職にある間に犯した一定の犯罪により刑に処せられ、その執行を終わりもしくはその執行の免除を受けた者でその執行を終わりもしくは

統治

その執行の免除を受けた日から5年を経過しないもの又はその刑の執行猶予中の者（公選11Ⅰ④）

④　選挙犯罪により禁錮以上の刑に処せられ執行猶予中の者（公選11Ⅰ⑤）

⑤　公職選挙法の定める選挙に関する犯罪により選挙権及び被選挙権を有しないとされている者（公選11Ⅱ、252）

⑥　公職中に公職選挙法11条1項4号の罪を犯した者（被選挙権に限定、公選11の2）

(2)　消極的要件として、たとえば、「生活困窮者であって生活保護法に基づく生活扶助を受けている者」を付加することは、「財産」によって差別することになり、44条ただし書に反する。なお、平成25年改正公職選挙法は、成年被後見人の選挙権・被選挙権を認めるに至った。

二　議員定数不均衡

1　投票価値の平等

投票価値の平等が憲法上保障されていることについては、今日、判例・学説上争いはない。　⇒p.121

2　投票価値の平等の基準

憲法が投票価値の平等まで保障していると解するとしても、議員定数の配分と人口数（もしくは有権者数）との比率を、各選挙区で全く同一にすることは現実には困難である。そこで、いかなる基準で投票価値の平等がみたされているかを判断すべきかが問題となる（なお、定数不均衡は、選挙無効の訴え（公選203、204）によって争うことができる）。

(1)　衆議院の場合

(a)　学説

A説：1対1の原則を超える限り、たとえ1対2以内であっても、これを正当化する特別の事由が立証されない限り、違憲の問題を生ずる

∵　（選挙権の法的性格について権利説を前提にして）主権者間の権利の平等を厳格に要求することによって、主権者の意思を議会に忠実に反映させる

B説：特段の事情のない限り、1対2以上の較差は正当化されない

∵①　一票の重みが特別の合理的な根拠なく選挙区間で2倍以上の偏差をもつと、実質上複数投票制を認めたことになり、投票価値の平等（一人一票の原則）の本質を破壊することになる

②　ただ他方で、選挙区は行政区画を前提にして決められていること、また、選挙によってできるだけ多様な国民意思が公正に国会に反映されるべきであること（社会学的意味の代表）をも考慮しなければならない

(b) 判例

　最高裁判所は、較差の許容限度を明示していないが、1対3程度と考えているものと思われていた。しかし、近時1対3を下回る較差であっても違憲状態であることを示した判例が現れた。

＜衆議院議員定数不均衡に関する判例＞

判例	最大較差	投票価値の平等に反するか	合理的期間内に定数是正がなされたか	備考
最大判昭 51.4.14・百選 148 事件	1 対 4.99	反する	是正がなされなかった	事情判決の法理を用いて選挙自体は無効としなかった
最大判昭 58.11.7	1 対 3.94	反する	是正がなされなかったとは断定できない	
最大判昭 60.7.17・百選〔第6版〕154 事件	1 対 4.40	反する	是正がなされなかった	事情判決の法理を用いた
最判昭 63.10.21	1 対 2.92	反しない	―	
最大判平 5.1.20	1 対 3.18	反する	是正がなされなかったとは断定できない	
最判平 7.6.8	1 対 2.82	反しない	―	
最大判平 11.11.10・百選 152 ②事件	1 対 2.309	反しない		1994（平成6）年公職選挙法改正により、衆議院議員の選挙制度として小選挙区比例代表並立制が導入された。本判決は新制度の合憲性につき初の判断を示したものである
最大判平 19.6.13・平 19 重判 2 事件	1 対 2.171	反しない	―	
最大判平 23.3.23・百選 153 事件	1 対 2.304	反する	是正がなされなかったとは断定できない	一人別枠方式を含む本件区割基準及び選挙区割りにつき判断している

判例	最大較差	投票価値の平等に反するか	合理的期間内に定数是正がなされたか	備考
最大判平 25.11.20・平 25 重判 1 事件	1 対 2.425	反する	是正がなされなかったとは断定できない	一人別枠方式を定めた規定が削除されたこと、及び、全国の選挙区間の人口較差を 2 倍未満に収めることを可能とする 0 増 5 減の定数配分と区割り改定の枠組みが定められたことを考慮している
最大判平 27.11.25・百選 149 事件	1 対 2.129	反する	是正がなされなかったとは断定できない	最大判平 25.11.20・平 25 重判 1 事件においては、0 増 5 減の法改正に伴う選挙区割りの改正までは実現できなかったのに対し、本判決では改正が実現した 0 増 5 減に伴う選挙区割りの下での衆議院議員選挙が問題となった
最大判平 30.12.19・令元重判 5 事件	1 対 1.979	反しない	—	1 人別枠方式の影響は残るものの、0 増 6 減の措置等による漸進的な是正が図られていること、較差が 2 倍以上の選挙区は存在しないことから、最大判平 27.11.25・百選 149 事件において示された違憲状態は解消されたと評価している
最大判令 5.1.25・令 5 重判 2 事件	1 対 2.079	反しない	—	アダムズ方式（各都道府県の人口を一定の数値で割り、それぞれの商の小数点を切り上げた数を各都道府県に配分し、その合計数を小選挙区の定数と等しくする方式）により 10 年ごとに各都道府県への定数配分を行い、選挙区間の投票価値の較差を是正しようとしたことを評価した

統治

▼ 最大判昭 51.4.14・百選 148 事件 ⦿

1 投票価値の平等は考慮事項の１つにとどまるか ［各見出しは LEC 注］

　　投票価値の平等は、「明らかにこれに反するもの、その他憲法上正当な理由と
なりえないことが明らかな人種、信条、性別等による差別を除いては、原則と
して、国会が正当に考慮することのできる他の政策的目的ないしは理由との関
連において調和的に実現されるべきものと解されなければならない」。

　　もっとも、「投票価値の平等」は、「単に国会の裁量権の行使の際における考
慮事項の一つであるにとどまり、憲法上の要求としての意義と価値を有しない
ことを意味するものではない」。「国会がその裁量によって決定した具体的な選
挙制度において現実に投票価値に不平等の結果が生じている場合には、それは、
国会が正当に考慮することのできる重要な政策的目的ないしは理由に基づく結
果として合理的に是認することができるものでなければならない」。

2 議員定数配分の決定が憲法違反と判断される場合

　　具体的な選挙区割と議員定数の配分の決定については、「各選挙区の選挙人数
又は人口数……と配分議員定数との比率の平等が最も重要かつ基本的な基準と
されるべきことは当然である」が、「それ以外にも、実際上考慮され、かつ、考
慮されてしかるべき要素は、少なくない」。さらに、「社会の急激な変化や、そ
の一つのあらわれとしての人口の都市集中化の現象など」を「選挙区割や議員
定数配分にどのように反映させるかも、国会における高度に政策的な考慮要素
の一つである」。

　　このように、衆議院議員選挙の議員定数配分の決定は、「極めて多種多様で、
複雑微妙な政策的及び技術的考慮要素が含まれており、それらの諸要素のそれ
ぞれをどの程度考慮し、これを具体的決定にどこまで反映させることができる
かについては、もとより厳密に一定された客観的基準が存在するわけのもので
はないから、結局は、国会の具体的に決定したところがその裁量権の合理的な
行使として是認されるかどうかによって決するほかはな」いが、「具体的に決定
された選挙区割と議員定数の配分の下における選挙人の投票価値の不平等が、
国会において通常考慮しうる諸般の要素をしんしゃくしてもなお、一般的に合
理性を有するものとはとうてい考えられない程度に達しているときは、もはや
国会の合理的裁量の限界を超えているものと推定されるべきものであり、この
ような不平等を正当化すべき特段の理由が示されない限り、憲法違反と判断す
るほかはない」。

　　本件衆議院議員選挙当時における「選挙人の投票価値の不平等は、……一般的
に合理性を有するものとはとうてい考えられない程度に達しているばかりでな
く、これを更に超えるに至っているものというほかはなく、……憲法の選挙権の
平等の要求に反する程度になっていた」。

3 合理的期間論と違憲となる定数配分規定の範囲

　　しかし、「これによって直ちに当該議員定数配分規定を憲法違反とすべきもの
ではなく、人口の変動の状態をも考慮して合理的期間内における是正が憲法上

要求されていると考えられるのにそれが行われない場合に始めて憲法違反と断ぜられるべきものと解する」。

　本件議員定数配分規定は、「憲法上要求される合理的期間内における是正がされなかったものと認めざるをえない」。そして、「選挙区割及び議員定数の配分は、議員総数と関連させながら」決定されるのであって、その決定内容は、「相互に有機的に関連し、一の部分における変動は他の部分にも波動的に影響を及ぼすべき性質を有するものと認められ、その意味において不可分の一体をなすと考えられるから、右配分規定は……全体として違憲の瑕疵を帯びる」。

(2)　参議院の場合

　一般的には1対1ないし1対2を投票価値の平等の違憲審査基準と解したとしても、参議院の場合でも同様に解すべきかについては争いがある。

(a)　学説

　　A説：参議院の特殊性を考慮する

　　　　→参議院の場合については、都道府県ないしそれより大きな政治単位（道州制）における国民の意見や利害を均等に反映させるように構成することも可能

　　　　∵①　日本国憲法が二院制を採用していることを考慮するならば、平等原則は、総体的な代表選出制度の中で実現されるべき課題というべきである

　　　　　②　半数改選が憲法上の原則である（46）から、それに付随して、その定数配分は衆議院の場合とは異なる人口比率の偏差がありうる

　　B説：原則として参議院の特殊性を考慮しない

　　　　→真にやむを得ない合理的な理由の存する限りにおいて、衆議院の場合よりも若干の緩和が認められるにとどまる

　　　　∵①　憲法が参議院の選挙制度について要求しているのは半数改選制（46）にとどまるから、地方区を選挙区とする議員の地域代表的性格を強調して、民主政の根幹をなす選挙権の平等という憲法原則を大きく傷つけるようなことがあってはならない

　　　　　②　半数改選制を運用するうえで定数配分が人口比例原則から著しく乖離する状態になり、その是正がもし現行法制のままでは不可能に近いとすれば、投票価値の平等を活かすために、むしろ選挙制度の改正を検討すべきである

(b)　判例

　最高裁判所は参議院の半数改選制や地域代表的性格といった特殊性を考

慮して衆議院の場合よりも大きな較差を許容しているといわれていた（最大判昭58.4.27）。

＜参議院議員定数不均衡に関する判例＞

判例	最大較差	投票価値の平等に反するか	合理的期間内に定数是正がなされたか	備考
最大判昭 39.2.5	1 対 4	反しない	—	「立法政策の当否の問題」とした
最大判昭 58.4.27〈同〉	1 対 5.26	反しない	—	「投票価値の平等の要求は、人口比例主義を基本とする選挙制度の場合と比較して一定の譲歩、後退を免れないと解さざるをえない」とした
最大判平 8.9.11・百選〔第5版〕163 事件〈同〉	1 対 6.59	反する	なされなかったとは断定できない	
最大判平 10.9.2	1 対 4.81	反しない	—	
最大判平 12.9.6	1 対 4.98	反しない	—	反対意見では、都道府県代表的要素は考慮することにしても、「憲法に直接その地位を有しているものではなく、選挙制度の仕組みを決定するに当たって考慮される要素として、……極めて重要な基準である投票価値の平等に対比し、はるかに劣位の意義ないし重みしか有しない」としている
最大判平 16.1.14・百選 154 ② 事件	1 対 5.06	反しない	—	補足意見・反対意見をあわせると、このまま推移すれば違憲となりうるとする認識を示す裁判官が多数を占めた

判例	最大較差	投票価値の平等に反するか	合理的期間内に定数是正がなされたか	備考
最大判平18.10.4 **・平18重判1事件**	1対5.13	反しない	—	平成16年判決言渡しから本件選挙までの間に是正が困難なことから、本件選挙後協議を再開することを申し合わせ、選挙後法改正した結果、1対4.84に縮小したことなどの事情を考慮すると、本件選挙までに定数配分規定を改正しなかったことが国会の裁量権の限界を超えたものとはいえないとした
最大判平21.9.30 **・平21重判1事件** 〈同〉	1対4.86	反しない	—	結論としては憲法違反ではないと判断した。しかし、「投票価値の平等という観点からは、なお大きな不平等が存する状態であり、選挙区間における選挙人の投票価値の較差の縮小を図ることが求められる状況にあるといわざるを得ない」とした上で、「現行の選挙制度の仕組みを維持する限り、各選挙区の定数を振り替える措置によるだけでは、最大較差の大幅な縮小を図ることは困難であり、これを行おうとすれば、現行の選挙制度の仕組み自体の見直しが必要となることは否定でき」ず、「国会において、速やかに、投票価値の平等の重要性を十分に踏まえて、適切な検討が行われることが望まれる」とした。

統治

判例	最大較差	投票価値の平等に反するか	合理的期間内に定数是正がなされたか	備考
最大判平24.10.17・百選150事件〈司共〉	1対5.00	反する	なされなかったが、合理的期間を経過したとはいえない	結論としては憲法違反ではないと判断した。しかし、「参議院議員の選挙であること自体から、直ちに投票価値の平等の要請が後退してよいと解すべき理由は見いだし難い。」とした上で、「投票価値の不均衡は、投票価値の平等の重要性に照らしてもはや看過し得ない程度に達しており、これを正当化すべき特別の理由も見いだせない以上、違憲の問題が生ずる程度の著しい不平等状態に至っていたというほかはない。」とした。
最大判平26.11.26・平26重判1事件	1対4.77	反する	なされなかったが、合理的期間を経過したとはいえない	結論としては憲法違反ではないと判断した。しかし、平成24年判決以降の改正法による4増4減の措置は、「上記制度の仕組みを維持して一部の選挙区の定数を増減するにとどまり、現に選挙区間の最大較差……については上記改正の前後を通じてなお5倍前後の水準が続いていた」として、「違憲の問題が生ずる程度の著しい不平等状態にあった」とした。

判例	最大較差	投票価値の平等に反するか	合理的期間内に定数是正がなされたか	備考
最大判平 29.9. 27・平 29 重判 1 事件	1 対 3.08	反しない	－	平成27年度になされた公職選挙法の改正は、「長期間にわたり投票価値の大きな較差が継続する要因となっていた上記の仕組みを見直すべく、人口の少ない一部の選挙区を合区するというこれまでにない手法を導入して行われたものであり、これによって選挙区間の最大較差が上記の程度にまで縮小したのであるから、同改正は、……平成24年大法廷判決及び平成26年大法廷判決の趣旨に沿って較差の是正を図ったものとみることができる」。
最大判令 2.11. 18・令 3 重判 1 事件	1 対 3.00	反しない	－	「本件選挙当時、平成30年改正後の本件定数配分規定の下での選挙区間における投票価値の不均衡は、違憲の問題が生ずる程度の著しい不平等状態にあったものとはいえず、本件定数配分規定が憲法に違反するに至っていたということはできない」とした。

判例	最大較差	投票価値の平等に反するか	合理的期間内に定数是正がなされたか	備考
最大判令5.10.18・令5重判3事件	1対3.03	反しない	−	「立法府が、参議院議員の選挙制度の改革に向けた議論を継続する中で、較差の拡大の防止等にも配慮して4県2合区を含む本件定数配分規定を維持したという経緯に鑑みれば、立法府が、較差の更なる是正を図るとともに、これを再び拡大させずに持続していくための具体的な方策を新たに講ずるに至らなかったことを考慮しても、本件選挙当時の選挙区間の最大較差が示す投票価値の不均衡が、憲法の投票価値の平等の要求に反するものであったということはできない」とした。

(3) 地方議会の場合

　　地方議会の場合、公職選挙法15条8項で「人口に比例して、条例で定めなければならない」として定数配分における人口比例原則が法定されているため、国会議員の場合よりも強く人口比例原則が要請されるのではないかが問題となる。

(a) 学説

　　選挙権の本質を、国政及び地方政治の意思決定に参加する主権者の権利として、国と地方とを同質的に捉えるならば、地方議会の方が厳しいとする合理的根拠は乏しいことから、国政選挙（衆議院選挙）の場合と差がないと考えられている。

(b) 判例

　　最高裁（最判昭59.5.17・百選151事件）は、「地方公共団体の議会の議員の選挙に関し、当該地方公共団体の住民が選挙権行使の資格において平等に取り扱われるべきであるにとどまらず……投票価値においても平等に取り扱われるべきであることは、憲法の要求するところである」とした上で、「公選法15条7項［注：現8項］は、憲法の右要請を受け、地方公共団体の議会の議員の定数配分につき、人口比例を最も重要かつ基本的な基準とし、各選挙人の投票価値が平等であるべきことを強く要求している」

統
治

としている。この「強く要求」の意味するところについては争いあるが、「修辞的なもの」以上の意味を有していないと評価するのが一般である。

<地方議会議員定数不均衡に関する判例>

判例	最大較差	投票価値の平等に反するか	合理的期間内に定数是正がなされたか
最判昭 59.5.17・百選 151 事件	1 対 7.45	反する	なされなかった
最判平元 .12.18	1 対 2.81	反しない	―
最判平元 .12.21	1 対 3.81	反する	なされなかったとは断定できない
最判平 3.4.23	1 対 3.09	反する	なされなかった
最判平 5.10.22	1 対 2.89	反しない	―
最判平 27.1.25・平 26 重判 3 事件	1 対 1.92	反しない	―

統治

3　事情判決の法理

　選挙無効訴訟において、地域間の定数較差が違憲であると判断された場合、一般原則（98 Ⅰ）に従って選挙を無効とすべきか。公職選挙法は選挙関係訴訟について行政事件訴訟法 31 条の準用を明示的に排除しているため、いわゆる事情判決の法理の適用があるのかが問題となる。

▼　**最大判昭 51.4.14・百選 148 事件**

　行政事件訴訟法 31 条 1 項前段の事情判決の規定には、「行政処分の取消の場合に限られない一般的な法の基本原則に基づくものとして理解すべき要素も含まれている」。もっとも、「公選法の選挙の効力に関する訴訟についてはその準用を排除されているが（公選法 219 条）、……行政事件訴訟法の規定に含まれる法の基本原則の適用により、選挙を無効とすることによる不当な結果を回避する裁判をする余地もありうるものと解する」。

　「本件選挙が憲法に違反する議員定数配分規定に基づいて行われたものである……が、そのことを理由としてこれを無効とする判決をしても、これによって直ちに違憲状態が是正されるわけではなく、かえって憲法の所期するところに必ずしも適合しない結果を生ず……る。これらの事情等を考慮するときは……本件選挙は憲法に違反する議員定数配分規定に基づいて行われた点において違法である旨を判示するにとどめ、選挙自体はこれを無効としないこととするのが、相当であり、そしてまた、このような場合においては、選挙を無効とする旨の判決を求める請求を棄却するとともに、当該選挙が違法である旨を主文で

宣言するのが相当である」とした。そして、「憲法の所期するところに……適合しない結果」について、本判決は、仮に一部の選挙区のみが無効となると、投票価値が不平等であるとされた選挙区からの代表者がいない状態で定数配分規定の是正が行われるという異常な状態となると述べている。

→行政事件訴訟法31条1項の背後にある事情判決の法理によって、配分規定の違法宣言を行う一方で、選挙の無効の請求を棄却した　⇒p.497

第45条〔衆議院議員の任期〕

衆議院議員の任期は、4年とする。但し、衆議院解散の場合には、その期間満了前に終了する。

第46条〔参議院議員の任期〕

参議院議員の任期は、6年とし、3年ごとに議員の半数を改選する。

⇒45：公選§256（衆議院議員の任期の起算）、公選§260（補欠議員の任期）、公選§31（総選挙）
　46：公選§257（参議院議員の任期の起算）、公選§260（補欠議員の任期）、公選§32（通常選挙）

[趣旨] 45条、46条は、国会議員の任期を定める。これらの規定の趣旨は、任期を定めることによって、無期限にその地位にある者の力が過大になることを防止し、選挙権者の影響力を確保する点にある。

《注　釈》

一　国会議員の任期

＜衆議院・参議院の任期＞

	衆議院	参議院
任期	4年（45本文）	6年（46前段）
特色	衆議院解散の場合には、期間満了前に任期が終了する（45ただし書）	半数改選制であり（46後段）、解散による任期終了はない
帰結	任期が短く、解散がありうる点で、選挙権者のコントロールの機会が多く、そのため衆議院の優越が認められている	任期が長く、半数改選制により常に議員の半数は存在している点で、継続性・安定性が期待されている

二　国会議員の身分の得喪

1　身分の取得

両議院議員の身分は、選挙管理委員会の告示により当選の効力が発生した日に取得される（公選102参照）。

統治

2 身分の喪失
① 任期が満了したとき（45本文、46前段）
② 被選挙資格を失ったとき（国会109）
③ 他の議院の議員となったとき（48、国会108）
④ 法律上兼職できない国又は地方公共団体の公務員となったとき（国会39）⇒ p.369
⑤ 辞職を許可されたとき（国会107）
⑥ 懲罰により除名されたとき（58Ⅱ、国会122④）
⑦ 訴訟において選挙無効又は当選無効の判決が確定したとき（公選204以下）
⑧ 資格争訟の裁判において資格のないことが確定したとき（55）
cf. 衆議院議員は解散によりその身分を失う（45ただし書）

三 国会議員の権能

＜国会議員の権能＞

議案の発議権	国会議員は、その所属する議院の議題となるべき議案を発議する権能をもつ（国会56Ⅰ） →議案とは、案を備えて提出することを要するものをいう
動議の提出権	議員は動議を提出することができる →動議とは、議院の会議又は委員会において、議員が特定の事項を議題として持ち出すことであり、議案として特別の扱いをされるもの以外の議員の発議をいう
質問権	議員は内閣に質問することができる（国会74） →質問とは、議題と関係なく、内閣に対して説明を求め、所見を質すことをいう
質疑権	議員は議題となっている議案についてその疑義を質すことができる →これを質問と区別して質疑という
討論権	議員は、議題となっている議案について、賛否の意見を表明することができる
表決権	議員は議題となっている案件について賛否の判断を表明することができる →議員がこの表決権を自由に行使しうることは、憲法により保障されている（51）

第47条 〔選挙に関する事項〕

選挙区、投票の方法その他両議院の議員の選挙に関する事項は、法律でこれを定める。

⇒公選§13・14・15（選挙区）、公選§35〜60（投票の方法等）

[趣旨]本条は、両議院の選挙に関する事項を法律で定めるべきことを規定する。その際、法律は憲法自身の定める規範的要請に服さなければならない。①14条1項（平等一般）、②44条ただし書（議員資格・選挙人資格についての平等）、③15条3項（普通選挙）、④15条4項（投票の秘密）、⑤43条1項（「全国民を代表する」ことの意味）、⑥21条1項（選挙の場面での表現の自由）からの要請がある。

《注　釈》

一　選挙・投票の方法

1　「選挙区」

＜小選挙区と大選挙区の比較＞〈司〉

	意義	長所	短所
小選挙区	選挙人団が1人の議員を選出する選挙区	① 二大政党化を促し、政局が安定する ② 区域が狭いので選挙費用が節約できる	① 死票となる確率が高い ② 広い視野をもった新人が選出されにくい ③ 情実・買収等の選挙腐敗を誘発しやすい
大選挙区	選挙人団が2人以上の議員を選出する選挙区	① 死票が少なくなる ② 広い視野をもった候補者が選出されやすくなる ③ 腐敗行為や選挙干渉が少なくなる	① 区域が広くなるため、選挙費用がかさむ ② 同一政党から複数の候補者が立ち、共倒れとなりやすい

2　「投票の方法」

＜投票の方法＞

単記投票法	一選挙区から選出する議員定数の多少にかかわらず、投票用紙に1人の候補者名を記載せしめて投票させる方法
連記投票法	一選挙区から2人以上の議員を選出する大選挙区制において、投票用紙に2人以上の候補者名を記載せしめて投票させる方法（＊）

＊　この方法には、①選挙区の議員定数と同数の候補者名を記載させる完全連記制と、②議員定数より少ない候補者名を記載させる制限連記制とがある。

3　代表の方法

選挙区と投票の方法の組合せにより代表の方法が変わり、議会の民意の反映の仕方が異なってくる。代表の方法としては、①多数代表制、②少数代表制、③比例代表制がある。

＜代表の方法の比較＞◙

	多数代表制	少数代表制	比例代表制
意義	選挙区の投票者の多数派から議員を選出させようとする方法	選挙区の投票者の少数派からの議員の選出を可能とする方法	多数派・少数派の各派に対して得票数に比例した議員の選出を保障する方法
類型	(1) 小選挙区制 (2) 大選挙区完全連記投票制	(1) 大選挙区制限連記投票制 (2) 大選挙区単記投票制	(1) 単記移譲式（＊1） (2) 名簿式 　(a) 拘束名簿式（＊2） 　(b) 非拘束名簿式（＊3）
長所	安定した議会勢力を得ることができる	少数派にも議員を選出する可能性を与えて多数代表制がもつ不公平を修正する	有権者の意思を正確に反映しうる点で優れている
短所	候補者の当選に直結しない多くの死票が生ずる	① 少数派からの議員の選出に確実な保障はなく、同士討ちの問題も生じる ② 単に選挙人の少数者にも代表の機会を与えるにとどまるため、多数派が依然として議席を独占する場合がある ③ 政党得票数と当選者との比率がかなり偶然に支配され、選挙戦術の成否など偶然により、多数派あるいは少数派が不当に多く当選者を出す可能性がある	① 小党分立や政党間の対立を助長し、政治的不安定を招くおそれがある ② 技術的に多くの困難が伴う ③ 名簿式の場合に、選挙人と議員の間に政党が介在するため、選挙の直接性に反するおそれがある

＊1　単記移譲式とは、選挙人が候補者に順位をつけて投票したものを、第一順位から計算して基数に達したものを当選人とし、その死票を順位に従って移譲する制度をいう。
＊2　拘束名簿式とは、投票者は、政党の選択のみを示す投票を行い、各名簿の得票数に応じて、あらかじめ名簿に登載された候補者の順位に従って当選者を決定する制度をいう。
＊3　非拘束名簿式とは、投票者は、名簿に登載されている候補者を指定して投票し、まず名簿ごとに得票数を集計して当選者数を決定したうえで、各名簿の中で個人得票の多数を得た者から順に当選者を決定する制度をいう。

二　現行制度の仕組み

1　衆議院議員選挙

　　衆議院議員選挙については、長年1つの選挙区から3人ないし5人の議員を選出する制度（中選挙区制と呼ばれていたが、正確には大選挙区制の一種である）を採用してきたが、1994年の公職選挙法改正により、全国300の小選挙区と全国を11ブロックに分けた定数200の拘束名簿式比例代表制の2本立てで選挙が行われることになった（小選挙区比例代表並立制、公選12 I）。そし

統治

て、2000年の公職選挙法改正により、比例代表の定数は200から180に削減された。

* 小選挙区制の合憲性

▼ **最大判平11.11.10・百選152②事件**

「小選挙区制は、全国的にみて国民の高い支持を集めた政党等に所属する者が得票率以上の割合で議席を獲得する可能性があって、民意を集約し政権の安定につながる特質を有する反面、このような支持を集めることができれば、野党や少数派政党等であっても多数の議席を獲得することができる可能性があり、政権の交代を促す特質をも有するということができ、また、個々の選挙区においては、このような全国的な支持を得ていない政党等に所属する者でも、当該選挙区において高い支持を集めることができれば当選することができるという特質をも有するものであって、特定の政党等にとってのみ有利な制度とはいえない」。「死票を多く生む可能性があることは否定し難いが、死票はいかなる制度でも生ずるもの」である。このように「小選挙区制は、選挙を通じて国民の総意を議席に反映させる一つの合理的方法ということができ、……小選挙区制を採用したことが国会の裁量の限界を超えるということはでき」ない。

* 比例代表制の合憲性

▼ **最大判平11.11.10・百選152①事件**

拘束名簿式比例代表制であっても、「投票の結果すなわち選挙人の総意により当選人が決定される点において、選挙人が候補者個人を直接選択して投票する方式と異なるところはない」から、比例代表制が直接選挙に反するとはいえない。

* 重複立候補制（公選86の2Ⅳ）

平成6年の改正公職選挙法により、一定の要件を備えた政党等の候補者は、小選挙区選挙で落選しても比例代表選挙で当選人となることができるとされている。

かかる重複立候補制には様々な問題点が指摘されているが、特に小選挙区選挙で落選した重複立候補者が比例代表選挙で当選できるとする点で43条1項や44条等に反しないかが問題とされた。なお、その後、法定得票数に達しなかった候補者の復活当選を禁じる法改正がなされている。

▼ **最大判平11.11.10・百選152①事件**〈共予〉

「被選挙権又は立候補の自由が選挙権の自由な行使と表裏の関係にある重要な基本的人権であることにかんがみれば、合理的な理由なく立候補の自由を制限することは、憲法の要請に反するといわなければならない」。

しかし、かかる重複立候補制は「選挙制度を政策本位、政党本位のものとするために設けられたものと解されるのであり、政党の果たしている国政上の重要な役割にかんがみれば、選挙制度を政策本位、政党本位のものとすることは、

国会の裁量の範囲に属することが明らかである」。したがって、「政策本位、政党本位の選挙制度というべき比例代表選挙と小選挙区選挙とに重複して立候補することができる者が候補者届出政党の要件と衆議院名簿届出政党等の要件の両方を充足する政党等に所属する者に限定されていることには、相応の合理性が認められるのであって、不当に立候補の自由や選挙権の行使を制限するとはいえず、これが国会の裁量権の限界を超えるものとは解されない。」

　よって、立候補の自由や選挙権行使を不当に制限するものではない。

▼　最判平 13.12.18

　一人別枠制（各都道府県にまず定数1を配分した上で、残りの定数を人口に比例して各都道府県に配分する）は、「投票価値の平等との関係において国会の裁量の範囲を逸脱するということはできない」。

　候補者届出政党にも選挙運動を認める公職選挙法の規定は、選挙制度を政党本位、政策本位のものにするという国会が正当に考慮することのできる理由に基づくものであって「これに所属しない候補者も自ら選挙運動を行うことができることにかんがみれば、……憲法に違反するとは認めがたい」。

　重複立候補制は、「不当に立候補の自由や選挙権の行使を制限するとはいえず、これが国会の裁量権の限界を超えるものとは解されない」。

　現行比例代表制は、政党名を記載して投票させ、当選順位が惜敗率によって決定されるが、「結局のところ当選人となるべき順位は投票の結果によって決定されるのであるから、このことをもって比例代表制が直接選挙に当たらないということはでき」ない。

＊　一人別枠方式の合憲性

▼　最大判平 23.3.23・百選 153 事件

判旨：　一人別枠方式について、「人口の少ない県に居住する国民の意思をも十分に国政に反映させることができるようにすることを目的とする旨の説明がされている」が、そのような配慮は「全国的な視野から法律の制定等に当たって考慮されるべき事柄であ」り、選挙区間の「投票価値の不平等を生じさせるだけの合理性があるとはいい難い」。また、一人別枠方式の意義は、新しい選挙制度の導入に際し、「人口比例のみに基づいて各都道府県への定数の配分を行った場合には、人口の少ない県における定数が急激かつ大幅に削減されることになるため、国政における安定性、連続性の確保を図る必要」があった等の事情に対応する点にあったが、「新しい選挙制度が定着し、安定した運用がされるようになった段階においては、その合理性は失われる」。本件平成21年実施の衆議院議員総選挙の時点では、「合理性は失われていたものというべきである」。

評釈：　本判決を受けて、国会は、平成24年に一人別枠方式を廃止した（衆議院議員選挙区画定審議会設置法旧3条2項）。

統
治

2 参議院議員選挙

参議院議員の選挙については、一方で各都道府県を選挙区として2人ないし8人の議員を選出する大選挙区制を採用し、他方で「全都道府県の区域を通じて、選挙する」比例代表制を採用している（公選12Ⅱ、14、別表第3）。なお、従来は拘束名簿式比例代表制を採用していたが、2000年の公職選挙法改正により非拘束名簿式比例代表制を採用するに至った。

* **参議院非拘束名簿式比例代表制の合憲性**

▼ **最大判平 16.1.14・百選 154 ①事件** 司共

「憲法は、政党について規定するところがないが、政党の存在を当然に予定しているものであり、政党は、議会制民主主義を支える不可欠の要素」である。かかる「政党の……国政上の重要な役割にかんがみて、政党を媒体として国民の政治意思を国政に反映させる名簿式比例代表制を採用することは、国会の裁量の範囲に属する」。そして、「名簿式比例代表制は、政党の選択という意味を持たない投票を認めない制度であるから、本件非拘束名簿式比例代表制の下において、参議院名簿登載者個人には投票したいが、その者の所属する参議院名簿届出政党には投票したくないという投票意思が認められないことをもって、国民の選挙権を侵害し、憲法15条に違反するもの」ということはできない。

3 在外国民の選挙制度

公職選挙法によると、3か月以上外国に居住する日本国民は、選挙人名簿に登録されないこととなり、通常、選挙権を行使できないことになる。このように、実体としての選挙権を保持しながら選挙人名簿に登録できないという技術的・手続的な理由から在外国民が選挙権行使の機会を奪われているのは、国民の選挙権を保障した15条1項などの憲法の精神に反するのではないかが問題とされていた。

しかし、平成10年の法改正により、市町村の選挙管理委員会が、従来の選挙人名簿の他に新たに在外選挙人名簿を作成し、住民登録の抹消によって選挙権が行使できなくなった在外国民をそれに登録することで、不在者投票に準じた手続により、在外公館での投票ができるといった内容の制度化がなされた。その際、在外選挙の対象となるのは、衆参両院議員選挙であるが、当分の間、比例選挙に限るとされた。

この点、最大判平 17.9.14・百選 147 事件（⇒ p.474）が比例選挙に限っている点について実質的な違憲判決を言い渡したことを受けて、選挙区選挙も対象とする改正がなされた。

第48条 〔両議院議員兼職の禁止〕

何人も、同時に両議院の議員たることはできない。

統
治

⇒国会§108（他の議院の議員となった場合の退職）、明憲§36（両議院議員兼職の禁止）

[趣旨] 本条は、国会内の抑制と均衡を図るべく二院制を採用した憲法の趣旨の実現のためには、衆議院と参議院が別の人により構成される必要があることから規定された。

《注 釈》

◆ 法律による兼職禁止

1 原則

国会議員は、国民の代表として国政を託され、その職務に専念する義務を負うことから、法律により、他の公職との兼職が禁じられている。

① 普通地方公共団体の議会の議員及び長（地自92Ⅰ、141Ⅰ）

② 国及び地方公共団体の公務員（国会39）

cf. 憲法上に規定はないが、公職選挙法は、在職中の議員が他の議院の候補者となること自体を禁止している（公選89、90）

2 例外

(1) 憲法が議院内閣制を採用している（66Ⅲ、67、69）ことから、内閣総理大臣その他の国務大臣及び通常の行政執行には当たらない政務官である内閣官房副長官、内閣総理大臣補佐官、副大臣及び大臣政務官等については兼職禁止が解かれている（国会39）。

(2) 特に法律で定められた職についても兼職が認められる。

ex. 国土審議会委員、社会保障制度審議会委員、地方制度調査会委員

第49条 〔議員の歳費〕

両議院の議員は、法律の定めるところにより、国庫から相当額の歳費を受ける。

⇒国会§35（歳費）

[趣旨] 本条は、普通選挙の普及に伴い、財産のない一般大衆が議員となった場合でも議員としての活動能力を保障するために定められたものである。

《注 釈》

一 歳費受領権

歳費受領権は、国民の代表として国政を託され（前文1段2文）、国権の最高機関たる国会（41）での自主的な活動が期待される国会議員に憲法上与えられている特権の1つであって、このような特権として、他に不逮捕特権（50）と免責特権（51）がある。

なお、議員の歳費額は法律事項であり、裁判官におけるような報酬保障規定（79Ⅵ、80Ⅱ）はないので、減額されないことは憲法上保障されていない。

二　相当額の歳費

歳費の額は、一般職の国家公務員の最高額より少なくない額とされる（国会35）。
→憲法上の要請というわけではない

第50条　〔議員の不逮捕特権〕

　両議院の議員は、法律の定める場合を除いては、国会の会期中逮捕されず、会期前に逮捕された議員は、その議院の要求があれば、会期中これを釈放しなければならない。

⇒国会§33・100（法律の定める場合）、国会§34（逮捕許諾請求の手続）、国会§34の2・34の3（会期前逮捕の議員）、明憲§53（不逮捕特権）

[趣旨] 本条は、前段で会期中の不逮捕特権について、後段で会期前に逮捕された議員の会期中釈放の要求について規定している。これは、51条の免責特権とともに、議会制発達史の中で、行政権、とりわけ君主権力による妨害から議員の職務遂行の自由を守るための制度として重要な役割を果たしてきたものであり、近代議会制の通則に属する。

cf.　明治憲法との比較

　　明治憲法も不逮捕特権を規定していた（明憲53）が、日本国憲法とは、以下の点で異なる。

①　会期中の不逮捕につき、「内乱外患ニ関ル罪」は除外されていた（明憲53）。

②　議院の釈放要求権については規定がなく、実例上も否定されていた。

《注　釈》

一　不逮捕特権と法律による除外例

1　会期中の不逮捕（50前段）

　両議院の議員は、法律の定める場合を除いては、国会の会期中逮捕されない。

＜会期中の不逮捕特権のまとめ＞

	内容	注意点
会期中	「会期中」とは、国会の開会中を意味する	(1) 会期外（閉会中）の場合には、この不逮捕特権は認められない ex.1　閉会中であれば、委員会で継続審議されていても不逮捕特権は及ばない ex.2　休会していても、「会期中」であるから、不逮捕特権が及ぶ (2) 参議院の緊急集会は「会期中」と同様に扱われる（国会100参照）

	内容	注意点
逮 捕	「逮捕」とは、広く公権力による身体の拘束を意味する	(1) 司法的な逮捕・勾引・勾留のほか、行政的な拘束（保護拘束や保護処置）を含む (2) この特権は訴追されない特権ではない（第一次国会乱闘事件・東京地判昭37.1.22・百選169事件）
例 外	憲法上の特例として議員の逮捕が認められる「法律の定める場合」につき国会法33条がある（＊1）	(1) 「院外における現行犯罪の場合」〈同〉（＊2） ∵ 犯罪事実が明白で不当逮捕のおそれがない (2) 議員の所属する議院の許諾がある場合〈同〉 →「議院の許諾」の判断基準につき不逮捕特権の目的と関連して争いがある ⇒二

＊1 法律による除外例が50条前段だけにかかるか後段にもかかるか、という問題があるが、国会法33条は、会期中の議員の逮捕に関して（50前段）のみ規定している。
＊2 院内における現行犯罪は院の自律性を尊重すべきであるので、例外には含まれない。

2 会期前逮捕における議院の釈放要求（50後段）

会期前に逮捕された議員について、その所属する議院の要求があれば、会期中これを釈放しなければならない。

∵ 不逮捕特権は会期中に限られ、閉会中の逮捕には及ばないが、閉会中に議員が逮捕され、会期が始まった後にもその身体が拘束されるならば、不逮捕特権の趣旨が失われる

二 議院の許諾

1 許諾の判断基準〈予〉

「議院の許諾」がある場合、議員の不逮捕特権は認められないが、許諾の判断基準については、不逮捕特権の目的をどのように捉えるかに関連して、見解の対立がある。

A説：議員の逮捕に正当な理由がある場合か否かが判断基準となる。
∵ 不逮捕特権の目的は、政府の権力により議員の職務遂行が妨げられないよう、身体的自由を保障することにある（議員の身体的自由保障説）

B説：逮捕請求を受けた議員が議院の活動にとって特に必要か否かが判断基準となる。
∵ 不逮捕特権の目的は、議院の正常な活動の保障にある（議院の活動確保説）

2　許諾に条件・期限を付けることの可否

<議員の逮捕に対する議院の許諾に条件・期限を付けることの可否>

特権の目的 （＊）	不逮捕特権の目的は、政府の権力により議員の職務遂行が妨げられないよう議員の身体的自由を保障することにある（議員の身体的自由保障説）	不逮捕特権の目的は、議院の正常な活動を保障することにある（議院の活動確保説）	
許諾の判断基準	議員の逮捕に正当な理由がある場合か否かが基準となる	逮捕請求を受けた議員が議院の活動にとって特に必要か否かが基準となる	
条件・期限を付けることの可否	できる ∵　許諾についての裁量権を有する以上、具体的当否は別として条件等を付しうる	できない ∵　逮捕を許諾しながらその期間を制限するのは逮捕許諾権の本質を無視し刑事司法の適正を害する	できる ∵　国会の運営や審議の必要の有無について考えうる以上、許諾につき必要に応じて条件等を付けることも認められてよい

＊　特権の目的を「行政権・司法権による逮捕権の濫用から議員の自由な活動を保障し、もって議院の自主性を確保しようとするもの」と捉える見解も存する。

▼　東京地決昭29.3.6・百選168事件

　「議院の逮捕許諾権は議員に対する逮捕の適法性及び必要性を判断して不当不必要な逮捕を拒否し得る権能である」としたうえで、議院が「適法にして且必要な逮捕と認める限り」、逮捕の許諾は無条件でなければならないとした。

3　いったん与えた許諾を取り消すことの可否
　　議院はいったん与えた逮捕の許諾を取り消すことができるか。この問題は不逮捕特権の目的の理解を問わず、肯定説・否定説に分かれる。
　　　A説：議院はいったん与えた逮捕の許諾を取り消すことができる
　　　　　　∵①　（議員の身体的自由保障説から）身体の拘束が不当に長くなれば許諾を取り消すことが必要になる
　　　　　　　②　（議院の活動確保説から）議院の審議状況の変動によっては取り消すことが必要となる
　　　B説：議院はいったん与えた逮捕の許諾を取り消すことはできない
　　　　　　∵　安易に取消しを認めれば、刑事手続の安定を害する
4　許諾の手続
　　各議院の議員の逮捕につき、その院の許諾を求めるには、所轄裁判所又は裁判官は令状を発する前に内閣に要求書を提出し、内閣はその受理後速やかに、その要求書の写しを添えて当該議院にこれを求めなければならない（国会34）。

統治

→議員の逮捕状の請求を受けた裁判官は、事前に議院の許諾がなければ、逮
捕状を発付できない

第５１条　〔免責特権〕

　両議院の議員は、議院で行つた演説、討論又は表決について、院外で責任を問はれ
ない。

⇒国会§116・119・120（院内の紀律）、国会§121～124（懲罰）、明憲§52（発
言・表決の無責任）

[趣旨] 本条は、議院における議員の自由な発言・表決を保障し、審議体としての
機能を確保することを目的とする。

《**注　釈**》

一　免責特権の趣旨

　　免責特権の趣旨の捉え方については争いがある。

＜免責特権の趣旨に関する争い＞

	A説	B説（＊）
内容	議員の免責特権を、国会の在り方、その活動面（自律権）に完全に解消して捉える	議員の免責特権を、国会の在り方、その活動の保障という観点から手段的・政策的に創設された議員の特権と捉える
理由	①　免責特権は他の機関との関連で議院の十分な活動を保障するために国会議員に与えられたものである ②　議員の言論活動への萎縮的効果をできるだけ排除し、院内の言論の自由を保障すべきである	国会が国民代表機関として国政の中心にあって審議の原理を満足させるためには議院の自律権等が必要とされるが、そうした工夫の１つとして議員の免責特権を位置付けることができる

＊　B説はさらに、(a)免責特権を、議員の絶対的な特権を規定したものと捉える見解と、
(b)免責特権は、憲法の全体構造ないし他の規定との関係から憲法解釈論上なおその具
体的な妥当範囲について議論の余地を残すとみる見解とに分かれる。
　　→B(b)説は、①免責特権は、議院の自律権に付随して、国民の福利のために平等原則
　　を部分的に犠牲にして政策的に認められるものである以上、限定的に理解すべきで
　　あること、②国民の名誉・プライバシー等、国民の権利を守る必要があること、を
　　根拠としている

二　免責の対象

　1　人的範囲（「両議院の議員」の行為）

　　(1)　国務大臣

　　　　争いはあるが、免責特権は国会議員の職務遂行の保障に仕えるものである
　　　点でその保障は国会議員にのみ及び、国務大臣には及ばないと解されている。
　　　　→国務大臣が国会議員でもある場合、議員としての発言については免責特

権の保障が及ぶが、国務大臣として行った発言については、免責の対象とはならない

(2) 地方議会議員

免責特権は国会議員にのみ認められるものであり、地方議会議員には認められない（最大判昭42.5.24）回。

2 行為の範囲（「議院で行つた」行為）

「議院で行つた」とは、議院の活動の場面で議員としての職務を行うに際してなされたものという意味である。

(1) 議院の活動といえるものであれば、国会の会期中であるか否か、議事堂内で行われたものか否かを問わない。

ex. 参議院の緊急集会、委員会における継続審査、地方公聴会

(2) 議員が院内の発言を院外において刊行したような場合、もはや「議院で行つた」発言とはいえず、一般の法律によって律せられると解されている（明憲52ただし書参照）。

＊ 議院の会議は公開であり、会議録が公表されること（57）を理由に、会議録をそのまま引用する形での刊行など一定の場合には免責特権が及ぶと解する説も有力である。

3 免責の対象となる行為予

本条により免責されるべき行為は、「演説」、「討論」、「表決」に限られるのかについては争いがある。

＜免責されるべき行為は「演説、討論又は表決」（51）に限られるか＞

	内容	理由
A説	免責の対象となる行為は、「演説、討論又は表決」に限られる	法的平等の見地から、憲法の根拠なしに免責される行為をむやみに拡張すべきではない
B説	免責の対象となる行為は、「演説、討論又は表決」に限らず、国会議員の職務遂行に付随する行為も広く含む（第一次国会乱闘事件・東京地判昭37.1.22・百選169事件、第二次国会乱闘事件・東京高判昭44.12.17）（＊）	免責特権の趣旨は議員の職務遂行の自由を保障することにある

＊ この立場に立っても、私語・野次・暴力行為等は、議員の職務に付随する行為とはみられない。

4 地位喪失後の責任

本条の趣旨が、在任中の自由な発言・表決の保障に尽きるとすれば、議員たる地位の喪失後には、理論上、在任中の言動への責任追及が可能となりうる。

しかしこれを貫くと、地位を喪失した後に備えて議員自身が自ら言論活動を自粛する危険があり、本条の趣旨が没却される。そこで、議員の地位を喪失した場合も、在任中の言動につき免責特権は及び、責任追及は否定される。

三　免責の内容

1　民事・刑事の責任

　国会議員が院外で問われない「責任」とは、一般国民であれば負うべき民事上・刑事上の法的責任をいう。

　　ex.　名誉毀損行為に基づく不法行為法上の損害賠償責任（民事責任、民709）ないし名誉毀損罪（刑事責任、刑230Ⅰ）

　　→議場で他人の名誉を毀損する演説をした場合、院内でその責任を問われ、場合によっては懲罰事犯となりうる（国会119、120）

2　懲戒責任

　本条にいう「院外の責任」には、議員が公務員、弁護士等特殊な法律関係に属する立場を兼ねている場合の懲戒責任も含まれる。

3　免責特権の保障と国民の名誉・プライバシーの保護

　(1)　問題の所在

　　今日、会議における発言は、直ちにマス・メディアを通じて広く流布される状況にある。このような状況下において、たとえば、一般国民が議員の発言により著しく名誉を毀損されたという場合、法的に全く救済されないことになるのか。①国会議員が国会質疑等で人の名誉を侵害する発言を行った場合、当該議員個人に法的責任を問うことができるか、②その場合に国家賠償責任は生じるか、が問題となる。

　(2)　①議員に対する直接請求の可否

　　A説：否定する

　　　　∵　免責特権の性格を絶対的なものと捉える

　　B説：肯定する

　　　　∵　免責特権の性格を相対的なものと捉える

　　　＊　もっとも、訴訟が国会議員の活動を不当に妨げることのないよう最善の注意を払う必要があるとして、①議会外の一般市民に対する民事上の救済に限定し、②議員が表現内容を虚偽と知りつつ、あるいは虚偽か否かを不遜にも顧慮せずに表現行為に及んだことを被害者の側で立証した場合にのみ請求を認めるべき、といった限定付けがなされている。

　(3)　②国家賠償請求の可否

　　A説：絶対的免責特権説を前提に、国会議員の院内での発言等の行為について、国家賠償法上の賠償請求も否定する

　　　　∵①　免責特権の相対化や制限を図ることは、免責特権と国民の権

　　　　　利・利益の救済という価値を比較して免責特権に特別な重要性
　　　　　を認め、保障を図ろうとした趣旨を没却する
　　　　② 　国家賠償請求という形にせよ、議員の議院での発言について
　　　　　出訴の途を開くことは、一面ではあらゆる機会を捉えて政敵
　　　　　を攻撃し、自らの利益を図ろうとする勢力にそのための手段
　　　　　を与えることになりかねない
　　B説：国家賠償法上の賠償請求を肯定する
　　　∵① 　本条の規定は、国会議員の発言等の行為を適法とするもので
　　　　　はなく、一般国民が負わされるはずの責任、すなわち刑事上・
　　　　　民事上の責任を免除することを意味することにとどまり、たとえそ
　　　　　れが絶対的免責を定めたものだとしても、そのことを理由に、
　　　　　国が国家賠償法上の賠償責任を負わなくてよいことにはならない
　　　　② 　国の賠償責任が肯定されたとしても、国家賠償法１条２項に
　　　　　基づく求償権の行使が否定されれば、51条の趣旨は害されない

▼　最判平 9.9.9・百選 170 事件◎

事案：　衆議院のある委員会における議員Ｘの発言が夫の名誉を毀損し、発言
　　　　の翌日同人を自殺にまで追い込むことになったとして、遺族である妻が
　　　　国家賠償訴訟（国賠１Ⅰ）を提起した。

判旨：① 　本件発言は、国会議員であるＸによって「国会議員としての職務を
　　　　行うにつきされたものであることが明らか」であるから、仮に違法な
　　　　行為であるとしても、国が「賠償責任を負うことがあるのは格別」公
　　　　務員であるＸ個人はその責任を負わないと解すべきである。したがっ
　　　　て、「本件発言が憲法51条に規定する『演説、討論又は表決』に該当
　　　　するかどうかを論じるまでもなく」Ｘ個人に対する請求は理由がない。
　　　② 　「国会議員は、立法に関しては、原則として、国民全体に対する関係
　　　　で政治的責任を負うにとどまり、個別の国民の権利に対応した関係で
　　　　の法的義務を負うものではなく、国会議員の立法行為そのものは、立
　　　　法の内容が憲法の一義的な文言に違反しているにもかかわらず国会が
　　　　あえて当該立法行為を行うというごとき、容易に想定し難いような例
　　　　外的な場合でない限り、国家賠償法上の違法の評価は受けないという
　　　　べきであるが……この理は、独り立法行為のみならず、条約締結の承
　　　　認、財政の監督に関する議決など、多数決原理により統一的な国家意
　　　　思を形成する行為一般に妥当するものである」。
　　　③ 　質疑等は、「多数決原理により国家意思を形成する行為そのものでは
　　　　なく、国家意思の形成に向けられた行為である。もとより、国家意思
　　　　の形成の過程には国民の間に存する多元的な意見及び諸々の利益が反
　　　　映されるべきであるから、右のような質疑等においても、現実社会に
　　　　生起する広範な問題が取上げられることになり、中には具体的事例に

統
治

関する、あるいは、具体的事例を交えた質疑等であるがゆえに、質疑等の内容が個別の国民の権利等に直接かかわることも起こり得る。したがって、質疑等の場面においては、国会議員が個別の国民の権利に対応した関係での法的義務を負うこともあり得ないではない」。

しかしながら、質疑等は、「多数決原理による統一的な国家意思の形成に密接に関連し、これに影響を及ぼすべきものであり、国民の間に存する多元的な意見及び諸々の利益を反映させるべく、あらゆる面から質疑等を尽くすことも国会議員の職務ないし使命に属するものであるから、質疑等においてどのような問題を取り上げ、どのような形でこれを行うかは、国会議員の政治的判断を含む広範な裁量にゆだねられている事柄とみるべきであって、たとえ質疑等によって結果的に個別の国民の権利等が侵害されることになったとしても、直ちに当該国会議員がその職務上の法的義務に違背したとはいえない」。

④　「国会議員が国会で行った質疑等において、個別の国民の名誉や信用を低下させる発言があったとしても、これによって当然に国家賠償法1条1項の規定にいう違法な行為があったものとして国の賠償責任が生ずるものではなく、右責任が肯定されるためには、当該国会議員が、その職務とはかかわりなく違法又は不当な目的をもって事実を摘示し、あるいは、虚偽であることを知りながらあえてその事実を摘示するなど、国会議員がその付与された権限の趣旨に明らかに背いてこれを行使したものと認め得るような特別の事情があることを必要とする」。本件発言は、そのような「特別な事情」に該当しない。

評釈：①　本判決は、国家賠償法上公務員自身は直接被害者に損害賠償責任を負うものではないとした最判昭30.4.19に依拠し、公務員個人に対する請求はそもそも理由がないと判断した。

②　特別の事情がある場合にのみ国家賠償法上違法性が認められ、賠償責任が生じるとしている。この点、本判決の原審たる札幌高判平6.3.15は、絶対的免責特権説に立ったうえで、「憲法51条により国会議員個人が免責されるからといって、論理上当然に国家賠償法1条1項の『違法』の要件が失われることとなるわけではない」としつつ、やはり違法性が認められる場合について特別の事情を要求している。

4　政治責任

　憲法が禁止するのは国会議員に対する法的責任の追及であり、所属政党・支持団体・選挙人等が、議院において議員が行った発言・表決について、政治的・道義的責任を追及することは自由である。

　ex.　所属政党・所属団体等が、その院内活動を理由に議員に一定の制裁を加え、除名を行うことは許される〈司予〉

第52条 〔常会〕

国会の常会は、毎年1回これを召集する。

第53条 〔臨時会〕

内閣は、国会の臨時会の召集を決定することができる。いづれかの議院の総議員の4分の1以上の要求があれば、内閣は、その召集を決定しなければならない⚞予⚟。

第54条 〔衆議院の解散及び特別会、参議院の緊急集会〕

Ⅰ　衆議院が解散されたときは、解散の日から40日以内に、衆議院議員の総選挙を行ひ、その選挙の日から30日以内に、国会を召集しなければならない。

Ⅱ　衆議院が解散されたときは、参議院は、同時に閉会となる。但し、内閣は、国に緊急の必要があるときは、参議院の緊急集会を求めることができる。

Ⅲ　前項但書の緊急集会において採られた措置は、臨時のものであつて、次の国会開会の後10日以内に、衆議院の同意がない場合には、その効力を失ふ。

⇒52：国会 § 1 Ⅰ Ⅱ・2・5（常会の召集）、国会 §10・12〜14（常会の会期）

53：国会 § 1 Ⅰ Ⅲ・2の3・5（臨時会の召集）、国会 §11〜14（臨時会の会期）、国会 § 3（臨時会の要求）、明憲 §43（臨時会）

54：公選 §31 Ⅲ〜Ⅴ（総選挙）、国会 § 1 Ⅰ Ⅲ・2の2（特別会の召集）、国会 §11〜14（特別会の会期）、国会 §99〜102の5（緊急集会）、明憲 §45（解散と総選挙）、明憲 § 8（緊急勅令）、明憲 §70（財政上の緊急処分）

《注　釈》

一　会期

1　会期制度

(1)　意義

会期制とは、議会が一定の限られた期間だけ活動能力をもつという制度をいう。

cf.　議会の議員の任期の期間引き続いて議会が活動能力をもつとする制度を常設制という

(2)　憲法上の根拠

憲法は会期制について明言していないが、常会（52）の他に臨時会（53）・特別会（54Ⅰ）の規定を置いていることから、会期制を予定しているものと解される⚞司⚟。国会法も会期制を前提につくられている。

→法律で会期制を廃し、常設制にすることは、憲法の趣旨に反する

(3)　会期不継続の原則⚞司⚟

(a)　意義

会期不継続の原則とは、国会は会期ごとに活動能力を有し（会期独立の原則）、会期中議決に至らなかった案件は後会に継続しないとする原則を

いう。
- (b) 憲法上の根拠

  憲法は会期不継続の原則について明記しておらず、それを採用するか否かは、国会の自主的判断に委ねていると解されている。
  - →国会法は、68条でこの原則を採用している〈司〉
- (c) 議決の効力の不継続

  甲議院が議決し、乙議院が継続審査を決定し、次会期において乙議院が甲議院の議決通りに議決した場合、甲議院の再度の議決が必要であるとするのが先例である（議決の効力の不継続）〈予〉。
  - →59条2項における衆議院の再議決も同一会期中でなければならないということになる
- (d) 例外

  議院の議決により常任委員会・特別委員会に特に付託された案件（懲罰事犯の件を含む）は、会期不継続の原則の例外をなす。
  - →閉会中も引き続き審査された場合（国会47Ⅱ）、その議案は後会に継続する（国会68ただし書）
- (4) 一事不再議の原則〈司〉
  - (a) 意義

    一事不再議の原則とは、ひとたび議院が議決した案件については、同一会期中には再びこれを審議しないという原則をいう。
  - (b) 憲法上の根拠

    この原則を明記していた明治憲法（明憲39）と異なり、日本国憲法はこれに関する明文規定を欠き、国会法や議院規則にも規定は置かれていない。しかし、会期制を採用する現行の国会制度にも、この原則は当然に妥当すると解されている。
    - ∵　一事不再議の原則は、いったんなされた議決が不安定な状態に置かれることを回避し、会議の効率的運営を図るために、会期制と結び付いて行われる原則である
  - (c) 例外

    以下の場合には、同一会期中の再提案も可能と解されている。
    - ①　憲法自身がその例外として規定する衆議院の再議決の場合（59Ⅱ）
    - ②　会期が長期に及び、事情変更などにより議院の意思を変更する客観的な必要性が生じた場合
- 2　会期の種類（常会・臨時会・特別会）
  - (1) 国会の活動形態として、憲法及び国会法は、常会・臨時会・特別会の3種類を定めている。

＜会期の種類＞〈司〉

	常会	臨時会	特別会
意義	毎年1回召集される国会（52）	必要に応じて臨時に召集される国会（53）	衆議院の解散による総選挙後に召集される国会（54Ⅰ、国会1Ⅲ）
召集原因	常会は1月中に召集されるのを常例とする（国会2）	(1) 内閣が必要とするとき（53前段） (2) いずれかの議院の総議員の4分の1以上の要求があるとき（53後段）〈司〉 (3) 衆議院議員の任期満了による総選挙又は参議院議員の通常選挙が行われたとき（国会2の3）（*）	衆議院の解散による総選挙があったとき、総選挙の日から30日以内に召集される（54Ⅰ） →召集の時期が常会の召集時期と重なる場合は、常会と併せて召集できる
会期	150日であるが、会期中に議員の任期が満限に達する場合には、その満限の日をもって会期は終了する（国会10）	召集日に両議院の一致で決定する（国会11） →議決につき衆議院の優越が認められる（国会13）	臨時会と同じ
会期延長	1回に限り両議院一致の議決で延長できる（国会12） →議決につき衆議院の優越が認められる（国会13）	両議院一致の議決で2回延長できる（国会12） →議決につき衆議院の優越が認められる（国会13）〈司〉	臨時会と同じ

*　この場合議員の任期が始まる日から30日以内に召集しなければならないが、その期間内に、①総選挙にあっては、常会の召集又は参議院議員の通常選挙の期間にかかる場合、②通常選挙にあっては、常会・特別会又は衆議院議員の任期満了による総選挙の期間にかかる場合は、その限りでない（国会2の3）。

(2)　内閣の臨時会召集義務と国家賠償

▼　**内閣の臨時会召集義務と国家賠償（最判令5.9.12・令5重判5事件）**

事案：　平成29年6月22日、参議院の総議員の4分の1以上である72名の議員は、憲法53条後段の規定により、内閣に対し、国会の臨時会の召集を決定することを要求した。内閣は、その3か月後である同年9月22日、臨時会を同月28日に召集することを決定し、同月28日に臨時会を召集したが、その冒頭で衆議院が解散され、参議院は同時に閉会となった。

　　　上記の召集要求をした参議院議員の1人であるＸは、Ｙ（国）に対し、内閣が上記の要求から92日後まで臨時会召集決定をしなかったことが違憲・違法であり、これにより、Ｘが自らの国会議員としての権利を行使

統治

することができなかったなどとして、国家賠償法1条1項に基づく損害
賠償を求める訴えを提起した（なお、Xは、内閣において、20日以内に
臨時会が召集されるよう臨時会召集決定をする義務を負うことの確認等
も求めている。　⇒p.430参照）。

判旨：　憲法53条は、「国会と内閣との間における権限の分配という観点から、
内閣が臨時会召集決定をすることとしつつ、これがされない場合におい
ても、国会の会期を開始して国会による国政の根幹に関わる広範な権能
の行使を可能とするため、各議院を組織する一定数以上の議員に対して
臨時会召集要求をする権限を付与するとともに、この臨時会召集要求が
された場合には、内閣が臨時会召集決定をする義務を負うこととしたも
のと解されるのであって、個々の国会議員の臨時会召集要求に係る権利
又は利益を保障したものとは解されない」。

「所論は、国会議員は、臨時会が召集されると、臨時会において議案の
発議等の議員活動をすることができるというが、内閣は、憲法53条後段
の規定による臨時会召集要求があった場合には、臨時会召集要求をした
国会議員が予定している議員活動の内容にかかわらず、臨時会召集決定
をする義務を負い、臨時会召集要求をした国会議員であるか否かによっ
て召集後の臨時会において行使できる国会議員の権能に差異はない。そ
うすると、同条後段の規定上、臨時会の召集について各議院の少数派の
議員の意思が反映され得ることを踏まえても、同条後段が、個々の国会
議員に対し、召集後の臨時会において議員活動をすることができるよう
にするために臨時会召集要求に係る権利又は利益を保障したものとは解
されず、同条後段の規定による臨時会召集決定の遅滞によって直ちに召
集後の臨時会における個々の国会議員の議員活動に係る権利又は利益が
侵害されるということもできない。」

以上によれば、「憲法53条後段の規定による臨時会召集決定の遅滞に
より、臨時会召集要求をした国会議員の権利又は法律上保護される利益
が侵害されるということはできない」。したがって、「憲法53条後段の規
定による臨時会召集要求をした国会議員は、内閣による臨時会召集決定
の遅滞を理由として、国家賠償法の規定に基づく損害賠償請求をするこ
とはできない」。

3　国会の開閉

(1)　召集

召集は詔書の形式で行われ、集会期日を定めて公布される（国会1Ⅰ）。
常会の召集詔書は、少なくとも10日前に公布しなければならないが（国会
1Ⅱ）、臨時会・特別会にこうした制限はない（国会1Ⅲ）。

(2)　休会

「休会」とは、国会又は各議院が、会期中、一定の期間を定めて一時その

活動を休止することをいう。

　→国会の休会は、両議院一致の議決を必要とし、会期の決定と異なり、衆議院の優越は認められない（国会15）

(3) 閉会

　国会は、会期の終了によって閉会となる。閉会は、会期の満了の他、会期中に衆議院が解散されたとき（54Ⅱ）、又は常会の会期中に議員の任期が満限に達したとき（国会10ただし書）にも生じる。

二　参議院の緊急集会（54ⅡⅢ）

＜参議院の緊急集会のまとめ＞

		内容（＊）	注意点
要件		解散により衆議院が存在しないこと	議員の任期満了の場合は予定されていない
		国に緊急の必要があること	総選挙後特別会の召集を待つ余裕がないほどに切迫した国家的必要があることをいう
		内閣の求めがあること	① 緊急集会を求めることができるのは内閣だけであり、参議院議員にその権能はない〈予〉 ② 緊急集会は国会の召集とは異なるので、天皇の詔書の形式により参集するものではない
集会の権能		緊急集会は、内閣総理大臣から示された案件について審議し、議決する	議員は、当該案件に関連のあるものに限り、議案を発議できる（国会101）
		集会は国会の権能を代行するものであり、法律・予算等国会の権能に属する事項のすべてを審議し、議決することができる	憲法改正の発議（96Ⅰ）・新たな内閣総理大臣の指名（67Ⅰ）は、緊急の必要性を欠くことから、議決事項になじまないとされている〈予〉
集会の終了		緊急案件がすべて議決され、議長が緊急集会が終わったことを宣告することにより、集会が終了する（国会102の2）	緊急集会は緊急に国会の議決を要すると判断した内閣の求めによって開かれるものであって、会期の定めがあるわけではない
衆議院の同意		緊急集会で採られた措置は「臨時のもの」であって、次の国会開会後10日以内に衆議院の同意がない場合は、将来に向かって効力を失う（54Ⅲ）〈共〉	衆議院の同意を求める手続は、緊急集会を求めた内閣が行う（国会102の4）

＊　緊急集会の期間中、参議院議員は、会期中の国会議員と同様に、不逮捕特権（50、国会100）、免責特権（51）を保持する〈予〉。

第55条 〔議員の資格争訟〕

両議院は、各々その議員の資格に関する争訟を裁判する。但し、議員の議席を失はせるには、出席議員の3分の2以上の多数による議決を必要とする。

⇒国会§111〜113（資格に関する争訟）

[趣旨] 本条は、議院の自律性を尊重する趣旨に基づき、議員の資格の争訟に関する裁判は当該議員の所属する議院が自ら行うべきとしたものである。

＊ 議院の自律権

議院の自律権とは、各議院がそれぞれの内部組織や運営等について、他の議院や他の機関からの干渉を受けることなしに、自主的に決定する権能をいう。

《注 釈》

一 議員の「資格」（55本文）

議員の「資格」とは、44条本文に基づき法律で定められた、議員としての地位を保持しうる要件のことをいう。

① 被選挙権を保持すること（公選10、11）

② 議員との兼職が禁じられている職務に就いていないこと（国会39）

→院内の秩序を乱す等、議員資格を取得した後の事由については本条の対象とならない

二 「裁判」（55本文）

1 裁判の方法

資格争訟の裁判は、裁判的手続を用いて行われ、各議院の議員からその院の議長に文書で争訟を提起し、議長はその訴状を委員会に付託し、その審査を経た後、議院でこれを議決する（国会111〜113、衆議院規則189〜199、参議院規則193〜206）。

2 議員の議席を失わせるための要件

資格がないとして議員の議席を失わせるには、出席議員の3分の2以上の多数の議決を必要とする（55ただし書）。

→資格争訟裁判は、「日本国憲法に特別の定のある場合」（裁判所31）に該当し、各議院における裁判が終審となることから、議院の議決により資格を有しないとされた議員がさらに裁判所に救済を求めることはできない 《同》

ex. 事実認定や議事手続の誤りを理由とした出訴も認められない

∵ 76条1項の例外として憲法が認めた議院の権限

＊ 議員資格を失わせる場合の必要数が3分の2以上の特別多数であり、それ以外の議決（ex. 議員資格を失わせることを否決する場合等）は過半数で足りる。

3　自己の争訟の表決に加わることの可否

　　議員は、資格争訟を提起されたからといって、直ちに議員としての地位及び権能を失うことはないが、自己の争訟に関する表決に加わることはできない（国会113ただし書）。

第56条　〔定足数及び表決〕

Ⅰ　両議院は、各々その総議員の3分の1以上の出席がなければ、議事を開き議決することができない。

Ⅱ　両議院の議事は、この憲法に特別の定のある場合を除いては、出席議員の過半数でこれを決し、可否同数のときは、議長の決するところによる。

⇒国会§49・50（委員会の定足数と表決）、明憲§46・47（定足数及び表決）

《注　釈》

一　定足数

　1　本会議の定足数

　　　定足数とは、会議体において、議事を開き、審議を行い、議決をなすために必要とされる最小限度の出席者数をいう。

　2　「総議員」（56Ⅰ）

＜「総議員」（56Ⅰ）の意義＞

	内容	理　由
A説	法定議員を意味する（法定議員説）	①　一定数よりなる会議体の会議に必要な最小員数を定めるのが定足数本来の趣旨であり、その数が常時変動することは、定足数の性質から望ましくない ②　もともと3分の1という低い数に定められているものをさらに緩めるような解釈は望ましくない
B説	現在議員を意味する（現在議員説）	定足数の性質からして、現に会議に出席しうる状態にある議員数を基準とすべきであって、死亡や辞職による欠員を「総議員」に含めて、議員として現に活動できない者を「総議員」に算入するのは妥当でない

※　先例は、法定議員数を基準にしている。

二　表決数

　1　過半数主義の原則と憲法上の例外

　　　表決数とは、会議体において意思決定を行ううえで必要な賛成表決の数をいう。本条2項は、憲法に特別の定めがある場合を除き、原則として、両議院における議事の表決数を「出席議員の過半数」と定めて、多数決の原則のうち絶対多数（過半数）方式を採用している。

＜多数決原則のまとめ＞

方式	意味	実例
比較多数 （相対多数）	他の数と比較して、最も多い数を意味する	会議体における議事よりも、むしろ選挙の場合によく用いられる
絶対多数 （過半数）	あるものの半分より多い数を意味する	民主的な会議体で普通に見られる意思決定の方法である
特別多数	あるものの「3分の2」「4分の3」のように、最小限が過半数以上に特別に引き上げられている多数を意味する	会議体の意思決定について、その決定内容の重要性や少数者保護の必要性などを理由に、絶対多数の例外として用いられる

※　議会制の本質的原理としての多数決原理が成り立つための前提として、以下のものを挙げることができる。
　　① 複数の意見のうちでどれが正しいかを客観的・具体的に知る基準が存しないこと
　　② 複数の意見がそれぞれ平等な価値を有するとされること
　　③ 決すべき具体的争点につき、複数の答えが存すること
　　④ 複数の意見の対立が、その性質において互いの歩み寄り又は共存を不可能ならしめるようなものでないこと

＜表決数のまとめ＞　⇒ p.558

原則	出席議員の過半数で決する（56Ⅱ）	
例外	出席議員の3分の2以上の特別多数を要するもの	① 資格争訟裁判で議員の議席を失わせる場合（55ただし書） ② 本会議の秘密会を開く場合（57Ⅰただし書） ③ 懲罰により議員を除名する場合（58Ⅱただし書） ④ 衆議院で法律案を再議決する場合（59Ⅱ）
	総員の3分の2以上の特別多数を要するもの	憲法改正の発議（96Ⅰ前段）

2　「出席議員」（56Ⅱ）

　　「出席議員」の意義について、棄権した者や無効投票者も含まれるのかに関して見解の対立がある。

＜「出席議員」（56 Ⅱ）の意義＞

	内容	理由
A説	表決に際して棄権した者、白票・無効票を投じた者も出席議員に算入すべきである（算入説）（＊）	① 棄権・無効投票者を出席議員に算入しないと、出席して議事に参加している者を欠席者・退席者と同様に扱うことになり、不合理である ② 棄権・白票投票者は、少なくとも現状変更に積極的でない意思を表示するものとみるのが妥当である
B説	表決に際して棄権した者、白票・無効票を投じた者は出席議員に算入すべきではない（非算入説）	① 棄権・白票及び無効投票者を出席議員に算入すると、賛否いずれの意思も表示しない者を反対者と同様に扱うことになり、不合理である ② そもそも過半数主義は、積極的に表示された賛否の意思から半数を超える多数者の意思に重きを置いて、それを会議体の意思にしようとするものである

＊ 国会先例は、白票・無効票を投票総数に算入する。

三　委員会制度

　積極国家現象の下で議会が対応に迫られる問題は複雑多様であり、その取扱いに十分な調査と専門的知識を必要とする。そこで、国会法は委員会中心主義を採用し、各議院の下に常任委員会と特別委員会を置いて（国会40）、適正規模の人数による十分な審議を確保しようとしている。

　なお、参議院には、国政の基本事項に関して長期的かつ総合的な調査を行う目的で、委員会の他に調査会の設定が認められている（国会54の2以下、衆議院には認められていない）。なお、委員会の定足数は半数である（国会49）。

第５７条　〔会議の公開、会議録の公表、表決の記載〕

Ⅰ　両議院の会議は、公開とする。但し、出席議員の３分の２以上の多数で議決したときは、秘密会を開くことができる。

Ⅱ　両議院は、各々その会議の記録を保存し、秘密会の記録の中で特に秘密を要すると認められるもの以外は、これを公表し、且つ一般に頒布しなければならない。

Ⅲ　出席議員の５分の１以上の要求があれば、各議員の表決は、これを会議録に記載しなければならない。

⇒国会§118（傍聴の紀律）、国会§62（秘密会議）、国会§63（秘密会議の記録の非公開）、明憲§48（会議の公開）

[趣旨]本条は、議会での自由な討論を国民に公開してその批判にさらすことで、議会での審議に多元的な利害と価値ができる限り反映されるようにしたものである。それゆえ、秘密会の開催には特別多数の賛成が必要であるとして厳格な議決要件が定められている。また、公開の趣旨を徹底させるため、出席議員の５分の１以上の要求がある場合、各議員の表決を会議録に記載することを義務付けた（Ⅲ）。

統治

第58条 〔役員の選任、議院規則及び懲罰〕

Ⅰ 両議院は、各々その議長その他の役員を選任する。

Ⅱ 両議院は、各々その会議その他の手続及び内部の規律に関する規則を定め、又、院内の秩序をみだした議員を懲罰することができる。但し、議員を除名するには、出席議員の3分の2以上の多数による議決を必要とする。

⇒国会§16～31（役員）、国会§114～120（院内の秩序）、国会§121～124（懲罰）、明憲§51（規則）

《注 釈》

一 役員選任権（58Ⅰ）

憲法は、「その他の役員」の範囲を明らかにしていないが、国会法は、議長のほか、副議長・仮議長・常任委員長・事務総長を議院の役員とする（国会16）。

cf. 明治憲法時代、帝国議会を構成する議院の議長・副議長は天皇により勅任され、書記官以下の事務局職員もすべて政府により任命された

二 議院規則制定権（58Ⅱ）

議院規則制定権は、議院が独立して審議・議決を行う機関である以上当然に前提とされる性質のものである〈圖〉。この権能に基づき、各議院において、衆議院規則、参議院規則がそれぞれ定められている。

1 議院規則の法的性格

議院規則は、院の内部事項についての規律であり、それに関する限り、議員以外の人々をも拘束する。

→国民の社会生活一般を規律する法令と違うため、議院規則は公布されない（7①参照）

cf. 実際には、官報などにより国民に知らされている

2 議院規則制定権と法律（国会法）との関係

院の内部事項に関しては、現実に国会法でも定められている。そこで、国会法と議院規則との関係をいかに解すべきか。①規則所管事項について法律でも定められるか、②規則と法律が競合したときの効力関係をいかに解すべきか、という点が問題となる。

⑴ 議院規則の所管事項について

<議院規則所管事項と法律>

	内容	理由
A説〈圖〉	議院規則の排他的・専属的所管事項とする	議院の自律権を重視して認められた議院規則制定権の意義からみて、国会法のような法律で「議院の内部事項」に関する議事手続を定めることは原則的に許されず、国会法の規定はあくまでも「紳士協定」にすぎない

統治

	内容	理　由
B説	議院規則と法律との競合的所管事項とする	議院規則制定権は、国会が唯一の立法機関であること（41）の例外として認められている以上、法律の根拠に基づかなくても独自に制定できるが、それは立法事項であるから、国会が定めることも当然できる

(2)　議院規則と法律が抵触した場合の効力関係について【同】

A説：法律優先説

∵　法律の制定に両議院の議決が必要であるのに、議院規則の成立には一院の議決だけで足りる

批判：①　議院の自律権に対する評価においてあまりに低く、国会法が議院の自律権を不当に侵害することになる

②　法律は参議院不同意でも、衆議院の優越の原理により成立しうるので、参議院の自律性にとって致命的である

③　内閣の法案提出権を通じて（72）、行政府が国会法の改廃についてイニシアチブを発揮することも考えられる

＊　衆議院が優越性を主張しない慣行を築くことにより、批判②の危惧は解消でき、国会法改廃はもっぱら議員立法によるべきとすれば、批判③の危惧は解消できる、と反論する。

B説：規則優位説

∵　58条2項には、明治憲法51条に見られるような法律による制約が明記されていない（議院規則の所管事項は排他的・専属的であるとする立場から）

→議院における「会議その他の手続及び内部の規律」は議院規則で定めるというのが憲法の建前で、現在国会法がそれについて定めるところもあるが、それは両議院の合意による「紳士協定」以上の意味をもつものではない

＊　その他、(a)国会法の中の一院の内部規律又は手続に関する部分は規則と同位にあるものと解すべきであり、両者が矛盾するときは、国会法を一般法のごとく、規則を特別法のように解して、まず規則を優先的に適用すべきであるとする説（法律と規則との競合を認める立場から）、(b)議院規則の所管事項は原則として排他的・専属的であり、それにつき国会法が定めを置いても法的に議院規則を排除できないが、国民を義務付ける規定について競合が生じた場合には法律の効力が優位するという説がある。

三　議員懲罰権（58Ⅱ）

議員懲罰権は、議院が自律的にその組織体としての秩序を維持し、会議の円滑な運営を図ることができるようにするために規定されたものである。議院規則の制定と同様に、議院の自律権を基礎とするものであり、その懲罰は議員に対して科せられる特別の法的制裁である。その性質は、公務員の懲戒と類似する。

→国会法116条〜121条の適用は、議員の懲戒事由が院内の秩序を乱した場合に限られる

*　本条2項本文は「院内」としているが、「院内」とは議事堂という建物を意味するのではなく、人的組織体としての議院を意味する。

→議事堂の外で議員として活動中の行為（ex. 国政調査（62）のための派遣先における行為）で院内の秩序を乱すような場合も懲罰の対象となる〈司〉。他方、議事堂の外での会議の運営と関係のない個人的な行為は懲罰事由とならない〈司〉

1　懲罰の種類（国会122）〈司〉

①　公開議場における戒告

②　公開議場における陳謝

③　一定期間の登院停止

④　除名

ex. 国会の議決に基づいて指名を受けた内閣総理大臣が参議院議員である場合、参議院が内閣総理大臣たる参議院議員を除名することも可能である

→除名は議員の身分を剥奪するものであるから、出席議員の3分の2以上の多数による議決を必要とする（58Ⅱただし書）〈司〉

2　懲罰事犯の審査

懲罰事犯の審査は、会期不継続の原則の例外として後会に継続する。また、会期の終了日又はその前日に生じた懲罰事犯及び、閉会中の懲罰事犯については、一定要件の下に次の会期で審査できる。

3　懲罰と司法権

議院による懲罰権の行使に対して司法審査が及ぶかが問題となる。

⇒ p.435

＜議院の自律権のまとめ＞

自主組織権	①　会期前に逮捕された議員の釈放要求権（50） ②　議員の資格争訟裁判権（55） ③　役員選任権（58Ⅰ）
自主運営権	①　議院規則制定権（58Ⅱ本文前段） ②　議員懲罰権（58Ⅱ本文後段）

第59条　〔法律案の議決、衆議院の優越〕

Ⅰ　法律案は、この憲法に特別の定のある場合を除いては、両議院で可決したとき法律となる〈予。

Ⅱ　衆議院で可決し、参議院でこれと異なつた議決をした法律案は、衆議院で出席議員の３分の２以上の多数で再び可決したときは、法律となる〈同。

Ⅲ　前項の規定は、法律の定めるところにより、衆議院が、両議院の協議会を開くことを求めることを妨げない〈同共。

Ⅳ　参議院が、衆議院の可決した法律案を受け取つた後、国会休会中の期間を除いて６０日以内に、議決しないときは、衆議院は、参議院がその法律案を否決したものとみなすことができる。

⇒内閣§５、国会§58・59（内閣の法律案提出）、国会§56（議員の発議）、国会§50の2（委員会の法律案提出）、国会§83（両院間の議案の送付及び回付）、国会§84〜98（両院協議会）、国会§15（休会）、明憲§38（法律案の議決）

《注　釈》

一　法律の成立

1　法律案（59Ⅰ）

(1)　「法律案」とは、国会によって制定されるべき法律（形式的意味の法律）の原案として議院の審議に付されるものをいう。

(2)　法律案の提出権（発案権）について本条は規定していないが、国会が「国の唯一の立法機関」(41)であることから、各議院の議員が法律案を提出することができる。

　　→①　議員が議案を発議するには、衆議院においては議員20人以上、参議院においては議員10人以上の賛成を要する（国会56Ⅰ本文）〈同

　　　　②　予算を伴う法律案を発議するには、衆議院においては議員50人以上、参議院においては議員20人以上の賛成を要する（国会56Ⅰただし書）

2　両議院での可決（59Ⅰ）

(1)　原則

　　法律案は、「両議院で可決したとき」に法律となる。

　　→公布（7①）により成立するわけではない（最判昭26.3.1・百選〔第5版〕225事件）

(a)　「可決」とは、表決の対象となった案を可とする議決をいう。

　　→当初提出された法律案に修正を加えられた案を可と議決すること（修正可決）も、「可決」に含まれる

(b)　「両議院」での可決とは、同じ内容の法律案について、両議院が可決したことをいう。

　　　　→修正可決の場合は当初の案に同じ修正を加えたものが両議院で可決さ
　　　　れなければならない
(2)　例外
　　「この憲法に特別の定のある場合」には、両議院の可決がなくとも法律が
　成立する〈予〉。
　(a)　衆議院の特別多数による再議決（59Ⅱ）
　　　　参議院の意思にかかわらず、衆議院の意思のみによって法律を成立させ
　　　ることができる。
　　　　→衆議院の参議院に対する優越
　　　cf.　参議院で「これと異なつた議決」をするとは、①衆議院で可決して
　　　　　参議院に送付した法律案を参議院が否決した場合、及び、②それに修
　　　　　正を加えて可決した場合をいう
　(b)　参議院の緊急集会（54ⅡⅢ）
　　　　参議院の意思だけで法律を成立させることを可能としている。
3　再可決
　　参議院が、衆議院の可決した法律案を受け取った後、国会休会中の期間を除
　いて60日以内に、議決しないときは、衆議院は参議院がその法律案を否決し
　たものとみなすことができる（59Ⅳ）。
　　→衆議院は、再可決によって法律を成立させることができる（59Ⅱ）

二　両院協議会（59Ⅲ）
1　意義
　　両院協議会とは、両院の議決が異なった場合に、その間の妥協を図るために
　設けられる協議機関をいう。
　　→両院独立活動の原則の例外である　⇒ p.346
2　両院協議会の開催
(1)　両院協議会には、任意的なものと必要的なものとがある。
　(a)　任意的両院協議会
　　　　法律案の議決（59）の場合、衆議院には3分の2による再議決権があ
　　　るから、①衆議院が要求したとき、又は、②参議院が要求して衆議院が同
　　　意したときに、両院協議会が開催されることになる。
　(b)　必要的両院協議会
　　　　予算の議決（60）、条約の承認（61）、内閣総理大臣の指名（67）の場
　　　合、衆議院には3分の2による再議決権が認められていないことに対応し
　　　て、必ず両院協議会を開かなければならない。両院協議会でも協議がまと
　　　まらないときには、衆議院の議決が国会の議決とされる。
　(c)　予算、条約及び法律案を除く国会の議決を要する案件について、後議の
　　　議院が先議の議院の議決に同意しないときには、先議の議院は両院協議会

を求めることができる。協議を求められた議院はこれを拒めない（国会87、88）。

(2) 両院協議会はその性質上秘密会であり、傍聴を許さない（国会97）。

＜本会議・委員会・両院協議会の比較＞

	本会議	委員会	両院協議会
定足数	総議員の3分の1以上(56Ⅰ)	委員の半数以上（国会49）	各議院の協議委員の各3分の2以上（国会91）
表決数	原則として出席議員の過半数で決し、可否同数のときは議長が決する（56Ⅱ）	出席委員の過半数で決し、可否同数のときは委員長が決する（国会50）	① 協議案は出席協議委員の3分の2以上の多数で議決されたときに成案となる（国会92Ⅰ）(＊1) ② その他の場合は出席協議委員の過半数で決し、可否同数のときは議長が決する（国会92Ⅱ）
公開	＜原則＞ 公開（57Ⅰ本文） ＜例外＞ 出席議員の3分の2以上の多数で議決したときには秘密会とすることができる（57Ⅰただし書） →秘密会の記録の中で特に秘密を要すると認められるもの以外は、公表・頒布しなければならない（57Ⅱ）	① 非公開（国会52Ⅰ本文） →議員のほか、報道の任務にあたる者その他の者で委員長の許可を得た者だけが会議を傍聴もしくは報道することができる（国会52Ⅰただし書）(＊2) ② 委員会は、その決議により秘密会とすることができる（国会52Ⅱ）(＊3)	非公開（国会97） →両院協議会は性質上秘密会であり、傍聴を許さない

＊1 成案は両院協議会を求めた議院においてまず審議を行い、ついで他の議院に送付されるが、成案についてさらに修正することは許されない（国会93）。

＊2 委員会は実質審議の場であるため、特に公開が要求され、テレビ中継の拡大・審議の原則公開の法改正などが検討されている。

＊3 委員会が秘密会とされた場合、国会議員の傍聴まで禁止されるかについては明文がない。先例によると、衆議院では禁止されないのに対し、参議院では議事に無関係な議員の傍聴を認めていない。

第60条 〔衆議院の予算先議及び衆議院の優越〕

Ⅰ 予算は、さきに衆議院に提出しなければならない。

Ⅱ 予算について、参議院で衆議院と異なつた議決をした場合に、法律の定めるところにより、両議院の協議会を開いても意見が一致しないとき、又は参議院が、衆議院の可決した予算を受け取つた後、国会休会中の期間を除いて30日以内に、議決しないときは、衆議院の議決を国会の議決とする圖。

⇒内閣§5（予算の提出）、国会§85Ⅰ（両議院協議会の要求）、国会§15（休会）、明憲§65（衆議院の予算先議）

《注　釈》

一　衆議院の予算先議権（60Ⅰ）

　予算を作成し、国会に提出する権限は、内閣に専属（73⑤、86）するが、本条1項に従って、内閣は、衆議院に先に提出しなければならない。

　cf.　内閣提出の法律案は、両議院のどちらに先に提出することも自由であるが、予算に関係のある法律案は、本条1項の精神に従って、衆議院に先に提出されるのが通例である

二　衆議院の議決の価値の優位（60Ⅱ）

　予算は、両議院の可決によって成立する。ただし、法律の場合以上に衆議院の優越が認められる。次の場合に、衆議院の議決が国会の議決となり、予算は参議院の意思にかかわらず成立する。

　①　参議院で衆議院と異なった議決をしたときに、両院協議会を開き、それでも意見が一致しない場合

　②　参議院が衆議院の可決した予算を受け取った後、国会休会中の期間を除いて30日以内に議決しない場合

　　→衆議院の可決した予算の送付を受けた参議院が議決しないうちに衆議院が解散された場合には、衆議院の可決した予算の送付を受けてから30日の期間が経過しても予算は成立しない（∵54Ⅱ本文）

《その他》

・予算は参議院の緊急集会において成立させることができる（∵54Ⅱただし書）。

　→衆議院の予算先議権は、あくまで衆参両議院がともに活動している場合の問題であるから、参議院の緊急集会において、参議院のみで予算を成立させることができても、衆議院の予算先議権と抵触しない

・両院協議会で成案が得られても、直ちに国会の議決を経たとはいえない。

　→成案を得られても、まず両院協議会を求めた院において審議され、次に他方の議院に送付され（国会93）、最終的には本条における「両議院の可決」が必要となる。この場合、各議院はその成案に更なる修正を加えることは許されない（国会93Ⅱ）

第61条　〔条約の承認についての衆議院の優越〕

　条約の締結に必要な国会の承認については、前条第2項の規定を準用する。

⇒国会§85（両院協議会）

統治

《注　釈》

◆　条約の承認についての衆議院優越の原則〈司〉

1　衆議院の先議権の有無

予算の議決の場合と違い、条約の承認には衆議院の先議は要求されない〈共〉。

∵　本条は、60条2項だけを準用し、同条1項を準用していない

2　必要的両院協議会

条約の承認に関し参議院で衆議院と異なった議決をした場合は、両院協議会を必ず開かなければならない。

＜議決に関する知識の整理＞〈同共〉

	衆議院の先議権	参議院に与えられた議決期間	参議院が議決しない場合の効果	再議決の要否	両院協議会の開催
法律案	なし	60日（59Ⅳ）	否決したものとみなすことができる（59Ⅳ）	必要（59Ⅱ）（＊）	任意的（59Ⅲ）
予算	あり（60Ⅰ）	30日（60Ⅱ）	衆議院の議決が国会の議決となる（60Ⅱ）	不要	必要的（60Ⅱ）
条約	なし	30日（61、60Ⅱ）	衆議院の議決が国会の議決となる（61、60Ⅱ）	不要	必要的（61、60Ⅱ）
内閣総理大臣の指名	なし	10日（67Ⅱ）	衆議院の議決が国会の議決となる（67Ⅱ）	不要	必要的（67Ⅱ）

＊　法律案の再議決には、出席議員の3分の2以上の多数決が必要とされている（59Ⅱ）。

第62条　〔議院の国政調査権〕〈予〉

両議院は、各々国政に関する調査を行ひ、これに関して、証人の出頭及び証言並びに記録の提出を要求することができる。

《注　釈》

― 国政調査権

1　意義

国政調査権とは、国会又は議院が、法律の制定や予算の議決等、憲法上の権限はもとより、広く国政、特に行政に対する監督・統制の権限を実効的に行使するために必要な調査を行う権限をいう〈司〉。国政調査権は、国民主権の実質化という観点から、国民に対する情報の提供、資料の公開といった国民の知る権利（21Ⅰ）に仕えるものと捉えられている〈予〉。

→国政調査権は、通常、議院の付託もしくは委任により特別調査会又は常任
委員会によって実際に行使される

cf. 明治憲法下の帝国議会の各議院もこの権能を有するとされたが、それに
関する特別の規定がなく、実際の国政調査も、議院法によって様々な制約
を受けた

2 調査の諸形態

議院は国政調査に関して、「証人の出頭及び証言並びに記録の提出」を要求
できる。公務員のみならず私人に対しても、「証人」として出頭・証言等を求め
ることができる回。そして、調査の実効を確保するため、これらの要求に応じ
ない者に対し法的な制裁措置を設けることも認められる。しかし、「要求」以上
の強制力を有する手段（捜索、押収、逮捕など）は許容していないと解されて
いる。

cf. 「議院における証人の宣誓及び証言等に関する法律」（「議院証言法」）
は、正当な理由のない不出頭、書類不提出、宣誓・証言の拒絶に対し1年
以下の禁錮又は10万円以下の罰金を（議院証言7Ⅰ）、偽証に対し3か月
以上10年以下の懲役を（議院証言6Ⅰ）科している予

二 国政調査権の性質

国政調査権の性質に関しては、古くから独立権能説と補助的権能説の対立があ
る。

＜国政調査権の性質＞

	内容	理由
A説	国会ないし議院の他の権能と並ぶ独立の権能であって、特に議院の権能に関連することなく国政全般にわたって調査できる（独立権能説）	① 憲法は、議院の権能に関連するものという明文の限定を置いていない ② 国会は国権の最高機関としておよそ国政を統括し調整する地位にあり、調査権はこの地位に基づく権能である
B説	議院に対して、補充的に与えられた事実の調査権能である（補助的権能説）通（＊） →国会が保持する諸権能を国民の代表者が適切に行使するためには、国政に関する十分な知識、正確な認識を獲得する必要があることから与えられたもの	① 41条の規定は、国会が国政の中心に位置する重要な国家機関であることを政治的に強調したにすぎず、国会が内閣や裁判所に優位する地位を導くものではない ② 補助的権能説は欧米の通説・判例であり、これと別異に解する理由はない

＊ 裁判所が言い渡した判決の量刑の当否を調査して問題となった事件（浦和事件）にお
いて、参議院法務委員会は独立権能説を援用し、最高裁判所は補助的権能説に拠りなが
ら法務委員会による調査権の濫用を主張した。
→多くの学説が最高裁判所を支持したことから補助的権能説が通説となった

統治

三　国政調査権の範囲と限界

　国政調査権の性質につき、補助的権能説を採ったとしても、国会の権能、特に立法権は広範な事項に及んでいるので、国政に関連のない純粋に私的な事項を除き、国政調査権の及ぶ範囲は国政のほぼ全般にわたる。

　しかし、補助的権能というその性質から、調査の目的・対象・方法について次のような制約に服するとされる。

1　目的上の制約

　　調査は、立法・予算審議・行政監督・議院の自律権に関する事項など、議院が保持する権能を実効的に行使する目的でなされなくてはならない。

2　対象・方法の制約

（1）司法権との関係

　（a）議院は、判決や裁判手続等であっても、司法に関する立法や予算の審議等のために必要と判断するときは国政調査の対象となしうる。また、過去の裁判事件あるいは現に裁判所に係属中の事件についても、裁判所と異なる目的のためであれば、訴訟と並行する調査も許される（二重煙突事件・東京地判昭31.7.23、ロッキード事件日商岩井ルート・東京地判昭55.7.24参照）〈同予〉

　　　もっとも、調査が裁判官に対して及ぼす影響力を十分に配慮し、慎重を期して司法権の独立を侵さないようにすることが必要である。

　　　→裁判官の裁判活動に事実上重大な影響を及ぼすような調査は許されない〈同〉

　　　ex.1　特定個人の有罪性の探究を唯一の目的とする調査

　　　ex.2　現に係属中の裁判事件につき、裁判官の訴訟指揮・裁判手続を対象に行う調査

▼　**二重煙突事件（東京地判昭31.7.23）**

　事案：　参議院決算委員会が二重煙突の代金請求をめぐる公文書変造事件について、現職の法務総裁を証人喚問するなどして調査を行い、刑事事件として裁判所に係属した後も調査が続行されたため、右の並行調査が裁判官に予断を与えるとして争われた。

　判旨：　「捜査機関の見解を表明した報告書ないし証言が委員会議事録等に公表されたからといって、直ちに裁判官に予断を抱かせるものとすることのできないことは、日常の新聞紙上に報道される犯罪記事や捜査当局の発表の場合と同様であって、これをもって裁判の公平を害する」ことにはならないと判示した。

　（b）裁判内容に対する批判的調査の可否については、学説上争いがあるも、一切許されないと解すべきである。

　　　　∵① 裁判内容に対する批判的調査は、裁判官の裁判活動を直接制限することになり、司法権の独立の意義を没却する

　　　　　② たとえ確定判決後の批判的調査であっても後続の事件を審理する裁判官に対して影響を与える

(2) 行政権との関係

　(a) 一般行政権との関係

　　　行政権の作用は、その合法性と妥当性について、全面的に議院の国政調査の対象となる。

　　　　∵① 国会は国の唯一の立法機関（41）として広汎な立法権を保持する

　　　　　② 議院内閣制（66Ⅲ、69）の下、国会に行政に対する監督・統制権が認められている

　　　ex. ある省庁自体のみならず、その監督下にある独立の法人格を有する公益法人の活動についても調査することができる

　　＊ 公務員の職務上の秘密

　　　公務員の職務上の秘密に関する事項には、調査権は及ばない。しかし、行政府は国会に従属するのが憲法の定める統治の基本原則であるから、職務上の秘密は国家の重大な利益に悪影響を及ぼすものに限定されている（議院証言5参照）。

　(b) 検察権との関係

　　　検察事務は、行政権の作用に属するから、原則として、国政調査の対象となる。

　　　もっとも、検察権は裁判と密接に関連するため（準司法作用の性質）、司法権に類似した独立性が認められなければならない。それゆえ、司法権に対するのと同様、慎重な配慮が要請される。

　　　→次のような調査は違法ないし不当とされる

　　　① 起訴・不起訴に関する検察権の行使に政治的圧力を加えることが「目的」と考えられる調査

　　　② 起訴事件に直接関連する事項や公訴の内容を「対象」とする調査

　　　③ 捜査の続行に重大な障害をきたすような「方法」による調査

▼ ロッキード事件日商岩井ルート（東京地判昭55.7.24・百選171事件）

　　「行政作用に属する検察権の行使との並行調査は、原則的に許容されているものと解するのが一般であり、例外的に国政調査権行使の自制が要請されているのは、それがひいては司法権の独立ないし刑事司法の公正に触れる危険性があると認められる場合……に限定される」。

(3) 人権との関係

　　国政調査権は、国民の権利・自由を侵害するような手段・方法で行使され

てはならない。

(a)　憲法上の基本的人権として保障されている自由（思想・良心の自由
(19)、信仰の自由（20Ⅰ）、学問の自由（23）、プライバシーの権利（13
後）等）の侵害に当たるときは、議院証言法7条の「正当の理由」ある場
合として、証言等を拒むことができる。

cf.　適法な調査に付随して個人の犯罪が明るみに出たとしても、直ちに
当該調査が国政調査権の範囲を逸脱したことにはならない

(b)　証言等を行うことによって本人が処罰されるおそれがある場合、黙秘権
の行使が憲法上保障される（38Ⅰ）。

《その他》

・本条による国政調査と、64条に基づく弾劾裁判制度の一環としての、訴追委員
会の調査（裁判官弾劾11）とは区別される。訴追委員会は、両議院の議員によ
って構成されるが、委員は独立して職権を行うのであり、両議院に与えられた本
条の国政に「関する調査」とは、性質が異なる。

第63条　〔閣僚の議院出席の権利と義務〕〈団〉

　内閣総理大臣その他の国務大臣は、両議院の一に議席を有すると有しないとにかか
はらず、何時でも議案について発言するため議院に出席することができる。又、答弁
又は説明のため出席を求められたときは、出席しなければならない。

⇒国会§70（発言の通告）、国会§71（委員会の国務大臣等の出席請求）、明憲
　§54（閣僚の議院出席の権利）

[趣旨] 日本国憲法が採用する議院内閣制（66Ⅲ、68、69）の下では、①行政権の
行使について国会に対して責任を負い法律案・予算等の議案を国会に提出する国務
大臣には、議院に出席して発言する機会を、②議案を審議し内閣を監督する権能を
有する国会には、大臣の出席を求め、その説明や答弁を直接聴く機会を、それぞれ
与えることが必要となる。

　そこで、本条は、内閣総理大臣その他の国務大臣が、当該議院の議員である場合
でも、そうでない場合（他の議院の議員である場合、及び、全く国会議員でない場
合）でも、議院への出席権と出席義務をもつことを定める。

cf.　秘密会（57Ⅰただし書）には、その議院の国会議員でない限り、その議院の
特別な許可がなければ出席できない

第64条　〔弾劾裁判所〕

Ⅰ　国会は、罷免の訴追を受けた裁判官を裁判するため、両議院の議員で組織する弾
　劾裁判所を設ける。
Ⅱ　弾劾に関する事項は、法律でこれを定める。

⇒国会§126・裁判官弾劾§11〜15（罷免の訴追）、国会§125・127〜129・裁判

統
治

官弾劾§16〜18（弾劾裁判所）、裁判官弾劾§２（弾劾による罷免の事由）、裁判官弾劾§15（訴追の請求）

[趣旨] 司法権が裁判所に帰属する（76Ⅰ）ことは、国民の厳粛な信託に基づく（前文１段２文）。それゆえ、裁判官の地位も究極的には国民の意思に根拠を有し、裁判官が国民の信託に反するような行為を行った場合には、裁判官の身分を保障する必要はなく、国民の意思に基づき罷免しうることになる。

　そこで、本条１項は、国会に弾劾裁判所設置の権限を認めている。国会自身に弾劾裁判を行う権限を与えなかったのは、国会から独立した特別の裁判所による方が、国民を直接代表する国会議員で組織する国会（43Ⅰ）によるよりも、公正・妥当な判定を得られるという配慮に基づくものと解される。

《注　釈》

一　弾劾裁判所

　1　弾劾裁判所の構成

　　弾劾裁判所は、両議院の議員各７人の裁判員で構成される（国会125Ⅰ、裁判官弾劾16Ⅰ）。

　　ex.1　弾劾裁判所の裁判員を、国会議員でない、国務大臣・学識経験者から任命することはできない

　　ex.2　任期満了又は解散により衆議院議員たる裁判員がすべて欠けた場合、弾劾裁判所の活動は、新たに裁判員が選出されるまで一時その活動を停止する

　2　弾劾裁判所の活動

　　弾劾裁判所は、国会の機関ではなく、独立した常設機関であり、国会閉会中も活動することができる（裁判官弾劾４）〈同〉。

　　cf.　弾劾裁判所のした裁判を両議院の議決で変更することができる旨の法律は違憲である

二　弾劾裁判の手続

　弾劾裁判は、一定の罷免事由が存すると認められるとき、訴追委員会の訴追に基づき、弾劾裁判所により行われる。弾劾裁判は、すべての裁判官が対象となる。

　1　罷免の事由（裁判官弾劾２）

　　①　「職務上の義務に著しく違反し、又は職務を甚だしく怠つたとき」

　　②　「その他職務の内外を問わず、裁判官としての威信を著しく失うべき非行があつたとき」

　　cf.　国民審査（79Ⅱ）で罷免するためには罷免事由は不要だが、公の弾劾で罷免するためには罷免事由が必要である

　2　訴追

　　(1)　弾劾裁判には、「訴えなければ裁判なし」の原則に従って、訴追の手続が設けられ、訴追委員会がそれを行う〈同〉。訴追委員会は、両議院の議員各10

人の訴追委員で構成される（国会126Ⅰ、裁判官弾劾5Ⅰ）。

   cf.　訴追委員会が両議院の議員で構成されることは憲法上の要請ではない
     →弾劾裁判所と異なる

(2)　訴追委員会は、調査に際し、証人の出頭及び証言並びに記録の提出を求めることができる（裁判官弾劾11Ⅲ）。
   →議院の国政調査権（62）に基づくものではない

3　裁判

(1)　職務停止

   弾劾裁判所は、相当と認めるときは、何時でも、罷免の訴追を受けた裁判官の職務を停止することができる（裁判官弾劾39）。ただし、罷免の訴追を受けた裁判官に対し、弾劾裁判所の審理期間中、報酬の支払を停止することはできない（⇒79Ⅵ、80Ⅱ）。

(2)　弾劾裁判と公開原則

   82条1項の「裁判」には、弾劾裁判所による裁判は含まれない。弾劾裁判所の対審及び裁判の宣告は、公開の法廷で行われなければならない（裁判官弾劾26）が、これは憲法上の要請ではない。

(3)　罷免の裁判

  (a)　弾劾裁判所が罷免の裁判をするには、審理に関与した裁判員の3分の2以上の多数の意見による（裁判官弾劾31Ⅱただし書）が、これは憲法上の要請ではない。

  (b)　裁判官は罷免の裁判の宣告により罷免される（裁判官弾劾37）。罷免の裁判を受けた裁判官に、弾劾裁判所に対する資格回復の裁判の請求が認められる（裁判官弾劾38）。

    cf.　通常裁判所に弾劾裁判の取消しの訴えを提訴することはできない

    　司共

    ∵　弾劾裁判は、裁判所法3条1項の「日本国憲法に特別の定のある場合」に当たり、通常裁判所の審判の対象とならない

＜国会の権能と議院の権能＞

	国会の権能（＊1）	議院の権能（＊2）
憲法上の権能	① 憲法改正の発議（96Ⅰ前段） ② 法律案の議決（59Ⅰ） ③ 条約の承認（61、73③） ④ 内閣総理大臣の指名（67Ⅰ） ⑤ 内閣の報告を受ける権利（72、91） ⑥ 弾劾裁判所の設置（64Ⅰ） ⑦ 財政の統制（60、83以下） ⑧ 皇室財産授受の議決（8）	① 国政調査権（62） ② 議院規則制定（58Ⅱ本文前段） ③ 議員の懲罰（58Ⅱ本文後段） ④ 議員の資格争訟の裁判（55） ⑤ 議員逮捕の許諾及び釈放の要求（50） ⑥ 会議の公開の停止（57Ⅰただし書） ⑦ 役員の選任（58Ⅰ） ⑧ 国務大臣の出席要求（63後段）

＊1　法律で付与された権能
　　国会は、憲法で定められた諸権能の他、種々の法律により多くの権能が付与されている。
　　ex. 人事官の訴追（国公8Ⅰ②）、中央選挙管理委員会の指名（公選5の2Ⅱ）、緊急事態の布告の承認（警察74）
＊2　議院の決議
　　決議は、議院の意思の表明であり、一般には法規定立の意味をもたないので、たとえ両院一致の決議であっても、国政に関する単なる意見表明にとどまる。ただ、内閣の国会に対する連帯責任（66Ⅲ）から、決議は内閣に対して、政治的・道義的拘束力を有する（ex. 国務大臣に対する不信任又は問責決議〈回〉）。

統
治

— MEMO —

第5章　内閣

《概　説》

一　明治憲法と日本国憲法における内閣制度

1　明治憲法における内閣制度

(1) 統治権は天皇が総攬し（明憲4）、行政権は天皇が直接行使することが建前とされていた。国務大臣が内閣という合議体を形成するものとはされず、「国務各大臣」による「輔弼（ほひつ）」が予定されていたにすぎない（明憲55Ⅰ）。

→内閣は憲法上の機関ではなく、各国務大臣も天皇に対して責任を負うだけで、議会に対して責任を一切負わなかった〈共〉

cf. 作戦用兵の目的のために陸海軍を統括する統帥権（明憲11）も天皇が有しており、国務大臣の「輔弼」の対象外とされ、帝国議会は関与し得なかった〈共〉

(2) 内閣は、法律上の機関でさえなく、天皇官制（明憲10）に基づく「内閣官制」（勅令）により定められていた。また、内閣総理大臣には、内閣官制により首班としての地位が認められてはいたが、憲法上はすべての大臣は平等という建前であったから、首班とは「同輩中の首席」というにすぎないとされた。

2　日本国憲法における内閣制度

(1) 内閣を憲法上の機関として設定するとともに、それを行政権の主体と位置付けた。

(2) 内閣総理大臣に、「首長」という優越的地位を認め（66Ⅰ）、それを裏付ける権限（68、72等）を与えることにより、内閣の一体性と統一性を確保し、内閣の国会に対する連帯責任の強化を図っている〈共〉。

二　議院内閣制

1　議院内閣制の概念

(1) 議院内閣制と大統領制

行政権の担い手が、他の権力、特に議会とどのような関係に置かれるかに関しては、議院内閣制（イギリスが代表例）と大統領制（アメリカが代表例）が代表的なモデルである。

＜典型的な議院内閣制と大統領制＞

	議院内閣制	大統領制
首長の選出方法	議会により選出	国民の直接選挙
議会との関係	① 首相と内閣は議会の信任に依拠し議会に対し連帯責任を負う ② 解散制度がある ③ 大臣は、議会に出席し発言する権利・義務がある ④ 大臣は議員を兼ねることができる	① 大統領府は議会から独立し、議会による不信任制度がない ② 解散制度がない ③ 大臣（長官）は、議会での出席発言権がない ④ 大臣（長官）は、議員を兼ねることができない
政府の形態	集団的・合議体的政府	一人政府 大統領内閣は助言者ないし助力者にすぎない
権力分立との関係	緩やかな分離	厳格な分離

統治

(2) 議院内閣制の本質

議院内閣制といっても、諸国の歴史的発展の違いから、前示した表におけるような特徴を常にすべて備えているものではない。そこで、議院内閣制の本質とは何か、ということが問題とされる。

我が国の学説はほぼ一致して、①議会と政府が一応分離していること、②政府が議会に対して連帯責任を負うことを議院内閣制の本質的要素として挙げる。争いがあるのは、さらに③内閣が議会の解散権を有すること、という要素を加えるか否かである。

A説：議院内閣制は、内閣の存立が議会の信任に依存している点に本質があり、内閣が議会の解散権を有することは議院内閣制の本質的要素ではない（責任本質説）

∵ 民主主義の発展とともに生まれた様々な議院内閣制の形態に共通する本質的要素は、政府の議会に対する（それを通じて国民に対する）責任である

B説：議院内閣制は、両者が均衡するところに本質があり、内閣が議会の解散権を有することは議院内閣制の本質的要素である（均衡本質説）

∵ 議院内閣制は、元来立憲君主制の下で、君主と議会との権力の均衡をねらって成立した政治形態である

2 日本国憲法と議院内閣制

日本国憲法は議院内閣制を採用している〈回〉。

∵① 内閣の連帯責任の原則（66Ⅲ）

② 内閣不信任決議権（69）

③ 内閣総理大臣を国会が指名すること（67Ⅰ）

④ 内閣総理大臣、及び他の国務大臣の過半数が、国会議員であること（67Ⅰ、68Ⅰただし書）

第65条〔行政権と内閣〕

行政権は、内閣に属する。

⇒内閣§1・2（内閣の組織と責任）

[趣旨]本条は、権力分立の原理を背景に、国会が立法権の主体（41）、裁判所が司法権の主体（76Ⅰ）とされたのに対応して、内閣を行政権の主体とする（権限配分規定）。

《注 釈》

一 「行政権」は内閣に「属する」の意味

1 形式的意義の行政と実質的意義の行政

本条が権限配分規定であることから、本条にいう「行政」とは実質的意義の行政を指すとされている。

2 実質的な「行政権」の意味

実質的意義の行政とは何か。この問題は、「立法」概念で見たような積極的な定義付けが必要か否かという観点から争われている。

A説：すべての国家作用のうちから、立法作用と司法作用を除いた残りの作用をいう（控除説）

∵① 様々な行政活動を包括的に捉えることができる

② 包括的な支配権のうちから、立法権と執行権がまず分化し、その執行権の内部で、行政・司法が分けられた、という国家作用の分化の歴史的沿革に適合する

B説：法の下に法の規制を受けながら、国家目的の積極的な実現を目指して行われる全体として統一性をもった継続的な形成的活動をいう（積極説）

∵ 現代福祉国家における行政概念としては、控除説では消極に失するうらみがあり、積極的に定義するべきである

批判：行政の特徴や傾向の大要を示すにとどまり、必ずしも多様な行政活動のすべてを捉えきれていない

3 「属する」の意味

行政権が内閣に「属する」とは、行政事務のすべてを内閣が自ら行うということではない。一般的には、行政権は行政各部の機関が行使し、内閣は総理大

臣を通じて行政各部を指揮監督し（72）、総合調整することによって（内閣12
Ⅱ参照）行政全体を統括する地位にあることを意味する。

　ただし、内閣がすべての行政について直接に指揮監督権を有することまで要
求しているわけではない。内閣から独立した行政作用であっても、特に政治的
な中立性の要求される行政について、内閣の指揮監督から独立している機関が
これを担当し、最終的に当該機関に対して国会のコントロールが直接及ぶので
あれば、例外的に65条に反しないと解されている。

　4　権限行使の方式

　　憲法は、内閣がその権限を行使するのに際して、何ら依るべき手続等を規定
していない。これは、内閣の自主的判断に委ねるのが適当であると考えたため
であり、法律をもって内閣の自主的判断を制約する方式を定めることは許され
ない。

二　独立行政委員会と65条の関係

　1　意義

　　独立行政委員会の制度は、①合議制の行政機関である点で通常の行政機関
（「主任の大臣」による独任制）と異なり、②多かれ少なかれ内閣から独立して
職務を遂行し、③通常、準立法権及び準司法権をも併有するという特徴を有す
る制度である。

　　ex.　人事院（国公3）、中央労働委員会（労組19の2）、公正取引委員会、
　　　　公害等調整委員会、国家公安委員会（警察4）などがある

　　　＊　上記の中で、国家公安委員会だけが、準司法的権限を有しない。

　2　趣旨

　　政治的中立性の要請される行政、及び専門性・技術性の要請される行政につ
いて、行政を円滑化し、国民の権利実現を図る。

　3　独立行政委員会をめぐる問題

　(1)　65条との関係

　　　65条の「属する」が行政全体の統括を意味すると捉えると、内閣から独
　　立して職務を遂行する独立行政委員会が65条に反しないかが問題となる。
　　この点、反しないという結論については学説上異論がないが、その根拠の説
　　明につき対立がある。

　　　A説：本条は一切の例外を認めていないが、通常、内閣が委員の任命権及
　　　　　び委員会の予算編成権を有することから、かろうじて内閣のコント
　　　　　ロール下にあるといえ、独立行政委員会は65条に反しない（65条
　　　　　は一切の例外を認めていないとするアプローチ）

　　　　∵　本条の文言の素直な理解である

　　　批判：①　委員の任命には国会の同意が必要なこともあるし、内閣
　　　　　　　の自由な予算編成に制限が課されていることもある

　　　② 　任命権と予算編成権だけで内閣のコントロール下にある
　　　　　といえるなら、裁判所も内閣のコントロール下にあること
　　　　　になってしまう

B説：本条はすべての実質的行政を内閣に帰属させることを要求するもの
　　　ではないから、独立行政委員会は 65 条に反しない（65 条は一定の
　　　例外を認めているとするアプローチ）

　∵①　 本条が 76 条 1 項と異なり、「すべて行政権は」とは述べてい
　　　　ない

　　②　 権力分立との関係では、行政権が内閣に属するというのは、
　　　　内閣に属することに積極的意味があるのではなくて、立法権、
　　　　司法権が内閣に属しないことに意味があるのであり、内閣以外
　　　　の行政機関が行政権を行使しても、権力分立の目的に反すると
　　　　までいう必要はない

　　③　 民主主義の観点からみれば、独立行政委員会が内閣から独立
　　　　に権限を行使しても、その独立行政委員会を国会が直接コント
　　　　ロールしうる体制になっているか、あるいは、職務の性質上内
　　　　閣及び国会のコントロール下に置くのが適切でない場合には、
　　　　内閣の責任を問いえないとしても問題にする必要はない

▼　**福井地判昭 27.9.6・百選 A14 事件**

　「人事院は国家公務員法実施の責任を有し、内閣に対して強度の独立性を有す
る行政官庁である」が、憲法第 65 条の趣旨は、「憲法の基本原則に反せず、且
つ国家目的上必要のある場合には、例外的に内閣以外の国家機関に行政権の一
部を行わせることを禁ずるものではな」い。また「国家公務員法は、議院内閣
制の下において政党の影響が国家公務員に及び、これをして国民の全体でなく
その一部の奉仕者たらしめることがないようにするために、特別の国家機関を
設けてこれに国家公務員に関するある種の行政を行わしめることとしたもの」
と考えられる。

(2)　41 条との関係〈圓〉
　　準立法権をも併有するという点が、41 条に反しないかが問題となる。
　　この点、立法権を事実上放棄するような委任（包括的・白紙的委任）でな
い限り、独立行政委員会が規則制定という準立法作用を行うことは 41 条に
反しない。
　　ex.　人事院による人事院規則の制定

(3)　76 条との関係〈圓〉　⇒ p.444
　　準司法権をも併有するという点が、76 条に反しないかが問題となる。
　　この点、前審としてであれば、独立行政委員会が準司法作用を行うことは

統
治

76条1項に反しない。

ex. 電波監理審議会の議決（電波99）

第66条 〔内閣の組織、文民資格、国会に対する連帯責任〕

Ⅰ 内閣は、法律の定めるところにより、その首長たる内閣総理大臣及びその他の国務大臣でこれを組織する。

Ⅱ 内閣総理大臣その他の国務大臣は、文民でなければならない📖。

Ⅲ 内閣は、行政権の行使について、国会に対し連帯して責任を負ふ。

⇒内閣 § 2 Ⅰ（内閣の組織）

《注 釈》

一 内閣の組織（66 Ⅰ）

1 内閣の意義

内閣は、首長たる内閣総理大臣及びその他の国務大臣で組織される合議体である。「法律の定めるところにより……組織する」（66 Ⅰ）の規定を受けて、内閣法が制定されている。

* 内閣法の規定

① 内閣総理大臣以外の国務大臣の数は原則として14人以内（特に必要ある場合は17人）とする（内閣2Ⅱ）。

② 各大臣は、内閣の構成員（その地位が国務大臣と呼ばれる）であると同時に、「主任の大臣として、行政事務を分担管理する」（内閣3Ⅰ）。

③ 行政事務を分担管理しない無任所の大臣、すなわち、憲法上の国務大臣の職務に専念する大臣を置いても構わない（内閣3Ⅱ）。

2 内閣総理大臣の「首長」たる地位（66Ⅰ）

内閣の「首長」とされる内閣総理大臣の地位をどのように理解するかについては争いがあるが、内閣という合議体を構成する一員である一方で、内閣において他の国務大臣の上位にある者と理解する見解が有力である。

cf. 内閣の統括下に形成される行政組織との関係では、「主任の国務大臣」（74）として内閣府の行政事務のうち法定事項を分担管理する（内閣府設置6Ⅱ、4Ⅲ）ほか、場合によっては、他の各省大臣を兼務することもありうる（国組5Ⅲただし書）

二 国務大臣の文民資格（66 Ⅱ）

1 趣旨

本条2項は、内閣総理大臣及び国務大臣が「文民」であることを要求する。この趣旨は、本来、軍隊を「文民統制」の下に置くことにある。

* 「文民統制」とは、軍事権を議会に責任を負う大臣（文民）によってコントロールし、軍の独走を抑止する原則をいう。

2　「文民」の意味

「文民」の意味については憲法成立当時から争いがあったが、さらに自衛隊の創設により、事実として「文民」でない者が存在するに至った。文民規定の解釈にも新しい要素が導入されることになった。なお、現役の自衛官は「文民」ではないことについて、学説上異論はない同。

A説：「文民」とは、現在職業軍人でない者（現役の自衛官を含む）を意味する

B説：「文民」とは、職業軍人の経歴を有しない者及び現役の自衛官でない者を意味する

C説：「文民」とは、職業軍人の経歴を有しない者、現役の自衛官でない者及び自衛官の経歴を有しない者を意味する

D説：「文民」とは、旧陸海軍の職業軍人の経歴を有する者であって軍国主義思想に深く染まっている者及び現役の自衛官以外の者を意味する

三　内閣の連帯責任（66Ⅲ）

内閣は、行政権の行使について、国会に対し連帯して責任を負う（66Ⅲ）。このことは、議院内閣制の基本的要素の1つである。

1　行政権の行使

(1)　内閣法4条

①　内閣がその職権を行うのは、閣議によるものとする（内閣4Ⅰ）。

②　閣議は、内閣総理大臣がこれを主宰する（事実上の議事進行を、総理大臣の委任を受けて内閣官房長官その他がつとめることを禁止するものではない）。この場合において、内閣総理大臣は、内閣の重要政策に関する基本的な方針その他の案件を発議することができる（内閣4Ⅱ）。

③　各大臣は、案件のいかんを問わず、内閣総理大臣に提出して、閣議を求めることができる（内閣4Ⅲ）。

(2)　閣議《同》

閣議とは、内閣構成員が会合し、議論を経て議決することをいう。閣議の定足数や表決数などの議事に関する原則については、法律にも定めはなく、戦前からの慣例に従って運用されている。

ex.1　閣議決定は、全員一致で行われる

→学説には、多数決で足りるとするものもある。ただし、多数決で足りるとしても、内閣は連帯して責任を負う以上、多数意見に反対した者も責任を負うことに変わりがない

ex.2　議事は秘密とされる

＊　実際に会合せずに、文書を各大臣に持ち回って署名を得る「持ち回り閣議」も認められる共。

統治

2　連帯責任〈回〉
(1)　責任の性質〈共〉
　　内閣の国会に対する責任は、法的責任ではなくて、政治的責任である。
　　∵　法的責任の場合は、刑事責任や民事責任のように、責任を問われるべ
　　　き行為の要件と責任の内容が、あらかじめ明確に定まっているが、本
　　　条3項では、責任の原因・内容とも何ら限定されていない
(2)　責任の対象
　　責任の対象は「行政権の行使」である。
　　→「行政権」とは、形式的意味の行政を意味し、内閣に属する権限すべて
　　　を含むとされる〈通〉
(3)　責任の相手方
　　責任の相手方は「国会」である。
　　ex.　天皇の国事行為に関する助言と承認（3、7柱書）についての責任
　　　は、66条3項にいう「責任」に当たるか争いがあるが、責任の相手方
　　　は国会である
　　→「国会」とは両議院を指し、内閣は各院に対して責任を負う〈通〉
　　cf.　国会が内閣に対し責任を追及する方法として、質疑・質問・決議・国
　　　政調査（62）・内閣提出の重要議案の否決などが挙げられる
(4)　責任の取り方
　　内閣は「連帯して」責任を負う。
　　→内閣の一体性の現れ
　　cf.1　各大臣が個別に責任を負うことを否定する趣旨ではない〈回〉
　　cf.2　明治憲法においては「国務各大臣ハ天皇ヲ輔弼シ其ノ責ニ任ス」（明
　　　憲55Ⅰ）と規定され、憲法の条文上は国務各大臣の単独責任を建前と
　　　していた

第67条〔内閣総理大臣の指名、衆議院の優越〕

Ⅰ　内閣総理大臣は、国会議員の中から国会の議決で、これを指名する。この指名
は、他のすべての案件に先だつて、これを行ふ。
Ⅱ　衆議院と参議院とが異なつた指名の議決をした場合に、法律の定めるところによ
り、両議院の協議会を開いても意見が一致しないとき、又は衆議院が指名の議決を
した後、国会休会中の期間を除いて10日以内に、参議院が、指名の議決をしない
ときは、衆議院の議決を国会の議決とする。

⇒国会§86Ⅰ（指名の議決の他院への通知）、国会§65Ⅱ（指名の奏上）、国会
§86Ⅱ（両院協議会の請求）、国会§15（休会）

《注　釈》

一　内閣総理大臣の指名

1　国会議員であること

　　憲法は、内閣総理大臣となりうるための資格として、文民であること（66Ⅱ）に加え、国会議員であること（Ⅰ）を要求している同。

(1)　「国会議員」の意味

　　「国会議員」の意味については参議院議員も含むかという形で争いがあるが、参議院議員の中から内閣総理大臣を指名することも可能であると解する見解が有力である。

　　∵①　参議院議員も、被選挙権の要件を満たしている

　　　　②　戦前の貴族院議員とは異なり、国民の直接選挙で選ばれる

　　cf.　学説には、内閣総理大臣は衆議院議員の中から指名されることが適当であるとするものもある

　　　　∵　憲法は、内閣総理大臣の選任について衆議院の優越を規定し、内閣不信任決議権を衆議院にのみ認めている（69）

(2)　国会議員であることは内閣総理大臣の在職のための要件でもあるか

　　この点については、国会議員であることは在職の要件でもあると解するのが通説である。ただし、解散により議員の地位を失っても、内閣総理大臣の地位を失わない。70条が総選挙後の国会の召集の時まで内閣総辞職の時期を延ばしているからである。

　　cf.　学説には、国会議員であることは指名に際しての要件であるにすぎず、必ずしも在職の要件と考える必要はないとするものもある

　　　　→この立場でも、当選無効により国会議員の資格を失ったときは、指名要件をみたさず、内閣総理大臣の資格を失うことになる

2　指名の手続

　　内閣総理大臣は、国会の指名に基づき、天皇が任命する（6Ⅰ）。

　　→天皇の任命は形式的なものであり、国会の指名が実質的な任命を意味する

(1)　内閣総理大臣の指名は、国会は「他のすべての案件に先だつて、これを行」わなければならない（67Ⅰ後段）。内閣総理大臣の存在は国政を遂行するうえで欠くことのできないものだから、政治の空白をできる限り避けるために、速やかに指名を行うことを要求したものである。

(2)　もっとも、総選挙後に初めて召集された衆議院においては、まだ議長も存在せず、議席も定まっていない。そこで、院として行動する体制を整えるための、「院の構成」に関する案件は、指名の前に行いうると解されている。

二　衆議院の優越

　　両院が指名の議決を行い、その内容が一致すると国会の指名が成立する。

　　一致しない場合には、衆議院の指名の議決が国会の議決とされる（67Ⅱ）。一

統
治

致しない場合としては次の2つの場合がある。

① 異なった指名の議決をした場合に、法律の定めるところにより、両議院の協議会を開いても意見が一致しないとき（67Ⅱ前段）

② 衆議院が指名の議決をした後、国会休会中の期間を除いて10日以内に、参議院が、指名の議決をしないとき（67Ⅱ後段）

第68条 〔国務大臣の任免〕

Ⅰ 内閣総理大臣は、国務大臣を任命する。但し、その過半数は、国会議員の中から選ばれなければならない。

Ⅱ 内閣総理大臣は、任意に国務大臣を罷免することができる。

⇒内閣§2Ⅱ（国務大臣の定数）、内閣§3（行政事務の分担）

[趣旨] 本条は、内閣総理大臣を「首長」たらしめる実質的基盤といえ、内閣の統一性を維持するうえでの楯となる任免権を規定する。この任免権は内閣総理大臣の専権に属し、閣議にかけることを要しない。

《注 釈》

一 国務大臣の任命権（68Ⅰ）

1 国務大臣選任の要件

① 文民であること（66Ⅱ）⇒p.409

② 任命する国務大臣の過半数は国会議員から選ばなければならないこと（68Ⅰただし書）〈司〉

(1) 国務大臣の過半数を国会議員から選ばなければならないとした趣旨

一方で、(a)議院内閣制を円滑に運営させていくためには国務大臣は議員の経験を有しているのが好ましいが、他方で、(b)議員からは調達し難い能力を外部から導入する必要もある、と考えられたことによるとされる。

(2) 過半数は国会議員であるという条件は、内閣の成立要件であると同時に存続要件であるとするのが通説である。

→内閣の存続中に過半数を割った場合、内閣総理大臣にはこの要件を速やかに回復するための措置を講じる義務が生じる（直ちに内閣が行為能力を失うわけではない）

cf.1 内閣全体として、国務大臣の過半数が国会議員であれば足りるため、個々の国務大臣については、国会議員であることが在職の要件とはならない〈司〉

cf.2 解散の結果、大部分の大臣が議員の地位を失った場合には過半数の要件は適用されない

2 国務大臣の任命権の一身専属性

国務大臣の任命権は内閣総理大臣の専権に属し、代理に親しまない。

→副総理（内閣法9条の定める内閣総理大臣臨時代理）も代行できないとい

うのが、先例である

* 国家行政組織法5条3項の規定

国家行政組織法5条3項は、「各省大臣は、国務大臣の中から、内閣総理大臣がこれを命ずる」と規定する。このように、法律上は国務大臣への任命と各省大臣への任命は区別されているが、実際上は同時に行われている。

二 国務大臣の罷免権（68Ⅱ）

1 趣旨

内閣総理大臣は、「任意に」国務大臣を罷免する権限を有する。「任意に」とは自由裁量により、という意味である。これは、内閣総理大臣の閣内における統制力を強化しようとの趣旨に基づく。

→明治憲法下にあっては、この権限は法的にも事実上も存在しなかった

2 国務大臣の罷免権の一身専属性

任命権と同様、国務大臣の罷免権は内閣総理大臣の専権に属し、代理に親しまない。

→閣議にかける必要も、他の国務大臣の意見を聴く必要もない司

cf. 国務大臣の罷免には天皇の認証が必要であり（7⑤）、認証について助言と承認をなすうえで閣議が必要となるが、国務大臣の罷免権は内閣総理大臣の専権に属するという事柄の性質上、内閣はこの認証に対する助言と承認を拒むことができない司

第69条 〔衆議院の内閣不信任と解散又は総辞職〕其

内閣は、衆議院で不信任の決議案を可決し、又は信任の決議案を否決したときは、10日以内に衆議院が解散されない限り、総辞職をしなければならない。

⇒内閣§1Ⅱ（国会に対する責任）、国会§64（総辞職の両議院への通知）

《注 釈》

一 内閣不信任決議案の可決と内閣信任決議案の否決

衆議院が内閣を不信任する意思を表明した場合（①不信任の決議案を可決するか、又は②信任の決議案を否決した場合）、内閣は、①衆議院解散又は②内閣総辞職のいずれかを選択しなければならない、という法的効果を伴う。ただし、①衆議院解散を選択しても、総選挙後に初めて国会の召集があった時に、内閣は総辞職しなければならない（70）。

cf.1 個々の国務大臣に対する不信任決議

→衆議院はもとより参議院にも認められるが、いずれについても辞職を強制する法的効果は有しない（罷免を内閣総理大臣に義務付けるものではない）

cf.2 参議院が行う内閣の信任又は不信任決議（問責決議）

→参議院も国会の一院として内閣の責任を追及することはできるが、本

条の規定する法的効果を生じるものではなく、政治的な意味をもつにとどまる〈共〉

二　衆議院の解散

1　解散の意義

「解散」とは、議員の任期が満了する前に議員の身分を終了させることをいう（45ただし書参照）。解散には、①権力分立の要請から、議会が専断化することを防止するという自由主義的側面と、②解散に続く総選挙を通じて民意に即した議会を再編成するという民主主義的側面を認めることができる。

2　解散権の主体と解散事由

7条3号は、衆議院の解散を天皇の国事行為としており、形式上、解散を行うのは天皇であるといえるが、その実質的決定権者については明確な規定を設けていない。また、本条は、衆議院において内閣不信任決議案の可決又は内閣信任決議案の否決がなされたときに、内閣が衆議院を解散しうることを規定するが、それ以外の場合には一切解散を許さない趣旨なのかどうかは、文言からは明らかではない。

そこで、①衆議院の解散は誰が実質的決定権者であるのか（解散権の主体）、②解散は69条所定の場合に限られるのか、が問題となる。

⑴　解散権の主体〈予〉

解散権を衆議院自身にも認める見解もかつて存在したが、今日、学説はほぼ一致して、内閣のみが解散を決定する権限を有するとしている。ただ、解散権が内閣にあることの根拠については説が分かれる。

A説：内閣の「助言と承認」（7柱書）に根拠を求める（7条説、通説・実務）

∵　天皇による衆議院の解散は、本来、形式的・儀礼的な行為ではないが、内閣が「助言と承認」を通じて実質的な決定権を行使する結果、天皇の関与が形式的・儀礼的なものとなる

批判：天皇は「国政に関する権能を有しない」（4Ⅰ）以上、天皇の国事行為はもともと形式的・儀礼的な行為にすぎず、内閣の「助言と承認」も形式的なものにすぎないはずであるから、「助言と承認」に内閣の実質的な決定権が含まれると解することはできない

→このような批判があるものの、7条説は、内閣に衆議院の解散権があることを憲法上確実に根拠づける見解として他説よりも優れているため、通説化しており、現在の実務上も7条説に従った慣行が成立しているとされる

B説：議院内閣制や権力分立制という制度に根拠を求める（制度説）

∵　憲法は議院内閣制を採用することで、内閣の国会に対する責任

を明らかにし、これに対応するものとして権力分立の見地から内閣の解散決定権を認めたものと解される

批判：議院内閣制・権力分立制ということから当然に内閣の解散権が導かれるわけではない（たとえば、仮に議院内閣制では内閣に自由な解散権が認められるのが通例であるとしても、日本国憲法がそのような議院内閣制を採用したかどうかは、内閣に自由な解散権を根拠付けえたときにはじめていえることである）

C説：65条の「行政」概念に根拠を求める（65条説）

∵　行政作用とは国家作用から立法作用と司法作用を除いた残余であり（行政控除説）、解散は立法作用にも司法作用にも属さないから、解散権は65条に基づいて内閣に属する

批判：行政控除説は、一定の国家作用が法的には存在しているときに、この作用が三権のうちのどれに該当するかを説明するものであり、69条所定の場合以外の解散権が存在するかしないか自体が争われているときに、特定の答えを引き出す根拠にはなりえない

D説：69条に根拠を求める（69条説）

∵①　69条は、「内閣が解散しない限り」とは規定していないが、それは解散主体が形式的とはいえ天皇であることを考慮したためである

②　69条は内閣不信任に対抗しての解散を考えていると解すべきであり、そうであれば内閣が解散権をもつと解するのが素直である

批判：69条は内閣が不信任された場合における内閣のとるべき方途を定めた規定にすぎず、これをもって解散権を根拠付けることは困難である

(2)　解散事由

内閣に解散の実質的決定権が存するとしても、解散権の行使が69条の場合に限られるかについては規定の上からは明らかではなく、争いがある。

A説：69条の場合に限られない〔通〕

∵　国民主権原理の下では民意に即した議会を再構成するという解散の民主主義的側面が重視されるべきである

B説：69条の場合に限られる

∵　69条は内閣不信任に対抗しての解散を考えていると解すべきであり、内閣は同条を根拠に解散権を有すると解する限り、内閣不信任があった場合しか解散は行いえない

＜衆議院の解散権＞

内閣の助言・承認権は解散権の根拠となるか	内閣の解散権の憲法上の根拠	解散は69条所定の場合に限定されるか
肯定	7条3号	限定されない
否定	議院内閣制・権力分立制という制度	限定されない
	65条	
	69条	限定される

※ 苫米地事件において第一審（東京地判昭28.10.19）も第二審（東京高判昭29.9.22・百選172事件）も、69条の場合以外にも解散が許される旨判示した。

(3) 解散権行使の制約

　　内閣の解散権行使が69条所定の場合に限定されないとしても、解散は国民に対して内閣が信を問う制度であるから、それにふさわしい理由が存在しなければならない。それゆえ、内閣の一方的な都合や党利党略で行われる解散は不当であるなどとして、内閣の解散権行使に一定の制約を認める見解が有力である。

　　ある学説は、解散が行われる場合として次の各場合を指摘している。

① 衆議院で内閣不信任決議案が可決され、又は内閣信任決議案が否決された場合

② 衆議院で内閣の重要法案や予算が否決され、又は握りつぶされた場合

③ 政党の分野の再編成が行われ、その結果、内閣が衆議院の多数の支持をもたなくなった場合

④ 新たに重大な政治上の事件が生じた場合

⑤ 内閣がその政策の根本的な変更を行おうとする場合

▼ **衆参同日選挙事件（名古屋高判昭62.3.25・百選173事件）**

事案：　1986年7月6日に衆参同日選挙が行われたが、かかる衆参同日選挙をもたらした解散権の行使が違憲ではないかが争われた。

判旨：　判決は、衆議院の解散権について統治行為論を採用したうえで、同日選挙により選挙民の適任者選択の機会確保が困難になるという「原告らの主張のような情況の発生、招来を認めるに足る具体的、客観的かつ明白な根拠は見出し難」く、「同日選が民意を反映させないものである点において憲法の趣旨に反したものであるから、これを目的とした解散は違憲であるとの前提のもとにする原告らの統治行為論排斥の主張は、その前提を欠き採用できない」とした。

評釈： 判決はいわゆる統治行為論を採ったため、同日選挙をもたらす解散権の行使そのものの合憲性については判断していない。この点、学説には、①参議院の独自性を希薄化すること、②参議院の緊急集会を著しく困難にすることなどを根拠に、衆参同日選挙は解散権行使の制約に反するとする見解もある。これに対しては、①憲法は選挙制度の仕組みや議員の任期等を異ならせることによって衆議院と参議院にそれぞれ異なる役割を確保せしめているから、同日選挙によって直ちに参議院の存在理由が損なわれるとはいえない、②参議院単独の通常選挙においても同程度に緊急集会の困難が生じる、といった批判が加えられている。

3 解散に関する司法審査 ⇒ p.471（苫米地事件判決参照）

三 内閣の総辞職

内閣の総辞職とは、内閣構成員全員が同時に辞職することをいう。

第70条 〔内閣総理大臣の欠缺・新国会の召集と内閣総辞職〕

内閣総理大臣が欠けたとき、又は衆議院議員総選挙の後に初めて国会の召集があつたときは、内閣は、総辞職をしなければならない。

⇒国会 §64（内閣総理大臣の欠缺又は辞任の通知）、内閣 §9（内閣総理大臣の臨時代理）

[趣旨] 本条は、議院内閣制を具体化するものであって、前段は内閣の一体性の保障<司>、後段は内閣の衆議院への依存性確保を目的とする。

《注 釈》

一 総辞職が必要な場合

内閣の「総辞職」とは、内閣構成員全員が同時に辞職することをいい、憲法は、以下の事由が生じた場合には、内閣が総辞職すべきことを定めている。

① 内閣不信任後10日以内に解散がなされなかった場合（69）

② 内閣総理大臣が欠けたとき

③ 衆議院議員総選挙後に初の国会が召集されたとき

1 内閣総理大臣が「欠けたとき」<司共>

(1) 「欠けたとき」には、死亡・失踪・亡命した場合などが含まれる。また、除名（58Ⅱただし書）、資格争訟の裁判（55）などによって国会議員の地位を失った場合も、内閣総理大臣はその地位を失う（⇒ p.411）から、これに含まれる。

cf.1 病気・生死不明の場合は、暫定的な故障なので、「事故のあるとき」（内閣9）として臨時代理が置かれるにすぎない

cf.2 衆議院の解散又は衆議院議員の任期満了の時から、総選挙を経て新国会召集に至るまでの間に内閣総理大臣が欠けた場合、内閣の総辞職の必要性を否定した実例がある（内閣総理大臣が死亡した日に総辞職

し、新国会召集のときには重ねて総辞職することはなかった）

(2) 内閣総理大臣が辞職した場合

　　内閣総理大臣が辞職した場合も「欠けたとき」に含まれるかについて、見解の対立がある。

　　　A説：内閣総理大臣が辞職した場合も「欠けたとき」に含まれる

　　　　　　∵　含まれないとすると、71条が適用されず不都合である

　　　B説：内閣総理大臣が辞職した場合は「欠けたとき」に含まれない

　　　　　　∵　内閣総理大臣の辞職に伴う総辞職は、任意的総辞職であり、憲法の定める必要的総辞職とは異なる

　　　　　→この立場に立っても、任意的辞職の場合にも条理上当然に71条の適用があるとするので、A説との間に実際上の差異はない〈回〉

2　総選挙後の新国会の召集

　　国会が召集された日に、内閣は当然に総辞職する〈同共〉。

＜総選挙後の国会の召集＞

解散による総選挙	選挙の日から30日以内に特別会が召集される（54Ⅰ）
任期満了による総選挙	新議員の任期が始まる日から30日以内に臨時会が召集される（国会2の3）

二　総辞職の手続・効果

1　手続

　　内閣は、総理大臣が欠けたとき、又は辞表を提出したときに、これを両議院に通知しなければならない（国会64）。

2　効果

(1) 内閣が総辞職すると、新内閣の形成が必要となる。そこで、国会閉会中である場合には、総辞職後の内閣が速やかに国会を召集する義務を負う。そして、国会は、「すべての案件に先だつて」内閣総理大臣を指名する義務を負う（67Ⅰ）。

(2) その内閣は総辞職後の内閣となり、「あらたに内閣総理大臣が任命されるまで引き続きその職務を行ふ」義務を負う（71）。

第71条　〔総辞職後の内閣の職務執行〕

　前2条の場合には、内閣は、あらたに内閣総理大臣が任命されるまで引き続きその職務を行ふ。

[趣旨] 総辞職した内閣が直ちに職務を離れることは、国政の円滑な遂行を阻害するため、行政の空白を生じないよう総辞職後の内閣が引き続き職務を行うこととした。

《注 釈》

一 「前2条の場合」

69条、70条の規定により、内閣が総辞職した場合を指す。

二 総辞職内閣の職務権限の範囲

日常的な事務処理を超える、政治的に重要な意味をもつ決定を行うべきではない。

∵ 総辞職後の内閣が引き続き職務を行うのは、日常的な行政事務の継続性の確保のためである

《その他》

・総辞職した内閣は新たに内閣総理大臣が任命されるまで引き続きその職務を行う（事務処理内閣）ので、新内閣総理大臣の任命に対する天皇の助言と承認は、総辞職した内閣が行う圖。さらに、組閣のために行う国務大臣任命の認証に対する助言と承認は、内閣総理大臣のみからなる特殊な内閣が行うと解さざるを得ないとされる。

第72条 〔内閣総理大臣の職務〕

内閣総理大臣は、内閣を代表して議案を国会に提出し、一般国務及び外交関係について国会に報告し、並びに行政各部を指揮監督する。

⇒内閣§5（内閣の代表）、国会§58・59（議案の提出・修正・撤回）、内閣§5（議案の提出）、内閣§6～8（行政各部の指揮監督）

[趣旨] 内閣総理大臣が、内部において内閣の統一を保持する任に当たるだけではなく、外部に対して、内閣を代表する権限を有することを明示した。本条に列挙された行為は例示であり、一般に、内閣の権能に属する事項を対外的に行う場合には、内閣総理大臣が内閣を代表する。

《注 釈》

一 「議案を国会に提出」する権限

「議案」とは、議院の会議で議決されるべき原案として内閣により発案されるすべての案件の総称である。

1 内閣の法律案提出権

内閣法5条は、内閣に法律案の提出権を認めているが、憲法には明文がないため、本条の「議案」に法律案が含まれるとして、憲法上内閣に法律案の提出権が認められるといえるかが問題となる。 ⇒ p.339

2 「議案」に憲法改正案が含まれるか

本条の「議案」に憲法改正案が含まれると解して、内閣が憲法改正案を国会に対して提案することが憲法上認められるといえるかも問題となる。この点、内閣法5条は、内閣総理大臣は「法律案、予算その他の議案」を国会に提出すると規定して、憲法改正案を明示していない。

統治

419

＜内閣による憲法改正案提出権の有無＞

	法案提出権	憲法改正案提出権	理　由
A説	否定	否定	法律案の提出が内閣に認められないとすれば、憲法改正案についても同様に否定に解すべきことになる
B説	肯定	否定	憲法改正は極めて重大な行為であるから、法律制定の場合と同様に考えることはできない
C説	肯定	肯定	① 憲法や内閣法が憲法改正案についての内閣の発案権を明定していないからといって、それを禁止する趣旨であるとはいえない ② 内閣に発案権を認めても、議決をするのはあくまで国会であって、国民投票の自主性が損なわれたり、国民主権原理に矛盾するとはいえない ③ 議院内閣制の現実に照らせば、閣僚たる議員が代わって発案できるのであるから、内閣の憲法改正の発案を否定しても意味がない
D説		法律で定めることは可能	法律案提出権と同様に憲法改正案提出権についても憲法に明確に規定がない以上、立法府の判断に委ねられているとみるべきである

二　「一般国務及び外交関係について国会に報告」する権限

　「一般国務及び外交関係」とは、内閣の職務に属するすべての行政事務をいう。国会に対する内閣の連帯責任（66Ⅲ）からは、当然、内閣が国会に行政事務の運営に関して報告義務を有する。内閣総理大臣は内閣を代表してそれを行うものである。

三　「行政各部を指揮監督」する権限

1　指揮監督権の性質

　行政各部の指揮監督も内閣の権限であり、内閣総理大臣は内閣を代表してそれを行うものである。内閣法6条はこの趣旨を受けて、内閣総理大臣は「閣議にかけて決定した方針に基いて」行政各部を指揮監督すると規定している。

2　「閣議にかけて決定した方針に基いて」　司共

　行政権は内閣という合議体に委ねられていることから、行政各部の指揮監督も、内閣としての方針決定がないのに、内閣総理大臣が独自の見解に基づいて指揮監督することはできないとされる。

　もっとも、流動的で多様な行政需要に遅滞なく対応するため、内閣総理大臣は、少なくとも内閣の明示の意思に反しない限り、行政各部に対し、随時、その所掌事務について一定の方向で処理するよう指導、助言等の指示を与える権限を有する。民間航空会社に対し特定機種の航空機の選定購入を勧奨するよう

統治

運輸大臣に働き掛けることは、この「指示」に当たる（ロッキード事件丸紅ルート、最大判平7.2.22・百選174事件）**司**。

第73条 〔内閣の職務〕

内閣は、他の一般行政事務の外、左の事務を行ふ。

① 法律を誠実に執行し、国務を総理すること。

② 外交関係を処理すること。

③ 条約を締結すること。但し、事前に、時宜によつては事後に、国会の承認を経ることを必要とする**択**。

④ 法律の定める基準に従ひ、官吏に関する事務を掌理すること。

⑤ 予算を作成して国会に提出すること。

⑥ この憲法及び法律の規定を実施するために、政令を制定すること。但し、政令には、特にその法律の委任がある場合を除いては、罰則を設けることができない**予**。

⑦ 大赦、特赦、減刑、刑の執行の免除及び復権を決定すること。

⇒内閣§3（一般行政事務）、国公§1Ⅱ（法律の定める基準）、内閣§11（政令の限界）

[趣旨] 行政権は内閣に属する（65）から、内閣は原則として一切の行政事務を行うが、本条はそのうち重要なものを例示的に列挙した。

《注 釈》

一 「法律を誠実に執行し、国務を総理すること」（73①）

1 「法律を誠実に執行」すること**司共**

法律の執行は実質的意義の行政そのものであり（⇒p.405）、内閣の中心的な職務である。

「誠実に執行」するとは、たとえ内閣の賛成できない法律であっても、法律の目的にかなった執行を行うことを義務付ける趣旨である。この点、内閣が法律の内容を違憲と判断した場合に法律の執行を拒否できるかが、99条との関係で問題となるが、国会で合憲として制定した以上、内閣はその判断に拘束されるから、たとえ内閣が法律を違憲と判断した場合であっても拒否できないと解されている（もっとも、内閣の法案提出権を認める通説によれば、当該法律を廃止する案を国会に提出することはできる）。ただし、憲法上、裁判所も違憲かどうかの判断権を有しており、ゆえに、裁判所が違憲と判断した場合には、内閣はその法律の執行義務を解除される。

2 「国務を総理すること」

「国務」とは、行政事務のことであって、立法・司法を含まず、「総理」するとは、最高の行政機関として、行政事務を統括し、行政各部を指揮監督することをいうと解されている（多数説）。

二 「外交関係を処理すること」（73②）

すべての外交事務を含む。

内閣は外交関係を処理するが、これは、法律の執行という行政権の通常の作用とは異なる権限を内閣に帰属させたものである。外交関係の処理に関する事務には、条約の締結以外の外交交渉、外交使節の任免、外交文書の作成などが含まれる。

三 「条約を締結すること」（73③）

1 趣旨

条約の締結は外交関係の処理に含まれるが、その重要性に鑑み、特に別個に規定されたものである。条約の締結が内閣の権能とされるのは、①外交関係は政府（かつては君主）の専権とされてきた伝統があり、②実際に相手国との交渉を行うについて最も適しているのは政府であること、に基づく。

しかし、条約は国家の命運やときには国民の権利・義務に直接関係することから、憲法は、条約の締結権は内閣に帰属させつつも、条約の締結に国会の承認を要するとして（73③ただし書）、内閣の権限の行使を国会の直接の統制下に置こうとした。

cf. 明治憲法では条約締結権は天皇の大権とされ（明憲13）、条約締結の権能は政府に与えられておらず、議会の関与も認められていなかった

2 「条約」の意義 司

当事国に一定の権利義務関係を設定することを目的とした、国家間の文書による約束をいい、協約、協定など、名称のいかんにかかわらない。

cf. 既存の条約を執行するための細部の取極めや、条約の委任に基づいて、個別的・具体的問題についてなされる取極め（行政協定・交換公文）は、本号の「条約」に当たらない

→2号の外交処理権限の一環として国会の承認を経ず内閣のみで処理できる

3 条約締結の手続

条約締結行為は、①内閣が外国と交渉し、②その任命する全権委員が署名・調印し、③内閣が批准（国家として条約を締結する旨の意思を最終的に確認する行為）することによって確定する。批准には天皇の認証を必要とする（7⑧）。批准を留保せず調印だけで条約が確定することもある 司。

ただし、条約の成立要件として国会の承認が必要とされる（73③ただし書）。

→国会の承認については、予算の場合と同様に、衆議院の優越が認められている（61、60Ⅱ）

4 不承認条約の効力

条約の締結後に承認が求められ、国会がこれを承認しなかった場合は、国内法的には条約は成立しない 司 ことになるが、国際法的にはすでに条約が締結

された状態にあるため、この場合の条約の効力が問題となる。

＜不承認条約の効力＞

	内　容	理　由
A説	条約の効力は署名又は批准により確定し、事後に承認が得られなくても条約の効力には影響はない（有効説）→ただし、内閣は事態を是正する政治的義務を負う	①　条約は国際法上の法形式であり、その国際法的効力は国際法により決定されるべきである ②　多くの国家において、成文の憲法の規定に反する慣習法が成立している例が見られるし、憲法の条項について学説が対立していずれとも知りえないことが多いので、各国は外国の憲法をその責任において判断する義務があると解すると、国際法上の法的安定性を害する ③　条約が確定的に成立する前と後とでは、承認の法的意味が異なることは、むしろ当然である
B説	国内法的には無効であるが、国際法的には有効である（二元説）	①　A説の理由①②③ ②　国際法と国内法は別次元の問題である
C説	国会の承認は条約成立の法定効力要件であり、事後に承認を求めてその承認が得られなかった場合には、先になされた条約は国内法的にも国際法的にも無効である（無効説）	①　国会の承認について、事前と事後とによって法的効力の有無を区別することは、憲法の趣旨と考えられない ②　事後の承認を軽視するのは、国会の意思を軽視する結果になる ③　相手国にとっても日本国憲法の下では条約締結に国会の承認を要することは客観的に明白であるから、承認がない場合に無効としても不当でない
D説	国会の承認権の規定の具体的意味が諸外国においても周知の要件として認識されている場合には、国際法的にも無効である（条件付無効説）	①　無効説の理由①② ②　実際上、具体的な条約が憲法手続上の必要条件を満たしたものか否かが、容易に相手国にはわからない場合が多いので、各国は外国の憲法をその責任において判断する義務があると解することは、国際法上の法的安定性を害する

5　条約修正権〈司〉
　　条約の「承認」に当たり、国会は修正権を有するか。

＜条約修正権＞

	内容	理　由
A説	修正は単に内閣に対して再度相手国と交渉すべきことを政治的に要請するにとどまり、法的には不承認を意味する（否定説）◀通	①　日本を代表して外国と直接折衝し、条約案文の作成に当たるのは内閣であり、その権限のない国会が修正できるとすることは、内閣の条約締結権を侵害する ②　承認の法的性格は、内閣に条約の効力を確定する批准権を授権する行為であるから、一括承認か一括否認に限られる（可分的条約については、一部承認も認める） ③　国際法の原則からすれば、条約案文は調印により確定するから、その後の修正は相手国の同意がなければ認められず、結局これらの修正は不承認と新たな条約案の提案を意味するにすぎない
B説	国会は承認権を行使するに際し、条約に修正を加えることも許される（肯定説）（＊1）（＊2）	①　内閣の条約締結権を制限し、内閣をして国会の意思を尊重せしめようとするのが条約承認権の意義であるから、国会の意思と審議権を尊重すべきである ②　一括不承認が可能であるならば、それよりも拒否の程度が弱く、また部分的不承認とみなされる修正も可能と解すべきである ③　61条が両院協議会の手続を規定しているのは、両院の意思の不一致の場合に妥協することを予測したものであるから、国会が条約の修正付承認を可能にしていると考えられる（国会法85条も同様）

＊1　事前承認の場合に限る説と、事後承認の場合を含める説がある。
＊2　修正権が、相手国との関係において直ちに拘束力を発生させると解するわけではなく、相手国が合意しない限り、その条約は不承認の場合と同様に扱われることになる圖。
　　→国会が内閣に対して条約の修正を求め決議することを「修正権」と呼ぶ

四　「官吏に関する事務を掌理すること」(73④)

　1　「官吏に関する事務」の意味
　　「官吏に関する事務」とは、職員の職階制、任免、給与、懲戒などに関する事務である。
　　　cf.　人事行政の公正の確保等に関する事務を司るために、内閣の所轄の下にいわゆる独立行政委員会である人事院が置かれている（国公3Ⅰ）
　2　「法律」の定める基準
　　「官吏に関する事務」の「掌理」は、「法律」の定める基準に従う。この基準を定めるために制定されたのが、国家公務員法である。
　　　cf.　明治憲法では、官吏に関する事務の掌理は天皇の大権事項とされ（明憲10本文）、勅令によりその基準が定められていた
　3　「官吏」・「掌理」の意味
　　本号の「官吏」に国会職員や裁判所職員も含まれるのか、「掌理」の内容として任免権も含めて解するか否かと関連して、見解の対立がある。

＜「官吏」・「掌理」（73④）の意義＞

	「掌理」の意味	「官吏」の範囲	帰結
A説	「掌理」とは指揮監督を意味し、任免権を含む	「官吏」とは、内閣が原則的に任免権を有する公務員に限られ、国会職員や裁判所職員を含まない	国会職員や裁判所職員を国会や裁判所が独自に「掌理」しているのは（国会26以下、裁判所53以下）、憲法の趣旨に適うものである
B説	「掌理」とは任免権を含まず、全体として調和のとれた円滑な事務処理を配慮するぐらいの意味である	「官吏」とは、内閣の指揮監督下にない国会職員・裁判所職員などの公務員も含みうる	国会職員や裁判所職員も「官吏」であり、法律の定める基準に従って内閣が掌理するのであるが、そのための国家公務員法がこれらの職員を適用外とする結果として、国会・裁判所の掌理の下に置かれるにすぎない

五　「予算を作成して国会に提出すること」（73⑤）　⇒p.508
六　「政令を制定すること」（73⑥）

　　内閣は、政令を「この憲法及び法律の規定を実施するために」制定する権限を有する。

　　「実施するため」とは法律の存在を前提とするということであり、①議会を通さない緊急命令や独立命令、代行命令は認められず、②法律の執行に必要な細則を定める執行命令と、法律の委任に基づく委任命令（⇒p.335）に限定される圖。

　cf.1　「憲法及び法律」は一体として読むべきであり、政令で憲法を直接実施するということは認められない

　cf.2　衆議院解散権のような、他の機関との関係で内閣に与えられた権限は、内閣が直接「実施」するのであり、その行使の前提として法律が必要でないのはいうまでもない。また、その行使の形式として政令が必要であるわけでもない

七　恩赦の決定（73⑦）

　　恩赦の「認証」は天皇が行うが（7⑥）、その「決定」権は内閣の権限として本号に明示された。

　　恩赦は立法権及び司法権の作用を行政権者の判断で変動させるものであるので、憲法が定める恩赦の各種類の内容と手続について法律で定めることが必要である。

第74条 〔法律及び政令の署名〕圖

　　法律及び政令には、すべて主任の国務大臣が署名し、内閣総理大臣が連署することを必要とする。

⇒明憲§55Ⅱ（副署）

［趣旨］内閣の法律執行責任と、政令制定・執行責任の所在を明らかにしようとするものである。

《注　釈》

一　対象

　　署名の対象は「法律及び政令」だが、条約についても署名及び連署がなされるのが例である。

二　主体

　　署名の主体は、「主任の国務大臣」である🔲。「主任の国務大臣」とは、法律の定めるところによりその行政事務を分担管理する「主任の大臣」(内閣3)、すなわち、各省の長としての内閣総理大臣及び各省大臣（国組5Ⅰ）をいう。

　　cf.1　主任の大臣間の権限に疑義がある場合、内閣総理大臣が閣議にかけて裁定する（内閣7）

　　cf.2　内閣総理大臣は最後に副署するが、総理大臣自身が自ら主任の国務大臣を兼ねるときは、最初に署名し、連署はしないことになっている

三　効力

　　署名・連署は形式上のものであって拒否することは許されず、その欠缺も法律の効力を左右するものではない🔲。

第75条　〔国務大臣の訴追と内閣総理大臣の同意〕

　国務大臣は、その在任中、内閣総理大臣の同意がなければ、訴追されない。但し、これがため、訴追の権利は、害されない。

⇒刑訴§199・207（被疑者の逮捕・勾留）、刑訴§247・256（公訴の提起）

［趣旨］合議制機関としての内閣の一体的活動を確保するとともに、検察機関による不当な訴追を防ぐことにあるとされる🔲。

《注　釈》

一　「訴追」(75本文)の意味

　　通常の用語では公訴の提起を意味するが、内閣の職務遂行の確保という趣旨から、ここではより広く、公訴の提起に至る捜査の過程において、大臣の職務遂行を阻害するような逮捕・勾留といった処分を行うことも含むと解する見解が有力である。

二　内閣総理大臣の訴追

　　本条の「国務大臣」に、内閣総理大臣が含まれるか。

＜内閣総理大臣の訴追＞

	内容	理由
A説	本条の「国務大臣」に内閣総理大臣は含まれず、内閣総理大臣については、訴追は全く許されない	含まれると解しても、内閣総理大臣が自らの訴追に同意することはないから、結局、訴追を認めないのと同様である
B説	本条の「国務大臣」に内閣総理大臣も含まれ、内閣総理大臣は、自らの訴追について、内閣総理大臣の地位において、同意するか否かを決する	身の潔白を主張して裁判を受けて立つという判断も不合理とはいえず、訴追に同意することもありうる

三　ただし書の意味

　　内閣総理大臣の同意がなければ訴追できないのは、当該国務大臣の「在任中」であって、「在任中の行為」ではない（当該国務大臣がその職を退けば、訴追しうる）。

　　→在任中、内閣総理大臣の同意が得られない間は、公訴時効が停止する

＜内閣の権能と内閣総理大臣の権能のまとめ＞

	内閣の権能	内閣総理大臣の権能
憲法上の権能	① 法律の誠実な執行と国務の総理（73①） ② 外交関係の処理（73②） ③ 条約の締結（73③） ④ 官吏に関する事務の掌理（73④） ⑤ 予算の作成（73⑤、86） ⑥ 政令の制定（73⑥） ⑦ 恩赦の決定（73⑦） ⑧ 天皇の国事行為についての助言と承認（3、7） ⑨ 国会の臨時会の召集の決定（53） ⑩ 参議院の緊急集会を求めること（54Ⅱ） ⑪ 国会への議案提出（72） ⑫ 衆議院の解散の決定（争いあり） ⑬ 最高裁判所長官の指名（6Ⅱ） ⑭ 最高裁判所の長たる裁判官以外の裁判官の任命（79Ⅰ） ⑮ 下級裁判所裁判官の任命（80Ⅰ） ⑯ 予備費の支出（87） ⑰ 決算・会計検査院の検査報告書の国会への提出（90Ⅰ） ⑱ 国会及び国民への財政状況の報告（91）	① 国務大臣の任命権（68Ⅰ本文） ② 国務大臣の罷免権（68Ⅱ） ③ 国務大臣訴追の同意権（75本文） ④ 内閣を代表して議案を国会に提出（72） ⑤ 一般国務及び外交関係について、内閣を代表して国会へ報告（72） ⑥ 行政各部を内閣を代表して指揮監督（72） ⑦ 法律・政令の署名及び連署（74）

第6章 司法

> **第76条 〔司法権・裁判所、特別裁判所の禁止、裁判官の独立〕**
>
> Ⅰ　すべて司法権は、最高裁判所及び法律の定めるところにより設置する下級裁判所に属する。
>
> Ⅱ　特別裁判所は、これを設置することができない。行政機関は、終審として裁判を行ふことができない。
>
> Ⅲ　すべて裁判官は、その良心に従ひ独立してその職権を行ひ、この憲法及び法律にのみ拘束される。

⇒Ⅰ：裁判所§3（司法権）、裁判所§6〜14の3（最高裁判所）、裁判所§2・15〜38（下級裁判所）、明憲§57（司法権）

　Ⅱ：裁判所§3Ⅱ・国公§3ⅢⅣ（裁判所以外の機関の行う裁判）、明憲60（特別裁判所）

　Ⅲ：裁判所§5・39〜52（裁判官）

［趣旨］

一　76条1項

　41条（国会）、65条（内閣）とあいまって国家の統治機構について三権分立の制度を採ることを定めるとともに、司法権が裁判所に専属することを定めたものである。

　　→裁判所法を改正して、最高裁判所判事が国会議員を兼ねるとすることは、三権分立の原理から許されない

二　76条2項

　法の下の平等（14Ⅰ）と裁判を受ける権利（32）を保障しつつ、司法権の統一的行使を通じて、秩序ある法の解釈・運用を図ることを趣旨とする[予]。

三　76条3項

　司法権の独立の核心である裁判官の職権の独立を定めるものである。

《注　釈》

一　76条1項

1　司法権の観念

　憲法には、司法権の意義・範囲について直接具体的に定めた規定はないが、従来から、司法権とは、「具体的な争訟について、法を適用し、宣言することによって、これを裁定する国家の作用」とされてきた。

　このように司法権の観念については、その歴史的沿革や、日本国憲法に強い

影響を与えたアメリカの司法観等から、具体的争訟性ないし事件性を概念的構成要素とすると考えるのが通説である。実定法上も、裁判所法3条1項は、裁判所は「一切の法律上の争訟」を裁判すると規定している。

これに対し、裁判所の審理対象の範囲は、法を適用して紛争を解決するという司法にふさわしいかどうかという観点から判断すべきであり、必ずしも具体的事件性を司法権の発動の要件と考える必要はないとする有力説もある。

＊　裁判所の法創造機能

立法が一般的・抽象的法規範の定立作用であるのに対して（⇒ p.342）、司法は、定立された法を個別具体的な紛争に適用してそれを解決する国家作用であって、法の定立・創造の機能は含まれていない。

しかし、裁判所による法の解釈・適用は、一般的・抽象的法規範に具体的意味を付与することを意味し、この点で、裁判所は一定の法創造機能を有するといいうる。

もっとも、裁判所の法創造機能には、あくまで所与の法の枠内にとどまるべきという制約がある点で、立法府による法の定立とは基本的に性格が異なる。

2　「法律上の争訟」（裁判所3Ⅰ）　予H30

法律上の争訟性ないし事件性の要件が司法権の本質的要素であると考えた場合、次にその具体的内容が問題となる。

この点、判例・通説は、「法律上の争訟」とは、①当事者間の具体的な権利義務ないし法律関係の存否に関する紛争であって、②法令の適用によって終局的に解決できるものをいうとしている。

もっとも、これに対しては、②の要件は、司法審査の及ばないものを一般的に挙げており、裁量論などに解消可能であるから不要とする見解もある。

(1)　①の要件について

①の要件をより具体的に説明すると、以下のようになる。

→「法律上の争訟」たりうるためには、

・当事者間の関係が対立的なものでなければならない

・当事者間に権利ないし法的利益に関する紛争がなければならない

・当事者間の紛争が現実的なものでなければならない

▼　警察予備隊違憲訴訟（最大判昭 27.10.8・百選 187 事件）

事案：　日本社会党の代表者が、警察予備隊の違憲無効を主張し、最高裁判所に直接出訴した。

判旨：　「司法権が発動するためには具体的な争訟事件が提起されることを必要とする」として、結果として原告の請求を却下した。

統治

▼　最判平 3.4.19〈国〉

事案：　原告が最高裁判所規則のうち福岡地家裁支部を廃止する部分の取消し
　　　　を求めた。

判旨：　本件訴えは「裁判所に対して抽象的に最高裁判所規則が憲法に適合す
　　　　るかしないかの判断を求めるものに帰し、裁判所法3条1項にいう『法
　　　　律上の争訟』に当たらない」と判示した。

▼　内閣の臨時会召集義務と法律上の争訟（最判令 5.9.12・令5重判5事件）

事案：　平成29年6月22日、参議院の総議員の4分の1以上である72名の
　　　　議員は、憲法53条後段の規定により、内閣に対し、国会の臨時会の召集
　　　　を決定することを要求した。内閣は、その3か月後である同年9月22
　　　　日、臨時会を同月28日に召集することを決定し、同月28日に臨時会を
　　　　召集したが、その冒頭で衆議院が解散され、参議院は同時に閉会となっ
　　　　た。

　　　　上記の召集要求をした参議院議員の1人であるXは、Y（国）に対し、
　　　　Xが次に参議院の総議員の4分の1以上の議員の1人として臨時会召集
　　　　決定の要求をした場合に、内閣において、20日以内に臨時会が召集され
　　　　るよう臨時会召集決定をする義務を負うことの確認等を求める訴えを提
　　　　起した（なお、Xは国家賠償法に基づく損害賠償も求めている。
　　　　⇒p.380 参照）。

判旨：　本件確認の訴えは、「Xが、個々の国会議員が臨時会召集要求に係る権
　　　　利を有するという憲法53条後段の解釈を前提に、公法上の法律関係に関
　　　　する確認の訴えとして、Xを含む参議院議員が同条後段の規定により上
　　　　記権利を行使した場合にYがXに対して負う法的義務又はXがYとの間
　　　　で有する法律上の地位の確認を求める訴えであると解されるから、当事
　　　　者間の具体的な権利義務又は法律関係の存否に関する紛争であって、法
　　　　令の適用によって終局的に解決することができるものであるということ
　　　　ができる」。そうすると、本件確認の訴えは、「法律上の争訟に当たる」。

　　　　もっとも、本件確認の訴えは、「X自身に生ずる不利益を防止すること
　　　　を目的とする訴えであると解されるところ、将来、Xを含む参議院の総
　　　　議員の4分の1以上により臨時会召集要求がされるか否かや、それがさ
　　　　れた場合に臨時会召集決定がいつされるかは現時点では明らかでないと
　　　　いわざるを得ない。」

　　　　そうすると、本件確認の訴えは、「Xに上記不利益が生ずる現実の危険
　　　　があるとはいえず……確認の利益を欠き、不適法である」。

(2)　②の要件について

　　学説は従来、①の要件をみたしていれば、それだけで「法律上の争訟」た

りうると解してきたが、後述の板まんだら訴訟を契機に、事件性の要件の二重構造が広く唱えられるようになった。

　②の要件が要求されるのは、社会に生起する種々の紛争のうち、裁判の構造に適した紛争のみが司法権行使の対象とされるべきであって、それ以外の紛争は、他の国家機関又は紛争当事者の自主的解決に委ねるのが妥当だからである。

　②の要件の充足が否定されうる場合として、以下のようなものが考えられる（例中には、①の要件も否定されると考えられる場合もある）。

(a)　単なる事実の存否、個人の主観的意見の当否、学問上・技術上の論争に関する争い

▼　技術士試験事件（最判昭41.2.8）〈団〉

事案：　国家試験である技術士試験に不合格となった者が不合格処分の取消しを求めた。

判旨：　国家試験の合否判定は、学問又は技術上の知識、能力、意見等の優劣・当否の判断を内容とする行為であるので、その試験実施機関の最終判断に委ねられるべきものであって、裁判所は、その判断の当否を審査し具体的に法令を適用して、その争いを解決調整できるものとはいえない。

(b)　信仰の対象の価値又は宗教上の教義に関する争い

　そもそも、宗教団体内部の紛争に対する司法審査については、(イ)住職の地位確認訴訟のように、争訟自体が「宗教上の教義や地位」に関する争いであって、法律の適用によって審理判断することができない場合と、(ロ)代表役員の地位確認請求訴訟や不当利得返還請求訴訟のように、紛争自体は争訟性があるが、その判断過程で「宗教上の教義」に関する判断が必要となりうる場合に分けて考える必要がある。

　(イ)については、一般に、事件性の①の要件をみたさないとして司法審査が否定される。これに対し(ロ)については、前提問題の判断においてどの程度まで宗教上の教義等の解釈に立ち入る必要があるかによって、結論を異にすることになる。前提問題といえども、その判断の内容が宗教上の教義の解釈にわたる場合には、②の要件をみたさないとして、訴えは却下される。

統治

＜宗教団体内部の紛争と司法審査に関する判例の流れ＞

慈照寺＜銀閣寺＞事件 （最判昭44.7.10）	事案：	宗教法人Ｙ寺規則において、Ｙ寺の住職は同寺の代表役員及び責任役員となることと定められていることから、当該代表役員及び責任役員たる地位の確認請求のほか、その前提条件としてＹ寺の住職たる地位の確認を請求した事件。
	判旨：	住職たる地位は宗教活動の主催者たる地位であり、その確認を求める訴えは、単に宗教上の地位の確認を求めるものであって、法律上の権利関係の確認を求めるものではないから、不適法であるとして、当該訴えを却下した。
種徳寺事件 （最判昭55.1.11）	事案：	Ｙ寺が住職Ｘを寺務放棄等を理由に罷免し、本堂等の明渡しを求めたのに対して、Ｘが住職の地位及び代表役員の地位の確認を求めた事件。
	判旨：	「他に具体的な権利又は法律関係をめぐる紛争があり、その当否を判定する前提問題として特定人につき住職たる地位の存否を判断する必要がある場合には、その判断の内容が宗教上の教義の解釈にわたるものであるような場合は格別、そうでない限り、その地位の存否、すなわち選任ないし罷免の適否について、裁判所が審判権を有する」。
本門寺事件 （最判昭55.4.10）	事案：	ＸがＹ寺の代表役員であることの確認を求め、その前提としてＸ・Ａのいずれが住職になったのかが争われた事件。
	判旨：	ＸがＹ寺の住職としての適格を有するかどうかは審理できないが、Ｙ寺における住職選任の手続上の準則に従って選任されたかどうか、また、右の手続上の準則が何かにつき裁判所が審理することは可能である。
板まんだら事件 （最判昭56.4.7・ 百選184事件） 〈供〉	事案：	Ｘが宗教団体Ｙに対し寄附金返還を求めて提訴し、理由として「板まんだら」が偽物であり、寄附行為に要素の錯誤があったと主張した事件。
	判旨：	訴訟が具体的な権利義務ないし法律関係に関する紛争の形式をとる場合でも、信仰の対象の価値又は宗教上の教義に関する判断が訴訟の帰すうを左右する前提問題となり、訴訟の争点及び当事者の主張立証の核心となっているときは、その訴訟は実質において法令の適用によっては終局的解決の不可能なものであり、法律上の争訟にあたらない。
蓮華寺事件 （最判平元.9.8）	事案：	Ｙ寺の法主・管長Ａは、責任委員会の議決に基づき住職の地位にあるＸの所説が日蓮正宗の本尊および血脈相承について異説である旨を裁定したが、Ｘは訓戒されていたにもかかわらず所説を改めなかったので、責任役員会の議決に基づき擯斥処分（僧籍剥奪）に付した。そこで、Ｙ寺はＸに対し、ＸがＹ寺の住職たる地位および代表役員たる地位を失ったため寺有建物の占有権原は喪失したとして寺院建物の明渡しを求める訴えを提起したところ、ＸがＹ寺の代表役員・責任役員の地位にあることの確認を求めた事件。
	判旨：	「その効力についての判断が本件訴訟の帰趨を左右する必要不可欠なものであるところ、その判断をするについては、Ｙに対する懲戒事由の存否、すなわちＹの前記言説が日蓮正

統治

宗の本尊観及び血脈相承に関する教義及び信仰を否定する異説に当たるかどうかの判断が不可欠である」が、この点は「日蓮正宗の教義、信仰と深くかかわっているため、右教義、信仰の内容に立ち入ることなくして判断することのできない性質のものであるから、結局、本件訴訟の本質的争点である本件擯斥処分の効力の有無については裁判所の審理判断が許されない」。「裁判所が、Xないし日蓮正宗の主張、判断に従ってYの言説を『異説』であるとして本件擯斥処分を有効なものと判断することも宗教上の教義、信仰に関する事項について審判権を有せず、これらの事項にかかわる紛議について厳に中立を保つべき裁判所として、到底許されない」。

日蓮正宗管長事件 （最判平 5.9.7・ 百選 185 事件） 〈共〉	事案：	宗教法人Y1に包括される各末寺の住職・主管等であるXらは、Y1及びY2を相手取り、Y2がY1の管長代表役員の地位を有しないことの確認を求めたが、その前提として、Y2が前法主より法主選定のための宗教的行為である血脈相承を授けられたか否かが争われた事件。
	判旨：	Y2が法主の地位にあるか否かを審理、判断するには、血脈相承の意義を明らかにした上で、同人が血脈を相承したものということができるかどうかを審理しなければならず、Y1の教義ないし信仰の内容に立ち入って審理、判断することが避けられないことは明らかであり、法律上の争訟性を欠くとして、訴えを却下した。
大経寺事件 （最判平 14.2.22）	事案：	Y寺は、Y寺所有の建物を占有しているXに対し、本件建物の所有権に基づきその明渡しを求めたが、その前提として、XをY寺の住職から罷免する旨の処分をしたAが正当な宗教法人日蓮正宗の管長としての地位にあったかどうかが争われた事件。
	判旨：	「請求の当否を決定するために判断することが必要な前提問題が、宗教上の教義、信仰の内容に深くかかわっており、その内容に立ち入ることなくしてはその問題の結論を下すことができないときは、その訴訟は、実質において法令の適用による終局的解決に適しないものとして、裁判所法3条にいう『法律上の争訟』に当たらない」。

※　板まんだら事件においては、紛争の実体が宗教教義上の争いそのものであったのに対し、蓮華寺事件ではかかる事情はなかったから、後者については本案判決すべきであったとの評価がなされている。

(3) 客観訴訟

(a) 客観訴訟の意義〈共〉

個人の権利保護を目的とする一般の訴訟に対して、法規の客観的適正を確保することを目的とする訴訟を客観訴訟という。

司法権が裁判所に独占的に帰属する（76I）としても、それは裁判所が司法権以外の権能を行使してはならないことを意味するわけではない。そこで、現行法上、「その他法律において特に定める権限」（裁判所3I）と

して、個人の権利・利益の侵害を前提としない客観訴訟が認められている。

 cf. 客観訴訟は、一般に、法律で例外的に認められた訴訟であるから許されると解されてきたが、この訴訟は、何らかの具体的な国の行為を争う点では法律の純粋な抽象的審査ではなく、国の行為と提訴権者の権利・利益の侵害との間に一定の関係があると考えることもできるとして、司法権に含まれる作用だと考える見解も有力である

 (b) 客観訴訟の類型

  (i) 民衆訴訟

   国又は公共団体の機関の法規に適合しない行為の是正を求める訴訟で、選挙人たる資格その他自己の法律上の利益にかかわらない資格で提起するもの（行訴5） ex. 選挙訴訟、住民訴訟（地自242の2）

  (ii) 機関訴訟

   国又は公共団体の機関相互間における権限の存否又はその行使に関する紛争についての訴訟（行訴6） ex. 職務執行命令訴訟

 (c) 客観訴訟における違憲審査権行使の可否 ⇒ p.479

3 司法権の範囲

民事事件・刑事事件だけでなく、行政事件の裁判権も司法権に属すると解されている。

 ∵① 日本国憲法はアメリカ憲法思想の影響の下に作られたものである〈司〉

  ② 81条は、「処分」の違憲性を審査する権限を与えている

  ③ 明治憲法（61）と異なり行政裁判所に関する規定が全く見られず、むしろ行政機関による終審裁判禁止規定（76Ⅱ）が存する

 cf. 明治憲法における司法権の範囲は、民事事件・刑事事件の裁判に限定されており、行政事件の裁判権は、通常裁判所とは別の行政裁判所の管轄とされていた（明憲61）

  →このような制度は、フランス、ドイツなどのヨーロッパ大陸諸国で採られてきたものである〈司〉

4 司法権の限界

 (1) 立法権に対する限界

  (a) 議院の自律権

   法律制定等の議事手続に関する事項（ex. 定足数をみたす議員の出席の有無、議決方法の適法性）については、裁判所の法令審査権は及ばない。

   ∵① 権力分立の精神から、議院の内部問題として議院の自主性を尊重し、その主体的な判断に委ねるべきである

    ② 議院以外の機関が議事手続の適法・不適法を認定するのは実際上困難である

▼　警察法改正無効事件（最大判昭 37.3.7・百選 180 事件）〈司共〉

事案：　国会における与野党の激しい攻防の末に成立した新警察法につき、地
方自治法の住民訴訟（地自 242 の 2）により、内容のみならず成立手続
に関して違憲の主張がなされた。

判旨：　警察法は、両院において議決を経たものとされ適法な手続によって公
布されている以上、裁判所は両院の自主性を尊重すべく同法制定の議事
手続に関する事実を審理してその有効無効を判断すべきではない。

＊　議員の懲罰と司法審査

懲罰を受けた議員（58 Ⅱ本文）は裁判所に出訴して、議決の取消しを
求めることができるか。懲罰が国会法 121 条以下に沿って適法になされ
たか否かにつき裁判所の審査権が及ぶかが問題となるも、学説では、消
極説が通説とされている。

∵①　懲罰権は議院固有の権能である

②　法治主義の原則はいわゆる一般的統治関係ではない特殊の法律
関係に基づく権利については必ずしも妥当せず、そこでは、それ
ぞれのもつ自律権の範囲内において裁判所の審判権に服する違法
の問題を生じない例外的な領域があると考えられる

③　憲法構造の全体を支配する権力分立の原則から、各議院の自主
性を最大限に尊重することが要請される

なお、国会議員に対する議院の懲罰について裁判所で争われた事例は存
在しないが、地方議会における議員への懲罰が争われた事例としては、下
記最大決昭 28.1.16 等が存在する。

▼　最大決昭 28.1.16

議会から除名された議員が処分の執行停止を求めて裁判所に提訴した事案に
おいて、除名処分に対する執行停止を認めた。

＊　本判例は、地方議会における議員への懲罰に対し、裁判所の審査権が及ぶ
ことを前提としている。

⇒部分社会の法理との関係については、p.437 参照

(b)　立法裁量

立法裁量とは、立法に関して憲法上立法府に委ねられた判断の自由をい
う。この立法裁量が認められることにより、裁判所は、立法府がその裁量
権を逸脱した場合に限って違憲判断を示すことができることになる。

∵　憲法は立法すること自体、その時期、その内容に関して必ずしも一
義的に立法府を拘束していない場合が多く、そのような場合に裁判所
は立法府の立場をなるべく尊重しなければならない

cf.　立法不作為と違憲審査　⇒p.472

統治

(2) 行政権に対する限界

　(a) 憲法上行政機関の裁量ないし自律に委ねられている事項

　　　憲法上行政機関の裁量ないし自律に委ねられている事項については司法審査は及ばない。

　　　　ex. 内閣総理大臣による国務大臣の任免（68）、国務大臣の訴追に対する内閣総理大臣の同意（75）、内閣による最高裁判所裁判官の任命（79Ⅰ）、恩赦の決定（73⑦）

　(b) 法律上行政機関の裁量ないし自律に委ねられている事項

　　　行政に関する法律は、しばしば一定の範囲内で行政庁に自由な判断の余地を認めていることがあり、これを行政庁の裁量という。この場合には、一般に司法審査は及ばないと解されている。

　　　∵　法を適用するに当たっての行政庁の判断が法の認める範囲内にある限り、その当・不当は問題となりえても、適法か否かは問題とならない

　(c) 執行停止に対する内閣総理大臣の異議

　　　行政処分取消訴訟の提起に伴う執行停止の申立て（行訴25Ⅱ本文）があった場合において、内閣総理大臣から、公共の福祉に重大な影響を及ぼすおそれがあることを理由として異議の陳述があったときは、裁判所は執行停止決定することができないとされている（行訴27Ⅳ）。このような内閣総理大臣の異議の制度は、司法権に対する行政権の干渉を許すものとして違憲ではないかが問題となる。

＜内閣総理大臣の異議に関する学説の争い＞

	理　由
合憲説	執行停止は本来の司法作用ではなく、行政作用に属する
違憲説	権利救済の実効性が害されるし、司法権に対する行政権の不合理な介入を認めることになる

　(d) 統治行為論　⇒ p.470

(3) 部分社会の法理 [司H21]

　　「部分社会の法理」とは、自律的法規範をもつ社会ないし団体内部の紛争に関しては、その内部規律の問題にとどまる限りその自治的措置に任せ、それについては司法審査が及ばないという考え方であり、判例が先行して形成されてきたものである。

　　「部分社会」には、以下のように、多種多様な性質を有する団体が含まれていることから、その内部問題に司法審査が及ぶかどうかは、各団体の目的・性質・機能、法的紛争の特質や争われている権利の性質などを具体的に

検討して決定すべきである。

(a) 地方議会

▼ 最大判昭 35.10.19・百選 181 事件〈⑦〉〈予H30〉

事案： 地方議会議員に対する３日間の出席停止（地自135Ⅰ③）の懲罰決議の効力が争われた。

判旨： 「司法裁判権が、憲法又は他の法律によってその権限に属するものとされているものの外、一切の法律上の争訟に及ぶことは、裁判所法３条の明定するところであるが、ここに一切の法律上の争訟とはあらゆる法律上の係争という意味ではない。一口に法律上の係争といっても、その範囲は広汎であり、その中には事柄の特質上司法裁判権の対象の外におくを相当とするものがあるのである。けだし、自律的な法規範をもつ社会ないしは団体に在っては、当該規範の実現を内部規律の問題として自治的措置に任せ、必ずしも、裁判にまつを適当としないものがあるからである。本件における出席停止の如き懲罰はまさにそれに該当する」。

▼ 最大判令 2.11.25〈団〉

事案： 市議会から科された23日間の出席停止の懲罰が違憲、違法であるとして争われた。

判旨： 「普通地方公共団体の議会は、地方自治法並びに会議規則及び委員会に関する条例に違反した議員に対し、議決により懲罰を科することができる（同法134条１項）ところ、懲罰の種類及び手続は法定されている（同法135条）。これらの規定等に照らすと、出席停止の懲罰を科された議員がその取消しを求める訴えは、法令の規定に基づく処分の取消しを求めるものであって、その性質上、法令の適用によって終局的に解決し得るものというべきである。」

「憲法は、「住民自治の原則を採用しており、普通地方公共団体の議会は、憲法にその設置の根拠を有する議事機関として、……所定の重要事項について当該地方公共団体の意思を決定するなどの権能を有する。そして、議会の運営に関する事項については、議事機関としての自主的かつ円滑な運営を確保すべく、その性質上、議会の自律的な権能が尊重されるべきであるところ、議員に対する懲罰は、会議体としての議会内の秩序を保持し、もってその運営を円滑にすることを目的として科されるものであり、その権能は上記の自律的な権能の一内容を構成する。」

他方、「議員は、憲法上の住民自治の原則を具現化するため、……議事に参与し、議決に加わるなどして、住民の代表としてその意思を当該普通地方公共団体の意思決定に反映させるべく活動する責務を負う」ところ、「出席停止の懲罰は、上記の責務を負う公選の議員に対し、議会がその権能において科する処分であり、これが科されると、当該議員はその

期間、会議及び委員会への出席が停止され、議事に参与して議決に加わるなどの議員としての中核的な活動をすることができず、住民の負託を受けた議員としての責務を十分に果たすことができなくなる。このような出席停止の懲罰の性質や議員活動に対する制約の程度に照らすと、これが議員の権利行使の一時的制限にすぎないものとして、その適否が専ら議会の自主的、自律的な解決に委ねられるべきであるということはできない。」

そうすると、「出席停止の懲罰は、議会の自律的な権能に基づいてされたものとして、議会に一定の裁量が認められるべきであるものの、裁判所は、常にその適否を判断することができるというべきである。」

したがって、「普通地方公共団体の議会の議員に対する出席停止の懲罰の適否は、司法審査の対象となるというべきである」。

評釈： 前掲判例（最大判昭35.10.19・百選181事件）その他の当裁判所の判例は、いずれも変更される。

▼ 名古屋高判平24.5.11・平24重判3事件〈回〉

事案： Y市議会議員Xは、下咽頭がん手術に伴う発声障害により発声が困難となったため、Y市議会に対し、代読等の方法による発言を認めるよう求めた。Y市議会がこれを拒否したため、Xは、表現の自由等が侵害されたとして、Y市に対し、国家賠償請求を行った。

判旨： 「議会が、議員の発言方法等について規制したとしても、それが議会の内部規律の問題にとどまる限り、裁判所法3条1項にいう『法律上の争訟』にはあたらない」。「しかし、他方、議会の議員に対する措置が、一般市民法秩序において保障されている権利利益を侵害する場合、もはや議会の内部規律の問題にとどまるものとはいえないから、当該措置に関する紛争は、裁判所法3条1項にいう『法律上の争訟』にあたる」。

「地方議会の議員には、表現の自由（憲法21条）及び参政権の一態様として、地方議会等において発言する自由が保障されていて、議会等で発言することは、議員としての最も基本的・中核的な権利というべきである。」「したがって、地方議会が、地方議会議員の当該議会等における発言を一般的に阻害し、その機会を与えないに等しい状態を惹起するなど、地方議会議員に認められた上記権利、自由を侵害していると認められる場合には、一般市民法秩序に関わるものとして、裁判所法3条1項にいう『法律上の争訟』にあたる」。以上から、本件訴えは適法であり、これを却下することはできない。

▼ 愛知県議会発言取消命令事件（最判平 30.4.26・平 30 重判 1 事件）

事案：　Y県議会議員であるXは、地方自治法129条1項に基づき、議会における発言の一部を取り消すよう命令されたため、本件命令の取消しを求めて訴えを提起した。

判旨：　地方自治法は、「議員の議事における発言に関しては、議長に当該発言の取消しを命ずるなどの権限を認め、もって議会が当該発言をめぐる議場における秩序の維持等に関する係争を自主的、自律的に解決することを前提としている」。そして、「取消しを命じられた発言が配布用会議録に掲載されないことをもって、当該発言の取消命令の適否が一般市民法秩序と直接の関係を有するものと認めることはできず、その適否は県議会における内部的な問題としてその自主的、自律的な解決に委ねられるべきものというべきである」。

「以上によれば、県議会議長の県議会議員に対する発言の取消命令の適否は、司法審査の対象とはならない」。

▼ 最判平 31.2.14・令元重判 10 事件

事案：　Y市議会議員であるXは、Y市議会議長に対し、視察旅行は財政状況等に照らし、実施すべきでないとする旨を記載した欠席願を提出し、同旅行を欠席した。その後、Y市の議会運営委員会は、Xが公務を正当な理由なく欠席したことを理由に、Xを厳重注意処分（以下、「本件措置」という。）とする旨、及び今後、議員としての責務を全うするよう強く求める旨を記載した厳重注意処分通知書（以下、「本件通知書」という。）を作成し、これを議会運営委員会の正副委員長等のほか新聞記者5、6名のいる議長室において朗読し、交付した。

Xは、これにより名誉が毀損されたとして、国家賠償法1条1項に基づき、慰謝料等の支払を求めた。

判旨：　Xの請求は、「私法上の権利利益の侵害を理由とする国家賠償請求であり、その性質上、法令の適用による終局的な解決に適しないものとはいえないから、本件訴えは、裁判所法3条1項にいう法律上の争訟に当たり、適法というべきである」。

もっとも、「普通地方公共団体の議会は、地方自治の本旨に基づき自律的な法規範を有するものであり、議会の議員に対する懲罰その他の措置については、議会の内部規律の問題にとどまる限り、その自律的な判断に委ねるのが適当である」。「このことは、上記の措置が私法上の権利利益を侵害することを理由とする国家賠償請求の当否を判断する場合であっても、異なることはない」。

「したがって、普通地方公共団体の議会の議員に対する懲罰その他の措置が当該議員の私法上の権利利益を侵害することを理由とする国家賠償請求の当否を判断するに当たっては、当該措置が議会の内部規律の問題

統治

にとどまる限り、議会の自律的な判断を尊重し、これを前提として請求の当否を判断すべき」である。

本件措置は、「Xの議員としての行為に対する市議会の措置であり、かつ、……特段の法的効力を有するものではない。また、市議会議長が、相当数の新聞記者のいる議長室において、本件通知書を朗読し、これをXに交付したことについても、殊更にXの社会的評価を低下させるなどの態様、方法によって本件措置を公表したものとはいえない。」「以上によれば、本件措置は議会の内部規律の問題にとどまるものであるから、その適否については議会の自律的な判断を尊重すべきであり、本件措置等が違法な公権力の行使に当たるものということはできない」。

(b) 大学

▼ 富山大学単位不認定事件（最判昭52.3.15・百選182事件）〈司共予〉

事案： 富山大学経済学部の学生Xらは、Aの担当する授業を履修していたところ、経済学部長Yは、Aに不正行為があったとして、Aに対し授業担当停止の措置をとるとともに、Xらを含めた学生に代替授業を受講するよう指示した。しかし、Aは授業を継続し、Xらも引き続きこれに出席し続けて試験を受験し、Aより合格との判定を得た。これに対し、大学側はAの授業及び試験は正規のものではないとして、Xらの単位取得を認めなかった。

判旨： 「一般市民社会の中にあってこれとは別個に自律的な法規範を有する特殊な部分社会における法律上の係争のごときは、それが一般市民法秩序と直接の関係を有しない内部的な問題にとどまる限り、その自主的、自律的な解決に委ねるのを適当とし、裁判所の司法審査の対象にはならない」。

「大学は、国公立であると私立であるとを問わず、学生の教育と学術の研究とを目的とする教育研究施設であって、その設置目的を達成するために必要な諸事項については、法令に格別の規定がない場合でも、学則等によりこれを規定し、実施することのできる自律的、包括的な権能を有し、一般市民社会とは異なる特殊な部分社会を形成しているのであるから、このような特殊な部分社会である大学における法律上の係争のすべてが当然に裁判所の司法審査の対象になるものではなく、一般市民法秩序と直接の関係を有しない内部的な問題は右司法審査の対象から除かれるべき」である。

これを大学の単位の授与（認定）行為について見ると、これは「学生が当該授業科目を履修し試験に合格したことを確認する教育上の措置であり、卒業の要件をなすものではあるが、当然に一般市民法秩序と直接の関係を有するものでないことは明らかである。それゆえ、単位授与（認定）行為は、他にそれが一般市民法秩序と直接の関係を有するもので

あることを肯認するに足りる特段の事情のない限り、純然たる大学内部の問題として大学の自主的、自律的な判断に委ねられるべきものであって、裁判所の司法審査の対象にはならない」。ただ、「特定の授業科目の単位の取得それ自体が一般市民法上一種の資格要件とされる場合」については、「その限りにおいて単位授与（認定）行為が一般市民法秩序と直接の関係を有することは否定できない」。

▼ 最判昭 52.3.15 〈下〉

事案：　富山大学単位不認定事件（最判昭 52.3.15・百選 182 事件）と同様の事案において、大学側が、Aの授業を受講していた学生Xに対して、専攻科の修了認定を行わなかった。

判旨：　「専攻科に入学した学生は、大学所定の教育課程に従いこれを履修し専攻科を修了することによって、専攻科入学の目的を達することができるのであって、学生が専攻科修了の要件を充足したにもかかわらず大学が専攻科修了の認定をしないときは、学生は専攻科を修了することができず、専攻科入学の目的を達することができないのであるから、国公立の大学において右のように大学が専攻科修了の認定をしないことは、実質的にみて、一般市民としての学生の国公立大学の利用を拒否することにほかならないものというべく、その意味において、学生が一般市民として有する公の施設を利用する権利を侵害するものである」。そのため、「専攻科修了の認定、不認定に関する争いは司法審査の対象になる」。

(c)　政党

▼ 共産党袴田事件（最判昭 63.12.20・百選 183 事件）〈司共予〉

事案：　Yは政党Xの幹部であり、Xが所有し、党役員等に利用させてきた家屋に居住していた。YがXにより除名処分を受けたため、Xは、Yに対し、上記家屋の明渡しを求める訴えを提起した。

判旨：　「政党は、政治上の信条、意見等を共通にする者が任意に結成する政治結社であって、……国民がその政治的意思を国政に反映させ実現させるための最も有効な媒体であって、議会制民主主義を支える上においてきわめて重要な存在であるということができる。したがって、……政党に対しては、高度の自主性と自律性を与えて自主的に組織運営をなしうる自由を保障しなければならない。」また、「自由な意思によって政党を結成し、あるいはそれに加入した以上、党員が政党の存立及び組織の秩序維持のために、自己の権利や自由に一定の制約を受ける」。

　　上記のような「政党の結社としての自主性にかんがみると、政党の内部的自律権に属する行為は、法律に特別の定めのない限り尊重すべきであるから、政党が組織内の自律的運営として党員に対してした除名その他の処分の当否については、原則として自律的な解決に委ねるのを相当

統
治

とし、したがって、政党が党員に対してした処分が一般市民法秩序と直接の関係を有しない内部的な問題にとどまる限り、裁判所の審判権は及ばないというべきであり、他方、右処分が一般市民としての権利利益を侵害する場合であっても、右処分の当否は、当該政党の自律的に定めた規範が公序良俗に反するなどの特段の事情のない限り右規範に照らし、右規範を有しないときは条理に基づき、適正な手続に則ってされたか否かによって決すべきであり、その審理も右の点に限られる」。

▼ **日本新党繰上補充事件（最判平7.5.25・百選155事件）** ⇒ p.349

事案： Xは、政党Zの参議院議員選挙における候補者名簿に登載されていたが、後にZより除名された。この除名により、Xは参議院議員の繰上補充による当選の対象者となることができなかったため、Zのした除名は違法・無効であると主張して、公職選挙法208条に基づく当選訴訟を提起した。

判旨： 「政党等の内部的自律権をできるだけ尊重すべきものとした立法の趣旨にかんがみれば、当選訴訟において、名簿届出政党等から名簿登載者の除名届が提出されているのに、その除名の存否ないし効力という政党等の内部的自律権に属する事項を審理の対象とすることは、かえって、右立法の趣旨に反する」。

(d) 宗教団体 ⇒ p.432

5 司法権の帰属

(1) 一元的な司法権

本条1項は、司法権が最高裁判所とその系列下の下級裁判所に一元的に帰属することを定めているが、さらに2項は特別裁判所・行政機関による終審裁判の禁止を定めて、その点を明確にしている。

(2) 例外

司法権がすべて裁判所に属するという原則には、憲法上、以下の例外があり（裁判所法3条1項も「日本国憲法に特別の定のある場合を除いて」としている）、これらの裁判に対しては、さらに通常の裁判所に訴えることはできない。

① 国会の両議院が行う議員資格争訟の裁判（55）

cf. 当選訴訟（公選208、209）において議員の被選挙権の有無が争われるときは裁判所で審査することができる

② 裁判官の罷免に関し両議院の議員で構成する弾劾裁判所（64）

6 「最高裁判所及び法律の定めるところにより設置する下級裁判所」の意義

(1) 「最高裁判所」

(a) 最高裁判所は、裁判所の系列において最高位にある裁判所で、審級関係

における最上位の裁判所である。

(b) 最高裁判所は、憲法上直接設置することが要請されている裁判所であって、憲法問題を決定する「終審裁判所」(81) である。

→高等裁判所が上告審として行った裁判についても、憲法違反を理由とする場合には、さらに最高裁判所へ上訴することが許されなければならない（民訴327）

(c) 最高裁判所の構成 ⇒ p.457

(2) 「法律の定めるところにより設置する下級裁判所」

(a) 「下級裁判所」とは、最高裁判所の下位にある裁判所（審級関係において下級の裁判所）の総称をいう。

(b) 憲法には「下級裁判所」の種類・機構・管轄及び審級制度について直接明示しておらず、統一的な法令解釈の運用が図られる限り、これらの事項は法律に委ねていると解されている。

→裁判所法は、「下級裁判所」として、高等裁判所、地方裁判所、家庭裁判所、簡易裁判所の4種類を定めている（裁判所2Ⅰ）

(3) 裁判所間の関係〈司〉

(a) 審級制

下級審の裁判に不服の当事者が上級審に不服申立てをした場合に、上級審は、理由ありと認めるときは下級審の裁判を取消し又は変更する裁判ができる。この意味において裁判所間には上下の階級があり、この関係を審級関係という。裁判所法4条も「上級審の裁判所の裁判における判断は、その事件について下級審の裁判所を拘束する」として、審級制度を採用している。

もっとも、上下の階級といっても、司法権の行使について下位の裁判所が上位の裁判所の一般的な指揮・命令の関係に立つことを意味するものではない。なぜなら、下級裁判所も直接司法権を担い、それぞれ独立的に行使する地位に立つからである。

cf. 現在原則として三審制が採られているが、審級制度を具体的にどう定めるかは法律に委ねられており、必ずしも三審制によらなければならないというわけではない〈司〉

(b) 判例の拘束性 ⇒ p.446

二 76条2項

1 特別裁判所の禁止（76Ⅱ前段）

(1) 「特別裁判所」とは、特定の地域・身分・事件等に関して、通常の裁判所の系列から独立した権限をもつ裁判所をいう。

ex.1 明治憲法下の軍法会議は軍人の刑事事件を管轄する終審裁判所であり、「特別裁判所」に当たる

統治

ex.2　憲法判断のみを行う憲法裁判所を独立して設置すること、公務員の
身分に関する事件のみを管轄する公務員懲戒裁判所・条例違反者に対
して罰金を科する審判手続を専門に取り扱う審判所を設置すること
は、それが終審裁判所であれば、「特別裁判所」に当たる

(2)　特定の種類の事件だけを扱う裁判所であっても、それが最高裁判所の系列
下の裁判所に属するならば、「特別裁判所」には当たらない共。

ex.1　現在の家庭裁判所は、家事事件・少年事件という特定の種類の事件
だけを扱うが、それは通常の裁判所の系列に属する裁判所であり、
「特別裁判所」ではない（最大判昭 31.5.30・百選 A 15 事件）

ex.2　現行制度としては存在しないが、行政事件を専門に扱う行政裁判
所、労働事件のみを管轄する労働裁判所を法律によって設けること
も、それが通常の裁判所の系列に位置付けられる限り、「特別裁判所」
には当たらない予

cf.　裁判員制度における裁判体が「特別裁判所」に当たるかどうかについ
て、判例（最大判平 23.11.16・百選 175 事件）は、「裁判員制度による裁
判体は、地方裁判所に属するものであり、その第 1 審判決に対しては、
高等裁判所への控訴及び最高裁判所への上告が認められており、裁判
官と裁判員によって構成された裁判体が特別裁判所に当たらないこと
は明らかである」としている

(3)　例外
裁判官弾劾裁判所（64）は、特定の人及び事件についてのみ管轄権を有
し、かつ通常裁判所の系列から完全に独立した裁判所であるから、「特別裁
判所」の性質を有するが、これは憲法自身の認めた例外である司。

2　行政機関による終審裁判の禁止（76Ⅱ後段）

(1)　特別裁判所設置禁止と同様の趣旨から、行政機関による終審裁判が禁止さ
れる。逆にこの規定から、終審としてではなく前審としてならば、行政機関
による裁判（行政審判と呼ばれることが多い）も認められる司予。

∵　行政の範囲が拡大し、その専門化・技術化が進んでいる現代国家にお
いては、専門的な知識や経験を背景とする行政審判には、一定の積極
的意義が認められる

ex.　独占禁止法に基づく公正取引委員会の審決、国家公務員法に基づく
人事院の裁定予、行政不服審査法に基づく行政機関の裁決（行審 40）

(2)　実質的証拠法則司
裁判所の裁判の前審として行政機関が裁決等を行う際、行政機関の認定し
た事実が、これを立証する実質的証拠があるときには、裁判所を拘束すると
の定めが置かれる場合がある（実質的証拠法則）司。

ex.　電波法 99 条

　このように、行政機関の認定に裁判所を拘束する力を与えることは、憲法32条、76条2項に反しないかが問題となるが、一般的に、裁判所が実質的証拠の有無を判断するとの規定がある場合には、事実認定が裁判所の判断により決定されるため、憲法32条、76条2項に反しないものと解されている。

三　76条3項

1　司法権の独立 司

(1)　意義

　司法権の独立とは、①裁判官がその職務を行うに当たって、法以外の何ものにも拘束されず、独立して職権を行使すること（裁判官の職権の独立）、及び②全体としての裁判所（司法府）が、他の国家機関から独立して自主的に活動すること（司法府の独立）をいう。本条3項は、司法権の独立の核心である裁判官の職権の独立を定めている。

(2)　目的

　①　司法権は非政治的権力であるから、政治性の強い立法権・行政権から侵害されることを防止する必要性が高い。

　②　司法権は、裁判を通じて国民の権利を保護することを職責としているので、政治的権力の干渉を排除し、特に少数者の保護を図る必要性が高い。

(3)　内容

＜司法権の独立の内容＞ 予

裁判官の職権の独立（＊）	すべて裁判官は、その良心に従ひ独立してその職権を行ひ、この憲法及び法律にのみ拘束される（76Ⅲ）
司法府の独立 司	①　下級裁判所裁判官の指名（80Ⅰ）⇒p.463 ②　規則制定権（77） ③　司法行政監督権　⇒p.454

＊　裁判官の職権の独立を側面から強化するために、憲法上、裁判官の身分保障が定められている。
→①　罷免事由の限定（78前段）⇒p.455
　②　行政機関による裁判官の懲戒の禁止（78後段）⇒p.455
　③　報酬の保障（79Ⅵ、80Ⅱ）⇒p.458、465

2　裁判官の職権の独立

(1)　意義

(a)　裁判官の「良心」の意義

　本条項にいう「良心」の意義については争いがある。

<「良心」（76Ⅲ）の意義>

学説	内容
主観的良心説	19条の「良心」と同じく、裁判官の個人的・主観的良心である ∵　およそ人の良心は1つだけのはずである
客観的良心説◀圖	19条でその自由が保障されている個人的・主観的意味の良心ではなく、客観的な裁判官としての良心である ∵① 近代司法にあっては、裁判官の主観的良心はいかなる意味でも法源そのものたりえず、裁判官が、いくつかの解釈可能性の中から、可及的に法の客観的意味を探求し、それに従って裁判すべき職責を果たすことが前提とされている ② 主観的良心説によると、あるべき客観的な法の価値体系と裁判官の個人的良心とにずれが生じるのは好ましくないとして、かかるずれのない思想・信条の持ち主であることを裁判官の条件とみる危険がある

※　最大判昭23.11.17・百選176事件は、「良心」に従うとは、「裁判官が有形無形の外部の圧迫乃至誘惑に屈しないで自己内心の良識と道徳感に従うの意味である」とする一方で、すべて裁判官は法（有効な）の範囲内において、自ら是なりと信ずる処に従って裁判をすれば、それで憲法のいう良心に従った裁判といえるとしており、必ずしも明確でない。

(b)　「憲法及び法律にのみ拘束される」の意味

(i)　「憲法」「にのみ拘束される」の意味

　　憲法は最高法規であって、それに反する一切の法は効力をもちえない（98Ⅰ）から、裁判官が憲法に拘束されるということは、裁判において憲法に違反する法が適用されてはならないことを意味する。

(ii)　「法律にのみ拘束される」の意味

　　「法律」とは、形式的意味の法律のみならず、およそ一切の客観的法規範を意味する。

　　→法律・政令・条例・規則その他形式のいかんを問わず、また不文法たる慣習法・条理を含む◀圖

　　∵　本条項の趣旨は、裁判が客観的法規範に準拠して行われるべきものとするところにある

(c)　判例の拘束力

　　最高裁判所の判決は個々の具体的事件についてなされ、その際、当該事件の下級審を拘束することは審級制が採られていることからの当然の帰結である。裁判所法4条も「上級審の裁判所の裁判における判断は、その事件について下級審の裁判所を拘束する」と規定する。

　　では、その判断は後続のその他の事件について裁判所を拘束するか、最高裁判所の判例は先例拘束力を有するかが問題となる。

　この点、判例も「法律」に含まれ、法的拘束力が認められると解する見解もある。もっとも、通説は、判例は「法律」に含まれず、事実上の拘束力を有するにとどまると解する見解に立つ。

　∵　76条3項は、「憲法及び法律にのみ拘束される」と規定している

(d)　判例の変更 〔予H24〕

　判例の拘束力をどのように解するにせよ、以下のような十分な理由がある場合には、判例の変更は可能と解されている。

①　時の経過により事情が大きく変化した場合

②　経験の教えに照らして調節が必要になった場合

③　先例に誤りがある場合

　→判例を変更するには、大法廷によらなければならない（裁判所10③）

(2)　裁判官の職権の独立の内容

　裁判官の職権の独立には、対外的側面と対内的側面がある。すなわち、裁判官は、その職権を行うに際して、国会・内閣などから外的な干渉を受けないだけでなく、上席裁判官などから内的な干渉を受けないことをも要求される。

　また、裁判官の職権の独立には、他からの指示・命令に法的に拘束されないというだけでなく、事実上、他の機関から裁判について重大な影響を受けないという要請をも含んでいる。

(a)　対外的側面について

　裁判官の職権の独立を対外的に脅かすものとして、議院による国政調査権の行使（62）、国民による裁判批判（21Ⅰ）、各種委員会による調査・決議などがある。

▼　**吹田黙祷事件**

　法廷内の被告人が朝鮮戦争の戦死者に黙祷するのを制止しなかった裁判長の訴訟指揮につき、裁判官訴追委員会は、当該訴訟指揮が訴追事由に該当するか否かを調査しようとして、大阪地裁の裁判官会議等から批判を受けた。

▼　**浦和事件**　⇒ p.395

(b)　対内的側面について〔予〕

　外部からの干渉・圧力だけでなく、最高裁判所の下級裁判所に対する監督権の行使など、司法内部での干渉・圧力も、裁判官の職権行使の独立を脅かす要因となりうる。

　なお、裁判所法81条は、司法行政監督権が「裁判官の裁判権に影響を及ぼし、又はこれを制限することはない」として裁判官の職権の独立を保障している。

統治

▼ **吹田黙祷事件**

前述の事案において、最高裁判所は、「法廷の威信について」という通達を全国の裁判官宛に出し、その中で、吹田事件の訴訟指揮は「まことに遺憾」だとした。右通達については、具体的な裁判における訴訟指揮を批判したことが明らかであるとして、司法権の独立を侵害するおそれが大きく、許されない行為であったと評価されている。

▼ **平賀書簡事件**

長沼ナイキ基地訴訟が札幌地裁に係属中、同地裁の所長が担当裁判官に国側の主張を支持する見解を詳細にしたためた書簡を送った事件。所長という立場から担当裁判官に裁判についての指示めいた文書を送付した点で裁判に対する不当な干渉であり、裁判官の職権の独立を侵害するものであったと評価されている。

3 司法権に対する民主的統制

裁判所は一定の独立性を保障され、かつ司法権及び違憲審査権という重要な権限を行使するものであるため、裁判所が独善に陥るとその弊害は大きい。

そこで、かかる弊害を防止すべく、憲法は裁判所に対する一定の民主的統制を認めている。

ただし、あくまでも自由主義原理から導かれる司法権の独立が原則であり、民主主義原理から導かれる民主的コントロールが及ぼされる場合は例外と理解すべきである。

(1) 国会による統制

(a) 弾劾裁判による罷免（64、78前段）⇒ p.399

(b) 議院の国政調査権（62）〈司予〉

議院の国政調査権には裁判に関する調査権も含まれている。しかし、それが、一般的な制度の在り方等の問題を超えて、具体的な判決内容の当否や公判廷における裁判長の訴訟指揮の仕方等に関する批判に及ぶときは、裁判官の職権の独立を侵害するものと解されている。

cf. 浦和事件 ⇒ p.395

(2) 内閣による統制

(a) 最高裁判所裁判官の指名・任命権（6Ⅱ、79Ⅰ）⇒ p.458

(b) 最高裁判所の指名した者の名簿からの下級裁判所裁判官の任命（80Ⅰ）

司法権の独立との関係で、内閣による任命拒否が問題とされる。⇒ p.463

(3) 国民による統制

(a) 裁判批判〈司〉

国民による裁判批判は、表現の自由（21Ⅰ）の一環である。

→健全な形のものである限り、裁判官の独立を理由に排除することは許

されない

cf. 直接に裁判に圧力をかけたり、裁判官を脅迫するような形のものは限度を超えるものであって、許されないものであることは当然

(b) 最高裁判所裁判官の国民審査（79Ⅱ ⅢⅣ）⇒ p.459

(c) 裁判の公開（82）⇒ p.497

(d) 裁判の民主的統制

裁判の過程に法律専門家以外の国民の関与を認めることは、裁判を民主化し、国民による司法を実現するうえで有効である。このような「国民による司法への参加と統制」の制度としては、陪審制・参審制がある。

ア　陪審制の採用

法律専門家でない一般市民を裁判に直接参加させる制度を陪審制といい、①刑事事件において被疑者を起訴するか否かを判断する大陪審（起訴陪審）と、②民事・刑事事件において事実を判断する小陪審（審理陪審）とに分けられる。

大陪審制度を採ることは憲法上問題はないと解されている。小陪審制度については、一般的に、裁判官が陪審の評決に拘束されないものである限り、合憲であると解されている。

イ　参審制の採用

参審制とは、一般市民が職業裁判官とともに合議体を構成して裁判をなす制度をいう。すなわち、一般市民が事実認定のみならず裁判にも参加する。

参審制では裁判官と一般市民が合議のうえで判決をまとめるのであって、裁判官の裁判への関与が否定されてはいない。むしろ、医療訴訟や社会保障事件などで専門的知識をもつ者が裁判に関与することは、実質的な審理が可能となるというメリットも認められる制度である。

(e) 裁判員制度の整備

我が国では、諸外国の陪審制度や参審制度をも参考にし、それぞれの制度に対して指摘されている種々の点を吟味したうえで、特定の国の制度にとらわれることなく、我が国にふさわしい、あるべき国民参加の形態を検討した結果、裁判員制度が整備されるに至った。

《参考》　裁判員制度の概要

1　意義・趣旨

裁判員制度とは、裁判官と国民の中から選任された裁判員で構成する裁判体が重大事件を対象として、事実認定、法令の適用、刑の量定を行う制度をいう。その趣旨は、「国民の中から選任された裁判員が裁判官と共に刑事訴訟手続に関与することが司法に対する国民の理解

統治

の増進とその信頼の向上に資する」ことである（裁判員1）。

2　内容

(1)　対象とされる事件は、死刑又は無期の懲役若しくは禁錮に当たる罪に係る事件と、法定合議事件（裁判所26Ⅱ②）であって故意の犯罪行為により被害者を死亡させた罪に係るものである（裁判員2Ⅰ）。ただし、裁判員らに対する加害行為がなされるおそれがあるような場合（裁判員3Ⅰ）や、審判期間が著しく長期にわたること等を回避できないような場合（裁判員3の2Ⅰ）は対象外となる。

(2)　裁判員の参加する合議体の構成は、原則として裁判官の員数は3人、裁判員の員数は6人である（裁判員2Ⅱ本文）。

裁判官・裁判員の権限及び評決につき、事実認定・法令の適用・無罪の決定及び量刑の判断は、裁判官と裁判員の合議体の過半数、かつ、裁判官及び裁判員のそれぞれ1人以上が賛成する意見による（裁判員6Ⅰ、67Ⅰ）。他方、法令の解釈・訴訟手続に関する判断・その他裁判員の関与する判断以外の判断は、裁判官の過半数の意見による（裁判員6Ⅱ・68Ⅱ、裁判所77Ⅰ）。

《その他》

◆　明治憲法との比較

＜司法権に関する明治憲法と日本国憲法の比較＞

	明治憲法	日本国憲法
司法権の帰属	司法権は裁判所に帰属するが、「天皇ノ名ニ於テ」行使する（明憲57Ⅰ）	司法権は、「すべて」裁判所に帰属する（76Ⅰ）
司法権の範囲	行政事件の裁判権は司法権の中に含まれない（明憲61）	行政事件の裁判権も司法権の中に含まれる
司法権の独立	裁判官の身分は一応憲法上保障されていたが（明憲58Ⅱ）、司法行政権は行政権の一部門である司法大臣の監督下にあり、また裁判所内部における裁判官の職権の独立の確保も不十分であったと評価されている	明文で裁判官の職権の独立をうたい（76Ⅲ）、その実効性を担保するために裁判官の身分保障（78、79Ⅵ、80Ⅱ）と司法府の独立・自主性（77、80Ⅰ）を認めている
違憲審査権	なし	あり（81）

第77条 〔最高裁判所の規則制定権〕

Ⅰ 最高裁判所は、訴訟に関する手続、弁護士、裁判所の内部規律及び司法事務処理に関する事項について、規則を定める権限を有する。

Ⅱ 検察官は、最高裁判所の定める規則に従はなければならない。

Ⅲ 最高裁判所は、下級裁判所に関する規則を定める権限を、下級裁判所に委任することができる。

⇒裁判所 §12・80（最高裁判所の司法行政事務）

［趣旨］司法に関する事項について国会や内閣の干渉を排除し裁判所の自主独立性を保障し（⇒ p.445）、また、裁判実務に精通する裁判所の専門性を尊重するために、最高裁判所に規則制定権が認められた。

→規則制定権は、憲法によって認められたものであって、法律によってこれを奪うことは、許されない

《注 釈》

一 規則の性格

最高裁判所規則は、裁判官（下級裁判所の裁判官も含む）・弁護士・訴訟関係人・裁判所職員などを拘束する法である。よって、この規則を制定する作用は実質的意味の立法作用であって、国会による立法権の独占（41）に対する憲法上の例外である。 ⇒ p.334

二 規則制定権の主体

規則制定権を有するのは最高裁判所であるが（77Ⅰ）、最高裁判所は、下級裁判所に関する規則制定権を、下級裁判所に委任することができる（77Ⅲ）。

→下級裁判所への規則制定権の委任は、必ずしも当該下級裁判所に関する事項のみに限られるわけではなく、その下級裁判所の管内にある下級裁判所に関する事項についても許される

三 規則の制定手続

1 規則の成立

最高裁判所規則の制定は「司法行政事務」（裁判所12）に含まれると解されるから、最高裁判所の裁判官会議で制定される。最高裁判所の委任を受けた場合の下級裁判所の規則も、その下級裁判所の裁判官会議で制定される。

→規則の制定は国民の利害に大きな影響を与えるから、重要な規則の制定・改正に関しては、裁判官・弁護士・学識経験者等の委員からなる規則制定諮問委員会を設置して必要な事項を調査・審議すべきことが規則に定められており、実質的にはかなり慎重な手続によって規則の制定・改正が行われている

2 公布

憲法は、最高裁判所規則については公布を要求していない（7①参照）。

しかし、規則が法としての性格をもつ以上、公布されることが望ましいから、規則は官報によって公布すべきこととなっている。

四　規則制定権の範囲

＜規則制定権の範囲＞〈司〉

「訴訟に関する手続」に関する事項	(1)　「訴訟に関する手続」とは、民事訴訟・刑事訴訟・行政訴訟手続の他、厳密な訴訟ではない非訟事件手続、家事審判・調停手続・民事調停手続、少年保護処分手続をも含むと解されている〈司〉 (2)　裁判所の組織・構成・管轄権等の事項は、「訴訟に関する手続」に関する事項には含まれない 　∵　裁判所の組織等に関する事項は、国家権力機構の基本に関する事柄であり、国会が法律で定めるべきである 　→弾劾に関する事項（64）、下級裁判所の設置（76Ⅰ）、最高裁判所の裁判官の定員・国民審査・定年（79）、下級裁判所の裁判官の定年（80）などは特に憲法上法律事項とされており、規則で定めることはできない
「弁護士」に関する事項	弁護士の職務・資格・身分などについては、職業選択の自由の保障（22Ⅰ）との関係から法律によるべきであるから、弁護士が裁判所に関係する限度で最高裁判所規則による規制が可能と解されている〈通〉 →実際上も弁護士の職務・資格等については、弁護士法が定めている〈司〉
「裁判所の内部規律」に関する事項	「裁判所の内部規律」に関する事項とは、裁判所内部の管理・監督に関する事項をいう ex. 執務時間、裁判官会議の議事、職員の配置・任命、裁判官の分限・懲戒に関する事項
「司法事務処理」に関する事項	「司法事務処理に関する事項」とは、裁判事務そのものではなく、それに付随し又はその前提として定めておかなければならない事項をいう ex. 裁判事務の分配、開廷の日時に関する事項
法律によって委任された事項	最高裁判所規則によって定めることができる事項は、77条1項所定の事項に限られるが、これ以外の事項でも、法律の委任があれば、その委任事項につき規則で定めることができる ex. 裁判所法9条2項に基づく最高裁判所小法廷の裁判官の員数を定めた規則

※　刑事訴訟手続も「訴訟に関する手続」であり、刑事手続の基本構造及び国民の基本的人権に直接関係する事項については、31条により法律で規定すべきことが要請されていると解され、実際的にもそのような事項につき刑事訴訟法が定める。

五　規則の対人的効力

　最高裁判所規則は、その内容に応じて、裁判官・裁判所職員のみならず、当事者その他の訴訟関係人、傍聴人などを拘束する。
　　→検察官も最高裁判所規則に従わなければならないと規定する77条2項は注意規定

統
治

∵　裁判所の手続に関与する限り、検察官も規則に服することは当然である

六　最高裁判所規則と法律

最高裁判所規則と法律との関係をいかに解すべきか。すなわち、①77条に定める事項を法律によっても定めることができるか、②法律と規則が競合した場合の効力関係をいかに解すべきかが問題となる。

1　規則事項と法律事項（①について）

＜規則事項と法律事項の関係＞

規則専属事項説	77条1項の事項は最高裁判所の専属的な所管事項であるから、法律を制定しても無効である ∵　裁判所の独立性・自律性を確保するという77条1項の趣旨を重視すべきである
競合事項説	77条1項の事項については法律でも定めることができる ∵①　国会を唯一の立法機関とする41条や、刑罰に関して法律主義を定める31条等、憲法は司法権に関する事項につき法律で定める場合を多く予定している ②　憲法上、規則事項について法律で定めることを禁止する規定がない
折衷説	訴訟に関する手続事項と弁護士に関する事項については法律で定めることができるが、裁判所の内部規律事項と司法事務処理事項は規則の専属事項である ∵　憲法が裁判所の規則制定権を認めた趣旨に照らし、裁判所の自律権に直接にかかわる内部規律事項と司法事務処理事項については、原則として規則の専属事項と解すべきである

※　判例は、法律により刑事に関する訴訟手続を規定することは本条に違反しないとし（最判昭30.4.22・百選207事件）、現に裁判所法上もそれを前提としている（裁判所12）**回**。また、裁判官の懲戒は裁判所の内部規律に当たるから規則事項と解すべきであるとの少数意見を容れず、裁判官分限法が合憲であることを前提に同法を適用する（最大決昭25.6.24）等、競合事項説に立っているとみられている。

2　最高裁判所規則と法律との効力関係（②について）

競合事項説に立つ場合又は折衷説に立つ場合には、最高裁判所規則と法律が抵触する場合がある。この場合の規則と法律の優先関係が問題となる。

＜規則と法律との効力関係＞

規則優位説	規則と法律が矛盾する場合は、矛盾する限度で法律の効力が否定される ∵　77条1項所定の事項につき法律が自由に定めることができ、かつ法律に規則を排除する優越的効力を認めれば、裁判所の独立性・自律性の確保という規則制定権の趣旨が没却される

同位説	規則と法律が矛盾する場合は、「後法が前法を廃する」の一般原則が適用され、後に成立したものが有効となる ∵ 最高裁判所規則と法律とは、その形式的効力において等しいものとみるべきである
法律優位説	規則と法律とが矛盾する場合は、矛盾する限度で規則の効力が否定される◀圖 ∵ 国民の代表者によって構成される国会は、「国権の最高機関であつて、国の唯一の立法機関である」（41）から、その制定する法律は、憲法の下では最も強い形式的効力を有するはずである

七 司法行政監督権

司法行政監督権は裁判所自身に与えられ、その自主的な運営に委ねられている。

∵① 77 条が最高裁判所に規則制定権を認めている

② 司法権に関する第6章全体の趣旨

→裁判所法も、裁判官・裁判所職員に関する内部的人事・監督の権限を最高裁判所に認めており（裁判所 80）、また財政法は、裁判所の経費は独立して予算に計上することとし、特別な扱いを認めている（財政 18 Ⅱ）

cf. 司法行政権は、すべて最高裁判所が行うわけではなく、裁判所法 80 条 2 号以下により、下級裁判所が司法行政事務を行うことも認められる

《その他》

・地方裁判所における審理に判事補の参与を認める最高裁判所規則（参与規則）は、2 人合議制を採用したものではなく、また、偏頗・不公平のおそれのある組織や構成をもつ裁判所による裁判がなされるものではなく、被告人の重要な利害や刑事訴訟法の基本構造に関する事項を規定しているものでないので、憲法 32 条、37 条、76 条、77 条、31 条に反しない（最決昭 54.6.13・百選〔第 5 版〕194 事件）。

・最高裁判所が最高裁判所規則を制定し、自らこれをめぐる訴訟の上告事件を担当することは、現行の司法制度上予定されている。そこで、同上告事件訴訟において、その最高裁判所裁判官が、同規則制定に関する裁判官会議に参加したことを理由に忌避を申し立てることはできない（最判平 3.2.25・平 3 重判 4 事件）。

第78条 〔裁判官の身分の保障〕

裁判官は、裁判により、心身の故障のために職務を執ることができないと決定された場合を除いては、公の弾劾によらなければ罷免されない。裁判官の懲戒処分は、行政機関がこれを行ふことはできない回。

⇒裁判所 §48（身分の保障）、国会 §125〜129（公の弾劾）、裁判所 §49（裁判官の懲戒）、明憲 §58Ⅱ（身分の保障）

［趣旨］
一　全体について

　76条3項は、裁判官の職権の独立を保障するが、それを確実なものとするためには、裁判官の身分保障が重要となる。そこで本条は、裁判官の罷免を限定し（前段）、また裁判官の懲戒について他の国家機関の関与を排除する（後段）。

二　78条前段について

　前半は、裁判官が心身の故障のため執務不能となった場合でも、裁判の手続により裁判所が罷免の決定を行うとすることによって、裁判官の身分に対する外部からの不当な圧力を排除することを目的とする。

　後半は、裁判官の地位も究極的には国民の意思に根拠を有する以上、裁判官が国民の信託に反する行為を行った場合には裁判官の身分を保障すべきでないことから、弾劾による裁判官の罷免を認めたものである（裁判官弾劾判昭31.4.6・百選179事件）。

三　78条後段について〈司〉

　懲戒の権限は、司法府の自主性を尊重して裁判所自身に与えられており、行政機関による懲戒は、本条後段により禁止される。

　→立法機関による懲戒も禁止されると解されている

《注　釈》
一　裁判官の罷免（78前段）

1　裁判官の罷免の限定〈司〉

（1）罷免の意義

（a）「罷免」とは、本人の意思に反して免官することをいう。

（b）本条により、①「裁判により、心身の故障のために職務を執ることができないと決定された場合」と②「公の弾劾」による場合のほかは、裁判官は罷免されないという保障が与えられている。

（2）在職中の任命欠格事由

（a）裁判所法46条は、裁判官の任命の欠格事由として以下の3つを挙げる。

　①　他の法律の定めるところにより一般の官吏に任命することができない者

　②　禁錮以上の刑に処せられた者

　③　弾劾裁判所の罷免の裁判を受けた者

（b）裁判官が在職中に上記欠格事由に該当するに至った場合、その裁判官は当然に失職するのか、それとも当然には失職せず改めて弾劾の手続を要するのか。本条により裁判官の罷免事由が限定されていることから問題となる。

＜裁判官の在職中の任命欠格事由と失職＞

A説	在職中に任命の欠格事由に該当するに至った場合には、改めて弾劾の手続をとるまでもなく、裁判官は当然に失職する通 ∵① 裁判所の判決によって禁錮以上の刑に処せられても、さらに弾劾の手続を要するとするのは常識に反する ② このように解しても、裁判官の身分保障を危うくするとは考えられない
B説	在職中に任命欠格事由に該当するに至っても当然には失職せず、その職を失わせるには、改めて弾劾の手続を必要とする ∵① 本条が裁判官の罷免事由を2つに限っていることからいって、これ以外に裁判官がその意思に反して職を失う場合を認めることは、本条の趣旨に反する ② 裁判官の任命欠格事由は法律によって定められているのであるから、法改正によって欠格事由を拡大されるという可能性もあり、その場合にもすべて当然失職と解するのは、極めて妥当性を欠く

(3) 本条における身分保障の趣旨の拡張（裁判所48）

裁判所法48条は、「その意思に反して、免官、転官、転所、職務の停止又は報酬の減額をされることはない」と規定しており、広く本条における身分保障の趣旨を及ぼしている。

2 職務不能の裁判による罷免◀司▶

「心身の故障のために職務を執ることができない」場合とは、裁判官の職務を遂行することができない程度の精神上の能力の喪失又は身体の故障であって、一時的でなく、相当長期にわたって継続することが確実に予想されるものをいう。

3 公の弾劾による罷免（64）

二 裁判官の懲戒（78後段）

1 懲戒の事由

裁判官も、裁判官としての身分関係の秩序を維持するために、「職務上の義務に違反し、若しくは職務を怠り、又は品位を辱める行状があつたとき」は、懲戒に服する（裁判所49）。

cf. 下級裁判所が裁判官の懲戒処分を行うこともできる

2 懲戒の種類

罷免は許されない。

∵ 裁判官の罷免は、憲法上78条前段のほか、79条2項に限定されている

cf. 明治憲法下では、懲戒による罷免が認められていた（明憲58Ⅱ）

《その他》

◆ 裁判官の職業倫理の保持

1 裁判所法52条は、裁判官の職業倫理の保持を求めて次の行為を禁じている。

① 国会もしくは地方公共団体の議会の議員となり、又は積極的に政治活動

をすること

→裁判官は、在職中、公職の候補者となることはできず（公選89）、候補者として届け出たときは、その届出の日に辞職したものとみなされる（公選90）

② 最高裁判所の許可がある場合を除いて、報酬のある他の職務に従事すること

③ 商業を営み、その他金銭上の利益を目的とする業務を行うこと

2 寺西判事補戒告事件（最大決平10.12.1・百選177事件） ⇒ p.220

第79条 〔最高裁判所の裁判官、国民審査、定年、報酬〕

Ⅰ 最高裁判所は、その長たる裁判官及び法律の定める員数のその他の裁判官でこれを構成し、その長たる裁判官以外の裁判官は、内閣でこれを任命する。

Ⅱ 最高裁判所の裁判官の任命は、その任命後初めて行はれる衆議院議員総選挙の際国民の審査に付し、その後10年を経過した後初めて行はれる衆議院議員総選挙の際更に審査に付し、その後も同様とする。

Ⅲ 前項の場合において、投票者の多数が裁判官の罷免を可とするときは、その裁判官は、罷免される。

Ⅳ 審査に関する事項は、法律でこれを定める。

Ⅴ 最高裁判所の裁判官は、法律の定める年齢に達した時に退官する。

Ⅵ 最高裁判所の裁判官は、すべて定期に相当額の報酬を受ける。この報酬は、在任中、これを減額することができない。

⇒Ⅰ：裁判所§5Ⅲ（法律の定める員数）、裁判所§41（任命資格）、裁判所§46（任命の欠格事由）、明憲§58Ⅰ（任命資格）

Ⅱ：裁判所§39Ⅳ（国民審査）、公選§31（総選挙）

Ⅴ：裁判所§50（定年）

Ⅵ：裁判所§51（報酬）、裁判所§48（報酬の保障）

[趣旨] 本条は、最高裁判所の構成及び最高裁判所裁判官の任命・地位について定めている。下級裁判所に関する80条とは別に本条を置いた趣旨は、最高裁判所は憲法により設置される唯一の裁判所であり、司法制度の頂点に位置する裁判所である（76）という特殊性に配慮したものと考えられる。

《注 釈》

一 最高裁判所の構成

最高裁判所は、長たる裁判官（最高裁判所長官）及び法律（裁判所法）の定める員数のその他の裁判官（最高裁判所判事）で構成される（79Ⅰ）。現在の最高裁判所は、14人の最高裁判所判事（裁判所5Ⅲ）に長官を加えた合計15人の裁判官によって構成されている。

cf. 法律を改正して、裁判官の員数を変更することは違憲ではない

二 最高裁判所裁判官の任命

最高裁判所長官は内閣の指名に基づいて天皇が任命し（6Ⅱ）、その他の裁判官（最高裁判所判事）は内閣が任命する（79Ⅰ、裁判所39ⅡⅢ・40）ことになっているが、天皇による長官の任命は形式的・儀礼的行為であるから、長官を含むすべての最高裁判所裁判官の選任は内閣が決定権をもつことになる。

これにより、国民を代表する国会の多数派を背景にした内閣（66Ⅲ参照）が、最高裁判所の組織にある程度の影響を及ぼすことができ、権力分立上の均衡が保たれる。

＊　裁判官任命諮問委員会を設けて、内閣が同委員会の答申に基づいて任命する等、内閣の最高裁判所裁判官の任命権を制限することは憲法の趣旨に反するおそれがある。

　　←最高裁判所の人事が政治的な影響を受けないよう、公平で非党派的な選考委員会が実質的に任命を行う制度を構築すべきである、との意見も有力である

　　cf. 司法権が適正に行使されるために、裁判官の資格の要件を法律で定めることは許容される（裁判所41参照）

三 最高裁判所裁判官の任期・定年

最高裁判所裁判官には、任期は定められていない。ただ、定年はあり、年齢が70年に達した時は退官する（79Ⅴ、裁判所50）司。

四 最高裁判所裁判官の報酬

最高裁判所裁判官は、定められた額の報酬を受ける（79Ⅵ）。

個々の裁判官の報酬を減額するのではなく、財政上の理由等により、法改正して一般的に全裁判官の報酬を減らすことができるか争いがある。この点、立法・行政部の公務員とともにするのであれば許されるという見解があるが、平成15年、17年、20年に、実際にこのような措置がなされた（裁判官の報酬等に関する法律、最高裁判所裁判官退職手当特例法の改正）。

ex.1　裁判官は、病気により長期にわたり欠勤した場合でも、その報酬は減額されない

ex.2　裁判官は、懲戒処分として戒告及び過料の処分を受けることはありうるが、減給処分は受けない　→過料は、報酬の「減額」に当たらない

ex.3　弾劾裁判所において審理を受けている期間中でも、報酬支払が停止されることはない

統治

＜裁判官の地位のまとめ＞

	指名	任命	認証	任期	定年
最高裁判所長官	内閣	天皇（6Ⅱ）		なし	70年（79Ⅴ、裁判所50）
最高裁判所判事		内閣（79Ⅰ）	天皇（7⑤、裁判所39Ⅲ）	なし	70年（79Ⅴ、裁判所50）
下級裁判所裁判官	最高裁判所	内閣（80Ⅰ）	高裁長官のみ天皇の認証が必要（7⑤、裁判所40Ⅱ）	10年（80Ⅰ）	65年・簡易裁判所裁判官は70年（80Ⅰ、裁判所50）

五　法廷構成

1　最高裁判所の審理及び裁判は、大法廷又は小法廷で行われる（裁判所9Ⅰ）。

2　大法廷は最高裁判所裁判官15人全員の合議体であり、小法廷は5人の裁判官（最高裁判所裁判事務処理規則2条）の合議体である（裁判所9Ⅱ）。

　　→扱う事案の性質に応じて、これらのどちらかの法廷で審理・裁判が行われる（裁判所10）

　　cf.　訴訟事件において法令等の憲法適合性について判断するすべての場合に、大法廷によって事件を裁判しなければならないわけではない（裁判所10ただし書参照）

六　最高裁判所裁判官の国民審査 〈司〉〈予H24〉

1　国民審査制度の趣旨

　　制度趣旨の中心を「内閣による恣意的な任命の危険の防止」に置くか、「司法権への民衆参加の要請の具体化」に置くか、といった点に若干の違いはあるが、「裁判官の任命を国民の民主的コントロール下に置く」趣旨である点に争いはない。

　　→公務員の選定・罷免に関する国民固有の権利（15Ⅰ）の具体的な現れ

　　　∴　国民審査で投票者の多数が裁判官の罷免を可とするとき、その裁判官は国民審査の直接の効果として罷免されるのであり、内閣が国民審査の結果を見て罷免するのではない

　　cf.　過去に罷免が成立した例はない

▼　在外邦人国民審査権訴訟違憲判決（最大判令4.5.25・令4重判5事件）〈司〉 ⇒ p.475

　　事案：　国外に居住していて国内の市町村の区域内に住所を有していない日本国民（在外国民）に最高裁判所裁判官の国民審査権の行使が認められていないことが、憲法15条1項、79条2項、3項に違反するかどうかが争われた。

統治

判旨： 国民審査の制度（79ⅡⅢ）は、「国民が最高裁判所の裁判官を罷免すべきか否かを決定する趣旨のものであるところ……、憲法は、一切の法律、命令、規則又は処分が憲法に適合するかしないかを決定する権限を有する終審裁判所である（憲法81条）などの最高裁判所の地位と権能に鑑み、この制度を設け、主権者である国民の権利として審査権を保障しているものである。そして、このように、審査権が国民主権の原理に基づき憲法に明記された主権者の権能の一内容である点において選挙権と同様の性質を有することに加え、憲法が衆議院議員総選挙の際に国民審査を行うこととしていることにも照らせば、憲法は、選挙権と同様に、国民に対して審査権を行使する機会を平等に保障しているものと解するのが相当である。

憲法の以上の趣旨に鑑みれば、国民の審査権又はその行使を制限することは原則として許されず、審査権又はその行使を制限するためには、そのような制限をすることがやむを得ないと認められる事由がなければならないというべきである。そして、そのような制限をすることなしには国民審査の公正を確保しつつ審査権の行使を認めることが事実上不可能ないし著しく困難であると認められる場合でない限り、上記のやむを得ない事由があるとはいえず、このような事由なしに審査権の行使を制限することは、憲法15条1項、79条2項、3項に違反するといわざるを得ない。また、このことは、国が審査権の行使を可能にするための所要の立法措置をとらないという不作為によって国民が審査権を行使することができない場合についても、同様である。

在外国民は、……現行法上、審査権の行使を認める規定を欠いている状態にあるため、審査権を行使することができないが、憲法によって審査権を保障されていることには変わりがないから、国民審査の公正を確保しつつ、在外国民の審査権の行使を可能にするための所要の立法措置をとることが事実上不可能ないし著しく困難であると認められる場合に限り、当該立法措置をとらないことについて、上記やむを得ない事由があるというべきである」（在外邦人選挙権制限違憲判決（最大判平17.9.14・百選147事件）参照）。

国民審査法の「投票用紙の調製や投票の方式に関する取扱い等を前提とすると、……在外審査制度を創設することについては、在外国民による国民審査のための期間を十分に確保し難いといった運用上の技術的な困難があることを否定することができない。

しかしながら、……審査権と同様の性質を有する選挙権については、……在外選挙制度が創設され、……現に複数回にわたり国政選挙が実施されていることも踏まえると、上記のような技術的な困難のほかに在外審査制度を創設すること自体について特段の制度的な制約があるとはいい難い。そして、……在外審査制度において、上記のような技術的な困難を

統治

回避するために、現在の取扱いとは異なる投票用紙の調製や投票の方式等を採用する余地がないとは断じ難いところであり、具体的な方法等のいかんを問わず、国民審査の公正を確保しつつ、在外国民の審査権の行使を可能にするための立法措置をとることが、事実上不可能ないし著しく困難であるとは解されない。そうすると、在外審査制度の創設に当たり検討すべき課題があったとしても、在外国民の審査権の行使を可能にするための立法措置が何らとられていないことについて、やむを得ない事由があるとは到底いうことができない。

したがって、国民審査法が在外国民に審査権の行使を全く認めていないことは、憲法15条1項、79条2項、3項に違反するものというべきである」。

2　国民審査の法的性質

＜国民審査の法的性質に関する判例・学説＞

法的性質	根拠	批判
リコール＝解職制度と捉える立場（最大判昭27.2.20・百選178事件）◀通	① 79条3項が国民審査の法的効果として当該裁判官が罷免されることを定めている ② 任命後、審査を受けるまでの裁判官の地位につき、何ら憲法上規定がないことは、任命行為により任命は完結していることの現れである	① 国民が積極的に罷免手続を開始できないのにリコール制度といえるかは疑問である ② 任命後初めての審査は、任命されたばかりでほとんど裁判をしていない裁判官も対象となりうるがその場合、国民は審査のための十分な判断材料を有していない
不適任者の罷免と適任者への民意による地位強化と捉える立場	制度趣旨（民主的統制）に照らし①不適任者を民意に基づき罷免し②適任者については、民意によりその地位を強化する制度と捉えるべきである	根拠②を否定するわけではないが適任者に対しても罷免の制度であることは否定できないはずである
罷免制度であると同時に任命の事後審査と捉える立場	任命後初めての審査が任命されたばかりの裁判官を対象とすることがありうるので、特に第1回の審査は、内閣の任命行為に対する事後審査と捉えるべきである	解職制度と捉える以上国民は何の理由もなく裁判官を罷免できるから十分な判断材料をもたない段階で審査・罷免することも認められうる

※　上記三説の他に、国民審査の法的性質を任命行為の完結・確定と捉える立場もあるが、これに対しては、任命後から国民審査までの裁判官の地位を合理的に説明することが困難であるとの批判がある。

3　国民審査の方法

　　国民審査の方法について、最高裁判所裁判官国民審査法15条は、審査に付される裁判官の氏名が印刷された投票用紙に、投票者が罷免を可とする裁判官の欄に×印を記載し、罷免を可としない裁判官については何らの記載もしない、という方法を定めている。

　　この方法は、罷免の可否がわからず何の記入もせずに投票した者に「罷免を可としない」という法的効果を付与するもので、事実上、棄権の自由を認めない点で違憲ではないかが問題とされている。

▼　**最大判昭27.2.20・百選178事件**⬚

判旨：　国民審査制度の実質はいわゆる解職の制度とみることができるから、白票を罷免を可としない票に数えても思想良心の自由（19）に反しないと判示した。

評釈：　現行法の方式が違憲でないとしても、白票をすべて罷免不可の票として数えるのは不合理であるとの批判がされている。

4　最高裁判所長官の国民審査

　　最高裁判所判事に任命されすでに国民審査を受けた者が、最高裁判所長官に任命された場合、再度の国民審査を必要とするだろうか。必要説と不要説がある（過去の実例では再審査に付されていない）。

<最高裁判所長官の国民審査>

学説	理由
必要説	①　79条1項では「長官」と「判事」は「長たる裁判官」「その他の裁判官」として区別されており、任命権の所在・手続も異なるので、それぞれの任命は各別に国民審査に付されるべきである ②　「長官」は「判事」とは異なる特別の地位・権限を有するので、適格性の判定においても別個に国民審査の対象となるべきである ③　15条1項の趣旨を活かすべく、国民審査の対象と機会は広く認めるべきである
不要説	①　憲法の「最高裁判所の裁判官」は「長官」と「判事」をともに含み、両者を区別して取り扱うことは特に規定していない ②　必要説の主張する「異なる特別の地位・権限」はいずれも法律上の相違点であり、憲法上の地位・職責には何らの相違もない ③　15条1項の趣旨は積極的に活かされるべきだとしても、裁判官の身分保障の重要性も考慮すべきである

第80条 〔下級裁判所の裁判官・任期・定年、報酬〕

Ⅰ 下級裁判所の裁判官は、最高裁判所の指名した者の名簿によつて、内閣でこれを
任命する。その裁判官は、任期を１０年とし、再任されることができる。但し、法
律の定める年齢に達した時には退官する。

Ⅱ 下級裁判所の裁判官は、すべて定期に相当額の報酬を受ける。この報酬は、在任
中、これを減額することができない。

⇒Ⅰ：裁判所§40（下級裁判所の裁判官の任免）、裁判所§42〜45（任命資格）、
裁判所§46（任命の欠格事由）、裁判所§50（定年）

Ⅱ：裁判所§51（報酬）、裁判所§48（身分の保障）

【趣旨】本条は、下級裁判所裁判官の定年・報酬については、最高裁判所裁判官に
関する79条と同様の定めを置いている。しかし、下級裁判所裁判官の任命につい
ては、内閣の任命権を最高裁判所の指名の枠内にとどめており、79条が最高裁判
所裁判官の任命権を内閣に専属せしめているのと異なる。これは、裁判所内部だけ
で任命がなされることで司法の独善がもたらされることを防止するとともに、内閣
による恣意的・党派的な任命による司法権の独立の侵害を防ぐことを考慮した結果
である。

《注 釈》

一 下級裁判所裁判官の任命

1 下級裁判所裁判官は、最高裁判所の指名した者の名簿によって、内閣が任命
する（80Ⅰ）。

2 指名と任命の関係

(1) 指名の方式

「最高裁判所の指名した者の名簿」には裁判官１人の空席につき２人以上
の候補者を記載すべきか。この点、憲法上は１人の氏名の記載（単記指名方
式）でも、２人以上の氏名の記載（複数指名方式）でもいずれでもよいとす
る立場が有力である。ただ、複数指名方式では、内閣の裁量の比重が大きく
なるため、司法権の自主性尊重の観点から単記指名方式が望ましいとする見
解も主張されている。

(2) 内閣の任命拒否

最高裁判所が実質的に指名した者の任命を、内閣は拒否できるか。

A説：内閣は任命を拒否することもできる

∵① 実質的に裁判所内部だけで任命することによる司法の独善化
を避けるべきである

② 下級裁判所裁判官の任命は、任命権者である天皇が国政に関
する権能を有しない（４Ⅰ）ことから任命拒否の許されない内
閣総理大臣の任命（６Ⅰ）とは異なる

* この説を前提としつつ、最高裁判所に指名権が与えられている趣旨を無にしてしまうような恣意的な拒否権の行使は許されないとする見解もある。
  B説：内閣は任命を拒否することはできない
  ∵① 憲法が全体として司法権の独立の強化に配慮している
  ② 裁判官の任命資格が法律でかなり厳格に制限されている

二 下級裁判所裁判官の任期・定年

1 任期
  (1) 下級裁判所裁判官の任期は10年である。再任制を採用している（80Ⅰ）。
  (2) 「任期を10年とし、再任されることができる」（80Ⅰ本文）の解釈
  　　下級裁判所の裁判官の再任指名について、憲法80条1項は「任期を10年とし、再任されることができる」としているが、最高裁判所はかかる指名に際して自由裁量で決めることができるのか。裁判官の身分保障との関係で問題となる。
  　　A説：裁判官は任命の日から10年を経過すれば当然に退官し、また、再任は新任と全く同じであり、任命権者は自由裁量によって再任・不再任を決定できる（自由裁量説）
  　　∵① 任期制度は裁判官の身分保障からくる人事の停滞と独善化の弊害を打破し、不適任者を排除するもので、任期満了者は単に再任を禁止されていないにすぎない
  　　② 80条1項の規定は、再任・不再任の決定を再任権者の自由に委ねたとしか読めない
  　　批判：裁判官の身分保障が著しく不安定になってしまい、裁判官の身分保障を万全のものにしようとする憲法の趣旨にそぐわない
  　　B説：裁判官は任命の日から10年を経過すればその身分は消滅するが、特段の事由なき場合は当然再任される（羈束裁量説）
  　　∵① 任期はやはり文字通り任期である
  　　② 10年の任期の定めは、この期間ごとに特段の事由ある不適格者を排除するために設けられたものにすぎない
  　　批判：① 「特段の事由」をたとえば著しい成績不良を含むといった形で広く認めるなら、最高裁判所の判断で再任拒否ができることになり、実際には自由裁量説と変わらなくなってしまう
  　　② 「特段の事由」を弾劾事由に当たる場合に限るという形で限定的に考えれば、再任制度が免官・罷免制度の補完物にすぎなくなり、その存在理由を十分に説明することができない

　　C説：78条に規定されるような身分保障の例外に該当しない限り、10年
　　　　の任期経過後も裁判官の身分は継続するのを原則とし、ただ、10
　　　　年を経過するごとにその適格性をチェックするにすぎない（身分継
　　　　続説）
　　　　∵　裁判官の任期は国会議員等の任期とは本質的に異なり、その前
　　　　　提には身分継続の原則がある
　　　　批判：身分保障の趣旨には合致するが、文理的な読み込みとしてか
　　　　　なり無理がある
　　＊　最高裁判所は、宮本判事補事件において自由裁量説を採用した。
　2　定年
　　　下級裁判所裁判官の定年は、年齢65年に達した時（ただし簡易裁判所裁判
　官だけは70年）と定められている（80Ⅰただし書、裁判所50）司。
　　cf.　任期中に定年に達する者も、定年に達した時点で退官すればよいので、
　　　下級裁判所の裁判官として任命することができる

三　下級裁判所裁判官の報酬
　　　下級裁判所裁判官は、一定額の報酬を受ける（80Ⅱ）。
　　cf.　最高裁判所裁判官の報酬　⇒ p.458

第81条〔法令審査権と最高裁判所〕
　　最高裁判所は、一切の法律、命令、規則又は処分が憲法に適合するかしないかを決
　定する権限を有する終審裁判所である。

⇒裁判所 §10・民訴 §312・324・327Ⅰ・336Ⅰ・刑訴 §405・406・433（違憲問題
の裁判）

[趣旨] 本条は、憲法の最高法規性（98Ⅰ）を裁判所の違憲審査を通じて担保し、
国民の個々の憲法上の権利の保障並びに憲法規範の一般的保障（⇒ p.546）を行う
ことに趣旨がある。

《注　釈》
一　違憲審査制の性格
　1　違憲審査制の基本類型
　（1）違憲審査制の中には、何らかの裁判機関に違憲審査権を認める制度（裁判
　　　所型）と、特別の政治機関にこれを認める制度（政治機関型）の2つがあ
　　　る。
　（2）裁判所型は、さらに、①通常の司法裁判所に違憲審査権を行使させる司法
　　　裁判所型（アメリカ型）と、②憲法裁判所という特別の裁判所を設けてそれに
　　　違憲審査権を行使させる憲法裁判所型（ドイツ型）とに分けることができる。
　2　我が国の違憲審査制の法的性格
　　　アメリカ型の違憲審査制は、具体的な訴訟事件を前提として、その解決に必

要な限りにおいて違憲審査権を行使する付随的違憲審査制である。これに対し、ドイツ型の違憲審査制は、具体的な訴訟事件を離れて抽象的に法令等の違憲審査を行う抽象的違憲審査制である〈子。

我が国の違憲審査制については、最高裁判所に付随的違憲審査権が与えられていると解する点に争いはない。では、それ以上に、抽象的違憲審査権をも与えられているのであろうか。

＜我が国の違憲審査制の法的性格＞〈回

	内容	理由
付随的違憲審査制説	具体的な訴訟事件を前提として、その解決に必要な限りにおいて違憲審査権を行使できる	① 81条は、第6章「司法」に規定されている ② 日本国憲法上、抽象的違憲審査制に関する手続的規定が置かれていない ③ 民主主義体制の下にあっては、裁判所の有する違憲審査権は、なるべく自己抑制的に行使されるべきである ④ 抽象的違憲審査制を認めると、その違憲判決の効力が一般的効力を有することになり、その結果、裁判所の消極的立法作用を認めることになってしまう
抽象的違憲審査制説	具体的な訴訟事件を離れて抽象的に法令等の違憲審査をすることができる	① 裁判所は司法作用を行う以上、具体的事件の解決の前提として法令の合憲性の審査を行いうるのは当然であり、81条が事件解決の前提として合憲性審査権を認めたにすぎないと解することは81条の積極的意義を看過している ② 81条の「決定する」とは憲法裁判所的権限を与える意味であり、最高裁判所が抽象的審査権を行使して憲法の規範性を維持すべきことは98条や99条からも推定される ③ 最高裁判所の裁判官に対しては、国民審査（79Ⅱ）という民主的コントロールの制度があるため、下級裁判所の裁判官とは異なって抽象的審査権を与えてもよい
法律事項説	法律や裁判所規則でその権限や手続を定めれば、最高裁判所に憲法裁判所の機能を果たさせることもできる	① 76条1項の「司法権」の概念は、抽象的憲法裁判を含みうるほどに流動的なものである ② 81条が最高裁判所に憲法裁判所的性格を積極的に与えていると解することはできないが、だからといってそれを禁ずる趣旨にも解されない

統治

▼ **警察予備隊違憲訴訟（最大判昭27.10.8・百選187事件）**

事案： 自衛隊の前身である警察予備隊の合憲性が争われ、最高裁判所に直接憲法訴訟が提起された。

判旨： 「わが現行の制度の下においては、特定の者の具体的な法律関係につき紛争の存する場合においてのみ裁判所にその判断を求めることができるのであり、裁判所がかような具体的事件を離れて抽象的に法律命令等の合憲性を判断する権限を有するとの見解には、憲法上及び法令上何等の根拠も存しない」と判示した。

評釈： この判例は、抽象的審査制説を明確に否定している。しかし、「わが現行の制度の下においては」、「憲法上及び法令上」など、読み方によっては法律事項説を認める余地があるような言い回しをしていることに注意する必要がある。

二 違憲審査権の主体

1 最高裁判所

最高裁判所は、81条より違憲審査権を有する。その違憲審査は最終的なものとしてなされる。

→最高裁判所以外の機関が法律等の合憲性を判断するとしても、それが最終的判断ではなく、かつ法的拘束力を有しないものであれば、同条には反しない

2 下級裁判所

下級裁判所が違憲審査権を有するか否かについては、81条からは必ずしも明らかではないが、これを肯定するのが一般的である。

なお、現行訴訟法においても（刑訴405、民訴312Ⅰ等）、下級裁判所が違憲審査権を有することが前提とされている。

∵① 違憲審査権が司法権の機能の一環として捉えられる以上、それは最高裁判所だけでなく、同じく司法権を担当する下級裁判所においても同様に行使できる性格のものと解するのが自然である

② 81条が下級裁判所の違憲審査権をことさらに排除する趣旨には読めず、むしろ司法権の頂点に立つ最高裁判所が、その権限の最終的な行使者であることを強調したものと解される

* 81条の趣旨からすれば、下級裁判所の違憲審査は終局的であってはならず、必ず最終的に最高裁判所の審査を受ける途を開くことが必要となる。

また、最終的判断権をもつものではないので、下級裁判所による違憲判断は、たとえそれが確定しても単に当該事件の当事者に対して当該法令の適用を排除するだけの意味しかない。

▼　**食糧管理法違反事件（最大判昭 25.2.1）**〈共〉

　　判例は、①憲法の最高法規性（98Ⅰ）と②裁判官の憲法尊重擁護義務（99）
を理由に、「裁判官が、具体的訴訟事件に法令を適用して裁判するに当り、その
法令が憲法に適合するか否かを判断することは、憲法によって裁判官に課せ
られた職務と職権であって、このことは最高裁判所の裁判官であると下級裁判所
の裁判官であることを問わない」として、下級裁判所にも違憲審査権を認めた。

三　違憲審査の対象

1　国内法規範

　　違憲審査の対象事項とされる「一切の法律、命令、規則又は処分」（81）に
は、憲法の下にある一切の国内法規範並びに個別具体的な公権行為が含まれる
と解されている。

＜違憲審査の対象＞

法律	国会の制定する形式的意味の法律
命令・規則	法律以外の形式の一般的・抽象的規範
処分〈共〉	公権力による個別・具体的な法規範の定立行為 →行政機関のそれに限らず、立法機関・司法機関の行為も含む →裁判所の判決も含まれる（最大判昭 23.7.7・百選 189 事件）〈通〉

※　現実に存在する法形式が、これらの中のどれに当たるか必ずしも明瞭でない場合が
あるが、条例や規則等を含めた一切の法規範が違憲審査権の対象となるという点では
学説は一致している。

▼　**最大判昭 23.7.7・百選 189 事件**〈予H27〉

　　最高裁判所の違憲審査権は、98条の最高法規の規定又は 76条若しくは 99
条の裁判官の憲法遵守義務の規定から十分に抽出され、81条はこれを明文をも
って規定したものであり、「一切の抽象的規範は、法律たると命令たると規則た
るとを問わず、終審として最高裁判所の違憲審査権に服すると共に、一切の処
分は、行政処分たると裁判たるとを問わず、終審として最高裁判所の違憲審査
権に服する。すなわち、立法行為も行政行為も司法行為（裁判）も、皆共に裁
判の過程においてはピラミッド型において終審として最高裁判所の違憲審査権
に服するのである」。

2　条約〈予H27〉

　　81条の文言上、条約が違憲審査の対象となるかどうかは明らかでない。そ
こで、条約の性質上、これに違憲審査権が及ぶのかが学説上争われている。

＊　国際法と国内法との関係（⇒ p.550）につき二元論を採れば、憲法と条約

の抵触は生じないから、条約は当然に違憲審査の対象とならないといいうる。また、この点につき一元論を採ったとしても、憲法と条約の優劣関係（⇒ p.551）について条約優位説に立つ場合には、条約は違憲審査の対象とならない。条約が違憲審査の対象となるか否かは、一元論かつ憲法優位説に立ってはじめて問題となるとされているようである。

＜条約に対する違憲審査の可否＞

	理　由
否定説	①　81条・98条1項は「条約」を除外し、むしろ、98条2項は「条約」の誠実遵守を謳っている ②　条約は外国との合意によって成立するという特質を有し、一国の意思だけで効力を失わせることはできないことに加え、極めて政治的な内容をもつものが多い
肯定説	①　条約はそのまま国内法的効力をもつので、形式的効力は法律より強いけれども、国内法的には81条の「法律」（ないし「規則又は処分」）に準じて扱うことができる ②　裁判所が条約を違憲と判断する場合でも、それは条約の国内法的効力を否定するにとどまり、国際法上の条約の効力を否定するものではない〈同〉

※　この他にも、特に人権保障を侵害するような内容の条約については違憲審査権が及ぶと解する部分的肯定説や、条約それ自体は違憲審査権の対象にならないが、法令等の審査に当たって、条約を前提問題として違憲審査することは許されるとする見解がある。

▼　砂川事件（最大判昭 34.12.16・百選 163 事件）〈予〉

事案：　デモ隊員がアメリカ空軍基地内へ侵入した行為が、日米安保条約に基づく刑事特別法違反に問われ、日米安保条約の合憲性が争われた。

判旨：　安全保障条約が「違憲なりや否やの法的判断は、その条約を締結した内閣およびこれを承認した国会の高度の政治的ないし自由裁量的判断と表裏をなす点がすくなくない。それ故、右違憲なりや否やの法的判断は、純司法的機能をその使命とする司法裁判所の審査には、原則としてなじまない性質のものであり、従って、一見極めて明白に違憲無効であると認められない限りは、裁判所の司法審査権の範囲外のもの」であると判示した。

評釈：　本判決は、およそ条約なるがゆえに違憲審査の対象とはならないとの論法はとっておらず、むしろ審査可能性を前提としたうえで、憲法判断を差し控えるという方法をとっている。ただ、この判決の論理には、統治行為論とも裁量論ともとれる曖昧さが含まれている。

　　　なお、沖縄代理署名訴訟（最大判平 8.8.28・百選 167 事件）において、判例は、「日米安全保障条約及び日米地位協定が違憲無効であること

が一見極めて明白でない以上、裁判所としては、これが合憲であること
を前提として駐留軍用地特措法の憲法適合性についての審査をすべきで
ある」としている。

🏷 3　統治行為〈予H27〉

　「統治行為」とは、一般に、直接国家統治の基本に関する高度に政治性のあ
る国家行為で、法律上の争訟として裁判所による法律的な判断が理論的には可
能であるのに、事柄の性質上、司法審査の対象から除外される行為をいうとさ
れている。

　この統治行為論の肯否につき争いがある。

＜統治行為論の肯否＞

		内容	理由
	否定説	「統治行為」の存在は認めるべきでない	①　統治行為論は高度の政治性を根拠とするが、その捉え方いかんでは重大な憲法問題はすべて「統治行為」となりかねない ②　法治原則と司法審査の貫徹こそが憲法の要請である
肯定説	自制説	「統治行為」については、裁判所は政策的にその権限の行使を自制すべきである	裁判所が高度の政治性を有する国家行為について、違憲・無効と判断することには、社会的混乱・対外的国家意思の分裂・司法の政治化等の危険性が存する →そうした重大な害悪を避けるため、違法という障害を甘受しなければならない
	内在的制約説	「統治行為」論は三権分立（41、65、76Ⅰ）や民主的責任政治の原則などに由来する司法権の内在的制約である	①　憲法上身分保障があり（78）、主権者である国民（前文1段、1）による直接的統制を受けない裁判官は、国民に政治的責任を負いえない以上、政治部門の決定に基づく高度の政治性を有する行為に対して司法審査を行うべきではない。それらの行為に対する統制は、裁判所による司法的統制によってではなく、国民が選挙や一般世論の判断等の方法により政治的・民主的に行うのが合理的かつ適当である ②　高度の政治性を有する行為について司法判断を行えば、国家の統治作用を裁判官が最終的に判断することになり、権力分立の趣旨に反する
	折衷説	「統治行為」論は自制と内在的制約との微妙な結合の上に成立している	自制説に対しては、なぜ憲法上の権能の不行使が正当化されるのかという疑問があるし、内在的制約説に対しては、権力分立概念の多義性・司法権観念の流動性のゆえに必ずしも決め手にならないのではないかという疑問がある

※　肯定説に立った場合でも、「統治行為」は限定的に捉えられるべきである。そこで
「統治行為」に当たるものとしては、通常、①内閣及び国会の組織に関する基本的事
項、②それらの運営に関する基本的事項、③それらの相互干渉に関する事項、④国家
全体の運命に関する重要事項が挙げられている。

▼ 苫米地事件（最大判昭35.6.8・百選190事件）〈司共予〉

事案： 衆議院の内閣不信任決議（69）を経ずに内閣により一方的に行われた衆議院の解散につき、衆議院議員であった苫米地氏が解散の合憲性を争った。

判旨： 「直接国家統治の基本に関する高度に政治性のある国家行為のごときはたとえそれが法律上の争訟となり、これに対する有効無効の判断が法律上可能である場合であっても、かかる国家行為は裁判所の審査権の外にあり、その判断は主権者たる国民に対して政治的責任を負うところの政府、国会等の政治部門の判断に委され、最終的には国民の政治判断に委ねられているものと解すべきである。この司法権に対する制約は、結局、三権分立の原理に由来し、当該国家行為の高度の政治性、裁判所の司法機関としての性格、裁判に必然的に随伴する手続上の制約等にかんがみ、特定の明文による規定はないけれども、司法権の憲法上の本質に内在する制約」である。

評釈： この判決は統治行為論をほぼ純粋に認めた唯一の例とされているが、包括的な統治行為の観念を持ち出さなくても、裁量論ないし政治部門の自律という観念で処理できたはずだという批判が向けられている。

▼ 砂川事件（最大判昭34.12.16・百選163事件） ⇒ p.469

▼ 沖縄代理署名訴訟（最大判平8.8.28・百選167事件）

事案： 沖縄県のアメリカ軍基地用地を強制使用するため、内閣総理大臣が沖縄県知事に、手続に必要な土地・物件調書への代理署名を求めた。

判旨： 「日米安全保障条約及び日米地位協定が違憲無効であることが一見極めて明白でない以上、裁判所としては、これが合憲であることを前提として駐留軍用地特措法の憲法適合性についての審査をすべきである」。

4 立法不作為

積極的な国家行為は、原則としてすべて違憲審査の対象となる。では、消極的な国家行為である国会の立法不作為は違憲審査の対象となるのか。

cf. 行政庁の不作為に対しては、不作為の違法確認の訴え（行訴3Ⅴ）が用意されている

(1) 実体法上の問題点

(a) どの時点でどのような立法をすべきかすべきでないかの判断は、原則として国会の裁量に委ねられる。

しかし、一般に、憲法の明文上又は解釈上国会の立法義務が導かれる場合には、立法不作為も実体法上違憲となりうるとされている。

(b) ただ、立法をなすうえでは立法内容の検討・審議のため一定の時間が必要であり、また立法されないことにつき相当の理由がある場合が少なくない。

統治

そこで、①国会が立法の必要性を十分認識し、立法をなそうと思えばできたにもかかわらず、②一定の合理的期間を経過してもなお放置しているときに、立法不作為は具体的に違憲となると解する立場が有力である。

▼ **衆議院議員定数不均衡違憲判決（最大判昭60.7.17・百選〔第6版〕154事件）**

「投票価値の不平等状態が違憲の程度に達したかどうかの判定は国会の裁量権の行使として許容される範囲内のものであるかどうかという困難な点にかかるものである等のことを考慮しても、なお憲法上要求される合理的期間内の是正が行われなかったものと評価せざるを得ない」とした。

(2) 立法不作為に対する違憲審査の可否

81条は主として積極的な国家行為を問題としている。したがって、立法不作為が実体法上違憲となりうるとしても、それは、政治過程の中で対処されていくべき性質のものといえる。

しかし、①個人の重要な基本的人権が、②立法の不作為ないし不備によって実際に侵害されていることが明確な場合には、司法審査の対象となることがあると解されている。

(3) 立法不作為に対する違憲審査の方法

では、具体的に立法不作為の違憲性を争う方法として、いかなるものがあるか。

＜立法不作為に対する違憲審査の方法＞

方法	学説	理由
立法義務付け訴訟	否定説	国会を唯一の立法機関とする41条に反し、権力分立の趣旨に反するので認められない
違憲確認訴訟	肯定説	裁判所は不作為の違憲性を確認するにとどまり、国会に対し特定の立法を行うことを命じるわけではないので、41条に反しない（行政事件訴訟法の無名抗告訴訟（行訴3Ⅰ）の一種として構成する）
	否定説	① 現行法上、違憲確認の訴えという類型は認められておらず、現実にかかる訴訟が認められるか疑問である ② 違憲判決がなされたとしても、それによって国会は特定の立法を義務付けられるわけではなく、立法不作為による権利侵害は実質的に何ら救済されないため、確認の利益に乏しい

方法	学説	理由
国家賠償請求訴訟	肯定説	① 51条の免責特権は、行為者たる議員の責任を免除するものであるが、それが不法行為であることまで否定するものではなく、国はそれによって生じた損害に対する賠償の責に任ずる ② 国家賠償法の故意・過失の要件については、合議制機関としての国会の統一的な意思決定について認定すれば足りる
	否定説	① 立法の内容についての審査と立法行為についての審査は区別すべきである ② 国会議員の故意・過失の認定が困難である ③ 51条は、国会議員の立法行為は本質的に政治的なものであって、国民に対して法的責任を負うものでないことを規定している

▼ 在宅投票制度廃止事件（最判昭60.11.21・百選191事件）

事案：　公職選挙法は、歩行が著しく困難なため投票所に行けない選挙人のための在宅投票制度を定めていたが、制度を悪用した不正が後を絶たなかったことから、改正により在宅投票制度は廃止された。歩行が著しく困難なXは、在宅投票制度の廃止及び同制度を復活させる法改正を行わないという不作為が憲法15条1項等に違反し、違法な公権力の行使に当たるとして、国家賠償法1条1項に基づき損害賠償請求訴訟を提起した。

判旨：　「国会議員の立法行為は、立法の内容が憲法の一義的な文言に違反しているにもかかわらず国会があえて当該立法を行うというごとき、容易に想定し難いような例外的な場合でない限り、国家賠償法1条1項の規定の適用上、違法の評価を受けない」と判示した。

評釈：　救済手続が不十分な日本の訴訟制度の中で、本判決があえて国家賠償請求訴訟の道筋をほぼ封じてしまったことには批判も多い。

▼ 熊本地判平13.5.11・百選192事件

事案：　国立療養所に入所していたハンセン病患者が、国会議員がらい予防法を改廃しなかった立法不作為の違憲・違法を主張して提訴した事案。

判旨：　在宅投票制度廃止事件判決が示した基準は、「もともと立法裁量にゆだねられているところの国会議員の選挙の投票方法に関するものであり、患者の隔離という他に比類のないような極めて重大な自由の制限を課する新法の隔離規定に関する本件とは、全く事案を異にする」。「『立法の内容が憲法の一義的な文言に違反している』ことは、立法行為の国家賠償法上の違法性を認めるための絶対条件」とは解されず、「極めて特殊で例外的な場合に限られるべきであることを強調しようとしたにすぎないものというべきである」。「新法の隔離規定が存続することによる人権被害の重大性とこれに対する司法的救済の必要性にかんがみれば、他にはおよそ想定し難いような極めて特殊で例外的な場合として、遅くとも昭和40

年以降に新法の隔離規定を改廃しなかった国会議員の立法上の不作為につき、国家賠償法上の違法性を認めるのが相当である」。

▼ 在外邦人選挙権制限違憲判決（最大判平17.9.14・百選147事件）

〈司共予〉〈司H22〉

事案： 平成8年の衆議院議員選挙で選挙権を行使できなかった在外国民Xらは、①改正前公職選挙法違憲確認の訴え、②Xらが選挙権を行使する権利を有することの確認の訴え（当事者訴訟）、③改正後公職選挙法違憲確認の訴え、④平成8年の衆議院議員選挙で選挙権を行使できなかったことに対する国家賠償請求を求めた。

判旨： ①は過去の法律関係の確認であるとして却下し、②④を認容した。そして、③は②の方が適切な訴えであり、訴えの利益を欠くとして却下するとともに、②、④について以下のように判示した。

②について

在外国民の選挙権の行使を制限することの憲法適合性について、「国民の選挙権又はその行使を制限することは原則として許されず、国民の選挙権又はその行使を制限するためには、そのような制限をすることがやむを得ないと認められる事由がなければならない」。そして、「そのような制限をすることなしには選挙の公正を確保しつつ選挙権の行使を認めることが事実上不能ないし著しく困難であると認められる場合でない限り、上記のやむを得ない事由があるとはいえず」、また、「このことは、国が国民の選挙権の行使を可能にするための所要の措置を執らないという不作為によって国民が選挙権を行使することができない場合についても、同様である」。

改正前の公職選挙法の憲法適合性について、国会が、10年以上在外選挙制度を何ら創設せず本件選挙において在外国民の投票を認めなかったことにつき、「やむを得ない事由があったとは到底いうことができ」ず、「本件改正前の公職選挙法が、本件選挙当時、在外国民であった上告人らの投票を全く認めていなかったことは、憲法15条1項及び3項、43条1項並びに44条ただし書に違反するものであった」。

また、改正後の公職選挙法において、在外選挙制度の対象となる選挙を当分の間両議院の比例代表選出議員の選挙に限定した部分は、通信手段の発展などによって、在外国民に候補者個人に関する情報を適正に伝達することが著しく困難であるとはいえなくなったこと、参議院比例代表選出議員の選挙の投票については、平成13年及び同16年に、在外国民についてもこの制度に基づく選挙権の行使がされていることから、「遅くとも、本判決言渡し後に初めて行われる衆議院議員の総選挙又は参議院議員の通常選挙の時点においては、衆議院小選挙区選出議員の選挙及び参議院選挙区選出議員の選挙について在外国民に投票をすることを認

めないことについて、やむを得ない事由があるということはできず……憲法15条1項及び3項、43条1項並びに44条ただし書に違反」し無効である。

次回の選挙において選挙権を行使する権利を有することの確認を求める訴えについても、「公法上の当事者訴訟のうち公法上の法律関係に関する確認の訴え」として適法であるとした上で、原告らは、次回の選挙区選出議員の選挙において「在外選挙人名簿に登録されていることに基づいて投票をすることができる地位にあるというべきである」としている。

④について

「立法の内容又は立法不作為が国民に憲法上保障されている権利を違法に侵害するものであることが明白な場合や、国民に憲法上保障されている権利行使の機会を確保するために所要の立法措置を執ることが必要不可欠であり、それが明白であるにもかかわらず、国会が正当な理由なく長期にわたってこれを怠る場合などには、例外的に、国会議員の立法行為又は立法不作為は、国家賠償法1条1項の規定の適用上、違法の評価を受ける」。

国外に居住していて国内の市町村の区域内に住所を有していない日本国民に国政選挙における選挙権行使の機会を確保するためには、上記国民に上記選挙権の行使を認める制度を設けるなどの立法措置を執ることが必要不可欠であったにもかかわらず、上記国民の国政選挙における投票を可能にするための法律案が廃案となった後、10年以上の長きにわたって国会が投票を可能にするための立法措置を執らなかったことは、上記の例外的な場合に当たり、このような場合においては、過失の存在を否定することができない。したがって、本件においては、上記の違法な立法不作為を理由とする国家賠償請求はこれを認容すべきである。

▼　在外邦人国民審査権訴訟違憲判決（最大判令4.5.25・令4重判5事件）⇒p.459

事案：　国会が在外邦人に国民審査権の行使を認める制度（在外審査制度）を創設しなかったこと（以下、「本件立法不作為」という）により、平成29年国民審査において国民審査権を行使することができなかったことを理由に、国賠法1条1項に基づく損害賠償請求が認められるかどうかが争われた。

判旨：　国会議員の立法行為又は立法不作為が国家賠償法1条1項の適用上違法となるかどうかは、「国会議員の立法過程における行動が個々の国民に対して負う職務上の法的義務に違反したかどうかの問題であり、立法の内容の違憲性の問題とは区別されるべきものである。そして、上記行動についての評価は原則として国民の政治的判断に委ねられるべき事柄であって、仮に当該立法の内容が憲法の規定に違反するものであるとして

も、そのゆえに国会議員の立法行為又は立法不作為が直ちに同項の適用上違法の評価を受けるものではない。もっとも、法律の規定が憲法上保障され又は保護されている権利利益を合理的な理由なく制約するものとして憲法の規定に違反するものであることが明白であるにもかかわらず、国会が正当な理由なく長期にわたってその改廃等の立法措置を怠る場合などにおいては、国会議員の立法過程における行動が上記職務上の法的義務に違反したものとして、例外的に、その立法不作為は、同項の適用上違法の評価を受けることがあるというべきである。そして、国民に憲法上保障されている権利行使の機会を確保するための立法措置をとることが必要不可欠であり、それが明白であるにもかかわらず、国会が正当な理由なく長期にわたってこれを怠るときは、上記の例外的な場合に当たるものと解するのが相当である」（最判昭 60.11.21・百選 191 事件、最大判平 17.9.14・百選 147 事件参照）。

「国会において在外国民の審査権に関する憲法上の問題を検討する契機もあったといえるにもかかわらず、国会は、平成 18 年公選法改正や平成 19 年の国民投票法の制定から平成 29 年国民審査の施行まで約 10 年の長きにわたって、在外審査制度の創設について所要の立法措置を何らとらなかったというのである。

以上の事情を考慮すれば、遅くとも平成 29 年国民審査の当時においては、在外審査制度を創設する立法措置をとることが必要不可欠であり、それが明白であるにもかかわらず、国会が正当な理由なく長期にわたってこれを怠ったものといえる。

そうすると、本件立法不作為は、平成 29 年国民審査の当時において、国家賠償法 1 条 1 項の適用上違法の評価を受けるものというべきである」。

▼ 最判平 18.7.13・平 18 重判 2 事件

平成 12 年 6 月に施行された衆議院議員選挙までに、国会が精神的原因によって投票所に行くことが困難な者の選挙権行使の機会を確保するための措置を執らなかった立法不作為について、「国民に憲法上保障されている権利行使の機会を確保するために所要の立法措置を執ることが必要不可欠であり、それが明白であるにもかかわらず、国会が正当な理由なく長期にわたってこれを怠る場合などに当たるということはできないから」、国家賠償法 1 条 1 項の適用上、違法の評価を受けるものではないとした。

▼ 再婚禁止期間違憲判決（最大判平 27.12.16・百選 28 事件） ⇒ p.99

判旨： 国会議員の立法行為又は立法不作為が国家賠償法 1 条 1 項の「適用上違法となるかどうかは、国会議員の立法過程における行動が個々の国民に対して負う職務上の法的義務に違反したかどうかの問題であり、立法

の内容の違憲性の問題とは区別されるべきものである。そして、上記行動についての評価は原則として国民の政治的判断に委ねられるべき事柄であって、仮に当該立法の内容が憲法の規定に違反するものであるとしても、そのゆえに国会議員の立法行為又は立法不作為が直ちに国家賠償法1条1項の適用上違法の評価を受けるものではない。

　　　　もっとも、法律の規定が憲法上保障され又は保護されている権利利益を合理的な理由なく制約するものとして憲法の規定に違反するものであることが明白であるにもかかわらず、国会が正当な理由なく長期にわたってその改廃等の立法措置を怠る場合などにおいては、国会議員の立法過程における行動が上記職務上の法的義務に違反したものとして、例外的に、その立法不作為は、国家賠償法1条1項の規定の適用上違法の評価を受けることがある」。

評釈：　本判決の千葉裁判官補足意見によると、本判決が示した立法不作為の違法性に関する判断基準は、最大判平17.9.14・百選147事件（以下、「平成17年判決」という。）を変更するものではなく、これらの従前の判示をも包摂するものとして、一般的な判断基準を整理して示したものであるとされる。すなわち、平成17年判決は、立法不作為が違法とされる場合の判断基準として、立法措置をとることが必要不可欠でそれが明白であることを要求しているが、同判決に立法措置が必要不可欠とはいえないとの反対意見が付されていたことから、「明白である」という語の用法に疑義が生じかねなかった。そのため、このような点も踏まえて、判断基準を整理し直したものであるとされている。

5　私法行為　⇒p.69

四　違憲審査権の行使

1　憲法訴訟の在り方としての司法積極主義と司法消極主義

　「憲法訴訟」とは、特別の訴訟形態をいうのではなく、一般に何らかの憲法上の争点を含む訴訟の総称であるとされている。

　憲法訴訟も、通常の訴訟と同様、司法権の一般的制約に服し、国会・内閣といった政治部門の権限と立場に十分配慮して行われるものであるが、かかる制約や配慮は、裁判所自身の判断によるところが大きい。したがって、付随的審査制の下においても、憲法判断に積極的か消極的か、違憲判断に積極的か消極的かは、裁判所のとる態度によって、かなりの幅が生じうることになる。

　その裁判所の態度を表す言葉が、「司法積極主義」と「司法消極主義」である。

統治

＜司法積極主義と司法消極主義＞

	具体的内容	根拠
司法積極主義	憲法判断に立ち入るか否か及び違憲判断をするか否かの２つの決定段階において、違憲審査権行使に積極的である立場（＊）	① 憲法の最高法規性（98Ⅰ）確保、裁判官の憲法尊重擁護義務（99）、裁判官が憲法に拘束されるとする76条３項から、裁判所は法律の合憲性を判断する権限が与えられている ② 立法府や行政府の決定が国民の多数意思を客観的に反映したものであるとするのは、あくまでも擬制にすぎず、違憲の疑いのある法令によって国民の人権が侵害されているとき、裁判所は積極的に違憲審査権を行使するのが、民主主義原理に適う ③ 多数決原理を本質とする民主主義過程では十分に保護されえない側面をもつ少数者の人権を擁護することこそが、裁判所の任務である ④ 政治部門の憲法違反行為について裁判所が司法的救済措置をせずに放置することは、法的正義の実現にとって適切ではない ⑤ 特に精神的自由と選挙権の侵害が問題になっている場合には、民主主義過程の機能を回復するために、裁判所は積極的に違憲審査権を行使すべきである
司法消極主義	憲法判断に立ち入るか否か又は違憲判断をするか否かの決定段階において、違憲審査権行使に消極的である立場	① 国民に直接政治的責任を負わない裁判所は、国民代表機関たる国会（43Ⅰ）の意思を最大限尊重する必要がある ② 違憲判決の有する社会的影響力の大きさに鑑み、裁判所は違憲判決を自制すべきである ③ 特に経済的自由の規制に関しての立法府の誤りは、民主主義の中で是正することが可能であるので、裁判所は国民に直接政治的義務を負う政治部門の判断を尊重すべきである

＊ 司法積極主義の内容については、上記の立場に加えて、憲法判断には消極的だが、違憲判断には積極的である立場も含まれるという見解もある。

2 憲法訴訟の要件
  ① 前提としての訴訟要件
  ② 憲法上の争点提起についての適格
(1) 前提としての訴訟要件（①について）
  まず前提として、通常の訴訟手続が成立するための要件（ex. 事件性の要件 ⇒ p.429）を備えていなければならない。
  ∵ 付随的審査制の下では、憲法問題に関する裁判所の判断も、通常の訴訟手続の中で、その訴訟の解決に必要な限度においてのみ行われる
(a) ムートネスの法理
  当初存在していた現実の争訟がその後の事情の変化によって消滅するに至った場合には、裁判所はその訴えについては司法判断をなしえないとする法理を、ムートネスの法理という。これは、アメリカにおいて判例上形

成されてきた法理であるが、我が国において同法理を適用すべきか否かについては、判例上必ずしも明確でない。

▼ 皇居前広場事件（最大判昭28.12.23・百選80事件）

メーデーのための皇居外苑使用不許可処分の取消しを求める訴訟は「同日の経過により判決を求める法律上の利益を喪失」するとしつつ、「なお、念のため」として憲法判断を行った。

▼ 朝日訴訟（最大判昭42.5.24・百選131事件）

「本件訴訟は、上告人の死亡と同時に終了し」たとしつつ、「なお、念のため」として憲法判断を行った。　⇒p.254

(b)　客観訴訟における違憲審査の可否

客観訴訟を通じて憲法問題を争うことは「事件性の要件」をみたさず、抽象的審査を認めることになるのではないか。

この点については、客観訴訟の裁判権は認めつつ違憲審査は排除するという考え方もありうるが、学説には、従来の事件性の要件を維持しつつ、客観訴訟が具体的な事件性を擬するだけの実質を備えていることを前提に、違憲審査を許容する見解、事件性の要件を拡大し客観訴訟もこれに含まれるとする見解、付随的審査制の見地から許容される場合があるとする見解などがある。

また、判例も、衆議院議員定数不均衡違憲判決（最大判昭51.4.14・百選148事件）や津地鎮祭訴訟（最大判昭52.7.13・百選42事件　⇒p.149）、沖縄代理署名訴訟（最大判平8.8.28・百選167事件）等において、客観訴訟における違憲審査を肯定している。

＜客観訴訟における違憲審査の可否＞

学説	内容
従来の事件性の要件を維持しつつ、具体的な事件性を擬するだけの実質を備えていることを理由に許容する見解	客観訴訟は憲法上無条件に認められるわけではないが、法原理機関の権限とするにふさわしい限り、すなわち具体的な事件・争訟性を擬制できる実質を具備している限りにおいて、違憲審査も許される
事件性の要件を拡大し、客観訴訟もこれに含まれるとする見解	司法権の任務は個別的な紛争の公権的解決を通じて秩序維持に仕えることであり、そうだとすれば、①法的な解決が可能であり、②公権的裁定の必要ある紛争が司法権の対象、すなわち「法律上の争訟」に該当するための要件となる

学説	内容
付随的審査制の見地から許容される場合があるとする見解	抽象的審査と一口にいっても、①「国家行為がまだ法令の制定にとどまっており、それに基づく処分等が行われていない場合の審査」と、②「国家行為は具体的に処分等の形で行われたが、原告の具体的な法的利益の侵害とはいえない場合の審査」の二段階があり、①の段階での違憲審査は抽象的違憲審査と呼ぶにふさわしいけれども、②の段階のそれは、むしろ具体的審査と呼んでよい

(2) 憲法上の争点提起についての適格（②について）

　(a) 憲法上の争点提起についての適格とは、適法に成立している訴訟の本案審理に入った段階において、違憲の争点を提起し、裁判所に憲法判断を求めることができる当事者の利益をいう。

　(b) 我が国の違憲審査は付随的審査制を採っていると解されるため、原則として、自己に適用される法令・処分等により、自己の憲法上の権利・利益が、現実的・実質的・直接的に侵害されている場合にのみ法令・処分の違憲を争いうる。しかし、付随的審査制の下でも、憲法的価値の保障を図る必要があり、違憲の争点を主張する適格についての原則を緩和すべき場合もある。

統治

＜憲法上の争点提起についての適格＞ 司 司H20 司H21

	原則	例外
法令中の他の規定の援用	当該法律関係と無関係の法規や法律全体の違憲性を主張することは許されない 判	同じ法令中にあり、適用規定と密接不可分の関係にある他の規定の主張、あるいは法令全体の違憲を主張することが許される場合がある ex. 無許可行為処罰規定の適用を受ける被告人が、許可制を定めている規定の違憲性を主張することは、両者が内容的に不可分の関係にあるから許される
第三者の権利の援用	自己に適用される法令・処分等が直接に自己の憲法上の権利・利益を侵害していない場合には、第三者の憲法上の権利・利益を侵害することを理由として違憲性を主張することは許されない	第三者の憲法上の権利・利益が現実に侵害される場合（特定の第三者の権利主張の場合） ①違憲を主張する者の利益の程度、②援用される憲法上の権利の性格、③違憲を主張する者と第三者の関係、④第三者が別の訴訟で自己の権利侵害につき違憲の主張をすることの可能性等を考慮して、一定の場合には主張適格を認めてよいとされる ex. 第三者所有物没収事件（最大判昭37.11.28・百選〔第6版〕194事件）
		第三者の憲法上の権利侵害の可能性がある場合（不特定の第三者の権利主張の場合） ①規制が一定限度を超えて不明確であったり、②過度に広汎な場合は、当該法規は文面上無効とすべきとされる ∵① 一般に法規の内容には明確性が要求され、特に刑罰法規に関しては、罪刑法定主義の観点から可能な限りの明確性が要求される ② 精神的自由を規制する法規に関しては、その「萎縮的効果」を極力排除するために、明確性に加えて必要最小限度の規制であることが要求される ex. 広島市暴走族追放条例事件（最判平19.9.18・百選84事件）

統治

▼ **第三者所有物没収事件（最大判昭37.11.28・百選〔第6版〕194事件）** 司共

事案： 密輸を企てた者が、有罪判決と同時に関税法の第三者没収規定により没収刑を受けることになったため、その規定は第三者の財産を正当な手続によらず奪うものだとして、憲法29条・31条違反を主張した。

判旨： 「没収の言渡を受けた被告人は、たとえ、第三者の所有物に関する場合であっても、被告人に対する附加刑である以上、没収の裁判の違憲を理由として上告をなしうることは、当然である。……被告人としても没収に係る物の占有権を剥奪され、またはこれが使用、収益をなしえない状態におかれ、更には所有権を剥奪された第三者から賠償請求権等を行使さ

481

れる危険に曝される等、利害関係を有することが明らかであるから、上告によりこれが救済を求めることができる」と判示した。

▼　**選挙無効訴訟における違憲主張の可否（最決平 26.7.9・百選 188 事件）**〈回〉

公職選挙法 204 条の選挙無効訴訟は、選挙人又は候補者が選挙の効力につき無効原因の存在を主張して争う争訟方法であるが、この選挙無効訴訟において、選挙人らが他者の選挙権を制限する公職選挙法上の規定が違憲であることを主張して選挙の効力を争うことは、法律上予定されていない。

五　違憲審査の方法と基準

1　審査の方法

裁判所の違憲審査の方法としては、目的手段審査（立法目的及びそれを達成する手段の相当性の審査）と、文面審査（立法目的や手段の正当性を問うことのない、法令の当該条項の文言のみの審査）がある。

2　判決事実と立法事実

(1)　判決事実

裁判所の実際の審理は、通常は当該事件の個別的な事実を認定することと、右認定事実に法をどのように適用するかということにあてられる。このような、当事者及び事件に関する事実を司法事実ないし判決事実という。

(2)　立法事実

判決事実に加えて、憲法訴訟では、法令自体の違憲性が争われるために、事件に適用される法律の基礎を形成し、かつその合理性を支える社会的・経済的・文化的な一般的事実の存否を確かめるべき場合が多い。このような、法律を制定する場合の基礎をなし、かつその合理性を支える一般的事実を立法事実という〈回〉。

ex. 薬事法距離制限違憲判決（最大判昭 50.4.30・百選 92 事件）は、公権力側の主張した立法事実である、薬局の開設放任→薬局等の偏在→競争激化→一部薬局等の経営の不安定→不良医薬品の供給の危険又は医薬品乱用の助長等の弊害→国民の生命・健康への危険性、という事実関係を詳細に検討したうえで、違憲と判示した　⇒p.227

＜判決事実・立法事実の具体例＞

	青少年に対する図書類の販売禁止を定める条例を違憲と主張する場合
判決事実を争うもの	①　憲法 21 条 2 項前段にいう「検閲」は事前検閲に限定されるものではなく、本条例のように発行後に内容を検査するものであっても、発売を禁止するものは、実質的に流通過程から一定の図書類を強制的に隔離することになるので、「検閲」に当たるという主張 ②　本件図書の内容は、条例の定める有害図書に該当しないので規制の対象とはならず、表現の自由の観点からも保護されるべきであるという主張
立法事実を争うもの	①　規制目的は、青少年の健全な育成を図るためであるが、その規制方法、手段の相当性を裏付ける事実状況が存せず、過度の規制であるという主張 ②　立法当初は、その規制方法、手段の相当性を裏付ける事実状況が存在していたとしても、現在では、もはやその規制を必要とする社会的状況はないとする主張

3　審査の基準

　　違憲審査基準は、その厳格性の程度に応じて合憲か違憲かの結論が異なりうることから、憲法訴訟論の中でも重要な位置を占めている。 ⇒ p.173

六　憲法判断の方法

1　憲法判断の回避

　　裁判所は、憲法上の争点を扱う場合であっても、①国民を代表する国会の判断を最大限尊重したり、②裁判の客観性と公正さに対する国民の信頼を維持するために、憲法判断を回避することが多い。

(1)　憲法判断そのものの回避

　　憲法判断そのものの回避とは、具体的事件の審理に際して、違憲の争点に論及しなくても当該事件の法的解決ができるとして、違憲の争点に関する憲法判断を行わない手法をいう。

　　　ex.　被告人の行為は当該法律の犯罪構成要件に該当しないために無罪となるのであるから、その法律の合憲性を判断する必要はないとする場合（後述の恵庭事件参照）

統治

▼　恵庭事件（札幌地判昭 42.3.29・百選 164 事件）

事案：　自衛隊演習場付近で酪農を営む被告人が、演習に抗議して連絡用電話線を数ヶ所切断したため、自衛隊法 121 条違反に問われて起訴された。

判旨：　通信線は、自衛隊法 121 条の「その他の防衛の用に供する物」に該当しないとして、被告人を無罪とした。憲法判断を回避した点については、「違憲審査権を行使しうるのは、……具体的争訟の裁判に必要な限度にかぎられる……。当該事件の裁判の主文の判断に直接かつ絶対必要なばあいにだけ、立法その他の国家行為の憲法適否に関」して行使されるべきものであるから、被告人の行為が構成要件に該当しないとの結論に達した以上、「憲法問題に関し、なんらの判断をおこなう必要がないのみならず、これをおこなうべきでもない」と判示している。

▼　長沼事件第一審（札幌地判昭 48.9.7・百選 165 事件）

事案：　自衛隊基地の建設のため、農林大臣が国有保安林の指定を解除し伐採を許したところ、地域住民が処分の取消しを求めた。

判旨：　「憲法の基本原理に対する黙過することが許されないような重大な違反の状態が発生している疑いが生じ、かつ、その結果、当該訴訟事件の当事者をも含めた国民の権利が侵害され、または侵害される危険があると考えられる場合において、裁判所が憲法問題以外の当事者の主張について判断することによってその訴訟を終局させたのでは、当該事件の紛争を根本的に解決することができないと認められる場合には」、裁判所は「その国家行為の憲法適合性を審理判断する義務がある」と判示し、憲法判断に踏み切った。

(2)　合憲限定解釈

　　　合憲限定解釈とは、文面上の憲法判断に際して、法律のある解釈をとると違憲となり、他の解釈をとれば合憲となる場合には、後者の解釈を採用するという解釈方法あるいは解釈結果のことをいう。

＜合憲限定解釈の根拠・問題点・妥当範囲＞共予

根拠	①　多くの法規範が統一性のある法秩序を形成するためには、憲法を頂点とする法体系の統一の維持という見地から、法律は可能な限り憲法適合的に解釈されなければならない ②　民主制の下では、国民代表機関である議会（43 I）が制定した法律には合憲性の推定がはたらき、議会がその権限の範囲内に属するとして行った判断に対する敬譲が与えられるべきである ③　法令の違憲判断には一定の法的混乱が不可避的に随伴する以上、違憲の宣言は可能な限り回避されるべきである

問題点	① 合憲限定解釈による結論は法文上からは判断しえないので、法文の不明確性が依然として存在し、法律の予見機能を失わせる危険がある ② 判例変更により限定解釈が覆される可能性があり、法的安定性を維持できないおそれがある ③ 裁判所に法創造機能が与えられ、合憲限定解釈が法令の文言と目的の許容範囲を超えて行われ、法令の書き直しに近い解釈が行われる危険性がある
妥当範囲	① 解釈自体が法律の文言及び立法目的からみて合理的に成立する場合に限って正当化される。したがって、法令があまりにも広汎な罰則規定や権利制限規定を設けている場合及び法令上非常に多義的に解釈される用語が使用されている場合には、合憲限定解釈をとる余地がなく、当該法令を端的に違憲と判示すべきである ② 違憲の部分が合憲の部分と比べて非常に広い場合や、違憲の部分と合憲の部分が不可分の関係に立つ法令の場合には合憲限定解釈をとるべきではなく、法令違憲とすべきである ③ 精神的自由の規制立法については、萎縮的効果を避けるという観点から、解釈上合憲的に適用できる部分と不可分の関係で違憲的に適用される部分が含まれている場合には、文面審査の方法により当該法令を文面上無効と判断すべきである

 ### ＜合憲限定解釈に関する判例＞

税関検査訴訟 （最大判昭59.12.12・ 百選69事件）	（表現の自由を規制する法律の規定にかかる）合憲限定解釈の限界について、以下の2つの基準が呈示されている。 ① 規制の対象となるものとそうでないものとが明確に区別され、かつ、合憲的に規制しうるもののみが規制の対象となることが明らかにされる場合であること ② 一般国民の理解において、具体的場合に当該表現物が規制の対象となるかどうかの判断を可能ならしめるような基準をその規定から読みとることができるものであること
	関税定率法21条1項3（現関税法69の11Ⅰ⑦）にいう「風俗を害すべき書籍、図画」等との規定を合理的に解釈すれば、右にいう「『風俗』とは専ら性的風俗を意味し、右規定により輸入禁止の対象とされるのは猥褻な書籍、図画等に限られるものということができ、このような限定的な解釈が可能である以上、右規定は、何ら明確性に欠けるものではなく、憲法21条1項の規定に反しない」合憲的なものというべきである下。
交通事故報告義務違 反違憲訴訟 （最大判昭37.5.2・百 選117事件）	旧道路交通取締法施行令67条2項にいう「『事故の内容』とは、その発生した日時、場所、死傷者の数及び負傷の程度並に物の損壊及びその程度等、交通事故の態様に関する事項を指すものと解すべきであ」る。したがって、「刑事責任を問われる虞のある事故の原因その他の事項までも右報告義務ある事項中に含まれるものとは、解せられない」。

統治

統治

泉佐野市民会館事件 （最判平7.3.7・百選81 事件）	「公の秩序をみだすおそれがある場合」という条例の文言について、制約される権利が集会の自由であることについて、「集会の自由の制約は、基本的人権のうち精神的自由を制約するものであるから、経済的自由の制約における以上に厳格な基準の下」に「集会の自由の重要性と、当該集会が開かれることによって侵害されることのある他の基本的人権の内容や侵害の発生の危険性の程度等を較量」されなければならないとした上で、「公の秩序」を「人の生命、身体又は財産」と限定し、「みだすおそれ」を「単に危険な事態を生ずる蓋然性があるというだけでは足りず、明らかな差し迫った危険の発生が具体的に予見されることが必要である」と限定した。
上尾市福祉会館事件 （最判平8.3.15・平8重 判6事件）	「会館の管理上支障があると認められるとき」という規定に対して、「会館の管理上支障が生ずるとの事態が、許可権者の主観により予測されるだけでなく、客観的な事実に照らして具体的に明らかに予測される場合」という限定を加え、敵対者の実力での妨害により紛争が生じるおそれを理由に公の施設の利用を拒否できるのは、「警察の警備等によってもなお混乱を防止することができないなど特別な事情がある場合に限られる」としている。
都教組事件 （最大判昭44.4.2・百 選193事件）〈予R4〉	地方公務員法37条1項・61条4号が「文字どおりに、すべての地方公務員の一切の争議行為を禁止し、これらの争議行為の遂行を共謀し、そそのかし、あおる等の行為」をすべて処罰する趣旨と解すると、「公務員の労働基本権を保障した憲法の趣旨」に反する。しかし、「労働基本権を尊重し保障している憲法の趣旨と調和しうるように解釈」すれば、当該規定は「違法性の強い」争議行為に対する、「争議行為に通常随伴して行われる行為」ではないあおり行為に限って処罰する趣旨である（「二重のしぼり論」）〈予〉。
全農林警職法事件 （最大判昭48.4.25・百 選141事件）	「国公法110条1項17号が、違法性の強い争議行為を違法性の強いまたは社会的許容性のない行為によりあおる等した場合に限ってこれに刑事制裁を科すべき趣旨」と解すると、「違法性の強弱の区別が元来はなはだ曖昧であるから刑事制裁を科しうる場合と科しえない場合との限界がすこぶる明確性を欠く」。このような「不明確な限定解釈は、かえって犯罪構成要件の保障的機能を失わせることとなり、その明確性を要請する憲法31条に違反する疑いすら存するものといわなければならない〈予〉。」

福岡県青少年保護育成条例事件 （最大判昭60.10.23・百選108事件）	「本条例10条1項の規定にいう『淫行』とは、広く青少年に対する性行為一般をいうものと解すべきではなく、青少年を誘惑し、威迫し、欺罔し又は困惑させる等その心身の未成熟に乗じた不当な手段により行う性交または性類似行為のほか、青少年を単に自己の性的欲望を満足させるための対象として扱っているとしか認められないような性交又は性交類似行為をいうものと解するのが相当である」。その理由として、「淫行」を「単に反倫理的あるいは不純な性行為と解するのでは、犯罪の構成要件として不明確であるとの批判を免れ」ず、「このような解釈は通常の判断能力を有する一般人の理解にも適うものであり、『淫行』の意義を右のように解釈するときは、同規定につき処罰の範囲が不当に広すぎるとも不明確であるともいえない」からであるとしている。
広島市暴走族追放条例事件 （最判平19.9.18・百選84事件）〈禁〉	「本条例は、暴走族の定義において社会通念上の暴走族以外の集団が含まれる文言となっていること、禁止行為の対象及び市長の中止・退去命令の対象も社会通念上の暴走族以外の者の行為にも及ぶ文言となっていることなど、規定の仕方が適切ではなく、本条例がその文言どおりに適用されることになると、規制の対象が広範囲に及び、憲法21条1項及び31条との関係で問題がある」とする一方、「本条例の全体から読み取ることができる趣旨、さらには本条例施行規則の規定等を総合」して、「本条例が規制の対象としている『暴走族』は、本条例2条7号の定義にもかかわらず、暴走行為を目的として結成された集団である本来的な意味における暴走族の外には、服装、旗、言動などにおいてこのような暴走族に類似し社会通念上これと同類するということができる集団に限られる」とした。さらに、「このように限定的に解釈すれば、本条例16条1項1号、17条、19条の規定による規制は、……その弊害を防止しようとする規制目的の正当性、弊害防止手段としての合理性、この規制により得られる利益と失われる利益との均衡の観点に照らし、いまだ憲法21条1項、31条に違反するとまではいえない」としている。

2　違憲判断の方法

(1)　法令違憲

争われた法令の規定そのものを違憲と判断する方法をいう。

→この方法を用いた最高裁判例としては、以下のものがある。

① 尊属殺重罰規定違憲判決（最大判昭48.4.4・百選25事件）

② 薬事法距離制限違憲判決（最大判昭50.4.30・百選92事件）

③ 衆議院議員定数不均衡違憲判決（最大判昭51.4.14・百選148事件、最大判昭60.7.17・百選〔第6版〕154事件）

④ 森林法共有林事件（最大判昭62.4.22・百選96事件）

⑤ 郵便法免責規定違憲判決（最大判平14.9.11・百選128事件）

⑥ 在外邦人選挙権制限違憲判決（最大判平17.9.14・百選147事件）

⑦　国籍法違憲判決（最大判平 20.6.4・百選 26 事件）

⑧　婚外子差別規定違憲決定（最大決平 25.9.4・百選 27 事件）

⑨　再婚禁止期間違憲判決（最大判平 27.12.16・百選 28 事件）

⑩　在外邦人国民審査権訴訟違憲判決（最大判令 4.5.25・令 4 重判 5 事件）

⑪　性同一性障害特例法違憲決定（最大決令 5.10.25・令 5 重判 1 事件）

⑫　旧優生保護法違憲判決（最大判令 6.7.3）

*　最高裁判所が法令違憲判決を言い渡すには、必ず大法廷でしなければならない（裁判所 10）。

▼ 国籍法違憲判決（最大判平 20.6.4・百選 26 事件）〈共〉

　「国籍法 3 条 1 項が日本国籍の取得について過剰な要件を課したことにより本件区別が生じたからといって、本件区別による違憲の状態を解消するために同項の規定自体を全部無効として、準正のあった子（以下「準正子」という。）の届出による日本国籍の取得をもすべて否定することは、……同法の趣旨を没却するものであり、立法者の合理的意思として想定し難いものであって、採り得ない……。そうすると、……同項の存在を前提として、本件区別により不合理な差別的取扱いを受けている者の救済を図り、本件区別による違憲の状態を是正する必要がある」。「このような見地に立って是正の方法を検討すると、……日本国民である父と日本国民でない母との間に出生し、父から出生後に認知されたにとどまる子についても、……同法 3 条 1 項の規定の趣旨・内容を等しく及ぼすほかない。すなわち、このような子についても、父母の婚姻により嫡出子たる身分を取得したことという部分を除いた同項所定の要件が満たされる場合に、届出により日本国籍を取得することが認められるものとすることによって、同項及び同法の合憲的で合理的な解釈が可能となるものということができ、この解釈は、本件区別による不合理な差別的取扱いを受けている者に対して直接的な救済の道を開くという観点からも、相当性を有するものというべきである」。「上記の解釈は、本件区別に係る違憲の瑕疵を是正するため、国籍法 3 条 1 項につき、同項を全体として無効とすることなく、過剰な要件を設けることにより本件区別を生じさせている部分のみを除いて合理的に解釈したものであって、その結果も、準正子と同様の要件による日本国籍の取得を認めるにとどまるものである。この解釈は、……同項の規定の趣旨及び目的に沿うものであり、この解釈をもって、裁判所が法律にない新たな国籍取得の要件を創設するものであって国会の本来的な機能である立法作用を行うものとして許されないと評価することは、国籍取得の要件に関する他の立法上の合理的な選択肢の存在の可能性を考慮したとしても、当を得ないものというべきである」。「したがって、日本国民である父と日本国民でない母との間に出生し、父から出生後に認知された子は、父母の婚姻により嫡出子たる身分を取得したという部分を除いた国籍法 3 条 1 項所定の要件が満たされるときは、同項に基づいて日本国籍を取得することが認められるというべきである」。

(2)　適用違憲

　　当該法令の規定自体を違憲とはせず、当該事件におけるその具体的な適用
　だけを違憲と判断する方法をいう。

　　　→当事者の人権を救済すると同時に当該法令をも救済するという点で、合
　　　　憲限定解釈と同じく、司法消極主義（⇒ p.478）の技術の１つといえる

　　＊　適用違憲の判断を受けたとしても法令の効力それ自体に影響はないこと
　　　から、法令によって実際に禁止される行為の範囲が不明確となる。よっ
　　　て、以下の法令については、適用違憲の方法によらずに、法令違憲の判断
　　　を下すべきであるとの見解が有力である。

　　　　①　表現の自由（21 I）を漠然あるいは過度に広汎な文言で規制する法令
　　　　②　表現行為について事前抑制（⇒ p.163）を行う法令

▼　**旧監獄法46条2項の合憲性（最判平18.3.23）**

　　「刑務所長が具体的事情の下で、上告人の本件信書の発信を許すことにより、
　同刑務所内の規律及び秩序の維持、受刑者の身柄の確保、受刑者の改善、更生
　の点において放置することのできない程度の障害が生ずる相当のがい然性があ
　るかどうかについて考慮しないで、本件信書の発信を不許可としたことは明ら
　かというべきである。しかも、本件信書は、国会議員に対して送付済みの本件
　請願書等の取材、調査及び報道を求める旨の内容を記載したC新聞社あてのも
　のであったというのであるから、本件信書の発信を許すことによって熊本刑務
　所内に上記の障害が生ずる相当のがい然性があるということができないことも
　明らかというべきである。そうすると、熊本刑務所長の本件信書の発信の不許
　可は、裁量権の範囲を逸脱し、又は裁量権を濫用したものとして監獄法46条2
　項の規定の適用上違法であるのみならず、国家賠償法1条1項の規定の適用上
　も違法というべきである」。

▼　**東京高判平22.3.10・平22重判1事件**

事案：　被相続人が一度も婚姻をしたことがなく、他の相続人である被告が養
　　　　子である事案において、非嫡出子に嫡出子の2分の1の法定相続分しか
　　　　認めない改正前民法900条4号ただし書前段を遺留分につき準用する同
　　　　法1044条が憲法14条1項に反しないか、及び同1044条を本件に適用
　　　　することの憲法14条1項に反しないか、が争われた事案。

判旨：　本件事案では、①被相続人が一度も婚姻をしたことがなく、被告たる
　　　　他の相続人が養子であることから、本件区別と民法900条4号の立法趣
　　　　旨（法律婚の尊重）との間に直接的な関連性が認められないこと、②非
　　　　嫡出子であることは本人の意思や努力によって変えることのできない事
　　　　情であり、このような差別的取扱いを受けることによって原告が精神的
　　　　に大きな苦痛を受けることになること、③本件規定や本件区別の合理性
　　　　を正当化する理由となった我が国における社会的、経済的環境の変化等

に伴い、夫婦共同生活のあり方を含む家族生活や親子関係に関する意識も一様ではなくなってきていることなどの諸事情を総合考慮して、民法900条4号ただし書前段を本件事案に適用する限りにおいては、違憲であるとした。

▼ 東京高判平22.3.29・平22重判7事件

事案：　厚生労働事務官であった者が、2003年の衆議院議員選挙が執行される前に、計3回にわたり政党の機関紙の号外や政治的文書を配布したことについて、国家公務員法違反で逮捕・起訴された事案。

判旨：　「本件罰則規定は、……国の行政の中立的運営及びそれに対する国民の信頼の確保を保護法益とする抽象的危険犯と解される」が、重要な人権に対する制約であることを考えれば、「ある程度の危険性が想定されることが必要である」。本件配布行為は、管理職でない者が休日に勤務先から離れた自宅周辺で公務員であることを明らかにせず無言で行うという態様であることから、配布行為の危険性は抽象的にも認められない。

したがって、「本件配布行為に対し、本件罰則行為を適用することは、……憲法21条1項及び31条に違反する」。

＜適用違憲の類型＞

類型	判例
法令を合憲的に限定解釈することがそもそも不可能な場合に、その法令を当該事件に適用することが違憲であるとする方法	▼ 猿払事件第一審（旭川地判昭43.3.25・百選194事件） 国家公務員法110条1項19号は、同法102条1項に規定する「政治的行為の制限に違反した者という文字を使っており、制限解釈を加える余地は全く存しないのみならず、同法102条1項をうけている人事院規則14-7は、全ての一般職に属する職員にこの規定の適用があることを明示している以上、……本件被告人の所為に、国公法110条1項19号が適用される限度において、同号が憲法21条および31条に違反するもので、これを被告人に適用することができない」 →上告審（最大判昭49.11.6・百選12事件）は、「法令が当然に適用を予定している場合の一部のその一部につきその適用を違憲と判断するものであつて、ひつきょう法令の一部を違憲にするにひとし」いとして、上記第一審判決の判断手法を明示的に批判した
法令についての合憲限定解釈が可能であるにもかかわらず、そうせずに法令を適用した場合に、そのような解釈・適用をその限りで違憲とする判断方法	▼ 全逓プラカード事件第一審（東京地判昭46.11.1） 「形式文理上は、……原告の本件行為は、国公法102条1項に違反するけれども、右各規定を合憲的に限定解釈すれば、本件行為は、右各規定に該当または違反するものではない」。したがって、本件行為につき各規定を適用した被告の行為は、「その適用上憲法21条1項に違反するものといわなければならない」

類型	判例
法令そのものは合憲でも、執行者がそれを憲法で保障された人権を侵害するような形で適用したときに、その解釈適用行為を違憲とする方法	▼　第二次教科書訴訟杉本判決（東京地判昭45.7.17・百選87事件） 　教科書検定制度自体は審査が思想内容に及ばない限り、憲法21条2項で禁止された検閲に該当しないが、本件不合格処分は、「教科書執筆者としての思想（学問的見解）内容を事前に審査するものというべきであるから、憲法21条2項の禁止する検閲に該当」する

※　第三者所有物没収事件判決（最大判昭37.11.28・百選〔第6版〕194事件）は、「関税法118条1項によって第三者の所有物を没収することは、憲法31条、29条に違反する」とするが、これを適用違憲とみるか、法令違憲とみるかで学説の評価は分かれている。

(3) 運用違憲

　　法令そのものの合憲性を前提に、その運用の在り方を憲法上問題とし、違憲の運用が行われている場合にその一環として現れた処分について違憲と判断する方法をいう。

　　→法令の当該事件への具体的な適用の次元ではなく、その前の運用一般の次元で違憲と判断する点において、適用違憲とは異なる

▼　**寺尾判決（東京地判昭42.5.10）**

　　条件付許可処分に関する都公安委員会の運用は、総括的にみて手続及び内容において著しく取締の便宜に傾斜し、憲法の保障する集団行動としての表現の自由を事前に抑制するもので最小限度の域を超え違憲性を帯びているとしたうえで、「かかる運用の一環として流出したものともいうべき本件条件付不許可処分は憲法21条に違反しその瑕疵が重大かつ明白であって、違憲、無効であると認めざるをえない」として、運用違憲の方法が肯定された。

　　→本判決で用いられた運用違憲の方法は、後の控訴審判決では否定された

七　違憲判決の効力

1　違憲判決の効力に関する諸見解

　　最高裁判所が法律を違憲であると判断した場合に、違憲とされた当該法律の効力はどうなるか。違憲判決の効力が問題となる。

統
治

<違憲判決の効力に関する諸見解> 回

	内容	根拠
個別的効力説	最高裁判所が違憲と判断した法律の条項は、当該訴訟事件についてのみ効力が否定されるにとどまり、当該条項の存立・効力には影響がない →制定権者である国会が改廃措置を採ることによってはじめて法律は一般的・対世的に効力が否定される	① 付随的審査制の下では、具体的な争訟事件を解決するために法令の合憲性を判断するのであるから、違憲判決の効力は、通常の具体的な訴訟事件の裁判の場合と同じく、その具体的事件についてのみ及ぶことになる ② 一般的に法律の効力を失わせることは、消極的立法作用を意味し、国会を唯一の立法機関とする41条に反する ③ もし、具体的な訴訟事件においてのみ違憲審査権は行使されると解しながら、その判決の効力については一般的効力説を採るというのであれば、この場合についてだけは通常の判決の効力とは異なる効力を認めることとなるのであるから、そのためには憲法に明文の規定が設けられていなければならない
一般的効力説	最高裁判所が違憲と判断した法律の条項は、それによって確定的・一般的に無効となり、制定権者である国会の改廃措置をまたずに効力を失う →違憲判決は判決が確定すれば、当該法律を法令集から除去するという効果をもつ	① 98条1項により、憲法に反する法律は効力をもちえず、最高裁判所が違憲であると確認した法律は当然に無効となる ② 判決が個別的効力しか有しないとすると、法律の一般的性格に反するし、法的安定性や予見可能性を欠き、平等原則にも反することになる。また、裁判所が違憲と判断した法律についても、内閣は誠実に執行すべき義務（73①）を負うという不合理な結果がもたらされる ③ 一般的効力の承認は、必ずしも一種の立法作用になるとは限らず、制度の母国ともいえるアメリカでは一般的効力が全く否定されているわけではない
法律委任説	個別的効力・一般的効力のいずれになるかは憲法からは一義的に明確には導き出すことができないため、法律の定めるところに委ねられる	判決の効力は法治国家原則の手続的内容の問題にすぎないから、憲法的に確定されるべきものではなく、立法裁量に委ねられているため、法律をもって定めうる

※ 近時は個別的効力説と一般的効力説の接近化傾向が見られる。すなわち、個別的効力説から、当該法律規定については合憲性推定原則が排除されるとしたり、あるいは、法の支配の原則から、国会における速やかな改廃措置や行政機関の執行差控えが当然に要求されている（国会や行政機関を媒介とした間接的な一般的効力・事実上の一般的効力）などとして、実質的には一般的効力に近いものを目指したり、一般的効力説から、一般的遡及効に関しては一定の譲歩が行われるようになったりしている。

統治

2 違憲審査権の法的性質と違憲判決の効力との関係

＜違憲審査権の法的性質と違憲判決の効力との関係＞

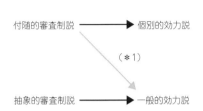

付随的審査制説 ━━━━▶ 個別的効力説	付随的審査制説に立つと、具体的な争訟事件を解決するために法令の合憲・違憲を判断するのであるから、通常、個別的効力説を採ることになる
（＊1）	
抽象的審査制説 ━━━━▶ 一般的効力説	抽象的審査制説に立つと、具体的事件性を問題としないので、違憲判決に一般的効力を認めるのが論理的といえる（＊2）

＊1　付随的審査制を前提としながらも、98条1項が憲法に反する法令は無効とし、81条において最高裁判所がそのことを「決定する」とされていること等を理由に、一般的効力説を採る立場もある（また、法律委任説を採る立場もある）。

＊2　抽象的審査制説からも法律委任説を採用することは必ずしも不可能ではないと考えられるが、その場合でも、法律で違憲判決に個別的効力を認めるのは論理的ではないと思われる。

統
治

3 法令の一部違憲と三権分立

　法令の一部無効により、残部の効力を拡張することは国会の立法権の侵害になるのではないかという問題がある。

▼ 国籍法違憲判決（最大判平 20.6.4・百選 26 事件）

事案：　（旧）国籍法における国籍取得要件の除外事由に当たることを理由に国籍取得が認められなかった原告が、国籍を有することの確認を求めた。裁判では、当該除外部分を無効とし、国籍取得を認めることの合憲性が争われた。　⇒p.105

判旨：　「本件区別による違憲の状態を解消するために同項の規定自体を全部無効として、準正のあった子（以下「準正子」という。）の届出による日本国籍の取得をもすべて否定することは、血統主義を補完するために出生後の国籍取得の制度を設けた同法の趣旨を没却するものであり、立法者の合理的意思として想定し難いものであって、採り得ない解釈である」。そうすると、「憲法14条1項に基づく平等取扱いの要請と国籍法の採用した基本的な原則である父母両系血統主義とを踏まえれば、日本国民である父と日本国民でない母との間に出生し、父から出生後に認知されたにとどまる子についても、……父母の婚姻により嫡出子たる身分を取得したことという部分を除いた同項所定の要件が満たされる場合に、届出により日本国籍を取得することが認められるものとすることによって、同

項及び同法の合憲的で合理的な解釈が可能となるものということができ、この解釈は、**本件区別による不合理な差別的取扱いを受けている者に対して直接的な救済のみちを開くという観点からも、相当性を有する**」。

　　上記の解釈は、「**本件区別に係る違憲の瑕疵を是正するため、国籍法３条１項につき、同項を全体として無効とすることなく、過剰な要件を設けることにより本件区別を生じさせている部分のみを除いて合理的に解釈したものであって、その結果も、準正子と同様の要件による日本国籍の取得を認めるにとどまるものである。この解釈は、日本国民との法律上の親子関係の存在という血統主義の要請を満たすとともに、父が現に日本国民であることなど我が国との密接な結び付きの指標となる一定の要件を満たす場合に出生後における日本国籍の取得を認めるものとして、同項の規定の趣旨及び目的に沿うものであり、この解釈をもって、裁判所が法律にない新たな国籍取得の要件を創設するものであって国会の本来的な機能である立法作用を行うものとして許されないと評価することは、国籍取得の要件に関する他の立法上の合理的な選択肢の存在の可能性を考慮したとしても、当を得ない**」。

　　したがって、「**日本国民である父と日本国民でない母との間に出生し、父から出生後に認知された子は、父母の婚姻により嫡出子たる身分を取得したという部分を除いた国籍法３条１項所定の要件が満たされるときは、同項に基づいて日本国籍を取得することが認められる**」。

評釈：　**非準正子が届出により日本国籍を取得できないのは、これを認める規定がないからであって、国籍法３条１項の有無にかかわるものではない（違憲とすべきは立法不作為の状態）との反対意見や、多数意見の採用する解釈は「法律にない新たな国籍取得の要件を創設するものであって、実質的には司法による立法に等しい」などの反対意見がある。**

4　違憲判決の遡及効と将来効

　　最高裁判所の違憲判決は、過去及び将来に対していかなる効力をもつか。

(1)　遡及効

　(a)　範囲

　　　個別的効力説を徹底すると、法令違憲の判決の効力が当該事件を離れて当事者以外の者に遡及することはないようにも思える。しかし、個別的効力説から出発しつつ、法令違憲の判決には他の国家機関に対する事実上の一般的効力（国会や行政機関を媒介とした事実上の一般的効力）が認められるとして、実質的に一般的効力説に近いものを求めようとする通説的な見解に立てば、遡及効の範囲の問題が生ずる。　⇒ p.492

　　　遡及効の範囲の問題は、法的安定性を確保する必要性と平等原則の要請とをどのようにして調和するかという問題である。

　　　→実体的に違憲の法令であっても、最高裁判所による法令違憲の判決が

出されるまで、当該法令は合憲であるという前提の下で裁判や合意が重ねられていくところ、これらの確定した裁判や合意すべてを覆滅させることは著しく法的安定性を害することになる。他方、法的安定性を重視して法令違憲の判決の効力を遡及させないとすると、実体的には違憲の法令の適用を受けた国民の中で、救済される国民と救済されない国民が生じることになるから、不平等な結果が残る

(b)　学説

A説：法令違憲の判決の効力は過去に向かって一般的に遡及するとする立場

＊　婚外子差別規定違憲決定（最大決平25.9.4・百選27事件）は、「先例としての事実上の拘束性」により違憲判断の効力が一般的に遡及することを認めつつ、「著しく法的安定性を害する」場合には違憲判断の遡及効の制限を認めている。

B説：事件当事者には法令違憲の判決の効力が及ぶが、過去に向かって一般的に遡及しないとする立場

＊　基本的にB説に立ちつつ、国民の権利・自由の保護にとって必要とみなされる場合には、違憲無効の効果が一般的に遡及することもあり得るとしたうえで、民事法・行政法の領域では一般的に遡及しないが、刑事法の領域では原則として一般的に遡及するとする見解もある。

(c)　判例

▼　**婚外子差別規定違憲決定（最大決平25.9.4・百選27事件）** 司共

決旨：　「憲法に違反する法律は原則として無効であり、その法律に基づいてされた行為の効力も否定されるべきものであることからすると、本件規定は、本決定により遅くとも平成13年7月当時において憲法14条1項に違反していたと判断される以上、本決定の先例としての事実上の拘束性により、上記当時以降は無効であることとなり、また、本件規定に基づいてされた裁判や合意の効力等も否定されることになろう。」

　　　　しかしながら、本件規定は、「国民生活や身分関係の基本法である民法の一部を構成し、相続という日常的な現象を規律する規定であって、平成13年7月から既に約12年もの期間が経過していることからすると、その間に、本件規定の合憲性を前提として、多くの遺産の分割が行われ、更にそれを基に新たな権利関係が形成される事態が広く生じてきていることが容易に推察される。……本決定の違憲判断が、先例としての事実上の拘束性という形で既に行われた遺産の分割等の効力にも影響し、いわば解決済みの事案にも効果が及ぶとすることは、著しく法的安定性を害することになる。」

統治

　　　　　「以上の観点からすると、既に関係者間において裁判、合意等により確定的なものとなったといえる法律関係までをも現時点で覆すことは相当ではないが、関係者間の法律関係がそのような段階に至っていない事案であれば、本決定により違憲無効とされた本件規定の適用を排除した上で法律関係を確定的なものとするのが相当である」。

　　　　　「したがって、本決定の違憲判断は、……確定的なものとなった法律関係に影響を及ぼすものではない」。

評釈：　本決定は、違憲判断が一般的に遡及することを認めつつ、「著しく法的安定性を害する」場合には違憲判断の遡及効の制限も認めている点で、極めて大きな意義があるとされているが、その理論的根拠については特に判示されていない。

　　　　この点について、学説では、①違憲審査権には、法的安定性が著しく害され、社会生活上看過しがたい混乱が生じないように行使しなければならないという内在的制約があり、遡及効の制限も違憲審査権に課せられた内在的制約から認められるとする見解、②98条1項は違憲の法律等について「効力を有しない」とする一方、どの限度で「効力を有しない」とするかについては憲法に何ら定めがなく、81条が包括的に最高裁に違憲審査権を認めていることから、違憲審査権に付随する権限として、最高裁に違憲判断の遡及効の範囲に関する判断が委ねられているとする見解等がある。

▼　違憲判決の効力と再審開始決定（大阪高決平16.5.10・百選195事件）

事案：　前訴で、郵便局員の過誤により債権回収が不能になったとして原告が国家賠償を請求したが、郵便法68条・73条により請求が棄却され、判決が確定した。しかし、最高裁で郵便法68条・73条の違憲判断が出たことから（最大判平14.9.11・百選128事件）、再抗告人は、前訴確定判決には民訴法338条1項9号の再審事由があると主張した。

決旨：　「憲法81条は、法の執行機関に対し、既存の法制度の枠内において、違憲判断の趣旨に従って必要な対応を義務付けているものと解するのが相当である。……そうだとすれば、裁判所だけが違憲判断に対する対応に無関心でよいとすることはできないと解されるのであり、再審制度の規定の解釈を通じた対応が可能と解されるのであれば、その対応をとることが憲法81条の趣旨に適うというべきである。……民訴法は、確定判決の根拠となった法律の規定が違憲判断によって通用力を失った場合と類似の場合を想定し、再審による救済を予定していたものとみることができるのである。したがって、違憲判断に従った権利利益の保護を第三者に及ぼすため、民訴法338条1項8号の規定の類推適用を行うことには合理的な理由がある」。平成14年の最高裁大法廷判決によって前訴確定判決の前提が覆ったのであるから、再抗告人は、「違憲判断を知った日から30日以内に、その旨を主張して再審の訴えを提起することができる」。

(2) 将来効〈司〉

　将来効判決とは、法律を違憲無効とは判断するが、無効の効力の発生は将来の一定時期以降にするという判決方法をいう。たとえば、選挙無効請求の訴えにおいて、再選挙を執行することが事実上不可能であることや、事情判決を繰り返すことにより生じる弊害に対処しようとするものである。

　→国会の立法措置を促す間接的効果が強い

＊　事情判決の法理　⇒ p.361

　行政事件訴訟法31条の定める事情判決（行政処分が違法であっても、それを取り消すことが公共の福祉に適合しないと認められるときに、違法を宣言して請求を棄却する判決）の法理を「一般的な法の基本原則に基づくもの」として適用した、衆議院議員定数配分規定違憲判決は、一種の将来効判決といえる。

＊　最高裁判所の違憲判決の効力については、法律上も規則上も規定がない。しかし、違憲判決がなされた場合の事務処理に関しては最高裁判所事務処理規則14条において、①違憲判決要旨の官報による公告、②内閣（法律に対する違憲判決の場合は内閣・国会）への裁判書正本の送付が規定されている。

第82条 〔裁判の公開〕

Ⅰ　裁判の対審及び判決は、公開法廷でこれを行ふ。

Ⅱ　裁判所が、裁判官の全員一致で、公の秩序又は善良の風俗を害する虞があると決した場合には、対審は、公開しないでこれを行ふことができる。但し、政治犯罪、出版に関する犯罪又はこの憲法第3章で保障する国民の権利が問題となつてゐる事件の対審は、常にこれを公開しなければならない。

⇒裁判所 §70（公開停止の手続）、刑訴 §53Ⅲ（訴訟記録の公開）、明憲 §59（規判の公開）

[趣旨]憲法は、裁判を受ける権利（32）、刑事被告人の公平・迅速な公開裁判を受ける権利（37Ⅰ）を保障しているが、本条は刑事事件に限らず、裁判手続の一般的な原則として、裁判の公開を定める。裁判の公正とそれに対する国民の信頼を確保する趣旨であるが、国民の知る権利（21Ⅰ）保障の観点からも重要な意義をもつ。

《注　釈》

一　裁判公開の原則

　「公開」とは、訴訟関係人に審理に立ち会う権利と機会を与えるといういわゆる当事者公開ではなく、国民に公開されるという一般公開をいう〈司〉。具体的には、国民一般の傍聴の自由及び裁判報道の自由を意味する。

1　傍聴の自由とその制限

（1）　傍聴の自由

　　　裁判を公開するとは、要するに国民に裁判の傍聴を認めるということである。裁判の公開のために、各裁判所の法廷には必ず傍聴席が設けられており、国民はいつでも自由に裁判を傍聴できる建前になっている。

　　　傍聴の自由については、21条1項の「知る権利」（⇒ p.158）を具体化したものであるなどとして、具体的な権利性を認めるのが学説の大勢である。しかし、判例は、裁判の公開を制度的保障として捉え、傍聴をその反射的利益にすぎないとみてその権利性を否定している。

▼　**レペタ事件（最大判平元.3.8・百選72事件）** 司共予　⇒ p.206

　判旨：　本条は、「裁判を一般に公開して裁判が公正に行われることを制度として保障」するが、「各人が裁判所に対して傍聴することを権利として要求できることまでを認めたものでないことはもとより、傍聴人に対して法廷においてメモを取ることを権利として保障しているものでない」としたうえで、メモを取る自由には合理的な制限を加えることができるとした。

　評釈：　傍聴の自由の権利性を認める学説からは、メモを取る自由に対する制限については目的・手段が厳格に審査されなければならないとの批判が加えられている。

▼　**最判平17.4.14・百選186事件** 司共

　　ビデオリンク方式・遮へい措置を定めた刑訴法157条の3・157条の4は、それらの措置が採られても審理が公開されていることに変わりはないから、憲法82条1項、37条1項に違反しない。

　　また、「遮へい措置が採られた場合、被告人は、証人の姿を見ることはできないけれども、供述を聞くことはでき、自ら尋問することもでき、さらに、この措置は、弁護人が出頭している場合に限り採ることができるのであって、弁護人による証人の供述態度等の観察は妨げられないのであるから、……被告人の証人審問権は侵害されていないというべきである」。

　　「ビデオリンク方式によることとされた場合には、被告人は、映像と音声の送受信を通じてであれ、証人の姿を見ながら供述を聞き、自ら尋問することができるのであるから、被告人の証人審問権は侵害されていないというべきである。さらには、ビデオリンク方式によった上で被告人から証人の状態を認識できなくする遮へい措置が採られても、映像と音声の送受信を通じてであれ、被告人は、証人の供述を聞くことはでき、自ら尋問することもでき、弁護人による証人の供述態度等の観察は妨げられないのであるから、やはり被告人の証人審問権は侵害されていないというべきことは同様である。したがって、刑訴法157条の3、157条の4は、憲法37条2項前段に違反するものでもない」。

統
治

▼　**最決平 2.2.16・百選〔第5版〕205 事件**〈回〉

　　本条は「刑事確定訴訟記録の閲覧を権利として要求できることまでを認めた
　　ものでない」とした。

　(2)　傍聴の制限

　　　傍聴には諸種の制約が認められる。

　　　ex.1　傍聴席の数は物理的に限られているため、傍聴券を発行してその所
　　　　　持者に限り傍聴を許すことができる（裁判所傍聴規則 1 ①）

　　　ex.2　裁判長が法廷の秩序を維持するため必要と認めたとき、一定の制約
　　　　　を加えることができる（裁判所 71 Ⅰ）

2　裁判報道の自由

　　傍聴の自由は、裁判についての報道の自由を含む。ただし、裁判報道の自由
　も、法廷秩序の維持や訴訟当事者・関係人の名誉保護の観点からの制約は免れ
　ない。

　　　ex.　刑事訴訟では、写真撮影・録音・放送について裁判所の許可を得なけれ
　　　　　ばならない（刑訴規 215）。一方、民事訴訟では、写真撮影・録音・録画・
　　　　　放送・速記につき、裁判長の許可を得なければならない（民訴規 77）〈回〉

▼　**北海タイムス事件（最大決昭 33.2.17・百選〔第6版〕76 事件）**
　⇒ p.206

3　公開の範囲

　　本条1項によって公開を要するのは「裁判の対審及び判決」である。本条1
　項は「対審」及び「判決」という裁判の核心的部分の公開を定める。

　　　cf.1　口頭弁論期日外に行われた原告本人への尋問の手続を非公開で行った
　　　　　としても、裁判公開原則には反しない

　　　cf.2　家庭裁判所における少年保護事件は、刑事手続ではなく保護処分を行
　　　　　うものとして訴訟事件に属しないため、審判を非公開とする少年法 22
　　　　　条2項は裁判公開原則に反しない

　　　cf.3　被害者特定事項（刑訴 290 の 2）は、裁判を非公開で行う旨のもので
　　　　　はないから 82 条違反ではない（最決平 20.3.5・平 20 重判 9 事件）

　(1)　「対審」〈予〉

　　　裁判官の面前で当事者が口頭でそれぞれの主張を述べることをいう。

　　　→民事訴訟における口頭弁論手続、刑事訴訟における公判手続を指す

　(2)　「判決」

　　　原告（民事訴訟の場合）、検察官（刑事訴訟の場合）の申立てに対し、対
　　審に基づいて裁判所が与える終局的判断をいう。

統
治

(3) 公開を必要とする「裁判」 ⇒ p.303

二 公開原則の例外（82 Ⅱ）

1 公開の停止

本条2項は対審のみについて公開原則の例外を定める。

→判決は常に公開されなければならない〈供〉

▼ **最大決昭 35.7.6・百選 124 事件** ⇒ p.304

2 絶対的公開

本条2項ただし書は、対審の公開により公序良俗を害するおそれがあっても、公開されなければならない場合を定める。

＜裁判が絶対的公開とされる場合＞

	政治犯罪	出版に関する犯罪	憲法第3章で保障する国民の権利が問題となっている事件（＊）
理由	支配権力の秩序を侵害する犯罪については、不公正な裁判が行われるおそれが特に強い	出版は表現の自由（21Ⅰ）の重要な手段であるため、特に公正な裁判を確保すべきことが要請される	国民の憲法上の権利の重要性に鑑み、特に裁判の公正を確保する必要が大きい

＊ 憲法が保障する国民の権利に対して法律が制限を加えており、その制限に違反したことが犯罪として問責されている刑事事件のことをいうと解されている。
ex. 表現の自由に対する制限に違反することが構成要件とされる名誉毀損罪（刑230Ⅰ）

《その他》

・本条で公開を要する「裁判」とは、実体的権利義務の有無を争う「性質上純然たる訴訟事件」をいい、家事審判手続や非訟事件は含まれない〈司〉

・民事上の秩序罰としての過料を科する作用は、その実質において一種の行政処分としての性質を有するものであるから、法律上、裁判所がこれを科することにしている場合でも、公開の法廷における対審・判決によって行わなければならないものではなく、非公開で登記義務を懈怠した者に対する過料の制裁を課したことは違憲ではない（最大決昭 41.12.27・百選 126 事件）。

・裁判官の懲戒は、裁判所が裁判という形式をとるが、一般の公務員に対する懲戒と同様、その実質においては裁判官に対する行政処分である。したがって、純然たる訴訟事件の裁判には当たらないので、懲戒の裁判を非公開にしても 82 条違反ではない（寺西判事補戒告事件、最大決平 10.12.1・百選 177 事件）〈司〉。

第7章　財政

《概　説》

一　財政の意義

「財政」とは、国家がその任務を行ううえで必要な財力を調達・管理・使用する作用をいう。

二　明治憲法の財政制度

明治憲法は、「会計」の表題の下に11か条の条文を置き、財政立憲主義の原則を採用していた。

ex.　租税法律主義（明憲62 I）、国債及び予算外国庫負担契約に対する議会協賛（明憲62 Ⅲ）、予算に対する議会協賛（明憲64 I）、決算の議会審査（明憲72 I）

→もっとも、いくつかの重要な例外が認められていた（ex. 明憲67、70、71）

三　日本国憲法の財政制度

日本国憲法では、「財政」の表題の下に9か条の条文を置き、財政の基本的かつ一般的な原則規定を設けている。

統治

＜日本国憲法の財政制度＞

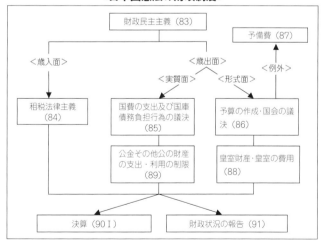

501

第83条 〔財政処理の基本原則〕

　国の財政を処理する権限は、国会の議決に基いて、これを行使しなければならない。

[趣旨] 国の財政は、国民生活に重大な影響を及ぼすものであるから、国民が不当な負担を被ることのないよう、財政処理の一般原則として、国の財政作用全般に対する国民による民主的コントロールが要請される。そこで、本条は財政立憲主義について規定する。

《注　釈》

一　財政立憲主義の意義

　財政立憲主義とは、国の財政を国民の代表機関である国会（43 I）の統制下に置くという原則をいう。

二　「財政を処理する権限」の意義

　国の財政作用を行ううえで必要となる諸権限をいう。

　ex.　租税の賦課・徴収、金銭の借入、国費の支出、国の財産の管理

三　「国会の議決」の意義

　必ずしも、国の財政作用に属するすべての行為について個別的に国会の議決が必要であるとする趣旨ではない。

　各種の財政作用がどのような方式で国会の議決に基づくことになるかは、次条以下において定められている。

第84条 〔租税法律主義〕

　あらたに租税を課し、又は現行の租税を変更するには、法律又は法律の定める条件によることを必要とする。

⇒地自 §223（地方税）、明憲 §62・63（租税法律主義）

[趣旨] 本条は、租税法律主義の原則を定める。この原則は30条で国民の義務の側からも規定されており、歴史的には近代諸憲法の「代表なければ課税なし」の思想に基づく。

《注　釈》

一　租税法律主義

1　租税法律主義の意義

　　租税法律主義の原則とは、租税の賦課・徴収は、必ず国会の議決する法律によらなければならないとする原則をいう。

＊　永久税主義

　　本条は明治憲法（明憲63）以来の永久税主義を容認するものであって、いわゆる1年税主義（租税は1年ごと）を原則とするものではない。

　　もっとも、1年税主義を否定するものではなく、法律で1年税主義を定め

統治

ることも許される。

2　租税法律主義の内容

　租税法律主義の主な内容として、①課税要件法定主義と、②課税要件明確主義とがある。

<租税法律主義の内容>

課税要件法定主義	①　納税義務者、課税物件、課税標準、税率などの課税要件を法定 ②　租税の賦課・徴収の手続を法定（最大判昭30.3.23）
課税要件明確主義	課税要件及び賦課・徴収を定める手続は誰でもその内容を理解できるように明確に定められなければならない

二　命令への委任

1　委任の可否・限界

　租税に関する事項の細目に至るまで法律で定めることは実際的ではなく、命令への委任が認められる。

　しかし、命令への委任は課税要件法定主義に照らし、個別的・具体的でなければならない。

2　通達課税と租税法律主義

　通達は、税務行政上、法律改正をまたずに特定の解釈や措置を導入する手段として用いられている。これが租税法律主義に反しないかが問題となる。

▼　パチンコ球遊器通達課税事件（最判昭33.3.28・百選A16事件）

事案：　従来非課税物件であったパチンコ球遊器が、通達による解釈変更に伴い、新たに課税されるようになったため、法律上は課税できるが、従来、事実上非課税として取り扱われてきたパチンコ球遊器を、行政の内部命令である通達により新たに課税物件として取り扱うことは、納税の義務を法に求めた憲法の趣旨を失わせると主張して課税処分の無効確認を求めた。

判旨：　「社会観念上普通に遊戯具とされているパチンコ球遊器が物品税法上の『遊戯具』のうちに含まれないと解することは困難」であるとしたうえで、「なお、……本件の課税がたまたま所論通達を機縁として行われたものであっても、通達の内容が法の正しい解釈に合致するものである以上、本件課税処分は法の根拠に基く処分と解するに妨げがない」と判示した。

評釈：　本件のように実質上通達による新たな課税になることは、租税法律主義から問題があるとの批判がある。

三　租税法律主義の適用範囲

1　固有の意味の租税

　　「租税」とは、固有の意味においては、国又は地方公共団体がその課税権に基づき、その使用する経費に充当するために強制的に徴収する金銭給付を指す。

2　財政法3条と憲法83条ないし84条との関係

　　財政法3条は、「租税を除く外、国が国権に基いて収納する課徴金及び法律上又は事実上国の独占に属する事業における専売価格若しくは事業料金については、すべて法律又は国会の議決に基いて定めなければならない。」と規定する。

　　この規定が憲法83条ないし84条の当然の結論を明らかにしたものかどうかは、争いがある。

＜財政法3条と憲法83条ないし84条との関係＞〔司〕

学説 （＊1）	内容	理　由
A説	財政法3条は、84条の租税法律主義ではなく、83条の財政立憲主義の要求によって規定された（憲法83条説・有力説）	固有の意味の租税と各種負担金や手数料等との性質の差異に応じた国会のコントロールを認めることが、財政立憲主義の観点からは必要である →84条の適用範囲を固有の意味の租税に限定する
B説	財政法3条は84条の租税法律主義の要求によって規定された（憲法84条説）（＊2）	租税法律主義を、およそ国がその収入のために国民から一方的・強制的に賦課・徴収する金銭的負担については国会の議決に基づかなければならないことを要求する原則と捉える →84条の適用範囲を固有の意味の租税に限定せず広く捉える

＊1　財政法3条は憲法83条ないし84条の要求によってではなく、立法政策上の判断によって設けられたにすぎないとする見解もある（立法政策説）。

＊2　憲法84条説によれば財政法3条が違憲の条項となってしまうとの批判がある。その理由は、財政法3条の「法律又は国会の議決に基いて」は、憲法84条の「法律又は法律の定める条件」とは異なり、具体的金額や算定基準までの法定は要求しない内容と解されるからである〔司〕。

四　租税法律主義の変形

1　地方税

　　「租税」は国税のみを指し地方税は含まないが、本条の趣旨は地方税にも及ぶと解されている。そこで、条例による地方税の賦課・徴収につき法律による授権が必要か否かが問題となる。

＜条例と租税法律主義＞

	内容	理　由
A説	条例による地方税の賦課は84条の例外であり、法律による条例への授権が必要となるが、国税の場合と異なって、大幅に条例に委任することが認められる	地方公共団体の課税権は、地方公共団体に固有のものではなく、国の課税権の一部が付与されたもの（伝来説）であるから、地方税の賦課・徴収にも当然に法律の根拠が必要である。しかし、地方税については法律で詳細に内容を定めがたい場合があり、かえって一定の範囲内で地方公共団体の自治権に委ねた方が妥当である
B説	84条の「法律」には条例が含まれるため、法律による授権は不要である〈通〉	① 地方公共団体は、憲法上（92、94）、直接課税権を有するから、84条の租税法律主義は、地方税では租税条例主義が予定されている ② 租税法律主義の趣旨は行政権による専断的な課税を防止するところにあるところ、民主的な手続によって制定された条例は「法律」に準じるものと解してよい

*　条例は「法律以下の法令といっても、公選の議員をもって組織する地方公共団体の議会の議決を経て制定される自治立法であ」るとされており（最大判昭37.5.30・百選208事件）、一定の範囲内で条例による租税の賦課徴収ができる〈供〉。

▼　**旭川市国民健康保険料事件（最大判平18.3.1・百選196事件）**〈同供〉

① 国民健康保険の保険料は租税ではなく、租税法律主義を定めた憲法84条は直接適用されない。

② 国、地方公共団体等が賦課徴収する租税以外の公課であっても、その性質に応じて、法律又は法律の範囲内で制定された条例によって適正な規律がされるべきものと解すべきであり、憲法84条に規定する租税ではないという理由だけから、同条の趣旨が及ばないと判断することは相当ではない。

③ 市町村が行う国民健康保険は、賦課徴収の強制の度合いにおいては租税に類似する性質をもつため、憲法84条の趣旨が及ぶと解すべきであるところ、国民健康保険法81条の委任に基づき条例において賦課要件がどの程度明確に定められるべきかは、賦課徴収の強制の度合いのほか、社会保険としての国民健康保険の目的、特質等をも総合考慮して判断する必要がある。

④ 旭川市国民健康保険条例が、保険料算定の基礎となる賦課総額の算定基準を定めた上で、市長に対し、保険料率を同基準に基づいて決定して告示の方式により公示することを委任したことは、国民健康保険法81条に違反せず、憲法84条の趣旨にも反しない。

⑤ 保険料率については恣意的な判断が加わる余地はなく、賦課期日後に決定されたとしても法的安定性が害されるものではないので、旭川市長が旭川市国民健康保険条例の規定に基づき保険料率を各年度の賦課期日後に告示したことは、憲法84条の趣旨に反しない。

⑥ 旭川市国民健康保険条例の規定が恒常的に生活が困窮している状態にある者を保険料の減免の対象としていないことは、国民健康保険法77条の委任の範囲を超えるものではなく、著しく合理性を欠くということはできないし、経済的弱者について合理的な理由のない差別をしたものということもできないので、憲法25条、14条に違反しない。

▼ 租税法における遡及的立法（最判平 23.9.22・百選 197 事件）

事案： 平成16年4月1日に施行された改正租税特別措置法は、不動産等を譲渡した際の譲渡所得に係る損益通算（各種所得金額の計算上、譲渡所得や不動産所得等の金額に損失が生じた場合、この損失を他の各種所得の金額から差し引くことをいう。これにより、差し引いた金額分だけ所得も減る計算となるため、節税の効果を有する。）を一定の場合に認めないこととした。上記改正法は、同附則27条1項（以下、「本件改正附則」という。）に基づき、平成16年1月1日以後適用する旨規定していた。Xは、本件改正附則が納税者に不利益な遡及立法であって84条に違反すると主張した。

判旨： 憲法84条は、「課税関係における法的安定が保たれるべき趣旨を含む」。そして、「納税者の租税法規上の地位が変更され、課税関係における法的安定に影響が及び得る場合」の憲法適合性は、財産権の内容の事後の法律による変更の場合と同様に、「当該財産権の性質、その内容を変更する程度及びこれを変更することによって保護される公益の性質などの諸事情を総合的に勘案し、その変更が当該財産権に対する合理的な制約として容認されるべきものであるかどうか」によって判断する。なぜなら、「租税法規の変更及び適用も、最終的には国民の財産上の利害に帰着するもの」であり、「その合理性は上記の諸事情を総合的に勘案して判断されるべきものであるという点において、財産権の内容の事後の法律による変更の場合と同様というべきだからである。」

本件改正附則が改正法の遡及適用を認めたのは、駆け込み売却による不動産価格の下落を防ぐためであり、具体的な公益上の要請に基づくものであるのに対し、本件改正によって事後的に変更されるのは「納税者の納税義務それ自体」ではなく、「損益通算をして租税負担の軽減を図ることを納税者が期待し得る地位」にとどまる。そして、「租税法規は、財政・経済・社会政策等の国政全般からの総合的な政策判断及び極めて専門技術的な判断を踏まえた立法府の裁量的判断に基づき定立されるものであり、納税者の上記地位もこのような政策的、技術的な判断を踏まえた裁量的判断に基づき設けられた性格を有する」ことも勘案すると、本件改正附則は納税者の租税法規上の地位に対する合理的な制約として容認され、憲法84条の趣旨に反しない。

▼　**東京都銀行税訴訟（東京高判平 15.1.30・百選〔第5版〕223 事件）**

事案：　地方税法 72 条の 19 は、法人に対する事業税の課税標準を都道府県が
定めることができるとしているが、「負担と著しく均衡を失することのな
いようにしなければならない」という制約が課されていた（同 72 の 22
Ⅸ）。東京都は、一定以上の資金量を有する銀行業を行う法人に、「業務
粗利益」を課税標準として課する条例を制定した（外形標準課税）。こ
れに対し、条例の適用対象となった大手銀行らは、条例の違憲性・違法
性を主張した。

判旨：　当事者は、本件条例が憲法 94 条の認める課税権の範囲内か否かについ
ても主張を行っていたが、東京高裁は、第一審同様、条例の地方税法違
反により結論を出し、憲法判断を回避した。そして、本件判決は、外形標
準課税に関する地方公共団体の立法裁量を尊重する一方で、その裁量の
制約原理として機能するのが地方税法 72 条の 22 第 9 項の「均衡要件」
であると解し、本件条例が均衡の原則に適合しているとは認められない
とした。

2　関税

　関税は、関税法及び関税定率法によるのが原則である。

　条約によって特別の定めがあるときは、それによる（関税 3 ただし書）が、
このことは本条に反しない《**判通**〈**国**〉。

　∵①　関税の賦課徴収については対外関係を考慮せざるを得ない

　　②　条約の形式的効力は法律に優る

第85条　〔国費支出及び国の債務負担〕

　国費を支出し、又は国が債務を負担するには、国会の議決に基くことを必要とする。

⇒財政 §4・5・7・15（債務負担行為）、明憲 §62Ⅲ（国の債務負担）

[趣旨]本条は、憲法 83 条に定められた財政立憲主義の原則を、支出面で具体化し
たものである。

《注　釈》

一　国費の支出

1　意義

　国費の支出とは、「国の各般の需要を充たすための現金の支払」をいう（財
政 2 Ⅰ）。

2　議決の方式

　国費の支出に対する国会の議決は、86 条に定める予算の形式によってなさ
れる。

二 国の債務負担行為

1 意義

「国が債務を負担する」とは、財政上の需要を充足するのに必要な経費を調達するために債務を負うことをいう。

2 議決の方式

国の債務負担に対する国会の議決については、その方式について憲法は特別の定めをしていない。

→財政法は国会の議決方式として法律と予算の2つの形式を認めている

＜国の債務負担行為＞

法律の形式による債務負担行為	国が財政上の目的のために負担する債務（財政公債）であり、その償還時期が次年度以降にわたるもの（固定公債、長期公債）	
予算の形式による債務負担行為	歳出予算内の債務負担行為	財務省証券や一時借入金のような当該年度内に返済されるもの（流動公債、短期公債）
	上記以外の債務負担行為	外国人傭入契約、各種の補助契約、土地建物賃貸借契約など

第86条 〔予算の作成、国会の議決〕

内閣は、毎会計年度の予算を作成し、国会に提出して、その審議を受け議決を経なければならない。

⇒財政§11（会計年度）、財政§16〜30（予算の作成）、明憲§64（予算）

[趣旨]本条は、85条で要求される国費の支出に対する国会の議決が、予算という形式で議決されることを定めたものである。85条は実質面から、86条は手続面から、財政立憲主義の原則を規定したものといえる。

《注 釈》

一 予算

1 予算の意義

「予算」とは、一会計年度における国の歳入歳出の予定的見積りを内容とする国の財政行為の準則をいう。

→予算の内容として、予算総則、歳入歳出予算、継続費、繰越明許費、国庫債務負担行為がある（財政16）

(1) 会計年度

予算は会計年度ごとに作成されなければならない（86、明憲71参照）。

→予算の有効期間は、原則として当該会計年度のみである

cf. 会計年度は、毎年4月1日に始まり、翌年3月31日に終わる（財政11）

(2)　会計年度独立の原則

「各会計年度における経費は、その年度の歳入を以て、これを支弁しなければならない」という原則をいう（財政12）。

cf.　継続費（明憲68参照）

「国は、工事、製造その他の事業で、その完成に数年度を要するものについて、特に必要がある場合においては、経費の総額及び年割額を定め、予め国会の議決を経て、その議決するところに従い、数年度にわたつて支出することができる」（財政14の2Ⅰ）

→会計年度独立の原則の例外である

2　予算の法的性格

予算の法的性格について、学説上争いがある。

＜予算の法的性格＞〔司〕

統治

	内容	理由
予算行政説	予算は行政行為（財政計画）である →予算は議会に対する意思表示にすぎず、国会の決議は国会の承認の意思表示にすぎないとして、予算の法規範性を否定する	①　予算は国会が政府の財政計画を承認する意思表示であり、国会と政府の間に効力を有し、政府の権限を拘束するにすぎない ②　予算は一会計年度においてのみ効力を有し従来の予算を変更する効力をもたない
予算法形式説〔適〕	予算は法律とは成立手続を異にし、法律とは区別された一法形式である →予算は行政府の行為を法的に制約・規律するとして、予算の法規範性を肯定する	①　財政立憲主義の観点から、予算は国の財政行為の準則として、法規範性を有するものと捉えるべきである ②　予算は、国家機関の行為のみを規律し、しかも、一会計年度内の具体的行為を規律するという点で、一般国民の行為を一般的に規律する法令と区別される ③　予算提出権と衆議院の先議・優越につき明文規定が存在すること、公布を要しないこと（7①参照）から、予算は法律とは成立手続を異にし、法律と区別される一法形式であると解すべきである
予算法律説	予算は法律それ自体である →①　予算の法規範性を肯定する ②　予算は法律として議決されるから、成立すれば署名・公布が必要となる ③　国会の予算修正権の限界の問題は生じない〔司〕	①　財政立憲主義の徹底の観点から、予算は法律そのものと捉えるべきである ②　「官吏に関する事務」は法律所管事項である（73④）など、法律は一般国民への規制に限定されていないし、法律にも期間が限定された限時法が認められている ③　議決の方式が異なるのは、予算の議決には原則として59条1項が適用され、そのうえで、同条項の「憲法に特別の定のある場合」として、60条の衆議院の先議・優越が適用されると考えられる〔司〕

3 予算の種類

(1) 本予算

　　一般会計（国の一般の歳入歳出を経理する会計、財政13Ⅰ）、特別会計（財政13Ⅱ）及び政府関係機関の予算は、一体として国会の審議を受け議決され、通常、当該年度開始前に成立する。これを本予算という。

(2) 補正予算

　　追加予算と修正予算とを併せて補正予算という。

　(a) 追加予算

　　　本予算成立後において、法律上又は契約上国の義務に属する経費の不足を補うほか、予算作成後に生じた事由に基づき特に緊要となった経費の支出又は債務の負担を行うために必要とされる予算の追加をいう。

　(b) 修正予算

　　　予算作成後に生じた事由に基づいて、予算に追加以外の変更を加えるものをいう。

(3) 暫定予算〈予〉

　　予算が新会計年度の開始前に成立しない場合には、内閣は、一会計年度のうち一定期間にかかる暫定予算を作成し、国会に提出することができる（財政30Ⅰ）。これを暫定予算という。

　　→暫定予算は当該年度の予算が成立したときには失効し、暫定予算で採られた措置は、すべて正規の予算に基づいてなされたものとみなされ、その会計年度の予算に組み込まれて国会の議決を事後的に受けることになる（財政30Ⅱ）

　　　∵　暫定予算は正規の予算が成立するまでの暫定的な措置にすぎない

　　cf.1　明治憲法では、予算が新会計年度の開始までに成立しない場合には、政府は前年度予算を施行することができるとされていた（明憲71）

　　cf.2　暫定予算の内容については、法令に定めはないものの、本予算の不成立による行政の中断への対策である以上、職員給与費や法令上支出を義務付けられている経費のような、義務的な最小限度の経常的経費に限られるのを通例とする

二　予算の成立

1 予算の発案と議決

　　予算は内閣が作成し、国会に提出する（73⑤、86）。衆議院に予算先議権が認められる（60Ⅰ）。

　　cf.　国会・裁判所及び会計検査院の予算に関しては、これらの機関が憲法上内閣から独立した地位にあることに鑑み、その独立性が内閣の予算作成権によって害されることを防止する趣旨で、財政法はいわゆる二重予算の制度を認める（財政19）

統
治

2 国会の予算修正権《国》

(1) 減額修正（原案に対して廃除削減を行う修正）《予》

国会の修正権に限界はないと解することで学説はほぼ一致している。

∵ 日本国憲法では財政立憲主義の原則が確立しており、他方、国会の予算審議権を制限する規定は設けられていない

cf. 明治憲法では、既定費・法律費・義務費に関しては政府の同意なく廃除削減できないとされていた（明憲67）

(2) 増額修正（原案に新たな款項を設け、又は原案の款項の金額を増額する修正）

かつては、予算行政説の立場から、内閣の予算発案権を侵害するとして国会による予算の増額修正を否定する見解もあったが、今日では増額修正それ自体を肯定する点で、学説上ほぼ争いはない。問題は、増額修正に限界があるか否かである。

A説：増額修正は無制限になしうる

∵① （予算国法形式説の立場から）国会の予算議決権を制限する憲法上の規定が存在せず、財政立憲主義を採っていることから、減額修正の場合と同様に増額修正にも制限がない

② （予算法律説の立場から）予算が法律であることの当然の結果として、国会が予算を自由に修正できる

B説：増額修正には一定の制約がある

∵① （予算国法形式説の立場から）国会を財政処理の最高議決機関とする憲法の精神から、ある程度国会の増額修正は可能なものとみなされるが、予算発案権を内閣に専属させていることから、この建前を覆して予算の同一性を損なうような大修正は許されない

② （予算法律説の立場から）予算発案権を内閣に専属させていることから、予算の増額修正に一定の制限がある

＊ 「項」の新設

1977年の政府見解によれば、国会の予算修正は内閣の予算提案権を損なわない範囲内において可能であるとされ、「項」を新設する修正も可能であるとされている《国》。

3 予算と法律の不一致《国》

(1) 憲法上、予算と法律との法形式及び立法手続が異なっているため、予算と法律との間に不一致が生じる場合がある（予算法律説に立った場合でも、このような事態が生じるのは避けられないと解されている）。

① 予算措置・予算の裏付けを必要とする法律が成立しているにもかかわらず、その執行に要する予算が不存在ないし不成立の場合

  ② ある目的のための予算が成立しているが、その予算の執行を命じる法律が不成立の場合

  ③ 国会が歳出の根拠となる法律を制定しておきながら、予算を大幅に減額した場合

(2) 内閣の義務（①の場合）

 予算国法形式説からは、予算と法律とは本来一致させられるべきものであり、内閣は「法律を誠実に執行し」なければならない（73①）以上、法律に伴う経費が予算に設けられていない場合には、補正予算を組むこと、経費を流用すること、予備費の支出などの予算措置を採るべき義務があることになる。

 ＊ 直接に政府の支出及び金額を指定せず、予算の許す範囲内で支出すべきものと定めるもの（ex. 補助金、奨励金）については、可能な範囲で予算措置を採る義務があると解されている。

(3) 国会の義務

 (a) ②の場合

  予算があっても法律が存在しないのであるから、内閣は予算の支出を実行することができない。したがって、内閣が予算の支出をするためには自ら法律案を提出して国会の議決を待つほかないが、国会には議決する義務はない。

 (b) ③の場合

  国会が歳出の根拠となる法律を制定しておきながら予算を大幅に減額することによって法律と予算との不一致の状態を作り出し、それをそのまま放置することは憲法の予定するところではないと考えられる。そこで、この種の廃除削減を行った場合には、国会は、同時にその法律を改廃するなどして不一致を解消すべき義務がある、とする見解が主張されている。

第87条 〔予備費〕

Ⅰ　予見し難い予算の不足に充てるため、国会の議決に基いて予備費を設け、内閣の責任でこれを支出することができる。

Ⅱ　すべて予備費の支出については、内閣は、事後に国会の承諾を得なければならない。

⇒財政§24（予備費の計上）、財政§35・36（予備費の管理・支出）、明憲§69（予備費）

《注 釈》

一 予備費

 1 意義

  予備費の制度は、予見しがたい事情のために、①予算にある費目の金額が不

足になった場合（予算超過支出）と、②予算に新たに費目を加える必要が生じた場合（予算外支出）とに対応するためのものである。

　2　予備費の議決（87Ⅰ）

　　　予備費を設ける方法については、本条は触れていない。この点、財政法24条は、「内閣は、予備費として相当と認める金額を、歳入歳出予算に計上することができる」として、本条1項の「国会の議決」が予算の議決としてなされるべきことを定める〈司〉。なお、予備費を設けることは義務ではない。

　3　予備費の支出（87Ⅰ）

　　　国会の議決を経た予備費は、内閣の責任において、その管理及び現実の支出がなされる。

二　予備費支出の国会による事後承諾（87Ⅱ）〈司〉

　　　本条2項の「国会の承諾」は、予備費の支出が不当でなかったとする国会の判断とその確認を内容とする意思表示であり、具体的な予備費の使用状況についても国会による適切なコントロールを及ぼそうとの趣旨に基づく。

　　　→承諾が得られない場合においても、すでになされた支出の法的効果に影響はなく、内閣の政治的責任の問題が生ずるにとどまる〈司〉

第88条〔皇室財産・皇室の費用〕

　すべて皇室財産は、国に属する。すべて皇室の費用は、予算に計上して国会の議決を経なければならない。

[趣旨] 本条は、8条とともに、皇室財産の自律主義を廃し、その民主化を図るものである。前段は、これまで皇室が所有していた膨大な財産をすべて国有財産に移管することを規定する。しかし、象徴としての天皇を認める（1）以上、天皇及び皇族が品位を保って公私の生活を営むことを保障する必要がある。そこで後段は、必要な皇室経費はすべて国庫から支出することとし、それは「予算に計上して国会の議決を経なければならない」とした。

《注　釈》

一　皇室財産（88前段）

　　　「皇室財産」とは、天皇及び皇族の所有に属する財産を総称する。皇室財産はすべて国有財産とされる。

　　　cf.　日常の生活必需品など、純然たる個人財産については、本条の射程範囲の外にあり、天皇及び皇族の私有が認められる〈司〉

二　皇室の費用（88後段）

　1　意義

　　　「皇室の費用」とは、天皇及び皇族の生活費並びに宮廷事務に要する費用をいう。

　　　→予算に計上される皇室の費用としては、内廷費（皇室経済4）、宮廷費

（皇室経済5）、皇族費（皇室経済6）がある
→国会の議決に基づき、国庫から支出される
　　cf.　天皇や皇族が、その私的な財産から生ずる費用を生活費の一部に充てることに関しては国会の議決は不要である
2　国会の議決
　　85条の規定からは、皇室の費用として国費を支出するには国会の議決に基づくべきことが要請される。本条が「予算に計上して」とするのは、国会の議決を求める方法は予算によるべきものとする趣旨である。
　　　　→衆議院の優越が認められる（60）

第89条　〔公の財産の支出・利用の制限〕

公金その他の公の財産は、宗教上の組織若しくは団体の使用、便益若しくは維持のため、又は公の支配に属しない慈善、教育若しくは博愛の事業に対し、これを支出し、又はその利用に供してはならない。

⇒私立学校§59（学校法人の助成）、私立学校振興助成§4～10

[趣旨]本条前段では、宗教上の組織・団体に国が財政的援助を行わないとすることによって、20条で定められた政教分離の原則（⇒ p.146）を財政面から裏付けている。本条後段では、「公の支配」に属しない教育や福祉事業に対しても、国の財政的援助を行わないことを定めている。この趣旨の捉え方については、「公の支配」の意義と関連して争いがある。　⇒ p.519

《注　釈》

一　公金支出等の禁止（89前段）　司H24

1　宗教上の組織・団体
　　本条前段の「宗教上の組織若しくは団体」とはいかなるものを指すのか、争いがある。

＜「宗教上の組織若しくは団体」（89前段）の意義＞

A説 （厳格説）	宗教上の「組織」とは、寺院、神社のような物的施設を中心とした財団的なものを指し、「団体」とは、教派、宗派、教団のような人の結合を中心とした社団的なものを意味する
B説 （緩和説）	「組織」も「団体」も、厳格に制度化・組織化されたものでなくても、何らかの宗教上の事業ないし活動を目的とする団体であれば足りる

▼　**箕面忠魂碑・慰霊祭訴訟（最判平 5.2.16・百選 46 事件）**　⇒ p.153

　　憲法にいう「宗教団体」又は「宗教上の組織若しくは団体」とは、宗教と何らかのかかわり合いのある行為を行っている組織ないし団体のすべてを意味するものではなく国家が当該組織ないし団体に対し特権を付与したり、また、当該組織ないし団体の使用、便益若しくは維持のため、公金その他の公の財産を支出し又はその利用に供したりすることが、特定の宗教に対する援助、助長、促進又は圧迫、干渉等になり、憲法上の政教分離原則に反すると解されるものをいうのであり、換言すると、「特定の宗教の信仰、礼拝又は普及等の宗教的活動を行うことを本来の目的とする組織ないし団体を指すものと解するのが相当である」と判示した。

2　制限の内容

⑴　公金支出の肯定例・否定例

＜公金支出の肯定例・否定例＞

	具体例
89 条前段に違反する	①　愛媛県が、靖国神社が挙行した春秋の「例大祭」に際し玉串料として9回にわたり、計4万5000円の公金を支出した行為（愛媛玉串料訴訟、最大判平 9.4.2・百選 44 事件） ②　市が、市の所有する土地を神社施設の敷地として氏子集団に無償使用させた行為（空知太神社訴訟、最大判平 22.1.20・百選 47 事件）
89 条前段に違反しない	①　国が、上納を受け国有地となった寺院等の境内地その他の附属地を無償貸与中の寺院等に譲与又は時価の半額で売り払うと規定する処分法（最大判昭 33.12.24・百選 198 事件） ②　市が、地蔵像建立のために市有地を町会に無償提供した行為（大阪地蔵像訴訟、最判平 4.11.16・百選〔第5版〕53 事件） ③　市が、神社の敷地となっていた市有地を町内会組織に無償譲渡した行為（富平神社訴訟、最大判平 22.1.20） ④　政教分離原則違反の対象となった神社物件を一部撤去した上、土地の一部を祠および鳥居の敷地として氏子集団の氏子総代長に年額3万5000円程度で賃貸する行為（空知太神社訴訟上告審、最判平 24.2.16）

統治

▼　愛媛玉串料訴訟（最大判平 9.4.2・百選 44 事件）〈司〉　⇒ p.150

　　本条に関する検討に当たっても 20 条の場合と同様、目的効果基準により判断しなければならないとしたうえで、本件の場合、「一般人が……玉串料等の奉納を社会的儀礼の一つにすぎないと評価しているとは考え難い」ところである。そうであれば、「玉串料等の奉納者においても、それが宗教的意義を有するものであるという意識を大なり小なり持たざるを得ない」。また本件行為は「一般人に対して、県が当該特定の宗教団体を特別に支援しており、それらの宗教団体が他の宗教団体とは異なる特別のものであるとの印象を与え、特定の宗教への関心を呼び起こすものといわざるを得ない」。そして、上記のように、玉串料等を奉納することは、慣習化した社会的儀礼にすぎないものになっているとも認められないため、「たとえそれが戦没者の慰霊及びその遺族の慰謝を直接の目的としてされたものであったとしても、世俗的目的で行われた社会的儀礼にすぎないものとして憲法に違反しないということはできない。」したがって、本件の玉串料等の奉納は、その目的が宗教的意義をもつことは免れず、その効果が「特定の宗教に対する援助、助長、促進」になると認めるべきであり、本条に違反すると判示した。

▼　空知太神社訴訟（最大判平 22.1.20・百選 47 事件）〈司〉　⇒ p.153

　　「国家と宗教とのかかわり合いには種々の形態があり、およそ国又は地方公共団体が宗教との一切の関係を持つことが許されないというものではなく、憲法 89 条も、公の財産の利用提供等における宗教とのかかわり合いが、我が国の社会的、文化的諸条件に照らし、信教の自由の保障の確保という制度の根本目的との関係で相当とされる限度を超えるものと認められる場合に、これを許さないとするもの」である。「信教の自由の保障の確保という制度の根本目的との関係で相当とされる限度を超えて憲法 89 条に違反するか否かを判断するに当たっては、当該宗教的施設の性格、当該土地が無償で当該施設の敷地としての用に供されるに至った経緯、当該無償提供の態様、これらに対する一般人の評価、諸般の事情を考慮し、社会通念に照らして総合的に判断すべきものと解するのが相当である」。

　　「本件神社物件は、神社神道のための施設であり、その行事も、このような施設の性格に沿って宗教的行事として行われている」。「本件氏子集団は、……本件神社物件の設置に通常必要とされる対価を何ら支払うことなく、その設置に伴う便益を享受している。すなわち、本件利用提供行為は、その直接の効果として、氏子集団が神社を利用した宗教的活動を行うことを容易にしているものということができる」。「以上のような事情を考慮し、社会通念に照らして総合的に判断すると、……信教の自由の保障の確保という制度の根本目的との関係で相当とされる限度を超えるものとして、憲法 89 条の禁止する公の財産の利用提供に当たり、ひいては憲法 20 条 1 項後段の禁止する宗教団体に対する特権の付与にも該当する」。

▼ 最大判昭 33.12.24・百選 198 事件

社寺等に無償で貸し付けてある国有財産の処分に関する法律（国有境内地処分法）が、「国有地である寺院等の境内地その他の附属地を無償貸付中の寺院等に贈与又は時価の半額で売り払うことにしたのは、……明治初年に寺院等から無償で取上げて国有とした財産を、その寺院等に返還する処置を講じたものであって、かかる沿革上の理由に基づく国有財産関係の整理は、憲法 89 条の趣旨に反するものとはいえない」。

▼ 大阪地蔵像訴訟（最判平 4.11.16・百選〔第5版〕53 事件）

「大阪市が各町会に対して、地蔵像建立あるいは移設のため、市有地の無償使用を承認するなどした意図、目的は、……地元の協力と理解を得て右事業の円滑な進行を図るとともに、地域住民の融和を促進するという何ら宗教的意義を帯びないものであった」、「本件のような寺院外に存する地蔵像に対する信仰は、仏教としての地蔵信仰が変質した庶民の民間信仰であったが、それが長年にわたり伝承された結果、……地蔵像の帯有する宗教性は希薄なものとなっている」、「本件各町会は、その区域に居住する者等によって構成されたいわゆる町内会組織であって、宗教的活動を目的とする団体ではなく、その本件各地蔵像の維持運営に関する行為も、宗教的色彩の希薄な伝統的習俗的行事にとどまっている」。上記の事情を考慮すると、「大阪市が各町会に対して、地蔵像建立あるいは移設のため、市有地の無償使用を承認するなどした行為は、……宗教とのかかわり合いが我が国の社会的・文化的諸条件に照らし信教の自由の確保という制度の根本目的との関係で相当とされる限度を超えるものとは認められず、憲法 20 条 3 項あるいは 89 条の規定に違反するものではない」。

▼ 富平神社訴訟（最大判平 22.1.20）

「本件譲与は、市が、監査委員の指摘を考慮し、上記のような憲法 89 条及び 20 条 1 項後段の趣旨に適合しないおそれのある状態を是正解消するために行ったものである」。「本件譲与は、市と本件神社ないし神道との間に、我が国の社会的、文化的諸条件に照らし、信教の自由の保障の確保という制度の根本目的との関係で相当とされる限度を超えるかかわり合いをもたらすものということはできず、憲法 20 条 3 項、89 条に違反するものではないと解するのが相当である」。

統治

▼ **空知太神社訴訟上告審（最判平24.2.16）**

「本件手段が実施された場合に、本件氏子集団が市有地の一部である本件賃貸予定地において本件鳥居及び本件祠を維持し、年に数回程度の祭事等を今後も継続して行うことになるとしても、一般人の目から見て、市が本件神社ないし神道に対して特別の便益を提供し援助していると評価されるおそれがあるとはいえない」。「したがって、本件手段は、本件利用提供行為の前示の違憲性を解消するための手段として合理的かつ現実的なものというべきであり、市が、本件神社物件の撤去及び本件土地１の明渡しの請求の方法を採らずに、本件手段を実施することは、憲法89条、20条１項後段に違反するものではないと解するのが相当である」。

(2) 宗教法人に対する免税措置の合憲性

宗教法人に対しては、租税法上、免税措置が採られているが、これらの措置が本条前段で禁止される「公金」「支出」に当たらないかが問題となる。

＜宗教法人に対する免税措置の合憲性＞

学説	理由
A説 （合憲説）	① 免税の場合は、公金を積極的に支出する場合の使途をコントロールする必要はなく、また免除は法律による一定の基準に基づいて一般的に行われるので、特に個々の事業に対して公権力による干渉が及ぶおそれが少ない ② 法人税法は、公益法人に対する場合と全く同じく宗教法人に免税の特典を与えているが、一般に公益法人に対して国がこの種の利便を図ることは必ずしもその事業を特に援助するという意味をもつわけではない
B説 （違憲説）	宗教法人に対する免税措置は一種の補助金を意味するのであり、特に本条前段を厳格に解する必要があるから、政教分離の原則からみて許されない

二 「公の支配に属しない」慈善・教育・博愛事業（89後段）

1 慈善・教育・博愛事業の意義

(1) 「慈善」事業とは、老幼・病弱・貧困などによる社会的困窮者に対して、慈愛の精神に基づいて援護を与える事業をいう。

(2) 「教育」事業とは、学校教育の事業に限らず、社会教育の事業を含む。

▼ **幼児教室公的助成違憲訴訟控訴審判決（東京高判平2.1.29・百選199事件）**

「憲法89条に規定する『教育の事業』とは、『人の精神的又は肉体的な育成をめざして人を教え、導くことを目的とする組織的、継続的な活動』をいう」として、幼稚園とほぼ同じように幼児を保育している本件幼児教室の事業は「教育の事業」に当たると判示した。

(3) 「博愛」事業とは、疾病・天災・戦火・貧困などに苦しむ者に対し、人道主義的見地から救済・援護を行う事業をいう。

2 本条後段の立法趣旨

本条後段の趣旨をどのように理解するかにつき、学説は錯綜している。大きく分けて、次の3説が代表的なものである。

＜89条後段の立法趣旨＞司共

	内容	理由
A説	89条後段は、教育等の私的事業に対して公金支出を行う場合には、財政立憲主義の立場から公費の濫用をきたさないように当該事業を監督すべきことを要求する趣旨であると解する（公費濫用防止説）	目的の公共性や、慈善・教育・博愛の美名に頼って、公費が濫用されやすい
B説	89条後段は、教育等の私的事業の自主性を確保するために公権力による干渉の危険を除こうとする趣旨であると解する（自主性確保説）	私的事業は私人の自由に基づいて自主的に運営されるべきところ、公の財政援助を受けると公権力がそれを通じて事業をコントロールすることになり、事業の独自性が害されるおそれがある
C説	89条後段は、政教分離の補完にその趣旨があると解する（中立性確保説）	私人が行う教育等の事業は特定の信念に基づくことが多いので、宗教や特定の思想信条が、国の財政的援助によって教育等の事業に浸透するのを防止すべきである

3 「公の支配」の意義と私学助成の合憲性

私立学校法59条、私立学校振興助成法4～10条は、私立学校に対する助成金の支出を認めている。かかる措置は、89条後段に反しないか。89条後段の趣旨と関連して「公の支配」の意義が問題となる。

< 「公の支配」（89 後段）の意義と私学助成の合憲性＞ 司共

	内容	理由	帰結	批判
緩和説	法律による通常の規制・監督を受けることも「公の支配」に属すると考える	① 教育の実質的な機会均等を図るためには、経営基盤の脆弱な私立学校を国家が助成する必要がある ② 現代国家において教育事業は公的事業であり、それ自体公的性格を有する ③ 「公の支配」の解釈は、憲法14条・25条・26条等の条項との体系的解釈によるべき	私立学校振興助成法が定める会計状況の報告・予算変更・役員解職に関する規制・監督があれば、「公の支配」に属する事業への支出と認めることができ、私学助成は合憲となる	① およそ「公の支配」に属しないものがなくなり89条後段が無意味になる ② （理由③に対して）体系的解釈によって私立学校への助成を正当化することはできない
厳格説	（自主性確保説を前提に）「公の支配」といえるには、経営管理、施設管理、人事等の面で、公権力の監督が事業の自主性を失わせるとみられる程度の強い監督を及ぼすことを要する	「公の支配」と事業の自主性とは相容れないものである以上、「公の支配」の意味は事業の自主性を否定するものと解すべきである	私立学校振興助成法による微温的・名目的な監督では私立学校の事業の自主性が維持されており、「公の支配」に服するとはいえず、私学助成は違憲となる	現在では私立学校は、公教育の重要な部分を担っており、国民の教育を受ける権利の実現に不可欠である、という26条の要請、また国公立・私立を問わず教育事業の自主性の尊重を要請する23条の学問の自由からの要請に応えられない

※ 上記のようにＡ説・Ｂ説ともに一長一短であるため、近時は、①事業経営の経常費に当たる部分にまで援助を受けることは、人事・予算・事業の執行にまで国の支配を受けるものに限って認められるが、②非経常的な費用の助成については、これよりも緩やかな国の監督を受けるにとどまるとしても、「公の支配」に属するものと解すべきである、との見解（折衷説）も有力である。

▼ **幼児教室公的助成違憲訴訟控訴審判決（東京高判平 2.1.29・百選 199 事件）**

判旨: 「教育の事業に対して公の財産を支出し、又は利用させるためには、その教育事業が公の支配に服することを要するが、その程度は、国又は地方公共団体等の公の権力が当該教育事業の運営、存立に影響を及ぼすことにより、右事業が公の利益に沿わない場合にはこれを是正しうる途が確保され、公の財産が濫費されることを防止しうることをもって足り……必ずしも、当該事業の人事、予算等に公権力が直接的に関与することを要するものではない」と判示した。

　　評釈：　本判決に対しては、「公の支配」に関する具体的な要件を定めるに当た
　　　　　　っては、教育を受ける権利の保障の意義や89条後段の趣旨に対する考慮
　　　　　　を示すべきであるとの批判がなされている。

第90条　〔決算検査、会計検査院〕

Ⅰ　国の収入支出の決算は、すべて毎年会計検査院がこれを検査し、内閣は、次の年
　度に、その検査報告とともに、これを国会に提出しなければならない〈同〉。
Ⅱ　会計検査院の組織及び権限は、法律でこれを定める。

⇒財政 §2（国の収入支出）、財政 §37・38（決算）、財政 §40（国会への提出）、
明憲 §72（決算）

《注　釈》

一　決算

1　決算の意義
　　「決算」とは、一会計年度における国の収入支出の実績を示す確定的計算書
をいう。
　　→予算と異なり（⇒ p.509）、法規範性を有しない〈同予〉
2　決算の制度趣旨
　　決算の制度は、国会の議決した予算に基づき現実になされた国の収入・支出
が適正であったかどうかを審査し、国の財政行為を事後的に監督することに趣
旨がある。83条の財政立憲主義の現れといえる。
　　→予算に基づく国の収入・支出の法的効力が、決算によって確定するわけで
　　　はない
　　cf.　事後に国会の承認を得た予備費の支出（87Ⅱ）も決算の内容に含まれる

二　決算の審査

1　会計検査院
　　会計検査院は、内閣に対して独立の地位を有する（会計検査院1）憲法上の
機関である。
2　国会の審査の方法
　　決算は内閣から両議院に同時に提出され、両議院は各々別々にこれを審査
し、両院交渉の議案としてではなく、報告案件として取り扱うのが慣行となっ
ている。
3　国会の決算審査の性格〈同〉
　　決算の審査は、すでになされた収入や支出が適正であったかどうかの事後審
査である。
⑴　決算の審査に当たり国会が修正を加えることはできない。
⑵　国会が収入・支出を違法・不当として決算の不承認の議決をしたとして

統
治

も、その議決は、すでになされた収入・支出に何ら影響を及ぼさない。

第91条 〔財政状況の報告〕

　内閣は、国会及び国民に対し、定期に、少くとも毎年1回、国の財政状況について報告しなければならない〈同〉。

⇒財政 §46（内閣の財政状況の報告）

[趣旨] 72条、62条、63条によれば、内閣に国会に対する報告義務があるのは当然だから、本条の意義は、もっぱら国民に対する報告義務を明文化することで納税者たる国民（30）が国の財政を監視することを可能とする点にある。

→もっとも、国民は直接に報告を要求する権限を与えられるわけではなく、国民に対する報告義務を怠ったときは、国会が内閣の政治的責任を追及しうるにとどまる

《注　釈》

◆　財政状況の報告

　1　「国の財政状況」の基本的なものは、毎会計年度の予算及び決算である。

　2　国の財政全般についての現実の状況についても報告することを要する（ex. 国有財産や国の債務の状況、予算使用の状況）〈同〉。

統治

第8章　地方自治

《概　説》

一　地方自治の意義

　「地方自治」とは、地方における政治と行政を、地域住民の意思に基づいて、国から独立した地方公共団体がその権限と責任において自主的に処理することをいう。

二　日本における地方自治制度

1　明治憲法

　　地方自治を憲法では規定せず、すべて法律で定めていた。

　　∵①　地方制度関係規定は憲政不可欠の内容事項と考えられなかった

　　　②　町村自治については関係者間で異論がなかったが、府県のあるべき姿について政府部内に意見の不一致が存在した

　＊　明治憲法下の地方自治制度は、権限と人事の面で国の監督権が強く認められるなど著しく官治的な色彩が濃かった。

2　日本国憲法

　　日本国憲法は、特に第8章に「地方自治」の章を設け、地方自治を憲法上の制度として厚く保障している。

　　∵　地方自治制度は、①民主主義の基盤の育成、②中央政府への権力集中を防止する手段として重要な役割を有している

　　⇒ p.559

第92条　〔地方自治の基本原則〕

　地方公共団体の組織及び運営に関する事項は、地方自治の本旨に基いて、法律でこれを定める。

⇒地自§1の3（地方公共団体の種類）、地自§1（地方自治の本旨）

《注　釈》

一　「地方自治の本旨」

1　「地方自治の本旨」の意味

　　「地方自治の本旨」には、一般に、住民自治と団体自治の2つの要素があるとされる。

　　→①住民自治：地方自治が住民の意思に基づいて行われるという民主主義的要素

　　　②団体自治：地方自治が国から独立した団体に委ねられ、団体自らの意思

と責任の下でなされるという自由主義的・地方分権的要素

 ＜住民自治・団体自治の現れ＞

	具体例
住民自治の現れ	(1) 地方公共団体の長、議員を住民が直接選挙すること（93Ⅱ） (2) 地方特別法に対する住民投票（95）（＊） (3) 住民の直接請求 　① 条例の制定・改廃の請求（地自74～74の4）〈司〉 　② 監査の請求（地自75） 　③ 議会の解散請求（地自76～79） 　④ 議員・長・役員の解職請求（地自80～88） 　※ 議会の解散請求、議員・長の解職請求があったときは、住民がそれについて投票により決定する
団体自治の現れ	・地方公共団体の自治権（94） 　ex. 地方公共団体の課税権

＊ 団体自治の現れと捉える見解も有力である。

2 地方自治保障の性質

＜地方自治保障の性質に関する争い＞

	固有権説	伝来説〈司〉	制度的保障説〈司〉
内容	個人が国家に対して固有かつ不可侵の権利をもつのと同様に、地方公共団体もまた固有の基本権を有する	地方自治は国が承認する限り認められるものである	地方自治の保障は地方公共団体の自然権的・固有権的基本権を保障したものではなく、地方自治という歴史的・伝統的・理念的な公法上の制度を保障したとみる →「地方自治の本旨」（92）には、特別の法的意味がある〈司〉
帰結	国家が地方公共団体の固有の権限を制限することは許されない	① 国は地方自治の廃止も含めて地方自治保障の範囲を法律によって定めることができる ② 地方自治に関する憲法の規定は無意味・無内容であって、65条の例外を定める行政上の中央集権に対する例外を規定したものである	国は、法律によっても地方自治制度の本質的内容ないし核心的部分を侵すことはできない

統治

	固有権説	伝来説〈国〉	制度的保障説〈国〉
批判	① 主権の単一不可分性に反する ② 固有権として説明される自治権の具体的内容が明確ではない ③ 現代国家の在り方からは理論的に問題があり、また地方自治についてみるべき伝統の存しない日本では存立の現実的基盤に乏しい	① 憲法が地方自治に関して特に独立の章を設けて保障した意義を没却する ② 地方自治を認めない「地方自治の本旨」は論理矛盾である	① 地方自治の本質的内容が明確ではないため、憲法上保障される制度の具体的内容が不明である ② 自治権の最低限度を保障する機能はもつが、逆に国の立法による規律が許容されるために、地方自治権を制限する方向に作用する危険性がある

▼ **大牟田市電気税訴訟第一審判決（福岡地判昭55.6.5）**

本判決はそもそも「憲法は地方自治の制度を制度として保障している」と述べ、制度的保障説の立場に立っている。

統治

一 地方公共団体

1 意義

一般に、地方公共団体とは、国家の領土の一定の区域をその構成の基礎とし、その区域内の住民をその構成員として、国家より与えられた自治権に基づいて、地方公共の福祉のため、その区域内の行政を行うことを目的とする団体をいう。

cf. 日本国憲法上、何が「地方公共団体」に当たるかについては明文規定が置かれていない

2 地方自治法の規定する地方公共団体

(1) 普通地方公共団体
→都道府県、市町村（地自1の3Ⅱ）

(2) 特別地方公共団体
→①特別区、②地方公共団体の組合、③財産区

3 二段階制（二重構造）の保障〈国〉

第8章「地方自治」の章に置かれた92条から95条までの規定は、いずれも「地方公共団体」と規定するが、何が「地方公共団体」に当たるかが明らかでない。そこで、①都道府県と市町村というような二段階制は、憲法上の要請なのか、②二段階制が憲法上の要請であるとしても、府県を改組し、全国を複数のブロックに分けるいわゆる道州制を採用することも許されるのかが問題となる。

<二段階制の保障> 回

	A説（二段階制立法政策説）	B説（二段階制保障説）	
内容	二段階制を採用するか否かは立法政策の問題である	二段階制は憲法上の要請である	
		B1説	B2説
		憲法は都道府県と市町村という固定した二重構造を保障している	二段階の地方公共団体の存在は憲法上の要請であるが、上級の地方公共団体について都道府県を維持するか、道州制のような地方の行政の広域化に対応した地方公共団体を設けるかは、立法政策の問題である
理由	憲法は必ずしも現に存在するすべての地方公共団体が、そのまま地方公共団体として存続することを要求するわけではなく、地方公共団体は、すべて「地方自治の本旨に基いて」法律で定められるべきことを要求するにとどまる	明治憲法下の官選知事制度を廃止して公選知事制度とし、中央集権的官僚制の一環をなす不完全自治体であった都道府県を完全自治体化することによって地方行政の民主化を意図したという、現行憲法の歴史的背景を重視すべきである	憲法制定に当たって市町村及び都道府県を前提にして地方自治を保障した歴史的背景を尊重しつつも、他方、時代の進展に伴う広域行政の必要性を考慮すべきである
コメント	現行の二段階制の地方公共団体を一段階制にも三段階制にもすることが立法政策上可能である →ただ、「地方自治の本旨」という憲法上の枠内における立法政策であるから、「地方自治の本旨」に反する地方公共団体の廃止は違憲となる	現行の都道府県制を廃止して道州制を採用することは憲法違反となる →ただ、この立場に立ったとしても、現行の都道府県の合併や統合の可能性は否定されない	この立場であっても、道州制を設ける場合には「地方自治の本旨」に従って行われなければならない

4 特別区

東京都の特別区は、憲法上の「地方公共団体」といえるか。特別区の区長につき直接公選制を行わないことが許されるのかと関連して問題となる。

   cf. 特別区の区長の選任は、地方自治法制定当初は直接公選制を採っていたが、昭和27年改正で、「特別区の区長は、……特別区の議会が都知事の同意を得てこれを選任する」として間接選挙方式が採られたためその合憲性が問題となった。しかし、昭和49年改正により、区長の直接公選制が復活している

<特別区は「地方公共団体」（92）に当たるか>

	内容	理由	批判
A説	特別区は憲法上の「地方公共団体」に当たらない（最大判昭38.3.27・百選200事件）	憲法にいう「地方公共団体」とは、「基礎的・普遍的な地方公共団体を指すもの」であり、歴史的及び実体的にみて特別区は従来、実質的には東京都という大都市の内部組織としての性質を強く有していたのであり、またその結果、その機能も限定されており、またそのために住民の共同体意識も強いものではなかったことから、必ずしもそれを憲法上の「地方公共団体」と考える必要はない	① 国会が法律で予め自主立法権などを奪っておけば基準を欠くことになる ② 「共同体意識」というのは、測定不能で漠然としている
B説	特別区も憲法上の「地方公共団体」に当たる	① 東京都の23区以外の住民に対しては市町村という二段階制が保障されているのに対して、23区の住民が都という地方公共団体しか有しないのは合理性がない ② 昭和49年の地方自治法の改正による区長公選制復活の背景に各特別区住民の準公選運動が存在したことは共同体意識の存在を示している	──

▼ **最大判昭38.3.27・百選200事件**〈司共〉

事案： 地方自治法281条の2は特別区区長公選制を定めていたが、昭和27年の改正で廃止され、区長選任制がとられた。かかる選任制の下で贈収賄事件の職務権限の有無の前提として、改正された同条項の合憲性が問題とされた。

判旨： 「憲法が特に1章を設けて地方自治を保障するにいたった所以のものは、新憲法の基調とする政治民主化の一環として、住民の日常生活に密接な関連をもつ公共的事務は、その地方の住民の手でその住民の団体が主体となって処理する政治形態を保障せんとする趣旨に出たものである」。そして、憲法上の地方公共団体といいうるためには、「単に法律で地方公共団体として取り扱われているということだけでは足らず、事実上住民が経済的文化的に密接な共同生活を営み、共同体意識をもっているという社会的基盤が存在し、沿革的にみても、また現実の行政の上においても、相当程度の自主立法権、自主行政権、自主財政権等地方自治の基本的権能を付与された地域団体であることを必要とする」としたうえで、特別区は93条2項の地方公共団体には当たらないとした。

統治

> 評釈：　本判決に対しては、次のような批判がある。
> ①　共同体意識というのは漠然とした概念ではないか
> ②　沿革といっても明治憲法下の地方公共団体の沿革を現行憲法の地方公共団体の判断基準にするのは疑問がある
> ③　行政上の実態は憲法の下位規範である地方自治法によって規定されているのであるから、法律の規定によって憲法の解釈を行うのは論理が逆ではないか

5　地方公共団体の組合、財産区（地自284、294）

　　地方公共団体の組合、財産区は、特別区と並んで、地方自治法において特別地方公共団体とされている（地自1の3Ⅲ）。これら地方公共団体の組合等が憲法92条の「地方公共団体」に当たるか否かについては争いがあるが、通説は当たらないと解している。

　　cf.　地方公共団体の組合等が、93条及び94条の「地方公共団体」に当たらないという点については争いがない

第93条　〔地方公共団体の機関、その直接選挙〕

Ⅰ　地方公共団体には、法律の定めるところにより、その議事機関として議会を設置する。

Ⅱ　地方公共団体の長、その議会の議員及び法律の定めるその他の吏員は、その地方公共団体の住民が、直接これを選挙する。

⇒地自§89〜138（議会）、地自§139〜159（地方公共団体の長）、地自§11・17（選挙）

《注　釈》

一　首長主義

　　地方自治法は、本条を受けて首長主義を採用し、議決機関としての議会と執行機関としての長とを、ともに直接民意に基礎を置く住民の代表機関として対立させる二元的代表制を採っている。これは、権限を分離しそれぞれの自主性を尊重しつつ、相互の間の均衡と調和とが図られた地方自治の運営を目的とするものといえる。

1　我が国の二元的代表制

　　地方自治法は、首長制に議院内閣制の要素を加味しており、我が国の二元的代表制はアメリカ型の大統領制に見られない特徴を備えている。

　　→加味された議院内閣制の要素としては、①議会は当該地方公共団体の長の不信任決議をなすことができ、②その場合に長は議会の解散権を有すること（地自178）、を挙げることができる

統治

　2　長の議会解散権（地自178）

　　　地方自治法における長の議会解散権は、次の2つの点で国政レベルにおける内閣の衆議院解散権と異なる。

　　　①　解散できる場合が、議会が不信任議決をした場合（地自178）と、不信任の議決とみなしうる場合（地自177Ⅲ）の2つに限定される。

　　　②　議会が不信任の議決をする場合の定足数を3分の2以上と要件を重くし、かつ4分の3以上の特別多数を必要とする（地自178Ⅲ）。

二　議会

　1　住民の代表機関

　　　地方公共団体の議会は、住民の代表機関であり、議決機関である。

　　　→国会（43Ⅰ）と同じ性質を有する

　2　議会と執行機関の関係

　　　地方公共団体の議会は、執行機関との関係においては、執行機関と独立対等の関係に立つ。

　　　→国会が国権の最高機関（41）であるのと異なり、自治権の最高機関たる地位にあるものではない

　　　＊　町村においては、条例で、「議会を置かず、選挙権を有する者の総会を設けることができる」（地自94）〈司〉。

　　　→町村総会も憲法にいう「議事機関」としての「議会」に当たるので、地方自治法94条は憲法93条に違反しないと解されている〈予〈司〉

三　地方公共団体の長

　　　普通地方公共団体の長として、都道府県に知事が置かれ、市町村に市町村長が置かれる（地自139）。

　1　任期

　　　長の任期は4年である（地自140）。

　　　→住民から解職請求を受けることがある（地自81）

　2　兼職禁止

　　　地方公共団体の長は、衆議院議員又は参議院議員、地方公共団体の議会の議員及び常勤職員等との兼職が禁止されている（地自141）。

四　法律の定めるその他の吏員

　　　本条2項は、「法律の定めるその他の吏員」が住民によって直接選挙されることを定める。これは、住民によって直接選挙される公務員を法律で設けることができるとする趣旨である。

　　　→必ずそのような公務員を設けなければならないとする趣旨ではない〈司〉

五　直接民主主義制度

　　　憲法では、住民の直接選挙（93Ⅱ）以外には、地方特別法の制定に関する住民投票（95）が規定されているにすぎないが、地方自治法では住民の直接請求制度

（議会の解散請求（地自13Ⅰ・76〜79）や議員・長の解職請求（地自13Ⅱ・80〜85）等）が認められている。これらの直接民主主義制度が採用されることは、住民自治の要請にかなうものとされている（もっとも、上記直接請求制度は、憲法上の要請に基づくものではない〈団〉）。　⇒ p.524

▼　**住民投票結果と異なる首長の判断の是非（那覇地判平12.5.9・百選〔第5版〕224事件）**〈共〉

事案：　米軍普天間基地の返還が提案された際、海上ヘリポート基地の名護市への移設が条件とされたので、住民投票の結果について「いずれか過半数の意思を尊重するものとする」との条項を含んだ住民投票条例が制定された。住民投票では「反対」が過半数を占めたが、市長は基地受け入れを表明し辞任した。これに対し、住民らは住民投票結果の法的拘束力ないし市長の住民投票結果の尊重義務を主張した。

判旨：　本件条例は、市長が、ヘリポート基地の建設に関係する事務の執行に当たり、右有効投票の賛否いずれか過半数の意思に反する判断をした場合の措置等については何ら規定していない。そして、仮に、住民投票の結果に法的拘束力を肯定すると、間接民主制によって市政を執行しようとする現行法の制度原理と整合しない結果を招来することにもなりかねないのであるから、右の尊重義務規定に依拠して、市長に市民投票における有効投票の賛否いずれか過半数の意思に従うべき法的義務があるとまで解することはできず、右規定は、市長に対し、ヘリポート基地の建設に関係する事務の執行に当たり、本件住民投票の結果を参考とするよう要請しているにすぎないというべきである。

第94条　〔地方公共団体の権能〕

　地方公共団体は、その財産を管理し、事務を処理し、及び行政を執行する権能を有し、法律の範囲内で条例を制定することができる。

⇒地自 §237〜241（財産の管理）、地自 §14・16（条例）

《注　釈》

一　地方公共団体の事務

　1　旧地方自治法

　　旧地方自治法は、地方公共団体の事務を、自治事務と機関委任事務（地方公共団体の長その他の機関に委任された国の事務）に区別していた。

　　地方分権に向け、①国は本来果たすべき役割を重点的に担い、住民に身近な行政はできる限り公共団体に委ね、その自主性・自立性の発揮を図ること、②機関委任事務制度を廃止して、従来の行政事務区分を構成し直すこと、③地方公共団体に対する国の関与の在り方につき法定主義、必要最小限度の原則を明文化し、手続ルールや係争処理制度を創設することを目指す改正がされた。

2　平成11年改正法

　地方公共団体の機関によって処理される事務には、地方公共団体の自治事務の他に、法定受託事務（地自2Ⅸ、Ⅹ）があるとする。

　自治事務には、本来的な公共事務のほか、従来の委任事務・行政事務・機関委任事務からそれぞれ移行された事務を含む。

⑴　法定受託事務の意義

　法律により自治体が処理することとされる事務のうち、国が本来果たすべき役割にかかるものであって、国がその適正な処理を特に確保する必要があるものとして、法律に特に定めるものをいう。

⑵　機関委任事務から法定受託事務へ

　機関委任事務は、自治体の長などを、国の事務を末端執行する国の地方出先機関に仕立ててしまうもので、地方自治の本旨に反するのではないか、という意見があった。すなわち、分権化社会に向けては「地域住民の自己決定権と自治責任」が肝要であり、自治体の長が地域責任者になることを妨げ、自治体での行政に議会を関与させないような「国の機関委任事務」は制度として廃止すべきだといわれていた。

　そこで、平成11年改正による新地方自治法は、機関委任事務を全廃し、「自治事務」化されるもの以外は国の事務を法律で全国自治体に執行委託する「法定受託事務」という新しい事務とした。

＊　地方公共団体が処理できない事務

　旧地方自治法2条では、地方公共団体が処理できない事務（国の専属的事務）として条文上明記されていたのは、司法、刑罰、郵便に関する事務等のみで、外交、国防、幣制などは解釈上、国の専属事務であるとされていた。平成11年改正により、地方公共団体が処理できない権限についての明文規定はなくなり、地方公共団体の事務の内訳が規定された（地自2）。

二　条例制定権

1　条例

⑴　条例とは、地方公共団体がその自治権に基づいて制定する自主法をいう。

　→①　条例は、地方公共団体の事務に関する事項のみを規律できる

　　②　その範囲内では、原則として国家法とは無関係に、独自に規定を設けることができる

　　cf.　条例制定権を有しない地方公共団体を設けても違憲ではない

　　　ex.　財産区（地自294）

⑵　94条にいう「条例」にはいかなるものが含まれるか、争いがある。

統治

<「条例」（94）の意義> 回

	内容	理由
A説	普通地方公共団体の議会の制定する条例に限定する（狭義説）	「地方自治の本旨」（92）に含まれる住民自治の趣旨からは、住民を代表する議事機関としての議会によって制定された条例に限定すべきである
B説	議会の制定する条例の他、長の制定する規則が含まれる（広義説）	住民の公選による長が「その権限に属する事務に関し」て制定する規則は、その性質において憲法上の地方自治の保障の範囲内にある
C説	議会の制定する条例、長の制定する規則の他に、各種委員会の定める規則その他の規程が含まれる（最広義説）	① 94条は、広く地方公共団体が自主立法権を有することを定め、その自主法の種類・規定事項・それら相互の関係等は法律に委ねており、地方自治法は、条例・長の規則の他に、各種委員会の定める規則その他の規程という形式を定めている（地自138の4Ⅱ） ② 憲法は、地方公共団体の諸機関が定める自主立法を広く条例と呼ぶ趣旨である

2　条例制定権の根拠

　　条例制定権の根拠について、学説は次のように分かれている 回。

<条例制定権の根拠に関する学説の争い>

	内容	理由
A説	条例制定権の根拠は、すでに92条に含まれており、94条はこれを受けて条例制定権を保障し、それが「法律の範囲内」で行われるべきことを定めている	条例制定権は、92条の保障する地方自治権に含まれている
B説	条例制定権の根拠を、94条に求める	国会は実質的な意味での法規を制定する「国の唯一の立法機関」（41）である以上、地方公共団体が法規たる性質を有する条例を制定するには、憲法に特にその例外を認める規定がなければならない。94条は、創設的に条例制定権を付与する趣旨とみるのが妥当である
C説	条例制定権の根拠として92条と94条とを並列的に挙げる	92条の「地方自治の本旨」が国の立法権を制約し、94条が国会の「国の唯一の立法機関」性を規定する41条の例外を、具体的に規定しているものと解される
D説	条例を委任立法と解し、地方自治法14条1項が条例制定権の一般的授権条項であると解する	（地方公共団体の権能についての伝来説を前提に）条例制定権も当然国家権力に由来するのであるから、条例の基礎は法律に求めるべきである

統治

▼　**最大判昭37.5.30・百選208事件**

　　「地方公共団体の制定する条例は、憲法が特に民主主義政治組織の欠くべからざる構成として保障する地方自治の本旨に基づき（同92条）、直接憲法94条により法律の範囲内において制定する権能を認められた自治立法に外ならない」と判示して、B説ないしC説の立場に立っている。

3　条例制定権の範囲と限界
(1)　住民の基本的人権の制限をその内容とすることも可能である。
　　∵　条例は地方公共団体の自主立法である
(2)　条例による地域的取扱いの差異と平等原則《共》
　　条例による規制に地域的な差異があることが、法の下の平等（14 I）に反しないかが問題となる。　⇒p.109
(3)　憲法の法律留保事項と条例
　　憲法上「法律でこれを定める」というように、法律に留保されている事項について、条例によって規制することが許されるかが問題となる。
　　(a)　財産権の規制と条例　⇒p.281
　　(b)　条例と罰則
　　　　31条が法律によらない科刑を禁止すること及び73条6号が法律の委任なくして政令に罰則を設けることを禁止することとの関連で、条例によって罰則を定めることができるかが問題となる。

＜条例と31条＞

	内容	理由
A説	刑罰権の設定には法律の授権を必要とするが、条例への罰則の委任は一般的・包括的でよい（一般的・包括的法律授権説）	①　94条の条例制定権は当然に罰則設定権を含むものではなく、刑罰権の設定は本来国家事務であって、地方自治権の範囲に含まれないと解されるから、法律の授権は必要である ②　条例は行政府の命令とは異なり、地方住民の代表機関である議会の議決によって成立する民主的立法であり、実質的に法律に準ずるものと解される 　　→命令への委任が個別的・具体的委任を必要とする（73⑥ただし書）のと異なる
B説	刑罰権の設定には法律の授権が必要であるが、その内容が相当な程度に具体的であり、限定されていればよい（限定的法律授権説）	地方議会の議決を経た民主的自治立法である条例への委任は、行政府の命令への委任に比較して、委任の個別性・具体性がより緩やかであってもよい

統治

533

	内容	理由
C説	罰則設定のため法律による条例への特別の委任規定を必要とせず、地方自治法14条3項は、罰則の範囲を「法律」によって示したものである（憲法直接授権説）	94条が「法律の範囲内」で認めた条例制定権は、その実効性を担保するための罰則設定権を当然に含み、31条の原則の例外をなすものである

▼ 最大判昭37.5.30・百選208事件 〈共〉

「条例は、法律以下の法令といっても……公選の議員をもって組織する地方公共団体の議会の議決を経て制定される自治立法であって、行政府の制定する命令等とは性質を異にし、むしろ国民の公選した議員をもって組織する国会の議決を経て制定される法律に類するものであるから、条例によって刑罰を定める場合には、法律の授権が相当な程度に具体的であり、限定されておればたりる」。

→地方自治法14条3項は、「普通地方公共団体は、法令に特別の定めがあるものを除くほか、その条例中に、条例に違反した者に対し、2年以下の懲役若しくは禁錮、100万円以下の罰金、拘留、科料若しくは没収の刑又は5万円以下の過料を科する旨の規定を設けることができる」と定めており、この規定は、条例による罰則の上限を設定したものと解されている

(c) 条例と課税権 ⇒ p.504

(4) 条例制定請求権

▼ 練馬区長準公選事件（東京地判昭43.6.6・百選〔第5版〕236事件）

地方自治法は、住民による条例の制定（改廃）請求を手続的にも議員及び長の発案権の行使に準ずるものとして取り扱う趣旨であると解されるので、原則として、条例案の内容に対する長の事前審査権は認められないとした。

(5) 条例制定権の限界 〈共〉〈司H19〉

本条は、地方公共団体は、「法律の範囲内」で条例を制定することができる旨を定め、さらに、地方自治法14条1項は、「法令に違反しない限りにおいて」、同法2条2項の事務に関し条例を制定できることを規定する。

では、国の法令で定める規制基準よりも厳格な基準を定める「上乗せ条例」や、法令の規制対象以外の事項について規制する「横出し条例」は、どのような場合に認められるか。条例と法令との間に矛盾抵触があるか否かの判断基準が問題となる。

▼ **徳島市公安条例事件（最大判昭50.9.10・百選83事件）**〈司共〉 ⇒ p.298

事案： 徳島市内の車道上において集団示威行進をした被告人が、道路交通法及び徳島市公安条例違反で起訴された。

判旨： 「条例が国の法令に違反するかどうかは、両者の対象事項と規定文言を対比するのみでなく、それぞれの趣旨、目的、内容及び効果を比較し、両者の間に矛盾牴触があるかどうかによってこれを決しなければならない」。たとえば、①ある事項について国の法令中にこれを規律する明文の規定がない場合でも、当該法令全体からみて、右規定の欠如が特に当該事項についていかなる規制をも施すことなく放置すべきものとする趣旨であると解されるときは、これについて規律を設ける条例の規定は国の法令に違反することとなりうるし、逆に、②「特定事項についてこれを規律する国の法令と条例とが併存する場合でも、後者が前者とは別の目的に基づく規律を意図するものであり、その適用によって前者の規定の意図する目的と効果をなんら阻害することがないとき」や、③「両者が同一の目的に出たものであっても、国の法令が必ずしもその規定によって全国的に一律に同一内容の規制を施す趣旨ではなく、それぞれの普通地方公共団体において、その地方の実情に応じて、別段の規制を施すことを容認する趣旨であると解されるとき」は、「国の法令と条例との間にはなんらの矛盾牴触はなく、条例が国の法令に違反する問題は生じえない」のである。

▼ **神奈川県臨時特例企業税条例事件（最判平25.3.21・百選201事件）** 〈司共〉

事案： 大幅な財源不足に陥ったY（神奈川県）は、特例企業税を課す神奈川県臨時特例企業税条例（以下「本件条例」という。）を制定した。本件条例が課す特例企業税によって、地方税法の定める欠損金の繰越控除（各事業年度の所得計算における欠損金を翌事業年度以降に繰り越し、その事業年度の所得から控除する制度であり、課税所得の対象となる所得金額が差し引かれるため、節税の効果を有する。）を実質的に一部排除する効果が発生する。そこで、Xは、本件条例が地方税法の趣旨に反し違法・無効であり、それに基づく課税処分も違法・無効であると主張して争った。

判旨： 「普通地方公共団体は、地方自治の本旨に従い、その財産を管理し、事務を処理し、及び行政を執行する権能を有するものであり（憲法92条、94条）、その本旨に従ってこれらを行うためにはその財源を自ら調達する権能を有することが必要であることからすると、普通地方公共団体は、地方自治の不可欠の要素として、……国とは別途に課税権の主体となることが憲法上予定されている」。ただし、租税の賦課については、国民の税負担全体の程度や財源の配分等の観点からの調整が必要であることや、

　92条・94条の規定に照らせば、普通地方公共団体の課税権は、租税法律主義（84）の原則の下で、法律で定められた準則に従い、その範囲内で行使されなければならない。すなわち、条例において、地方税法の「強行規定に反する内容の定めを設けることによって当該規定の内容を実質的に変更すること」は、地方税法の「規定の趣旨、目的に反し、その効果を阻害する内容のものとして許されない」。

　欠損金の繰越控除は、「法人の税負担をできるだけ均等化して公平な課税を行うという趣旨、目的から設けられた制度」であり、「条例等により欠損金の繰越控除の特例を設けることを許容するものと解される規定は存在しない」。よって、「欠損金の繰越控除を定める地方税法の規定は、……強行規定である」。他方、本件条例の実質は、「繰越控除欠損金額それ自体を課税標準とするものにほかならず、……各事業年度の所得の金額の計算につき欠損金の繰越控除を一部排除する効果を有する」。また、特例企業税の創設の経緯等にも鑑みると、本件条例は、欠損金の繰越控除のうち一部についてその適用を遮断することを意図して制定されたものというほかはない。

　以上によれば、本件条例の規定は、地方税法の「趣旨、目的に反し、その効果を阻害する内容のものであって、法人事業税に関する同法の強行規定と矛盾抵触するものとしてこれに違反し、違法、無効である」。

統
治

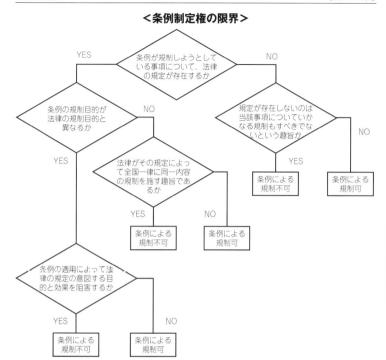

第95条　〔特別法の住民投票〕

　一の地方公共団体のみに適用される特別法は、法律の定めるところにより、その地方公共団体の住民の投票においてその過半数の同意を得なければ、国会は、これを制定することができない。

⇒国会 §67・地自 §261・262（特別法と住民投票）

[趣旨] 本条の趣旨は、一般に、①国の特別法による地方自治権の侵害の防止、②地方公共団体の個性の尊重、③地方公共団体の平等権の尊重、④地方行政における民意の尊重の4点であるとされるが、その中心は、①の地方自治権侵害の防止の点にある〈回〉。

《注　釈》

一　地方自治特別法の範囲

　何が地方自治「特別法」に当たるかの基準は明確ではないが、一般に、特定の地方公共団体の本質にかかわる不平等・不利益な特例を設ける法律がそれに当た

るとされる。住民の権利・義務に関わるものに限られていない。
1　「一の」の意味
　　実際にその法律の適用される地方公共団体が1つである必要はなく、「特定の」という意味である〈回。
　　ex.　旧軍港市転換法は、旧軍港のあった横須賀、呉、佐世保、舞鶴の4つの市に適用されるものであるが、地方自治「特別法」に該当するとして住民投票に付せられた〈回
2　「地方公共団体に」「適用される」の意味
　　特定の地方公共団体に適用されることを意味し、特定の地域に適用される場合はこれに当たらない。
　＊　特定の地方公共団体の地域を対象とする法律であっても、国の事務や組織について規定するものであって、地方公共団体の組織、運営、権能に関係のないものは、地方自治「特別法」に該当しない。
　　　ex.　北海道開発法は、北海道という地方公共団体を対象としたものではなく、北海道という地域において国全体の国土開発計画の一環としての北海道開発を国の事業として行うものであるから、地方自治「特別法」に当たらない
3　「一の地方公共団体のみに適用される」の意味
　　その法律が適用される地域がすでに国法上の「地方公共団体」であることを当然の前提とする。
　　→未だ国法上の地方公共団体が存在していない特殊の地域について、一般の地方公共団体と異なる特例を定める法律は、地方自治「特別法」に該当しない
　　　ex.1　秋田県の八郎潟の干拓によって新たに設置された大潟村について村長及び村議会を暫定的に置かないことを定めた「大規模な公有水面の埋立てに伴う村の設置に係る地方自治法等の特例に関する法律」
　　　ex.2　小笠原諸島の復帰に際して制定された「小笠原諸島の復帰に伴う法令の適用の暫定措置等に関する法律」

二　地方自治特別法の制定手続

1　国会単独立法の原則の例外〈回
　　本条は、国会単独立法の原則の例外（⇒ p.339）であり、地方自治特別法は国会の議決だけでは成立せず、その地方公共団体の住民の投票において過半数の同意を必要とする。
2　地方自治特別法の制定過程
　　国会での可決後に住民投票が行われる。住民投票において過半数の同意を得れば、国会の議決が確定し、地方自治特別法として成立する（国会67）。その前後の手続の詳細は地方自治法が規定する（地自261）。

第9章　改正

《概　説》

一　硬性憲法の意義

　　憲法には、高度の安定性が要求されるが、同時に、政治・経済・社会の動きに適応するための可変性も要求される。そこで、日本国憲法は、硬性憲法という技術、すなわち、憲法の改正手続を定めつつその改正の要件を厳格にするという方法により、この2つの相矛盾する要請をみたそうとしたのである。

　　　→日本国憲法における「各議院の総議員の3分の2以上の賛成」と、国民投票における「過半数の賛成」という要件（96Ⅰ後段）は、他の国に比べて、硬性の度合が強い

二　憲法改正における限界の有無

　1　限界説と無限界説

　　　憲法改正手続によりさえすれば、どのような変更をなすことも法的に許されるといえるか。憲法改正における限界の有無が問題となる。

　　＊　憲法改正の限界については争いがあるが、たとえ基本的人権などの条項を改正することが可能だとしても、その改正には厳格な要件が定められている以上、安易な改正を防止することができる。よって、硬性憲法であること自体をもって、憲法の最高法規性（⇒ p.546）を守る手段であるといえる。

統治

＜憲法改正の限界＞〈司予〉

	無限界説		限界説	
	法実証主義的無限界説	主権全能論的無限界説	法理論的・憲法内在的限界説	自然法論的限界説
内容	憲法規範の価値序列を認めない法実証主義から、憲法所定の手続によればいずれの規定も改正できるとする	改正権を全能の制憲権と同視することにより改正権がすべての規定が改正の対象となりうるとする	憲法規定の中に、基本原理を内容とする規定、改正手続に関する規定、その他の規定という価値序列と形式効力上の段階構造を認め、そこから論理的に基本原理の改正不能を基礎付ける	憲法制定権力をも拘束する「超実定法的実定法」としての「根本規範」の存在を認め、「制度化された憲法制定権力」としての憲法改正権もこうした拘束に服するとする
限界を超えた「改正」の法的評価	憲法改正に限界を認めない以上、限界を超えた「改正」という事態は生じない →憲法所定の改正手続に基づくものである限り、もとの憲法の基本原理を変更することも法的に認められる		「改正」は、もとの憲法の立場からは無効ということになるが、同時に「改正」の結果成立した新憲法が現実に有効なものとして実施されかつ国民に支持されている場合には、その「改正」の有効性は憲法制定権力の新たな発動として承認される	「改正」が自然法を否定するようなものである場合には、「改正」とその結果成立した「新憲法」の正当性と有効性は否認され、そのような正当性を欠く憲法に対する抵抗権の発動が要請される
憲法改正禁止規定のもつ法的意味	改正禁止規定が存在する限り、その法的拘束力は実証主義的に認めなければならない →改正禁止規定は創設的意味をもつ	改正禁止規定自体を改正することによって結局改正は制限されえないから、改正禁止規定は法的に無意味である	理論的限界と一致する限りにおいて、改正権に対して注意を促す確認的意味をもつことになる	

2 日本国憲法改正の限界

限界説に立った場合、以下の点について日本国憲法を改正することは許されないとされる。

① 憲法制定権力の所在を示す国民主権

② 国民主権原理と密接にかかわる人権尊重主義

③ 平和主義の諸原理

④ 憲法改正規定

→憲法制定権力が自ら創設した憲法典を持続させるために設けた規定で

あるから、憲法改正権を拘束し、少なくともその実質を変更することは許されない、と解するのが一般である

> **第96条　〔憲法改正の手続、その公布〕**
>
> Ⅰ　この憲法の改正は、各議院の総議員の3分の2以上の賛成で、国会が、これを発議し、国民に提案してその承認を経なければならない。この承認には、特別の国民投票又は国会の定める選挙の際行はれる投票において、その過半数の賛成を必要とする。
>
> Ⅱ　憲法改正について前項の承認を経たときは、天皇は、国民の名で、この憲法と一体を成すものとして、直ちにこれを公布する。

⇒明憲 §73（憲法改正）

《注　釈》

一　憲法改正の意義

憲法改正とは、成文憲法の内容を、憲法所定の手続に従って、意識的に変更することをいう。

→成文憲法を前提とし、そこに定められた改正手続で行われる

cf.1　憲法制定とは、もとの憲法を廃止して始源的に新しい憲法を作ることをいう

cf.2　憲法の変遷とは、明文の条項の形式的変更をしないままにその規範の意味に変更が生じることをいう

二　改正の態様

通常は、①既存の個別憲法条項の修正・削除・追加、②新しい条項を加える増補という形がとられるが、③成文憲法全体にわたっての全面的な書き直しという形がとられることもある。

三　改正の手続

本条を受けて、2007年に、日本国憲法の改正手続に関する法律（国民投票法）が制定された。

1　国会による発議・提案手続

憲法改正の手続において必要とされる国会の「発議」（96Ⅰ）とは、国民に提案すべき憲法改正案を国会が決定することを意味し、通常の議案についていわれる、原案を提出するという意味の発議とは異なる共。

国会が国民に対して憲法改正案を発議・提案するためには、国会への憲法改正原案（国会68の2）の発議・提出及び国会における憲法改正原案の審議・議決が必要である。なお、国会において国民に対する憲法改正案の発議の議決がなされた場合、その議決をもって国民に対する憲法改正案の「提案」がなされたものとされるため、別途憲法96条1項前段所定の「提案」手続を経る必要はない（国会68の5）。

(1) 憲法改正原案の国会に対する発議・提出

　　両議院の議員が憲法改正原案を国会に対して発議するには、衆議院においては議員100人以上、参議院においては議員50人以上の賛成が必要である（国会68の2）〈共〉。なお、憲法審査会（国会内に置かれる憲法改正原案の審査・提出などを行う特別の常設機関。国会102の6）にも、憲法改正原案の提出権がある（国会102の7）。これに対し、内閣に憲法改正原案の提出権があるかは国民投票法制定後も解釈に委ねられたため、争いがある。

＜内閣の憲法改正案提出権＞

	内容	理由
A説	内閣の法案提出権を否定し、憲法改正発案権も否定する	内閣は、法律案についても発案権を有しない以上、憲法改正発案権も有しない
B説	内閣の法案提出権は肯定するが、憲法改正発案権は否定する	憲法改正は法律と異なり、国民投票が予定されている以上、その発案権も国民に直結する国会議員に留保されていると解すべきである
C説	内閣の法案提出権を肯定し、憲法改正発案権も肯定する	① 発議それ自体は、両議院の議決による国会の意思の決定であり、発案権は国会議員に限るということを当然に意味するものではない ② 内閣に発案権を認めても、国会の自主的審議権が害されるわけではない〈共〉

　　＊　なお、憲法改正原案の発議・提出は、内容において関連する事項ごとに区分して行われる（国会68の3）。

(2) 国会における憲法改正原案の審議・議決

　　憲法改正原案の審議は、両議院の憲法審査会及び本会議においてそれぞれ行われる。

　　憲法改正案の発議の議決には「各議院の総議員の3分の2以上の賛成」が必要である。衆議院の優越は認められていない。憲法上は両院協議会が開かれることは定められていないが、国会法は任意的両院協議会について定めている（国会86の2、87）。

　　ここで、「総議員」の意味について、国民投票法制定後も法律で明定されなかったため、争いがある。

　　A説：法定の議員数と解する説

　　　　根拠：定足数が一定になり「総議員」の数をめぐる争いを回避できる上、憲法改正の発議要件を厳格にして議決の慎重を期するべきである〈共〉

　　B説：議員定数から欠員を差し引いた現に在職する議員の総数と解する説

　　　　根拠：Ａ説のように解すると、欠員に相当する数を常に反対投票を
　　　　　　　したものと同じに扱うことになって不合理であり、かかる不
　　　　　　　合理を回避すべきである🗊

　＊　なお、議決に当たっての定足数は、論理的に３分の２以上でなければな
　　　らないが、それ以前の単なる審議の定足数については争いがある。

2　国民による承認手続

(1)　憲法改正案の発議後国民投票実施までの手続

　　　憲法96条１項後段の規定する「特別の国民投票」及び「国会の定める選
　　挙の際行はれる投票」のいずれに際しても、国民投票法が適用される🗊。
　　この「国会の定める選挙の際行はれる投票」とは、国民主権に関わるという
　　事の性質上、全国的規模で行われる選挙、すなわち衆議院議員総選挙又は参
　　議院議員通常選挙でなければならない🗊。そして、国民投票は、国会が憲
　　法改正を発議した日から起算して60日以後180日以内において、国会の議
　　決した期日に行われる（国民投票２Ⅰ）。

　　　国民投票法は、選挙運動に対置される概念として、国民投票運動（憲法改
　　正案に対し、賛成又は反対の投票をし又はしないよう勧誘する行為。国民投
　　票100の２）という概念を定義し、かかる国民投票運動について罰則規定を
　　置く等の制限を設けている。ただし、外国人という属性に着目した規制はな
　　く、また、戸別訪問や連呼行為などは原則として規制対象とはされていな
　　い。

　　　平成26年改正国民投票法により、一定の者を除く公務員は、公務員の政
　　治的目的をもって行われる政治的行為又は積極的な政治運動その他の行為を
　　禁止する他の法令の規定にかかわらず、国会が憲法改正を発議した日から国
　　民投票の期日までの間、国民投票運動及び憲法改正に係る意見の表明をする
　　ことができるようになった（国民投票100の２）。他方、同改正により、在
　　職中、国民投票運動を行うことができない公務員（以下「特定公務員」とい
　　う。）の範囲が拡大され、裁判官、検察官、警察官等の者も国民投票運動を
　　行うことができないものとされた（国民投票102）。

　＊　国民投票運動におけるメディア規制は、国民投票法上は留意規定が置か
　　　れるにとどまり（国民投票104）、業界の自主規制に委ねられることとな
　　　った（ただし、広告主に対する規制として、投票期日前14日間はスポッ
　　　ト CM が規制される。国民投票105）。

(2)　国民投票手続🗊

　　　日本国民で年齢満18年以上の者は、国民投票の投票権を有する（国民投票
　　3）。公民権が停止されていても投票権は認められ、さらに、平成25年改正に
　　より、成年被後見人にも投票権が認められるに至った（旧国民投票４削除）。

　　　投票方法は、賛成及び反対の文字が記載された投票用紙に○の記号を自書

する方式で行われる（国民投票56、57）。内容関連事項ごとに憲法改正案が発議されるため、内容関連事項ごとに賛成もしくは反対の投票をする。期日前投票制度（国民投票60）、不在者投票制度（国民投票61）、在外投票制度（国民投票62以下）があり、かつ、一人一票（国民投票47）で秘密投票（国民投票57、66）である。

憲法改正が成立するためには「その過半数の賛成」が必要であるが、「その過半数の賛成」の意味については争いがある。「過半数」の意味につき、①有権者総数の過半数と解する説、②投票総数の過半数と解する説、③有効投票総数の過半数と解する説があり、①説に対しては、棄権者が全て改正案に反対の意思を表示するものとみなされてしまう点で不合理であるとの批判がなされている〈共〉。

現在では、国民投票法において、有効投票総数（憲法改正案に対する賛成の投票の数と反対の投票の数を合計した数）の2分の1を超えた場合に「その過半数の賛成」があったとされることとなっており（国民投票126、98Ⅱ）、③説がとられている〈共予〉。なお、無効票は「投票総数」には入らないことに注意が必要である。また、最低投票率制度は設けられていない〈司共〉。

3　公布手続

憲法改正手続の最後の手続として、天皇による公布（7①）が必要である。天皇が「国民の名で」（96Ⅱ）公布するとは、憲法改正が改正権者である国民の意思によることを明らかにする趣旨である〈司〉。

また、96条2項が「直ちにこれを公布」とした趣旨は、公布を恣意的に遅らせてはならないことを定めたものである〈予〉。具体的には、法律の場合に奏上の日から30日以内とされている（国会法66）ことと対比して、それより短い期間内を適切とする見解が有力である。

4　形式的効力

成立した憲法改正は、日本国憲法と一体をなすものとなり、最高法規（98Ⅰ）となる。

5　国民投票無効の訴訟

国民投票に関し異議のある投票人は、中央選挙管理会を被告として、投票結果の告示日から30日以内に、東京高等裁判所に国民投票無効の訴訟を提起することができる（国民投票127）〈共〉。無効事由は法定されている（国民投票128）。訴訟の提起は国民投票の効力を停止する効果をもたないが、執行停止制度（行訴25）類似の憲法改正効果発生停止制度がある（国民投票133）。

四　憲法の変遷

1　憲法の変遷の意味

憲法の変遷とは、一般には、憲法の定める憲法改正の手続を経ることなしに、憲法を改正したのと同じ効果が生じることをいうとされる。

2 「憲法の変遷」概念
(1) 社会学的意味での憲法変遷
　　憲法成文の規範内容と現実の憲法状態との間に「ずれ」が生じているという、客観的な事実状態をいう。
(2) 解釈学的意味での憲法変遷
　　憲法成文の規範内容と現実の憲法状態との間の「ずれ」を前提としたうえで、もとの規範内容に代わって新しい憲法規範が成立していることをいう。
3 解釈学的意味での憲法変遷の肯否
　　社会学的意味での憲法の変遷という現象が存在すること自体に争いはないが、解釈学的意味での憲法変遷を認めるかどうかについては争いがある。
　　A説：一定の要件（継続・反復及び国民の同意等）がみたされた場合には、違憲の憲法現実が法的性格を帯び、憲法規範を改廃する効力をもつ（肯定説）
　　　　∵　ある憲法規範が国民の信頼を失って実際に守られなくなった場合には、それはもはや法とはいえない
　　　　批判：①　いかなる段階で法といえない状態になったと解することができるのか、その時点を適切に捉えることは容易ではない
　　　　　　　②　実効性が大きく傷つけられ、現実に遵守されていなくとも、法として拘束性の要素は消滅しないと解することは可能であり、将来、国民の意識の変化によって、仮死の状態にあった憲法規定が息を吹き返すことはありうる
　　B説：違憲の憲法現実は、あくまでも事実にすぎず、法的性格をもちえない（否定説）
　　　　∵　硬性憲法の下では、憲法改正の国民の意思は、憲法改正手続及びそこでの国民投票によってのみ示されるべきである

統治

第10章　最高法規

《概　説》
一　本章の構成

97条は基本的人権が永久不可侵であることを宣言し、憲法が実質的に法律と異なる「自由の基礎法」であるために最高法規であるとして、最高法規性の実質的根拠を示すものである（実質的最高法規性）。そして、98条は国法秩序において憲法が最も強い形式的効力を有することを定め（形式的最高法規性）、99条は最高法規性を確保するために公務員に対して憲法尊重擁護義務を課している。97条が第10章の冒頭におかれているのは、日本国憲法の最高法規性の実質的根拠が基本的人権の保障の徹底にあることを明確にしようとする趣旨であると解されている。

二　最高法規と憲法保障 供

1　憲法保障の意義

憲法保障とは、憲法が守られることを確保すること、又はその方法をいう。

最高法規である憲法が守られることは、国法秩序全体の安定性にとって極めて重要である。そのため、法律等の下位の法規範や違憲的な権力の行使によって憲法の破壊を招く動きを事前に防止し、又は事後的に是正するための装置を設けておく必要がある。

そのような装置を組み立てる原理として、以下の2つがある。
① 統治機構の基本原理（権力分立、法の支配、国民主権）
　∵ 人権をよりよく保障しうるような統治機構を構成するための基本原理は、同時に、権力が憲法を侵すことを阻止するための原理でもある
② 憲法の目的である人権それ自体
　∵ 表現の自由（21Ⅰ）をはじめとする人権が十分に保障されていることが、憲法保障の装置を機能させるための前提条件となる
→人権がよりよく保障されれば、憲法もよりよく保障され、それがまた人権のよりよい保障を可能にするという循環的構造をなしている

2　憲法保障の類型

憲法保障制度を大別すると、①憲法自身に定められている制度（正規的憲法保障）と、②憲法には定められていないが、超法規的な根拠によって認められうると考えられる制度（非常手段的憲法保障）がある。②の例としては抵抗権及び国家緊急権がある。

＜憲法保障の類型＞〈回〉

正規的保障	事前的保障	宣言的保障	最高法規性（98Ⅰ） 憲法尊重擁護義務（99） 人権の普遍性・永久性（11、97）
		手続的保障	硬性憲法・厳重な改正手続（96）
		機構的保障	権力分立（41、65、76Ⅰ） 議院内閣制（66Ⅲなど） 二院制（42） 地方自治制（第8章）
	事後的保障		違憲立法審査権（81）
非常手段的保障			抵抗権 国家緊急権

※ 憲法以外の法律によって規定されているものとしては、内乱罪（刑77）、破壊活動防止法等が挙げられる。

3 抵抗権〈回〉

(1) 意義

国家権力が人間の尊厳を侵す重大な不法を行った場合に、国民が自らの権利・自由を守り人間の尊厳を確保するため、他に合法的な救済手段が不可能となったとき、実定法上の義務を拒否する抵抗行為をいう。

(2) 抵抗権の歴史

抵抗権の思想は古くからあるが、それが実際に重要な役割を果たしたのは、近代市民革命期に自然法思想に基づいて主張された「圧政に対する抵抗」の権利であり、それは若干の人権宣言（ex. フランス人権宣言）の中にも謳われた。

しかし、抵抗権は法や権利の侵害が生じた後にそれを回復するものであるし、そもそも法や権利侵害が起こらないようにする予防的方法が整備される方が望ましい。近代立憲主義の進展は、そのような方法を制度化し、抵抗権に訴えなければならないような状況を最小限にしていく過程であり、憲法保障制度が整備されると、抵抗権は成文の権利宣言からは姿を消してしまった。

＊ もっとも、圧政に対して抵抗する抵抗権は立憲主義を支える基本理念であって、どれだけ立憲主義の諸制度が整備されても、抵抗権の論理・理念を不要とすることはできない。

(3) 抵抗権の根拠〈回〉

抵抗権の根拠を何に求めるかは争いがある。

A説：抵抗権は自然法に根拠を有する

Ａ１説：実定憲法上の規定の有無にかかわりなく保障される権利である

→実定憲法上規定されれば実定法上の権利となる

Ａ２説：抵抗権は実定法上の義務をそれ以外の何らかの義務を根拠にして否認することが正当とされる権利である

→実定法を破る権利であるから、抵抗権を実定法上の権利とすることは論理矛盾である

Ｂ説：抵抗権は立憲主義憲法に内在する実定法上の権利である

→立憲主義憲法の下での実定法上の権利である抵抗権と、反立憲主義体制憲法の下での非実定法的な革命権とを区別する

(4) 抵抗権の変容

本来、抵抗権は国民の国家に対する権利である。しかし、立法例の中には、国民に対する抵抗権の行使を認める場合がある。たとえばドイツ基本法は、民主主義秩序を「除去しようと企てるいかなる者に対しても、すべてのドイツ人は、他の救済方法が不可能なときには、抵抗する権利を有する」と定め、これによると、抵抗権の行使は民主主義を破壊しようとする国民自身にも向けられる。しかし日本国憲法はこれを定めておらず、消極的な立場と考えられる🔲。

4 国家緊急権

(1) 意義

戦争・内乱・恐慌・大規模な自然災害など、平時の統治機構をもっては対処できない非常事態において、国家の存立を維持するために、国家権力が、立憲的な憲法秩序を一時停止して非常措置を採る権限をいう🔲。

(2) 国家緊急権の内容

国家緊急権を行使することは、立憲主義の一時停止を意味する。

→①人権保障の停止（人権の広範な制限）と②権力分立の制限（執行権への権力集中）

＊ もともと人権保障がなく、権力が集中されているところでは、緊急権の論理に訴える必要はないから、緊急権の問題は、多かれ少なかれ立憲主義が採用されているところでしか生じない。

(3) 国家緊急権の性質

(a) 国家緊急権は、一方では、国家存亡の際に憲法の保持を図るという意味において憲法保障の一形態といえるが、他方では、立憲的な憲法秩序を一時的にせよ停止し、執行権への権力の集中と強化を図って危機を乗り切ろうとするものであるから、立憲主義を破壊する大きな危険性を有するといえる。

(b) 緊急事態に対して憲法上の根拠のない超憲法的な非常措置として行使される場合は、法の問題ではなく、事実ないし政治の問題である。

→自然権思想を推進力として発展してきた人権や、その根底にあってこ

れを支えてきた抵抗権と、性質を異にする

(4)　我が国における国家緊急権

　明治憲法は、8条の緊急命令の権、14条の戒厳宣告の権、31条の非常大権など、緊急権に関する若干の規定を設けていたが、日本国憲法には設けられていない。これらのことから、日本国憲法は、国家緊急権に対して消極的な態度をとっているといえる《同》。なお、諸外国では、国家緊急権は、フランス第五共和制憲法16条や、ドイツ基本法115a条以下において規定が置かれている《同》。

第97条　〔基本的人権の本質〕

　この憲法が日本国民に保障する基本的人権は、人類の多年にわたる自由獲得の努力の成果であつて、これらの権利は、過去幾多の試錬に堪へ、現在及び将来の国民に対し、侵すことのできない永久の権利として信託されたものである。

[趣旨]本条は、硬性憲法の建前（96）及びそこから当然に派生する憲法の形式的最高法規性（98）の実質的な根拠を明らかにした規定であると解されている《同》。すなわち、憲法が最高法規であるのは、その内容が人間の権利・自由をあらゆる国家権力から不可侵のものとして保障する規範を中心として構成されていることに基づく（実質的最高法規性）。

　→憲法の実質的最高法規性を重視する立場は、憲法規範を1つの価値秩序と捉え、「個人の尊重」の原理（13前段）とそれに基づく人権の体系を憲法の根本規範と考えるため、憲法規範の価値序列を認める

第98条　〔憲法の最高法規性、条約及び国際法規の遵守〕

Ⅰ　この憲法は、国の最高法規であつて、その条規に反する法律、命令、詔勅及び国務に関するその他の行為の全部又は一部は、その効力を有しない。

Ⅱ　日本国が締結した条約及び確立された国際法規は、これを誠実に遵守することを必要とする。

《注　釈》

一　憲法の最高法規性（98Ⅰ）

1　「国の最高法規」の意味

　憲法が「最高法規」であるとは、国内法の体系において憲法が最も高い地位にあり、最も強い形式的効力を有することをいう（形式的最高法規性）。

　→憲法が他の法令とは異なる加重された手続によらなければ改正できないという96条の論理的帰結である

2　「国務に関するその他の行為」の意義

　法律・命令及び詔勅以外の一切の国法形式及び処分をいう。

統治

▼ **百里基地訴訟（最判平元.6.20・百選166事件）**▣

　　自衛隊の基地を建設するに当たって、防衛庁が土地を取得した売買契約の効力が争われたが、**本条1項**にいう「国務に関するその他の行為」とは、公権力を行使して法規範を定立する国の行為を意味し、私人と対等の立場で行う国の行為はこれに該当しないとして、**本件土地売買行為はこれに該当しない**とした。

　3　明治憲法下の法令の効力

　　　明治憲法下の法令は原則としてそのまま効力を有し、この憲法規定に反する場合にはその効力を有しない（最大判昭27.12.24・百選203事件）▣。

二　条約及び国際法規の遵守（98Ⅱ）

　1　「日本国が締結した条約及び確立された国際法規」の意味

　(1)　「日本国が締結した条約」とは、条約（形式上の条約）・協約・協定・議定書・憲章その他の名称のいかんを問わず、文書による国家間の合意であり、国家間の権利義務を定めるものをいう。

　　　→73条3号の「条約」よりも広く、その締結が国会の承認を経たものであるか否かを問わない　⇒ p.558

　　　ex.　国会の承認なしに結ばれたいわゆる政府間協定でも、それが外国と日本との合意の性質をもつ限り、本条項の「条約」に当たる

　(2)　「確立された国際法規」とは、一般に承認され、実施されている国際慣習法をいう。

　　　→我が国が締結していない条約に規定されている事項であっても、それが一般に承認され、実施されている国際慣習法であれば、同条が定める遵守義務の対象となる▣

　2　国際法と国内法との関係

　　　国際法と国内法の関係をいかに捉えるかについては、学説上争いがある。

＜国際法と国内法との関係＞

	内容	国際法の国内法的効力
二元論	国際法は国家と国家の関係、国家間における国家行為に妥当し、国内法は国内における私人と私人の関係、国家機関と私人の関係を規律するというように、両者は相互に独立した法秩序である	国際法はそのままの形では国内法として効力を有さず、別に国際法の取極めを実施するための国内法を制定しなければならない
一元論▣	国際法と国内法は、同一の統一的法秩序を形成している	一元論を採ったとしても、国際法が直ちに国内法的効力を生ずるか否かは、各国の国内法の定めによる（＊）

* 日本国憲法の解釈論としては、国際法は、特別の立法措置を講ずることなしに、公布により直ちに国内法的効力をもつものとされる《同》。
  ∵① 立法措置を必要としないという明治憲法以来の慣行
  ② 条約の締結につき国会の承認が必要とされること（73 ③）、憲法改正・法律・政令と同じく天皇が公布すること（7 ①）、また国際法の誠実遵守が謳われていること（98 Ⅱ）

3 条約と憲法の優劣関係

　国際法と国内法との関係について二元論を採れば、憲法と条約の優劣関係を論じる意味はない。一元論を採った場合、条約と憲法のいずれが優位に立つかが問題となる《同》。

* 自動執行力のない条約と自動執行力のある条約

　一般原則や政治的義務を宣言するにとどまり、その実施には別途立法措置が必要となる「自動執行力のない条約」については、一元論を採ったとしても条約と憲法の優劣関係という問題は生じない。条約と憲法の関係が問題となるのは、そのままの形で国内法として実施できる「自動執行力のある条約」についてのみである。

＜憲法と条約の優劣関係＞《司共予》

学説	理由
憲法優位説	① 98条2項は、有効に成立した条約の国内法的効力を認め、その遵守を強調するのであって、違憲の条約までも遵守すべきことを定めたものではない ② 98条1項は、国内法的秩序における憲法の最高法規性を宣言した規定であるから、条約が除かれているのは当然である。また81条は、条約が国家間の合意であるという特殊性をもつことから条約を除外したにすぎない ③ 条約締結権・承認権は憲法の授権に基づくものであるから、内閣・国会はともに憲法に違反しない条約のみを締結・承認する義務を負っており、99条の憲法尊重擁護義務の規定はこれを確認している ④ 手続の難易が形式的効力の優劣に対応するとすれば、条約締結手続に比して憲法改正手続の方がはるかに困難である ⑤ 現在の国際情勢を前提とする限り、国際協調主義という一般原則によって条約優位を正当化することは極めて困難である ＊ 憲法優位説に立ったうえで、国際強調主義や、81条列挙事項に「条約」が含まれていないことを根拠に、条約は違憲審査の対象とはならないと考えることも可能である《司共》。 ＊ 適式な手続を経て締結されたある条約が違憲と判断された場合でも、それは当該条約の国内法的効力を否定するにとどまり、当該条約の国際法上の効力を否定するものではないから、我が国は依然として当該条約を履行する義務を負う《予》。 ＊ 憲法優位説に立っても、裁判所が、立法事実の存否を判断するための資料として条約を参照することは許容される《司》。

学説	理由
条約優位説	① 前文の国際協調主義及び98条2項の条約の誠実な遵守を実効的なものとするためには、条約は一般国内法に優位すると解すべきであり、その趣旨の徹底のためには、条約に憲法に優位する形式的効力を認める必要がある ② 憲法の最高法規性について規定する98条1項及びそれを担保するための違憲審査権について規定する81条から条約が除外されており、しかも98条2項では条約を誠実に遵守すべき義務が規定されている ③ 73条3号の条約締結に関する規定は、条約締結の機関と手続を規定したにとどまり、条約の効力の根拠を定めたものではない

※1　以上の見解の他にも、ポツダム宣言やサンフランシスコ平和条約のような国家形成的な基本条約は憲法に優位する、主権や基本的人権規定のような基本的な部分（根本規範）は条約に優位する、といった折衷的立場も主張されている。
※2　条約が法律に優位することについては異論はない。
　　　∵① 条約の締結に国会の承認が必要とされている（73③ただし書）
　　　　② 98条2項の精神

▼　**砂川事件（最大判昭34.12.16・百選163事件）** 〔新〕　⇒p.469

　本判決は、「一見極めて明白に違憲無効であると認められない限りは、裁判所の司法審査権の範囲外のものであ」るとして、安保条約を違憲審査の対象から原則として除外しつつも、安保条約自体が憲法に違反する可能性は認めている。

▼　**占領法規（最大判昭28.7.22・百選204事件）**

　政令325号の罰則が一般のポツダム命令のように犯罪行為の内容を具体的に特定したものではなく、単に最高司令官の指令違反を犯罪として処罰するものであるから、講和条約発効後は当然に失効するとした。

第99条〔憲法尊重擁護義務〕
　天皇又は摂政及び国務大臣、国会議員、裁判官その他の公務員は、この憲法を尊重し擁護する義務を負ふ。

⇒国公§38⑤・地公§16⑤（憲法破壊団体員の公務員不適格）、国公§6・97・地公§31・警察§3（公務員の宣誓）
[趣旨] 本条は、憲法の保障を直接の目的として（⇒p.546）、公務員の憲法尊重擁護義務を規定したものである。
《**注　釈**》
一　公務員の憲法尊重擁護義務
　1　「この憲法を尊重し擁護する義務を負ふ」の意味
　　　本条にいう「義務」は、倫理的・道徳的性質のものであって、本条から直ちに具体的な法的効果が生じるわけではなく、擁護義務を課す法律によってはじ

めて具体的な法的義務が生じる。

ex.1　「日本国憲法又はその下に成立した政府を暴力で破壊することを主張
する政党その他の団体を結成し、又はこれに加入」することは、公務員
の欠格事由となる（国公38⑤、地公16⑤）

ex.2　国家公務員法97条及びそれに基づく政令は、憲法遵守の宣誓を要求
しており、宣誓を拒否すれば、「職務上の義務違反」として懲戒事由と
なる（国公82Ⅰ②）

→「職務上の義務違反」には憲法に対する侵犯行為も含まれる（憲法に
定められた方法以外の手段を用いて憲法改正を唱道することもこれに
当たる）

2　人的範囲

(1)　「国会議員」とは衆議院議員と参議院議員とを含み、「両議院の議員」（43
Ⅱ）と同義である。

(2)　「国務大臣」とは、広く内閣の構成員を意味し、内閣総理大臣を含む。

cf.　地方公務員法31条も、条例の定めるところにより宣誓を要求してお
り、「公務員」には地方公共団体の議員、公務を含むという考えを前
提としている

(3)　国民は含まれていない。

3　国務大臣の憲法改正発言

国務大臣が憲法の改正を主張することが、本条に違反するかが問題となる
も、主張の仕方・主張に伴う言動が、その職務の公正性に対する信頼を損なう
ような性質・内容のものでなければ本条に反しないとされる。

∵　憲法が改正手続を定めている以上、国務大臣が政治家として改正に関す
る主張をなしうるのは当然であるが、①それはあくまで96条所定の手続
に則っての改正の主張であることが必要であり、また、②改正されるまで
は憲法に誠実に従って行動する義務がある

二　国民の憲法尊重擁護義務

条文上、憲法尊重擁護義務の主体として国民が明示されていない。そこで、国
民が憲法尊重擁護義務を負うかが問題となる。

＜国民の憲法尊重擁護義務＞

	理由
肯定説	憲法制定者である国民が憲法尊重擁護義務を負うことは、当然のことであり、本条は、その当然の前提に立つ
否定説	① 立憲主義憲法のねらいは、国民の人権を守るために国家権力を制約することにあるから、憲法の尊重擁護は、本質的に国家権力機構を構成する公務員に対して国民の側から課される性質のものである ② 本条が国民を規定していないのは、単なる脱漏ではなく、権力の側から国民に対して「憲法忠誠」を要求するというドイツ基本法が採用した立場（戦う民主主義）を拒否した意味をもつ

統治

第11章　補則

第100条 〔憲法施行期日、準備手続〕

Ⅰ　この憲法は、公布の日から起算して6箇月を経過した日（昭和22・5・3）から、これを施行する。

Ⅱ　この憲法を施行するために必要な法律の制定、参議院議員の選挙及び国会召集の手続並びにこの憲法を施行するために必要な準備手続は、前項の期日よりも前に、これを行ふことができる。

第101条 〔経過規定〜参議院未成立の間の国会〕

この憲法施行の際、参議院がまだ成立してゐないときは、その成立するまでの間、衆議院は、国会としての権限を行ふ。

第102条 〔経過規定〜第一期の参議院議員の任期〕

この憲法による第一期の参議院議員のうち、その半数の者の任期は、これを3年とする。その議員は、法律の定めるところにより、これを定める。

第103条 〔経過規定〜公務員の地位〕

この憲法施行の際現に在職する国務大臣、衆議院議員及び裁判官並びにその他の公務員で、その地位に相応する地位がこの憲法で認められてゐる者は、法律で特別の定をした場合を除いては、この憲法施行のため、当然にはその地位を失ふことはない。但し、この憲法によつて、後任者が選挙又は任命されたときは、当然その地位を失ふ。

統治

— MEMO —

完全整理　択一六法

付　録

1　憲法の横断的な知識の整理

2　大日本帝国憲法

3　憲法関連法

　(1)　国会法(抄)

　(2)　内閣法(抄)

　(3)　裁判所法(抄)

憲法の横断的な知識の整理

＜「教育」の意義＞

20条3項	特定の宗教を布教・宣伝する目的で行われる教育を意味し、一般的に宗教的な情操ないし教養を育成するために行われる教育は含まれない
26条1項	学校教育の他、家庭教育、社会教育を含む
26条2項	学校教育のみを意味する
44条但書	知的能力を指し、学歴に限定されない
89条後段	学校その他の施設により、人の精神的・肉体的育成を目指して人を継続的に教え導くことを意味する

＜「条約」の意義＞

73条3号の「条約」	条約という名称の有無にかかわらずいわゆる実質的意味の条約をすべて含むが、それらの条約を執行するために必要な技術的・細目的な協定や、条約の具体的な委任に基づいて定められる政府間取極め（行政協定）は原則として含まれない
98条2項の「条約」	条約を執行するために必要な技術的・細目的な協定や、条約の具体的な委任に基づいて定められる政府間取極め（行政協定）もすべて含む広義の概念

＜多数決の要件等について＞

裁判官の全員一致	対審の非公開（82 Ⅱ 本文）
各議院の総議員の3分の2以上	憲法改正の発議（96 Ⅰ 前段）
出席議員の3分の2以上	① 資格争訟裁判で議員の議席を失わせる場合（55 ただし書） ② 議員を除名する場合（58 Ⅱ ただし書） ③ 秘密会（57 Ⅰ ただし書） ④ 法律案の再決議（59 Ⅱ）
過半数	① 各議院の議事（56 Ⅱ） ② 地方特別法制定に必要な住民の同意（95） ③ 憲法改正に必要な国民の同意（96 Ⅰ 後段）（＊）

各議院の総議員の3分の1以上	各議院が議事を開き議決するために必要な出席数（56 Ⅰ）
いづれかの議院の総議員の4分の1以上	議員の請求による国会（臨時会）の召集（53）
出席議員の5分の1以上	表決の会議録への記載（57Ⅱ）

* 有効投票総数（憲法改正案に対する賛成の投票の数と反対の投票の数を合計した数）の2分の1を超えた場合をいう（国民投票 126、98Ⅱ）。

＜日数について＞

60日以内	法律案の議決に関し、衆議院は、参議院が60日以内に議決しなければ、否決したものとみなすことができる（59 Ⅳ）
40日以内	衆議院の解散後、総選挙までの日数（54 Ⅰ）
30日以内	① 衆議院解散後の総選挙から国会召集までの日数（54 Ⅰ） ② 予算の議決に関し、参議院が30日以内に議決しなければ、衆議院の議決が国会の議決となる（60 Ⅱ） ③ 条約の締結に必要な国会の承認についても予算と同様である（61、60 Ⅱ）
10日以内	① 緊急集会の措置は、次の国会開会後10日以内に衆議院の同意を得ないと失効する（54 Ⅲ） ② 内閣総理大臣の指名の議決に関し、参議院が10日以内に議決しなければ、衆議院の議決が国会の議決となる（67 Ⅱ）

＜中央と地方の比較＞

中央	地方
国会に代えて、選挙権を有する国民の総会を設置することはできない（41）	町村においては、議会に代えて、選挙権を有する住民の総会を設置することができる（地自 94）
国民投票をもって国会の決定に代えるという制度を定めることはできない（41）	住民による条例の制定・改廃請求を認めることはできる（地自 74〜74 の 4）
国民が衆議院を解散することはできない（69、7③）	議会の解散について住民の直接請求制度がある（地自 76〜79）
内閣総理大臣の指名について、国民の直接選挙によると定めることはできない（67 Ⅰ）	地方公共団体の長について、住民の直接選挙により選ばなくてはならない（93 Ⅱ）
内閣不信任案が可決された場合でも内閣の総辞職の効果が発生しない、と定めることはできない（69）	地方公共団体の長の不信任案が可決された場合でも長の解職の効果は発生しない、と定めることはできる（93）

付録

＜「公開」に関する比較＞

裁判の公開	① 裁判官の全員一致で、公の秩序又は善良の風俗を害するおそれがあると決した場合で、政治犯罪、出版に関する犯罪、国民の権利が問題となっている事件以外の「対審」は非公開にできる（82 Ⅱ） ② 「判決」は常に公開しなければならない（82 Ⅰ） ③ 裁判の評議は対審でも判決でもなく、非公開にしても違憲ではないが、現行の裁判所法 75 条 1 項では非公開となっている ④ 弾劾裁判所の裁判については憲法上明文はないので、法律により非公開とすることも違憲ではないが、現行の裁判官弾劾法 26 条はこれを公開としている
両議院の 会議の公開	① 両議院の会議は、出席議員の 3 分の 2 以上の多数で議決したときのみ非公開（秘密会）にできる（57 Ⅰただし書） ② 秘密会で審議しなければならない事項も、秘密会で審議できない事項もない ③ 会議の記録は、秘密会の記録の中で特に秘密を要すると認められるもの以外は公表し、一般に頒布しなければならない（57 Ⅱ）
地方議会の 公開	地方議会の公開については憲法上明文はないので、法律により非公開とすることができるが、現行の地方自治法 115 条 1 項は、原則これを公開とし、議長又は議員 3 人以上の発議により、出席議員の 3 分の 2 以上の多数で議決したときは秘密会を開くことができると定めている
委員会の公開	現行の国会法 52 条 1 項によると、委員会は原則として非公開であり、議員と、報道の任務にあたる者その他の者で委員長の許可を受けた者だけが傍聴でき、さらに同条 2 項によると、委員会はその決議により秘密会とすることができる
両院協議会の 公開	現行の国会法 97 条によると、両院協議会は秘密会とし、傍聴を許さない
閣議の公開	閣議は非公開であり、閣議の参加者は審議内容の秘密を保持すべきものとされている

大日本帝国憲法

　　　告　文

皇朕レ謹ミ畏ミ

皇祖

皇宗ノ神霊ニ誥ケ白サク皇朕レ天壤無窮ノ宏謨ニ循ヒ惟神ノ宝祚ヲ承継シ旧図ヲ保持シテ敢テ失墜スルコト無シ顧ミルニ世局ノ進運ニ膺リ人文ノ発達ニ随ヒ宜ク

皇祖

皇宗ノ遺訓ヲ明徴ニシ典憲ヲ成立シ条章ヲ昭示シ内ハ以テ子孫ノ率由スル所ト為シ外ハ以テ臣民翼賛ノ道ヲ広メ永遠ニ遵行セシメ益々国家ノ丕基ヲ鞏固ニシ八洲民生ノ慶福ヲ増進スヘシ茲ニ皇室典範及憲法ヲ制定ス惟フニ此レ皆

皇祖

皇宗ノ後裔ニ貽シタマヘル統治ノ洪範ヲ紹述スルニ外ナラス而シテ朕カ躬ニ逮テ時ト倶ニ挙行スルコトヲ得ルハ洵ニ

皇祖

皇宗及我カ

皇考ノ威霊ニ倚藉スルニ由ラサルハ無シ皇朕レ仰テ

皇祖

皇宗及

皇考ノ神祐ヲ禱リ併セテ朕カ現在及将来ニ臣民ニ率先シ此ノ憲章ヲ履行シテ愆ラサラムコトヲ誓フ庶幾クハ

神霊此レヲ鑒ミタマヘ

　　　憲法発布勅語

朕国家ノ隆昌ト臣民ノ慶福トヲ以テ中心ノ欣栄トシ朕カ祖宗ニ承クルノ大権ニ依リ現在及将来ノ臣民ニ対シ此ノ不磨ノ大典ヲ宣布ス

惟フニ我カ祖我カ宗ハ我カ臣民祖先ノ協力輔翼ニ倚リ我カ帝国ヲ肇造シ以テ無窮ニ垂レタリ此レ我カ神聖ナル祖宗ノ威徳ト並ニ臣民ノ忠実勇武ニシテ国ヲ愛シ公ニ殉ヒ以テ此ノ光輝アル国史ノ成跡ヲ貽シタルナリ朕我カ臣民ハ即チ祖宗ノ忠良ナル臣民ノ子孫ナルヲ回想シ其ノ朕カ意ヲ奉体シ朕カ事ヲ奨順シ相与ニ和衷協同シ益々我カ帝国ノ光栄ヲ中外ニ宣揚シ祖宗ノ遺業ヲ永久ニ鞏固ナラシムルノ希望ヲ同クシ此ノ負担ヲ分ツニ堪フルコトヲ疑ハサルナリ

朕祖宗ノ遺烈ヲ承ケ万世一系ノ帝位ヲ践ミ朕カ親愛スル所ノ臣民ハ即チ朕カ祖宗ノ恵撫慈養シタマヒシ所ノ臣民ナルヲ念ヒ其ノ康福ヲ増進シ其ノ懿徳良能ヲ発達セシ

メムコトヲ願ヒ又其ノ翼賛ニ依リ与ニ倶ニ国家ノ進運ヲ扶持セムコトヲ望ミ乃チ明治14年10月12日ノ詔命ヲ履践シ茲ニ大憲ヲ制定シ朕カ率由スル所ヲ示シ朕カ後嗣及臣民及臣民ノ子孫タル者ヲシテ永遠ニ循行スル所ヲ知ラシム

国家統治ノ大権ハ朕カ之ヲ祖宗ニ承ケテ之ヲ子孫ニ伝フル所ナリ朕及朕カ子孫ハ将来此ノ憲法ノ条章ニ循ヒ之ヲ行フコトヲ愆ラサルヘシ

朕ハ我カ臣民ノ権利及財産ノ安全ヲ貴重シ及之ヲ保護シ此ノ憲法及法律ノ範囲内ニ於テ其ノ享有ヲ完全ナラシムヘキコトヲ宣言ス

帝国議会ハ明治23年ヲ以テ之ヲ召集シ議会開会ノ時ヲ以テ此ノ憲法ヲシテ有効ナラシムルノ期トスヘシ

将来若此ノ憲法ノ或ル条章ヲ改定スルノ必要ナル時宜ヲ見ルニ至ラハ朕及朕カ継統ノ子孫ハ発議ノ権ヲ執リ之ヲ議会ニ付シ議会ハ此ノ憲法ニ定メタル要件ニ依リ之ヲ議決スルノ外朕カ子孫及臣民ハ敢テ之カ紛更ヲ試ミルコトヲ得サルヘシ

朕カ在廷ノ大臣ハ朕カ為ニ此ノ憲法ヲ施行スルノ責ニ任スヘク朕カ現在及将来ノ臣民ハ此ノ憲法ニ対シ永遠ニ従順ノ義務ヲ負フヘシ

御　名　御　璽
明治22年2月11日

内閣総理大臣	伯爵	黒田清隆
枢密院議長	伯爵	伊藤博文
外務大臣	伯爵	大隈重信
海軍大臣	伯爵	西郷従道
農商務大臣	伯爵	井上　馨
司法大臣	伯爵	山田顕義
大蔵大臣兼内務大臣	伯爵	松方正義
陸軍大臣	伯爵	大山　巌
文部大臣	子爵	森　有礼
逓信大臣	子爵	榎本武揚

大日本帝国憲法

第1章　天皇

第1条
　大日本帝国ハ万世一系ノ天皇之ヲ統治ス

第2条

皇位ハ皇室典範ノ定ムル所ニ依リ皇男子孫之ヲ継承ス

第3条

天皇ハ神聖ニシテ侵スヘカラス

第4条

天皇ハ国ノ元首ニシテ統治権ヲ総攬シ此ノ憲法ノ条規ニ依リ之ヲ行フ

第5条

天皇ハ帝国議会ノ協賛ヲ以テ立法権ヲ行フ

第6条

天皇ハ法律ヲ裁可シ其ノ公布及執行ヲ命ス

第7条

天皇ハ帝国議会ヲ召集シ其ノ開会閉会停会及衆議院ノ解散ヲ命ス

第8条

Ⅰ　天皇ハ公共ノ安全ヲ保持シ又ハ其ノ災厄ヲ避クル為緊急ノ必要ニ由リ帝国議会閉会ノ場合ニ於テ法律ニ代ルヘキ勅令ヲ発ス

Ⅱ　此ノ勅令ハ次ノ会期ニ於テ帝国議会ニ提出スヘシ若議会ニ於テ承諾セサルトキハ政府ハ将来ニ向テ其ノ効力ヲ失フコトヲ公布スヘシ

第9条

天皇ハ法律ヲ執行スル為ニ又ハ公共ノ安寧秩序ヲ保持シ及臣民ノ幸福ヲ増進スル為ニ必要ナル命令ヲ発シ又ハ発セシム但シ命令ヲ以テ法律ヲ変更スルコトヲ得ス

第10条

天皇ハ行政各部ノ官制及文武官ノ俸給ヲ定メ及文武官ヲ任免ス但シ此ノ憲法又ハ他ノ法律ニ特例ヲ掲ケタルモノハ各々其ノ条項ニ依ル

第11条

天皇ハ陸海軍ヲ統帥ス

第12条

天皇ハ陸海軍ノ編制及常備兵額ヲ定ム

第13条

天皇ハ戦ヲ宣シ和ヲ講シ及諸般ノ条約ヲ締結ス

第14条

Ⅰ　天皇ハ戒厳ヲ宣告ス

Ⅱ　戒厳ノ要件及効力ハ法律ヲ以テ之ヲ定ム

第15条

天皇ハ爵位勲章及其ノ他ノ栄典ヲ授与ス

付
録

第16条
　天皇ハ大赦特赦減刑及復権ヲ命ス
第17条
Ⅰ　摂政ヲ置クハ皇室典範ノ定ムル所ニ依ル
Ⅱ　摂政ハ天皇ノ名ニ於テ大権ヲ行フ

第2章　臣民権利義務

第18条
　日本臣民タルノ要件ハ法律ノ定ムル所ニ依ル
第19条
　日本臣民ハ法律命令ノ定ムル所ノ資格ニ応シ均ク文武官ニ任セラレ及其ノ他ノ公務ニ就クコトヲ得
第20条
　日本臣民ハ法律ノ定ムル所ニ従ヒ兵役ノ義務ヲ有ス
第21条
　日本臣民ハ法律ノ定ムル所ニ従ヒ納税ノ義務ヲ有ス
第22条
　日本臣民ハ法律ノ範囲内ニ於テ居住及移転ノ自由ヲ有ス
第23条
　日本臣民ハ法律ニ依ルニ非スシテ逮捕監禁審問処罰ヲ受クルコトナシ
第24条
　日本臣民ハ法律ニ定メタル裁判官ノ裁判ヲ受クルノ権ヲ奪ハル、コトナシ
第25条
　日本臣民ハ法律ニ定メタル場合ヲ除ク外其ノ許諾ナクシテ住所ニ侵入セラレ及捜索セラル、コトナシ
第26条
　日本臣民ハ法律ニ定メタル場合ヲ除ク外信書ノ秘密ヲ侵サル、コトナシ
第27条
Ⅰ　日本臣民ハ其ノ所有権ヲ侵サル、コトナシ
Ⅱ　公益ノ為必要ナル処分ハ法律ノ定ムル所ニ依ル
第28条
　日本臣民ハ安寧秩序ヲ妨ケス及臣民タルノ義務ニ背カサル限ニ於テ信教ノ自由ヲ有ス
第29条
　日本臣民ハ法律ノ範囲内ニ於テ言論著作印行集会及結社ノ自由ヲ有ス

第30条
　日本臣民ハ相当ノ敬礼ヲ守リ別ニ定ムル所ノ規程ニ従ヒ請願ヲ為スコトヲ得
第31条
　本章ニ掲ケタル条規ハ戦時又ハ国家事変ノ場合ニ於テ天皇大権ノ施行ヲ妨クルコトナシ
第32条
　本章ニ掲ケタル条規ハ陸海軍ノ法令又ハ紀律ニ牴触セサルモノニ限リ軍人ニ準行ス

第3章　帝国議会

第33条
　帝国議会ハ貴族院衆議院ノ両院ヲ以テ成立ス
第34条
　貴族院ハ貴族院令ノ定ムル所ニ依リ皇族華族及勅任セラレタル議員ヲ以テ組織ス
第35条
　衆議院ハ選挙法ノ定ムル所ニ依リ公選セラレタル議員ヲ以テ組織ス
第36条
　何人モ同時ニ両議院ノ議員タルコトヲ得ス
第37条
　凡テ法律ハ帝国議会ノ協賛ヲ経ルヲ要ス
第38条
　両議院ハ政府ノ提出スル法律案ヲ議決シ及各々法律案ヲ提出スルコトヲ得
第39条
　両議院ノ一ニ於テ否決シタル法律案ハ同会期中ニ於テ再ヒ提出スルコトヲ得ス
第40条
　両議院ハ法律又ハ其ノ他ノ事件ニ付各々其ノ意見ヲ政府ニ建議スルコトヲ得但シ其ノ採納ヲ得サルモノハ同会期中ニ於テ再ヒ建議スルコトヲ得ス
第41条
　帝国議会ハ毎年之ヲ召集ス
第42条
　帝国議会ハ三箇月ヲ以テ会期トス必要アル場合ニ於テハ勅命ヲ以テ之ヲ延長スルコトアルヘシ
第43条
Ⅰ　臨時緊急ノ必要アル場合ニ於テ常会ノ外臨時会ヲ召集スヘシ
Ⅱ　臨時会ノ会期ヲ定ムルハ勅命ニ依ル
第44条
Ⅰ　帝国議会ノ開会閉会会期ノ延長及停会ハ両院同時ニ之ヲ行フヘシ
Ⅱ　衆議院解散ヲ命セラレタルトキハ貴族院ハ同時ニ停会セラルヘシ

第４５条

　衆議院解散ヲ命セラレタルトキハ勅命ヲ以テ新ニ議員ヲ選挙セシメ解散ノ日ヨリ五箇月以内ニ之ヲ召集スヘシ

第４６条

　両議院ハ各々其ノ総議員三分ノ一以上出席スルニ非サレハ議事ヲ開キ議決ヲ為スコトヲ得ス

第４７条

　両議院ノ議事ハ過半数ヲ以テ決ス可否同数ナルトキハ議長ノ決スル所ニ依ル

第４８条

　両議院ノ会議ハ公開ス但シ政府ノ要求又ハ其ノ院ノ決議ニ依リ秘密会ト為スコトヲ得

第４９条

　両議院ハ各々天皇ニ上奏スルコトヲ得

第５０条

　両議院ハ臣民ヨリ呈出スル請願書ヲ受クルコトヲ得

第５１条

　両議院ハ此ノ憲法及議院法ニ掲クルモノヽ外内部ノ整理ニ必要ナル諸規則ヲ定ムルコトヲ得

第５２条

　両議院ノ議員ハ議院ニ於テ発言シタル意見及表決ニ付院外ニ於テ責ヲ負フコトナシ但シ議員自ラ其ノ言論ヲ演説刊行筆記又ハ其ノ他ノ方法ヲ以テ公布シタルトキハ一般ノ法律ニ依リ処分セラルヘシ

第５３条

　両議院ノ議員ハ現行犯罪又ハ内乱外患ニ関ル罪ヲ除ク外会期中其ノ院ノ許諾ナクシテ逮捕セラルヽコトナシ

第５４条

　国務大臣及政府委員ハ何時タリトモ各議院ニ出席シ及発言スルコトヲ得

第4章　国務大臣及枢密顧問

第５５条

Ⅰ　国務各大臣ハ天皇ヲ輔弼シ其ノ責ニ任ス

Ⅱ　凡テ法律勅令其ノ他国務ニ関ル詔勅ハ国務大臣ノ副署ヲ要ス

第５６条

　枢密顧問ハ枢密院官制ノ定ムル所ニ依リ天皇ノ諮詢ニ応ヘ重要ノ国務ヲ審議ス

第5章　司法

第５７条
Ⅰ　司法権ハ天皇ノ名ニ於テ法律ニ依リ裁判所之ヲ行フ
Ⅱ　裁判所ノ構成ハ法律ヲ以テ之ヲ定ム
第５８条
Ⅰ　裁判官ハ法律ニ定メタル資格ヲ具フル者ヲ以テ之ニ任ス
Ⅱ　裁判官ハ刑法ノ宣告又ハ懲戒ノ処分ニ由ルノ外其ノ職ヲ免セラルヽコトナシ
Ⅲ　懲戒ノ条規ハ法律ヲ以テ之ヲ定ム
第５９条
　裁判ノ対審判決ハ之ヲ公開ス但シ安寧秩序又ハ風俗ヲ害スルノ虞アルトキハ法律ニ依リ又ハ裁判所ノ決議ヲ以テ対審ノ公開ヲ停ムルコトヲ得
第６０条
　特別裁判所ノ管轄ニ属スヘキモノハ別ニ法律ヲ以テ之ヲ定ム
第６１条
　行政官庁ノ違法処分ニ由リ権利ヲ傷害セラレタリトスルノ訴訟ニシテ別ニ法律ヲ以テ定メタル行政裁判所ノ裁判ニ属スヘキモノハ司法裁判所ニ於テ受理スルノ限ニ在ラス

第6章　会計

第６２条
Ⅰ　新ニ租税ヲ課シ及税率ヲ変更スルハ法律ヲ以テ之ヲ定ムヘシ
Ⅱ　但シ報償ニ属スル行政上ノ手数料及其ノ他ノ収納金ハ前項ノ限ニ在ラス
Ⅲ　国債ヲ起シ及予算ニ定メタルモノヲ除ク外国庫ノ負担トナルヘキ契約ヲ為スハ帝国議会ノ協賛ヲ経ヘシ
第６３条
　現行ノ租税ハ更ニ法律ヲ以テ之ヲ改メサル限ハ旧ニ依リ之ヲ徴収ス
第６４条
Ⅰ　国家ノ歳出歳入ハ毎年予算ヲ以テ帝国議会ノ協賛ヲ経ヘシ
Ⅱ　予算ノ款項ニ超過シ又ハ予算ノ外ニ生シタル支出アルトキハ後日帝国議会ノ承諾ヲ求ムルヲ要ス
第６５条
　予算ハ前ニ衆議院ニ提出スヘシ
第６６条
　皇室経費ハ現在ノ定額ニ依リ毎年国庫ヨリ之ヲ支出シ将来増額ヲ要スル場合ヲ除ク外帝国議会ノ協賛ヲ要セス

第67条

　憲法上ノ大権ニ基ツケル既定ノ歳出及法律ノ結果ニ由リ又ハ法律上政府ノ義務ニ属スル歳出ハ政府ノ同意ナクシテ帝国議会之ヲ廃除シ又ハ削減スルコトヲ得ス

第68条

　特別ノ須要ニ因リ政府ハ予メ年限ヲ定メ継続費トシテ帝国議会ノ協賛ヲ求ムルコトヲ得

第69条

　避クヘカラサル予算ノ不足ヲ補フ為ニ又ハ予算ノ外ニ生シタル必要ノ費用ニ充ツル為ニ予備費ヲ設クヘシ

第70条

Ⅰ　公共ノ安全ヲ保持スル為緊急ノ需用アル場合ニ於テ内外ノ情形ニ因リ政府ハ帝国議会ヲ召集スルコト能ハサルトキハ勅令ニ依リ財政上必要ノ処分ヲ為スコトヲ得

Ⅱ　前項ノ場合ニ於テハ次ノ会期ニ於テ帝国議会ニ提出シ其ノ承諾ヲ求ムルヲ要ス

第71条

　帝国議会ニ於テ予算ヲ議定セス又ハ予算成立ニ至ラサルトキハ政府ハ前年度ノ予算ヲ施行スヘシ

第72条

Ⅰ　国家ノ歳出歳入ノ決算ハ会計検査院之ヲ検査確定シ政府ハ其ノ検査報告ト倶ニ之ヲ帝国議会ニ提出スヘシ

Ⅱ　会計検査院ノ組織及職権ハ法律ヲ以テ之ヲ定ム

第7章　補則

第73条

Ⅰ　将来此ノ憲法ノ条項ヲ改正スルノ必要アルトキハ勅命ヲ以テ議案ヲ帝国議会ノ議ニ付スヘシ

Ⅱ　此ノ場合ニ於テ両議院ハ各々其ノ総員3分ノ2以上出席スルニ非サレハ議事ヲ開クコトヲ得ス出席議員3分ノ2以上ノ多数ヲ得ルニ非サレハ改正ノ議決ヲ為スコトヲ得ス

第74条

Ⅰ　皇室典範ノ改正ハ帝国議会ノ議ヲ経ルヲ要セス

Ⅱ　皇室典範ヲ以テ此ノ憲法ノ条規ヲ変更スルコトヲ得ス

第75条

　憲法及皇室典範ハ摂政ヲ置クノ間之ヲ変更スルコトヲ得ス

第７６条

Ⅰ　法律規則命令又ハ何等ノ名称ヲ用ヰタルニ拘ラス此ノ憲法ニ矛盾セサル現行ノ法令ハ総テ遵由ノ効力ヲ有ス

Ⅱ　歳出上政府ノ義務ニ係ル現在ノ契約又ハ命令ハ総テ第６７条ノ例ニ依ル

《概　説》

一　万世一系の天皇による支配（明憲１）

　　大日本帝国憲法（明治憲法）は、天皇による支配統治を基本原理とした。ここにいう天皇は、日本書紀の建国神話に由来する万世一系の天皇を意味し、したがって、明治憲法は、立憲主義憲法とはいうものの、神権主義的な君主制の色彩が極めて強い憲法であったといえる。

二　天皇大権中心の統治体系

1　天皇は、憲法上統治権を「総攬」する地位にあり（明憲４）、帝国議会の「協賛」の下に立法を行い（明憲５）、国務大臣の「輔弼」を受けて行政権を行使するものとされた（明憲55Ⅰ）。司法権もまた「天皇ノ名ニ於テ」裁判所がこれを行うものとされた（明憲57Ⅰ）。

2　議会の権限は、天皇の権限に対応して極めて限定されていた。

　(1)　皇位継承等の皇室に関する事項と軍の統帥や宣戦・講和等に関する事項は議会の立法権限の枠外に置かれていた（明憲２、11〜13）。

　(2)　法律の制定は議会の議決だけで完結せず、天皇の「裁可」を要し（明憲６）、しかも天皇は緊急勅令や独立命令の形式で、議会の協賛なしに立法を行うことができるとされていた（明憲８、９）。

　(3)　条約締結権は天皇に帰属し（明憲13）、天皇が締結した条約は、議会による協賛を経ることなく、直ちに国内法的にも効力を発するものとされていた。

3　議会の権能は、政府との関係においても限定されていた。

　(1)　憲法上、衆議院の解散制度は認められていたが（明憲７、44Ⅱ、45）、内閣の成立・存続は、議会の信任に依拠するものではなかった。

　(2)　明治憲法は、その財政制度として第６章で「会計」を設け、租税法律主義（明憲62Ⅰ）、国債及び予算外国庫負担契約に対する議会協賛（明憲62Ⅲ）、予算に対する議会協賛（明憲64Ⅰ）、決算の議会審査（明憲72Ⅰ）といった内容の財政立憲主義の原則を採用していた。

　　しかし、政府は、新年度の予算が議会で議決されない場合には、議会の議決なくして前年度の予算を施行しうる（明憲71）など、議会による監督は極めて制限されたものとなっていた。

4　帝国議会は、二院制を採用し、衆議院と貴族院から構成された（明憲33）。

公選によらない議員からなる貴族院が、民選の衆議院と対等の地位にあり、衆議院の動向を牽制した。

5　内閣は憲法上の機関ではなかった（⇒ p.403）。

　(1)　明治憲法の下では、内閣は、法律上の機関でさえなく、天皇官制（明憲10）に基づく「内閣官制」（勅令）により定められていた。

　(2)　国務大臣は議会に対して責任を負うものではなく、天皇の信任に基づいて在職した。

　(3)　内閣総理大臣は、国務大臣の同輩中の首席にすぎなかった。

6　裁判所の権限も著しく限定されたものとなっていた。

　(1)　司法権は裁判所に帰属するものではあるが、「天皇ノ名ニ於テ」行使されるものとされた（明憲57Ⅰ）。

　(2)　裁判所は、民事及び刑事の裁判権を保持するにとどまり、行政事件は行政裁判所で取り扱われた（明憲61）（⇒ p.434）。

　(3)　司法権の独立の点についても、裁判官の身分は一応憲法上保障されてはいたが（明憲58Ⅱ）、司法行政権は行政権の一部門である司法大臣の監督下にあるものとされた。裁判所内部における裁判官の職権の独立の確保も不十分であった。

7　地方自治制度は憲法上の制度とはされなかった（⇒ p.523）。

　　明治憲法は、地方自治制度に関してすべて法律で定めている。もっとも、権限及び人事について国が強い監督権を有するなど官治的な色合いの強いものといえる。

三　権利保護の不徹底

1　明治憲法も様々な権利・自由について保障していた（⇒ p.572）。

　cf.1　教育を受けさせる義務は、大日本帝国憲法では規定はなく、勅令で規定されていた

　cf.2　明治憲法上国家賠償請求権は保障されていなかったが、国家の私経済的な活動分野や非権力的作用の分野（ex. 公物・営造物の設置・管理の瑕疵に基づく損害の発生）では、判例上民法の損害賠償請求権の行使が認められていた

　　→国家無答責の原則により、権力的行政作用では一貫して国の責任は否定され、また公務員個人の民事責任も、職務行為としてのものであれば、たとえ故意・過失があっても否定された　⇒ p.129

2　明治憲法によって保障された権利・自由は「人間として不可譲の基本的人権」としての性格を有するものではなく、天皇によって臣民に与えられた恩恵的な性格のものにすぎなかった。

　∴　憲法上の諸権利は、臣民としての地位に反しない限りにおいてのみ、主張しうるものにすぎず、原則として「法律の範囲内において」保障される

にとどまった（法律の留保）

→憲法上の権利・自由であっても、法律により無限定に制限することができた

3　例外的に法律の留保を受けない人権

(1)　信教の自由（明憲28）　⇒ p.140

しかしこの場合にも、「安寧秩序ヲ妨ケス及臣民タルノ義務ニ背カサル限ニ於テ」という制限が伴っており、また政府は「神社は宗教ではなく、神社を特別扱いしても、信教の自由に反しない」と説明し（神社神道の事実上の国教化）、神社「崇拝」を学校での儀式等を通じて国民に強制した。

(2)　所有権の保障（明憲27）　⇒ p.279

＜日本国憲法と明治憲法との比較＞

	人権	統治
日本国憲法には規定されているが明治憲法にはないもの	思想及び良心の自由（19） 教育を受ける権利（26Ⅰ） 国家賠償請求権（17） 刑事補償請求権（40） 学問の自由（23） 生存権（25） 勤労の権利義務・労働基本権（28） 選挙権（15Ⅰ）	衆議院の内閣不信任決議権（69） 内閣制度 内閣の財政状況報告（90） 裁判所の種類 違憲立法審査権（81） 地方自治制度（92〜） 裁判所の規則制定権（77Ⅰ） 議院内閣制の規定（66Ⅲ、69） 総理大臣の国務大臣の任免権（68） 最高裁判官の国民審査制度（79Ⅱ）
日本国憲法と明治憲法の双方に規定が存在するもの	平等に関する規定（明憲19）（＊1） 信教の自由（明憲28） 集会・結社及び言論・出版の自由（明憲29） 居住・移転の自由（明憲22） 住居の不可侵（明憲25） 財産権（明憲27）（＊2） 請願権（明憲30） 裁判を受ける権利（明憲24） 通信（信書）の秘密（明憲26） 身柄拘束からの自由（明憲23） 納税の義務（明憲21）	天皇の栄典授与（明憲15） 司法権の独立（明憲58Ⅱ）（＊3） 租税法律主義（明憲62Ⅰ） 衆議院の予算先議権（明憲65） 予備費（明憲69） 会計検査院の検査（明憲72）
明治憲法には規定されているが日本国憲法にはないもの	兵役の義務（明憲20）	懲戒による裁判官の罷免（明憲58Ⅱ） 継続費の規定（明憲68） 国家緊急権（ex.明憲31・非常大権） 財政緊急処分（明憲71） 行政裁判所（明憲61） 特別裁判所（明憲60）

＊1　公務就任資格の平等という形ではあるが保障はしていた。
＊2　日本国憲法29条3項の「正当な補償の下に」と同様の補償規定はない。
＊3　裁判官の身分保障に関して規定があった。

四　天皇機関説
1　天皇機関説とは、国家法人説、すなわち国家は法的に考えると1つの法人として意思を有し、権利（具体的には統治権）の主体であるとする理論を、日本にあてはめたものをいう。
2　明治憲法体制下における軍部の政治介入に伴い、国体に反する異説として弾圧された経緯をもつ。

＊　国家法人説

　①国家という法人の「機関」として君主、議会、裁判所が存在すること、②国家の活動は、その機関を通じてなされ、機関の行為が国家の行為とみなされること、③君主主権＝君主が国家の最高の意思決定機関の地位を有すること、などを内容とする。

　cf.　国会、内閣、裁判所、天皇を「国家機関」と称したとしても、必ずしも国家法人説を前提にしているとは限らない

五　関連判例

▼　最大判昭23.5.26・百選161事件

　被告人が集会で掲げたプラカードの内容が、天皇に対する不敬の行為に当たるとして起訴された事案において、最高裁は、本件被告人の行為が不敬罪に該当するかの実体判断を回避し、大赦令によって公訴権が消滅したとして上告を棄却した。

▼　最大判昭36.7.19・百選A17事件

　死刑判決の宣告を受けた被告人が、死刑の執行方法について法律の定めがないにもかかわらず絞首刑たる死刑を宣告したことが憲法31条等に違反するとして上告をした事案において、最高裁は、死刑の執行方法の基本的事項を定めた明治6年太政官布告65号は、旧憲法下で法律としての効力を有し、新憲法下でも法律と同一の効力を有するものとして存続していると判示した。

付録

国会法（抄）

第１章　国会の召集及び開会式

第１条

Ⅰ　国会の召集詔書は、集会の期日を定めて、これを公布する。

Ⅱ　常会の召集詔書は、少なくとも１０日前にこれを公布しなければならない。

Ⅲ　臨時会及び特別会（日本国憲法第５４条により召集された国会をいう）の召集詔書の公布は、前項によることを要しない。

第２条

常会は、毎年１月中に召集するのを常例とする。

第２条の２

特別会は、常会と併せてこれを召集することができる。

第２条の３

Ⅰ　衆議院議員の任期満了による総選挙が行われたときは、その任期が始まる日から３０日以内に臨時会を召集しなければならない。但し、その期間内に常会が召集された場合又はその期間が参議院議員の通常選挙を行うべき期間にかかる場合は、この限りでない。

Ⅱ　参議院議員の通常選挙が行われたときは、その任期が始まる日から３０日以内に臨時会を召集しなければならない。但し、その期間内に常会若しくは特別会が召集された場合又はその期間が衆議院議員の任期満了による総選挙を行うべき期間にかかる場合は、この限りでない。

第３条

臨時会の召集の決定を要求するには、いずれかの議院の総議員の４分の１以上の議員が連名で、議長を経由して内閣に要求書を提出しなければならない。

第４条　削除

第５条

議員は、召集詔書に指定された期日に、各議院に集会しなければならない。

第６条

各議院において、召集の当日に議長若しくは副議長がないとき、又は議長及び副議長が共にないときは、その選挙を行わなければならない。

第７条～第９条　略

第2章　国会の会期及び休会式

第１０条

　常会の会期は、１５０日間とする。但し、会期中に議員の任期が満限に達する場合には、その満限の日をもつて、会期は終了するものとする。

第１１条

　臨時会及び特別会の会期は、両議院一致の議決で、これを定める。

第１２条

Ⅰ　国会の会期は、両議院一致の議決で、これを延長することができる。

Ⅱ　会期の延長は、常会にあつては１回、特別会及び臨時会にあつては２回を超えてはならない。

第１３条

　前２条の場合において、両議院の議決が一致しないとき、又は参議院が議決しないときは、衆議院の議決したところによる。

第１４条

　国会の会期は、召集の当日からこれを起算する。

第１５条

Ⅰ　国会の休会は、両議院一致の議決を必要とする。

Ⅱ　国会の休会中、各議院は、議長において緊急の必要があると認めたとき、又は総議員の４分の１以上の議員から要求があつたときは、他の院の議長と協議の上、会議を開くことができる。

Ⅲ　前項の場合における会議の日数は、日本国憲法及び法律に定める休会の期間にこれを算入する。

Ⅳ　各議院は、１０日以内においてその院の休会を議決することができる。

第3章　役員及び経費

第１６条

　各議院の役員は、左の通りとする。

① 議長
② 副議長
③ 仮議長
④ 常任委員長
⑤ 事務総長

第１７条

　各議院の議長及び副議長は、各々１人とする。

第１８条

　各議院の議長及び副議長の任期は、各々議員としての任期による。

第１９条

　各議院の議長は、その議院の秩序を保持し、議事を整理し、議院の事務を監督し、議院を代表する。

第２０条

　議長は、委員会に出席し発言することができる。

第２１条

　各議院において、議長に事故があるとき又は議長が欠けたときは、副議長が、議長の職務を行う。

第２２条

Ⅰ　各議院において、議長及び副議長に共に事故があるときは、仮議長を選挙し議長の職務を行わせる。

Ⅱ　前項の選挙の場合には、事務総長が、議長の職務を行う。

Ⅲ　議院は、仮議長の選任を議長に委任することができる。

第２３条

　各議院において、議長若しくは副議長が欠けたとき、又は議長及び副議長が共に欠けたときは、直ちにその選挙を行う。

第２４条

　前条前段の選挙において副議長若しくは議長に事故がある場合又は前条後段の選挙の場合には、事務総長が、議長の職務を行う。

第２５条

　常任委員長は、各議院において各々その常任委員の中からこれを選挙する。

第２６条

　各議院に、事務総長１人、参事その他必要な職員を置く。

第２７条

Ⅰ　事務総長は、各議院において国会議員以外の者からこれを選挙する。

Ⅱ　参事その他の職員は、事務総長が、議長の同意及び議院運営委員会の承認を得てこれを任免する。

第２８条

Ⅰ　事務総長は、議長の監督の下に、議院の事務を統理し、公文に署名する。

Ⅱ　参事は、事務総長の命を受け事務を掌理する。

第２９条

　事務総長に事故があるとき又は事務総長が欠けたときは、その予め指定する参事が、事務総長の職務を行う。

第３０条

　役員は、議院の許可を得て辞任することができる。但し、閉会中は、議長において役員の辞任を許可することができる。

第３０条の２

　各議院において特に必要があるときは、その院の議決をもつて、常任委員長を解任することができる。

第３１条

Ⅰ　役員は、特に法律に定めのある場合を除いては、国又は地方公共団体の公務員と兼ねることができない。

Ⅱ　議員であつて前項の職を兼ねている者が、役員に選任されたときは、その兼ねている職は、解かれたものとする。

第３２条　略

第４章　議員

第３３条

　各議院の議員は、院外における現行犯罪の場合を除いては、会期中その院の許諾がなければ逮捕されない。

第３４条

　各議院の議員の逮捕につきその院の許諾を求めるには、内閣は、所轄裁判所又は裁判官が令状を発する前に内閣へ提出した要求書の受理後速かに、その要求書の写を添えて、これを求めなければならない。

第３４条の２

Ⅰ　内閣は、会期前に逮捕された議員があるときは、会期の始めに、その議員の属する議院の議長に、令状の写を添えてその氏名を通知しなければならない。

Ⅱ　内閣は、会期前に逮捕された議員について、会期中に勾留期間の延長の裁判があつたときは、その議員の属する議院の議長にその旨を通知しなければならない。

第３４条の３

　議員が、会期前に逮捕された議員の釈放の要求を発議するには、議員２０人以上の連名で、その理由を附した要求書をその院の議長に提出しなければならない。

第３５条

　議員は、一般職の国家公務員の最高の給料額（地域手当等の手当を除く。）より少な

くない歳費を受ける。

第３６条〜第３８条　略

第３９条

　議員は、内閣総理大臣その他の国務大臣、内閣官房副長官、内閣総理大臣補佐官、副大臣、大臣政務官、大臣補佐官及び別に法律で定めた場合を除いては、その任期中国又は地方公共団体の公務員と兼ねることができない。ただし、両議院一致の議決に基づき、その任期中内閣行政各部における各種の委員、顧問、参与その他これらに準ずる職に就く場合は、この限りでない。

第５章　委員会及び委員

第４０条

　各議院の委員会は、常任委員会及び特別委員会の２種とする。

第４１条〜第４８条　略

第４９条

　委員会は、その委員の半数以上の出席がなければ、議事を開き議決することができない。

第５０条

　委員会の議事は、出席委員の過半数でこれを決し、可否同数のときは、委員長の決するところによる。

第５０条の２

Ⅰ　委員会は、その所管に属する事項に関し、法律案を提出することができる。

Ⅱ　前項の法律案については、委員長をもつて提出者とする。

第５１条　略

第５２条

Ⅰ　委員会は、議員の外傍聴を許さない。但し、報道の任務にあたる者その他の者で委員長の許可を得たものについては、この限りでない。

Ⅱ　委員会は、その決議により秘密会とすることができる。

Ⅲ　委員長は、秩序保持のため、傍聴人の退場を命ずることができる。

第５３条、第５４条　略

第５章の２　参議院の調査会

第５４条の２〜第５４条の４　略

付録

第6章　会議

第55条〜第57条の2　略

第57条の3

　各議院又は各議院の委員会は、予算総額の増額修正、委員会の提出若しくは議員の発議にかかる予算を伴う法律案又は法律案に対する修正で、予算の増額を伴うもの若しくは予算を伴うこととなるものについては、内閣に対して、意見を述べる機会を与えなければならない。

第58条

　内閣は、一の議院に議案を提出したときは、予備審査のため、提出の日から5日以内に他の議院に同一の案を送付しなければならない。

第59条

　内閣が、各議院の会議又は委員会において議題となつた議案を修正し、又は撤回するには、その院の承諾を要する。但し、一の議院で議決した後は、修正し、又は撤回することはできない。

第60条　略

第61条

Ⅰ　各議院の議長は、質疑、討論その他の発言につき、予め議院の議決があつた場合を除いて、時間を制限することができる。

Ⅱ　議長の定めた時間制限に対して、出席議員の5分の1以上から異議を申し立てたときは、議長は、討論を用いないで、議院に諮らなければならない。

Ⅲ　議員が時間制限のため発言を終らなかつた部分につき特に議院の議決があつた場合を除いては、議長の認める範囲内において、これを会議録に掲載する。

第62条

　各議院の会議は、議長又は議員10人以上の発議により、出席議員の3分の2以上の議決があつたときは、公開を停めることができる。

第63条

　秘密会議の記録中、特に秘密を要するものとその院において議決した部分は、これを公表しないことができる。

第64条

　内閣は、内閣総理大臣が欠けたとき、又は辞表を提出したときは、直ちにその旨を両議院に通知しなければならない。

第65条

Ⅰ　国会の議決を要する議案について、最後の議決があつた場合にはその院の議長か

ら、衆議院の議決が国会の議決となつた場合には衆議院議長から、その公布を要す
るものは、これを内閣を経由して奏上し、その他のものは、これを内閣に送付する。

Ⅱ　内閣総理大臣の指名については、衆議院議長から、内閣を経由してこれを奏上す
る。

第６６条

法律は、奏上の日から３０日以内にこれを公布しなければならない。

第６７条

一の地方公共団体のみに適用される特別法については、国会において最後の可決が
あつた場合は、別に法律で定めるところにより、その地方公共団体の住民の投票に付
し、その過半数の同意を得たときに、さきの国会の議決が、確定して法律となる。

第６８条

会期中に議決に至らなかつた案件は、後会に継続しない。但し、第４７条第２項の
規定により閉会中審査した議案及び懲罰事犯の件は、後会に継続する。

第６章の２　　日本国憲法の改正の発議

第６８条の２

議員が日本国憲法の改正案（以下「憲法改正案」という。）の原案（以下「憲法改
正原案」という。）を発議するには、第５６条第１項の規定にかかわらず、衆議院に
おいては議員１００人以上、参議院においては議員５０人以上の賛成を要する。

第６８条の３

前条の憲法改正原案の発議に当たつては、内容において関連する事項ごとに区分し
て行うものとする。

第６８条の４

憲法改正原案につき議院の会議で修正の動議を議題とするには、第５７条の規定に
かかわらず、衆議院においては議員１００人以上、参議院においては議員５０人以上
の賛成を要する。

第６８条の５

Ⅰ　憲法改正原案について国会において最後の可決があつた場合には、その可決をも
つて、国会が日本国憲法第９６条第１項に定める日本国憲法の改正（以下「憲法改
正」という。）の発議をし、国民に提案したものとする。この場合において、両議
院の議長は、憲法改正の発議をした旨及び発議に係る憲法改正案を官報に公示す
る。

Ⅱ　憲法改正原案について前項の最後の可決があつた場合には、第６５条第１項の規
定にかかわらず、その院の議長から、内閣に対し、その旨を通知するとともに、こ
れを送付する。

第６８条の６

　憲法改正の発議に係る国民投票の期日は、当該発議後速やかに、国会の議決でこれを定める。

第７章　国務大臣等の出席等

第６９条

Ⅰ　内閣官房副長官、副大臣及び大臣政務官は、内閣総理大臣その他の国務大臣を補佐するため、議院の会議又は委員会に出席することができる。

Ⅱ　内閣は、国会において内閣総理大臣その他の国務大臣を補佐するため、両議院の議長の承認を得て、人事院総裁、内閣法制局長官、公正取引委員会委員長、原子力規制委員会委員長及び公害等調整委員会委員長を政府特別補佐人として議院の会議又は委員会に出席させることができる。

第７０条

　内閣総理大臣その他の国務大臣並びに内閣官房副長官、副大臣及び大臣政務官並びに政府特別補佐人が、議院の会議又は委員会において発言しようとするときは、議長又は委員長に通告しなければならない。

第７１条

　委員会は、議長を経由して内閣総理大臣その他の国務大臣並びに内閣官房副長官、副大臣及び大臣政務官並びに政府特別補佐人の出席を求めることができる。

第７２条

Ⅰ　委員会は、議長を経由して会計検査院長及び検査官の出席説明を求めることができる。

Ⅱ　最高裁判所長官又はその指定する代理者は、その要求により、委員会の承認を得て委員会に出席説明することができる。

第７３条　略

第８章　質問

第７４条〜第７８条　略

第９章　請願

第７９条

　各議院に請願しようとする者は、議員の紹介により請願書を提出しなければならない。

第80条

I 請願は、各議院において委員会の審査を経た後これを議決する。

II 委員会において、院の会議に付するを要しないと決定した請願は、これを会議に付さない。但し、議員20人以上の要求があるものは、これを会議に付さなければならない。

第81条

I 各議院において採択した請願で、内閣において措置するを適当と認めたものは、これを内閣に送付する。

II 内閣は、前項の請願の処理の経過を毎年議院に報告しなければならない。

第82条

各議院は、各別に請願を受け互に干預しない。

第10章　両議院関係

第83条

I 国会の議決を要する議案を甲議院において可決し、又は修正したときは、これを乙議院に送付し、否決したときは、その旨を乙議院に通知する。

II 乙議院において甲議院の送付案に同意し、又はこれを否決したときは、その旨を甲議院に通知する。

III 乙議院において甲議院の送付案を修正したときは、これを甲議院に回付する。

IV 甲議院において乙議院の回付案に同意し、又は同意しなかつたときは、その旨を乙議院に通知する。

第83条の2

I 参議院は、法律案について、衆議院の送付案を否決したときは、その議案を衆議院に返付する。

II 参議院は、法律案について、衆議院の回付案に同意しないで、両院協議会を求めたが衆議院がこれを拒んだとき、又は両院協議会を求めないときは、その議案を衆議院に返付する。

III 参議院は、予算又は衆議院先議の条約を否決したときは、これを衆議院に返付する。衆議院は、参議院先議の条約を否決したときは、これを参議院に返付する。

第83条の3

I 衆議院は、日本国憲法第59条第4項の規定により、参議院が法律案を否決したものとみなしたときは、その旨を参議院に通知する。

II 衆議院は、予算及び条約について、日本国憲法第60条第2項又は第61条の規定により衆議院の議決が国会の議決となつたときは、その旨を参議院に通知する。

III 前2項の通知があつたときは、参議院は、直ちに衆議院の送付案又は回付案を衆議院に返付する。

第８３条の４

Ⅰ　憲法改正原案について、甲議院の送付案を乙議院が否決したときは、その議案を甲議院に返付する。

Ⅱ　憲法改正原案について、甲議院は、乙議院の回付案に同意しなかつた場合において両院協議会を求めないときは、その議案を乙議院に返付する。

第８３条の５

甲議院の送付案を、乙議院において継続審査し後の会期で議決したときは、第８３条による。

第８４条

Ⅰ　法律について、衆議院において参議院の回付案に同意しなかつたとき、又は参議院において衆議院の送付案を否決し及び衆議院の回付案に同意しなかつたときは、衆議院は、両院協議会を求めることができる。

Ⅱ　参議院は、衆議院の回付案に同意しなかつたときに限り前項の規定にかかわらず、その通知と同時に両院協議会を求めることができる。但し、衆議院は、この両院協議会の請求を拒むことができる。

第８５条

Ⅰ　予算及び衆議院先議の条約について、衆議院において参議院の回付案に同意しなかつたとき、又は参議院において衆議院の送付案を否決したときは、衆議院は、両院協議会を求めなければならない。

Ⅱ　参議院先議の条約について、参議院において衆議院の回付案に同意しなかつたとき、又は衆議院において参議院の送付案を否決したときは、参議院は、両院協議会を求めなければならない。

第８６条

Ⅰ　各議院において、内閣総理大臣の指名を議決したときは、これを他の議院に通知する。

Ⅱ　内閣総理大臣の指名について、両議院の議決が一致しないときは、参議院は、両院協議会を求めなければならない。

第８６条の２

Ⅰ　憲法改正原案について、甲議院において乙議院の回付案に同意しなかつたとき、又は乙議院において甲議院の送付案を否決したときは、甲議院は、両院協議会を求めることができる。

Ⅱ　憲法改正原案について、甲議院が、乙議院の回付案に同意しなかつた場合において両院協議会を求めなかつたときは、乙議院は、両院協議会を求めることができる。

第８７条

Ⅰ　法律案、予算、条約及び憲法改正原案を除いて、国会の議決を要する案件について、後議の議院が先議の議院の議決に同意しないときは、その旨の通知と共にこれ

を先議の議院に返付する。

Ⅱ　前項の場合において、先議の議院は、両院協議会を求めることができる。

第88条

第84条第2項但書の場合を除いては、一の議院から両院協議会を求められたときは、他の議院は、これを拒むことができない。

第89条

両院協議会は、各議院において選挙された各々10人の委員でこれを組織する。

第90条

両院協議会の議長には、各議院の協議委員において夫々互選された議長が、毎会更代してこれに当る。その初会の議長は、くじでこれを定める。

第91条

両院協議会は、各議院の協議委員の各々3分の2以上の出席がなければ、議事を開き議決することができない。

第91条の2

Ⅰ　協議委員が、正当な理由がなくて欠席し、又は両院協議会の議長から再度の出席要求があつてもなお出席しないときは、その協議委員の属する議院の議長は、当該協議委員は辞任したものとみなす。

Ⅱ　前項の場合において、その協議委員の属する議院は、直ちにその補欠選挙を行わなければならない。

第92条

Ⅰ　両院協議会においては、協議案が出席協議委員の3分の2以上の多数で議決されたとき成案となる。

Ⅱ　両院協議会の議事は、前項の場合を除いては、出席協議委員の過半数でこれを決し、可否同数のときは、議長の決するところによる。

第93条

Ⅰ　両院協議会の成案は、両院協議会を求めた議院において先ずこれを議し、他の議院にこれを送付する。

Ⅱ　成案については、更に修正することができない。

第94条

両院協議会において、成案を得なかつたときは、各議院の協議委員議長は、各々その旨を議院に報告しなければならない。

第95条

各議院の議長は、両院協議会に出席して意見を述べることができる。

第96条

　両院協議会は、内閣総理大臣その他の国務大臣並びに内閣官房副長官、副大臣及び大臣政務官並びに政府特別補佐人の出席を要求することができる。

第97条

　両院協議会は、傍聴を許さない。

第98条

　この法律に定めるものの外、両院協議会に関する規程は、両議院の議決によりこれを定める。

第11章　参議院の緊急集会

第99条

Ⅰ　内閣が参議院の緊急集会を求めるには、内閣総理大臣から、集会の期日を定め、案件を示して、参議院議長にこれを請求しなければならない。

Ⅱ　前項の規定による請求があつたときは、参議院議長は、これを各議員に通知し、議員は、前項の指定された集会の期日に参議院に集会しなければならない。

第100条

Ⅰ　参議院の緊急集会中、参議院の議員は、院外における現行犯罪の場合を除いては、参議院の許諾がなければ逮捕されない。

Ⅱ　内閣は、参議院の緊急集会前に逮捕された参議院の議員があるときは、集会の期日の前日までに、参議院議長に、令状の写を添えてその氏名を通知しなければならない。

Ⅲ　内閣は、参議院の緊急集会前に逮捕された参議院の議員について、緊急集会中に勾留期間の延長の裁判があつたときは、参議院議長にその旨を通知しなければならない。

Ⅳ　参議院の緊急集会前に逮捕された参議院の議員は、参議院の要求があれば、緊急集会中これを釈放しなければならない。

Ⅴ　議員が、参議院の緊急集会前に逮捕された議員の釈放の要求を発議するには、議員20人以上の連名で、その理由を附した要求書を参議院議長に提出しなければならない。

第101条

　参議院の緊急集会においては、議員は、第99条第1項の規定により示された案件に関連のあるものに限り、議案を発議することができる。

第102条

　参議院の緊急集会においては、請願は、第99条第1項の規定により示された案件に関連のあるものに限り、これをすることができる。

第１０２条の２

緊急の案件がすべて議決されたときは、議長は、緊急集会が終つたことを宣告する。

第１０２条の３

参議院の緊急集会において案件が可決された場合には、参議院議長から、その公布を要するものは、これを内閣を経由して奏上し、その他のものは、これを内閣に送付する。

第１０２条の４

参議院の緊急集会において採られた措置に対する衆議院の同意については、その案件を内閣から提出する。

第１０２条の５

第６条、第４７条第１項、第６７条及び第６９条第２項の規定の適用については、これらの規定中「召集」とあるのは「集会」と、「会期中」とあるのは「緊急集会中」と、「国会において最後の可決があつた場合」とあるのは「参議院の緊急集会において可決した場合」と、「国会」とあるのは「参議院の緊急集会」と、「両議院」とあるのは「参議院」と読み替え、第１２１条の２の規定の適用については、「会期の終了日又はその前日」とあるのは「参議院の緊急集会の終了日又はその前日」と、「閉会中審査の議決に至らなかつたもの」とあるのは「委員会の審査を終了しなかつたもの」と、「前の国会の会期」とあるのは「前の国会の会期終了後の参議院の緊急集会」と読み替えるものとする。

第１１章の２　憲法審査会

第１０２条の６

日本国憲法及び日本国憲法に密接に関連する基本法制について広範かつ総合的に調査を行い、憲法改正原案、日本国憲法に係る改正の発議又は国民投票に関する法律案等を審査するため、各議院に憲法審査会を設ける。

第１０２条の７

Ⅰ　憲法審査会は、憲法改正原案及び日本国憲法に係る改正の発議又は国民投票に関する法律案を提出することができる。この場合における憲法改正原案の提出については、第６８条の３の規定を準用する。

Ⅱ　前項の憲法改正原案及び日本国憲法に係る改正の発議又は国民投票に関する法律案については、憲法審査会の会長をもつて提出者とする。

第１０２条の８

Ⅰ　各議院の憲法審査会は、憲法改正原案に関し、他の議院の憲法審査会と協議して合同審査会を開くことができる。

Ⅱ　前項の合同審査会は、憲法改正原案に関し、各議院の憲法審査会に勧告すること

ができる。

Ⅲ　前２項に定めるもののほか、第１項の合同審査会に関する事項は、両議院の議決によりこれを定める。

第１０２条の９

Ⅰ　第５３条、第５４条、第５６条第２項本文、第６０条及び第８０条の規定は憲法審査会について、第４７条（第３項を除く。）、第５６条第３項から第５項まで、第５７条の３及び第７章の規定は日本国憲法に係る改正の発議又は国民投票に関する法律案に係る憲法審査会について準用する。

Ⅱ　憲法審査会に付託された案件についての第６８条の規定の適用については、同条ただし書中「第４７条第２項の規定により閉会中審査した議案」とあるのは、「憲法改正原案、第４７条第２項の規定により閉会中審査した議案」とする。

第１０２条の１０

第１０２条の６から前条までに定めるもののほか、憲法審査会に関する事項は、各議院の議決によりこれを定める。

第１１章の３　国民投票広報協議会

第１０２条の１１

Ⅰ　憲法改正の発議があつたときは、当該発議に係る憲法改正案の国民に対する広報に関する事務を行うため、国会に、各議院においてその議員の中から選任された同数の委員で組織する国民投票広報協議会を設ける。

Ⅱ　国民投票広報協議会は、前項の発議に係る国民投票に関する手続が終了するまでの間存続する。

Ⅲ　国民投票広報協議会の会長は、その委員がこれを互選する。

第１０２条の１２

前条に定めるもののほか、国民投票広報協議会に関する事項は、別に法律でこれを定める。

第１１章の４　情報監視審査会

第１０２条の１３〜第１０２条の２１　略

第１２章　議院と国民及び官庁との関係

第１０３条

各議院は、議案その他の審査若しくは国政に関する調査のために又は議院において必要と認めた場合に、議員を派遣することができる。

付
録

第１０４条

Ⅰ 各議院又は各議院の委員会から審査又は調査のため、内閣、官公署その他に対し、必要な報告又は記録の提出を求めたときは、その求めに応じなければならない。

Ⅱ 内閣又は官公署が前項の求めに応じないときは、その理由を疎明しなければならない。その理由をその議院又は委員会において受諾し得る場合には、内閣又は官公署は、その報告又は記録の提出をする必要がない。

Ⅲ 前項の理由を受諾することができない場合は、その議院又は委員会は、更にその報告又は記録の提出が国家の重大な利益に悪影響を及ぼす旨の内閣の声明を要求することができる。その声明があつた場合は、内閣又は官公署は、その報告又は記録の提出をする必要がない。

Ⅳ 前項の要求後１０日以内に、内閣がその声明を出さないときは、内閣又は官公署は、先に求められた報告又は記録の提出をしなければならない。

第１０４条の２～第１０５条　略

第１０６条

各議院は、審査又は調査のため、証人又は参考人が出頭し、又は陳述したときは、別に定めるところにより旅費及び日当を支給する。

第１３章　辞職、退職、補欠及び資格争訟

第１０７条

各議院は、その議員の辞職を許可することができる。但し、閉会中は、議長においてこれを許可することができる。

第１０８条

各議院の議員が、他の議院の議員となつたときは、退職者となる。

第１０９条

各議院の議員が、法律に定めた被選の資格を失つたときは、退職者となる。

第１０９条の２

Ⅰ 衆議院の比例代表選出議員が、議員となつた日以後において、当該議員が衆議院名簿登載者（公職選挙法（昭和２５年法律第１００号）第８６条の２第１項に規定する衆議院名簿登載者をいう。以下この項において同じ。）であつた衆議院名簿届出政党等（同条第１項の規定による届出をした政党その他の政治団体をいう。以下この項において同じ。）以外の政党その他の政治団体で、当該議員が選出された選挙における衆議院名簿届出政党等であるもの（当該議員が衆議院名簿登載者であつた衆議院名簿届出政党等（当該衆議院名簿届出政党等に係る合併又は分割（２以上の政党その他の政治団体の設立を目的として１の政党その他の政治団体が解散し、当該２以上の政党その他の政治団体が設立されることをいう。次項において同じ。）

付録

が行われた場合における当該合併後に存続する政党その他の政治団体若しくは当該合併により設立された政党その他の政治団体又は当該分割により設立された政党その他の政治団体を含む。）を含む２以上の政党その他の政治団体の合併により当該合併後に存続するものを除く。）に所属する者となつたとき（議員となつた日において所属する者である場合を含む。）は、退職者となる。

Ⅱ　参議院の比例代表選出議員が、議員となつた日以後において、当該議員が参議院名簿登載者（公職選挙法第８６条の３第１項に規定する参議院名簿登載者をいう。以下この項において同じ。）であつた参議院名簿届出政党等（同条第１項の規定による届出をした政党その他の政治団体をいう。以下この項において同じ。）以外の政党その他の政治団体で、当該議員が選出された選挙における参議院名簿届出政党等であるもの（当該議員が参議院名簿登載者であつた参議院名簿届出政党等（当該参議院名簿届出政党等に係る合併又は分割が行われた場合における当該合併後に存続する政党その他の政治団体若しくは当該合併により設立された政党その他の政治団体又は当該分割により設立された政党その他の政治団体を含む。）を含む２以上の政党その他の政治団体の合併により当該合併後に存続するものを除く。）に所属する者となつたとき（議員となつた日において所属する者である場合を含む。）は、退職者となる。

第１１０条

各議院の議員に欠員が生じたときは、その院の議長は、内閣総理大臣に通知しなければならない。

第１１１条

Ⅰ　各議院において、その議員の資格につき争訟があるときは、委員会の審査を経た後これを議決する。

Ⅱ　前項の争訟は、その院の議員から文書でこれを議長に提起しなければならない。

第１１２条

Ⅰ　資格争訟を提起された議員は、２人以内の弁護人を依頼することができる。

Ⅱ　前項の弁護人の中１人の費用は、国費でこれを支弁する。

第１１３条

議員は、その資格のないことが証明されるまで、議院において議員としての地位及び権能を失わない。但し、自己の資格争訟に関する会議において弁明はできるが、その表決に加わることができない。

第１４章　紀律及び警察

第１１４条

国会の会期中各議院の紀律を保持するため、内部警察の権は、この法律及び各議院の定める規則に従い、議長が、これを行う。閉会中もまた、同様とする。

第115条

　各議院において必要とする警察官は、議長の要求により内閣がこれを派出し、議長の指揮を受ける。

第116条

　会議中議員がこの法律又は議事規則に違いその他議場の秩序をみだし又は議院の品位を傷けるときは、議長は、これを警戒し、又は制止し、又は発言を取り消させる。命に従わないときは、議長は、当日の会議を終るまで、又は議事が翌日に継続した場合はその議事を終るまで、発言を禁止し、又は議場の外に退去させることができる。

第117条

　議長は、議場を整理し難いときは、休憩を宣告し、又は散会することができる。

第118条

Ⅰ　傍聴人が議場の妨害をするときは、議長は、これを退場させ、必要な場合は、これを警察官庁に引渡すことができる。

Ⅱ　傍聴席が騒がしいときは、議長は、すべての傍聴人を退場させることができる。

第118条の2

　議員以外の者が議院内部において秩序をみだしたときは、議長は、これを院外に退去させ、必要な場合は、これを警察官庁に引渡すことができる。

第119条

　各議院において、無礼の言を用い、又は他人の私生活にわたる言論をしてはならない。

第120条

　議院の会議又は委員会において、侮辱を被つた議員は、これを議院に訴えて処分を求めることができる。

第15章　懲罰

第121条

Ⅰ　各議院において懲罰事犯があるときは、議長は、先ずこれを懲罰委員会に付し審査させ、院議の議を経てこれを宣告する。

Ⅱ　委員会において懲罰事犯があるときは、委員長は、これを議長に報告し処分を求めなければならない。

Ⅲ　議員は、衆議院においては40人以上、参議院においては20人以上の賛成で懲罰の動議を提出することができる。この動議は、事犯があつた日から3日以内にこれを提出しなければならない。

第121条の2

Ⅰ　会期の終了日又はその前日に生じた懲罰事犯で、議長が懲罰委員会に付すること

ができなかつたもの並びに懲罰委員会に付され、閉会中審査の議決に至らなかつたもの及び委員会の審査を終了し議院の議決に至らなかつたものについては、議長は、次の国会の召集の日から３日以内にこれを懲罰委員会に付することができる。

Ⅱ 議員は、会期の終了日又はその前日に生じた事犯で、懲罰の動議を提出するいとまがなかつたもの及び動議が提出され議決に至らなかつたもの並びに懲罰委員会に付され、閉会中審査の議決に至らなかつたもの及び委員会の審査を終了し議院の議決に至らなかつたものについては、前条第３項に規定する定数の議員の賛成で、次の国会の召集の日から３日以内に懲罰の動議を提出することができる。

Ⅲ 前２項の規定は、衆議院にあつては衆議院議員の総選挙の後最初に召集される国会において、参議院にあつては参議院議員の通常選挙の後最初に召集される国会において、前の国会の会期の終了日又はその前日における懲罰事犯については、それぞれこれを適用しない。

第１２１条の３

Ⅰ 閉会中、委員会その他議院内部において懲罰事犯があるときは、議長は、次の国会の召集の日から３日以内にこれを懲罰委員会に付することができる。

Ⅱ 議員は、閉会中、委員会その他議院内部において生じた事犯について、第１２１条第３項に規定する定数の議員の賛成で、次の国会の召集の日から３日以内に懲罰の動議を提出することができる。

第１２２条

懲罰は、左の通りとする。

① 公開議場における戒告

② 公開議場における陳謝

③ 一定期間の登院停止

④ 除名

第１２３条

両議院は、除名された議員で再び当選した者を拒むことができない。

第１２４条

議員が正当な理由がなくて召集日から７日以内に召集に応じないため、又は正当な理由がなくて会議又は委員会に欠席したため、若しくは請暇の期限を過ぎたため、議長が、特に招状を発し、その招状を受け取つた日から７日以内に、なお、故なく出席しない者は、議長が、これを懲罰委員会に付する。

第１５章の２ 政治倫理

第１２４条の２〜第１２４条の４ 略

第16章　弾劾裁判所

第125条

Ⅰ　裁判官の弾劾は、各議院においてその議員の中から選挙された同数の裁判員で組織する弾劾裁判所がこれを行う。

Ⅱ　弾劾裁判所の裁判長は、裁判員がこれを互選する。

第126条

Ⅰ　裁判官の罷免の訴追は、各議院においてその議員の中から選挙された同数の訴追委員で組織する訴追委員会がこれを行う。

Ⅱ　訴追委員会の委員長は、その委員がこれを互選する。

第127条

　　弾劾裁判所の裁判員は、同時に訴追委員となることができない。

第128条

　　各議院は、裁判員又は訴追委員を選挙する際、その予備員を選挙する。

第129条

　　この法律に定めるものの外、弾劾裁判所及び訴追委員会に関する事項は、別に法律でこれを定める。

第17章　国立国会図書館、法制局、議員秘書及び議員会館

第130条～第132条の2　略

第18章　補則

第133条　略

内閣法（抄）

第１条

Ⅰ　内閣は、国民主権の理念にのつとり、日本国憲法第７３条その他日本国憲法に定める職権を行う。

Ⅱ　内閣は、行政権の行使について、全国民を代表する議員からなる国会に対し連帯して責任を負う。

第２条

Ⅰ　内閣は、国会の指名に基づいて任命された首長たる内閣総理大臣及び内閣総理大臣により任命された国務大臣をもつて、これを組織する。

Ⅱ　前項の国務大臣の数は、１４人以内とする。ただし、特別に必要がある場合においては、３人を限度にその数を増加し、１７人以内とすることができる。

※　附則第２項

　　東京オリンピック競技大会・東京パラリンピック競技大会推進本部が置かれている間における第２条第２項の規定の適用については、同項中「１４人」とあるのは「１５人」と、同項ただし書中「１７人」とあるのは「１８人」とする。

※　附則第３項

　　復興庁が廃止されるまでの間における第２条第２項の規定の適用については、前項の規定にかかわらず、同条第２項中「１４人」とあるのは「１６人」と、同項ただし書中「１７人」とあるのは「１９人」とする。

第３条

Ⅰ　各大臣は、別に法律の定めるところにより、主任の大臣として、行政事務を分担管理する。

Ⅱ　前項の規定は、行政事務を分担管理しない大臣の存することを妨げるものではない。

第４条

Ⅰ　内閣がその職権を行うのは、閣議によるものとする。

Ⅱ　閣議は、内閣総理大臣がこれを主宰する。この場合において、内閣総理大臣は、内閣の重要政策に関する基本的な方針その他の案件を発議することができる。

Ⅲ　各大臣は、案件の如何を問わず、内閣総理大臣に提出して、閣議を求めることができる。

付録

第5条

　内閣総理大臣は、内閣を代表して内閣提出の法律案、予算その他の議案を国会に提出し、一般国務及び外交関係について国会に報告する。

第6条

　内閣総理大臣は、閣議にかけて決定した方針に基いて、行政各部を指揮監督する。

第7条

　主任の大臣の間における権限についての疑義は、内閣総理大臣が、閣議にかけて、これを裁定する。

第8条

　内閣総理大臣は、行政各部の処分又は命令を中止せしめ、内閣の処置を待つことができる。

第9条

　内閣総理大臣に事故のあるとき、又は内閣総理大臣が欠けたときは、その予め指定する国務大臣が、臨時に、内閣総理大臣の職務を行う。

第10条　略

第11条

　政令には、法律の委任がなければ、義務を課し、又は権利を制限する規定を設けることができない。

第12条〜第27条　略

裁判所法（抄）

第1編　総則

第1条

　日本国憲法に定める最高裁判所及び下級裁判所については、この法律の定めるところによる。

第2条

Ⅰ　下級裁判所は、高等裁判所、地方裁判所、家庭裁判所及び簡易裁判所とする。

Ⅱ　下級裁判所の設立、廃止及び管轄区域は、別に法律でこれを定める。

第3条

Ⅰ　裁判所は、日本国憲法に特別の定のある場合を除いて一切の法律上の争訟を裁判し、その他法律において特に定める権限を有する。

Ⅱ　前項の規定は、行政機関が前審として審判することを妨げない。

Ⅲ　この法律の規定は、刑事について、別に法律で陪審の制度を設けることを妨げない。

第4条

　上級審の裁判所の裁判における判断は、その事件について下級審の裁判所を拘束する。

第5条

Ⅰ　最高裁判所の裁判官は、その長たる裁判官を最高裁判所長官とし、その他の裁判官を最高裁判所判事とする。

Ⅱ　下級裁判所の裁判官は、高等裁判所の長たる裁判官を高等裁判所長官とし、その他の裁判官を判事、判事補及び簡易裁判所判事とする。

Ⅲ　最高裁判所判事の員数は、14人とし、下級裁判所の裁判官の員数は、別に法律でこれを定める。

付録

第2編　最高裁判所

第6条

最高裁判所は、これを東京都に置く。

第7条

最高裁判所は、左の事項について裁判権を有する。

① 上告

② 訴訟法において特に定める抗告

第8条

最高裁判所は、この法律に定めるものの外、他の法律において特に定める権限を有する。

第9条

Ⅰ 最高裁判所は、大法廷又は小法廷で審理及び裁判をする。

Ⅱ 大法廷は、全員の裁判官の、小法廷は、最高裁判所の定める員数の裁判官の合議体とする。但し、小法廷の裁判官の員数は、3人以上でなければならない。

Ⅲ 各合議体の裁判官のうち1人を裁判長とする。

Ⅳ 各合議体では、最高裁判所の定める員数の裁判官が出席すれば、審理及び裁判をすることができる。

第10条

事件を大法廷又は小法廷のいずれで取り扱うかについては、最高裁判所の定めるところによる。但し、左の場合においては、小法廷では裁判をすることができない。

① 当事者の主張に基いて、法律、命令、規則又は処分が憲法に適合するかしないかを判断するとき。（意見が前に大法廷でした、その法律、命令、規則又は処分が憲法に適合するとの裁判と同じであるときを除く。）

② 前号の場合を除いて、法律、命令、規則又は処分が憲法に適合しないと認めるとき。

③ 憲法その他の法令の解釈適用について、意見が前に最高裁判所のした裁判に反するとき。

第11条

裁判書には、各裁判官の意見を表示しなければならない。

第12条

Ⅰ 最高裁判所が司法行政事務を行うのは、裁判官会議の議によるものとし、最高裁判所長官が、これを総括する。

Ⅱ 裁判官会議は、全員の裁判官でこれを組織し、最高裁判所長官が、その議長となる。

第１３条

　最高裁判所の庶務を掌らせるため、最高裁判所に事務総局を置く。

第１４条

　裁判官の研究及び修養並びに司法修習生の修習に関する事務を取り扱わせるため、最高裁判所に司法研修所を置く。

第１４条の２

　裁判所書記官、家庭裁判所調査官その他の裁判官以外の裁判所の職員の研究及び修養に関する事務を取り扱わせるため、最高裁判所に裁判所職員総合研修所を置く。

第１４条の３

　最高裁判所に国立国会図書館の支部図書館として、最高裁判所図書館を置く。

第３編　　下級裁判所

第１章　　高等裁判所

第１５条

　各高等裁判所は、高等裁判所長官及び相応な員数の判事でこれを構成する。

第１６条

　高等裁判所は、左の事項について裁判権を有する。
① 　地方裁判所の第１審判決、家庭裁判所の判決及び簡易裁判所の刑事に関する判決に対する控訴
② 　第７条第２号の抗告を除いて、地方裁判所及び家庭裁判所の決定及び命令並びに簡易裁判所の刑事に関する決定及び命令に対する抗告
③ 　刑事に関するものを除いて、地方裁判所の第２審判決及び簡易裁判所の判決に対する上告
④ 　刑法第７７条乃至第７９条の罪に係る訴訟の第１審

第１７条

　高等裁判所は、この法律に定めるものの外、他の法律において特に定める権限を有する。

第１８条

Ⅰ 　高等裁判所は、裁判官の合議体でその事件を取り扱う。但し、法廷ですべき審理及び裁判を除いて、その他の事項につき他の法律に特別の定があるときは、その定に従う。
Ⅱ 　前項の合議体の裁判官の員数は、３人とし、そのうち１人を裁判長とする。但

し、第１６条第４号の訴訟については、裁判官の員数は、５人とする。

第１９条

Ⅰ 高等裁判所は、裁判事務の取扱上さし迫つた必要があるときは、その管轄区域内の地方裁判所又は家庭裁判所の判事にその高等裁判所の判事の職務を行わせることができる。

Ⅱ 前項の規定により当該高等裁判所のさし迫つた必要をみたすことができない特別の事情があるときは、最高裁判所は、他の高等裁判所又はその管轄区域内の地方裁判所若しくは家庭裁判所の判事に当該高等裁判所の判事の職務を行わせることができる。

第２０条

Ⅰ 各高等裁判所が司法行政事務を行うのは、裁判官会議の議によるものとし、各高等裁判所長官が、これを総括する。

Ⅱ 各高等裁判所の裁判官会議は、その全員の裁判官でこれを組織し、各高等裁判所長官が、その議長となる。

第２１条

各高等裁判所の庶務を掌らせるため、各高等裁判所に事務局を置く。

第２２条

Ⅰ 最高裁判所は、高等裁判所の事務の一部を取り扱わせるため、その高等裁判所の管轄区域内に、高等裁判所の支部を設けることができる。

Ⅱ 最高裁判所は、高等裁判所の支部に勤務する裁判官を定める。

第２章　地方裁判所

第２３条

各地方裁判所は、相応な員数の判事及び判事補でこれを構成する。

第２４条

地方裁判所は、次の事項について裁判権を有する。

① 第３３条第１項第１号の請求以外の請求に係る訴訟（第３１条の３第１項第２号の人事訴訟を除く。）及び第３３条第１項第１号の請求に係る訴訟のうち不動産に関する訴訟の第１審

② 第１６条第４号の罪及び罰金以下の刑に当たる罪以外の罪に係る訴訟の第１審

③ 第１６条第１号の控訴を除いて、簡易裁判所の判決に対する控訴

④ 第７条第２号及び第１６条第２号の抗告を除いて、簡易裁判所の決定及び命令に対する抗告

第２５条

地方裁判所は、この法律に定めるものの外、他の法律において特に定める権限及び

他の法律において裁判所の権限に属するものと定められた事項の中で地方裁判所以外の裁判所の権限に属させていない事項についての権限を有する。

第26条

Ⅰ　地方裁判所は、第2項に規定する場合を除いて、1人の裁判官でその事件を取り扱う。

Ⅱ　次に掲げる事件は、裁判官の合議体でこれを取り扱う。ただし、法廷ですべき審理及び裁判を除いて、その他の事項につき他の法律に特別の定めがあるときは、その定めに従う。

①　合議体で審理及び裁判をする旨の決定を合議体でした事件

②　死刑又は無期若しくは短期1年以上の懲役若しくは禁錮に当たる罪（刑法第236条、第238条又は第239条の罪及びその未遂罪、暴力行為等処罰に関する法律（大正15年法律第60号）第1条ノ2第1項若しくは第2項又は第1条ノ3第1項の罪並びに盗犯等の防止及び処分に関する法律（昭和5年法律第9号）第2条又は第3条の罪を除く。）に係る事件

③　簡易裁判所の判決に対する控訴事件並びに簡易裁判所の決定及び命令に対する抗告事件

④　その他他の法律において合議体で審理及び裁判をすべきものと定められた事件

Ⅲ　前項の合議体の裁判官の員数は、3人とし、そのうち1人を裁判長とする。

第27条

Ⅰ　判事補は、他の法律に特別の定のある場合を除いて、1人で裁判をすることができない。

Ⅱ　判事補は、同時に2人以上合議体に加わり、又は裁判長となることができない。

第28条

Ⅰ　地方裁判所において裁判事務の取扱上さし迫つた必要があるときは、その所在地を管轄する高等裁判所は、その管轄区域内の他の地方裁判所、家庭裁判所又はその高等裁判所の裁判官に当該地方裁判所の裁判官の職務を行わせることができる。

Ⅱ　前項の規定により当該地方裁判所のさし迫つた必要をみたすことができない特別の事情があるときは、最高裁判所は、その地方裁判所の所在地を管轄する高等裁判所以外の高等裁判所の管轄区域内の地方裁判所、家庭裁判所又はその高等裁判所の裁判官に当該地方裁判所の裁判官の職務を行わせることができる。

第29条

Ⅰ　最高裁判所は、各地方裁判所の判事のうち1人に各地方裁判所長を命ずる。

Ⅱ　各地方裁判所が司法行政事務を行うのは、裁判官会議の議によるものとし、各地方裁判所長が、これを総括する。

Ⅲ　各地方裁判所の裁判官会議は、その全員の判事でこれを組織し、各地方裁判所長が、その議長となる。

第３０条

　各地方裁判所の庶務を掌らせるため、各地方裁判所に事務局を置く。

第３１条

Ⅰ　最高裁判所は、地方裁判所の事務の一部を取り扱わせるため、その地方裁判所の管轄区域内に、地方裁判所の支部又は出張所を設けることができる。

Ⅱ　最高裁判所は、地方裁判所の支部に勤務する裁判官を定める。

第３章　家庭裁判所

第３１条の２

　各家庭裁判所は、相応な員数の判事及び判事補でこれを構成する。

第３１条の３

Ⅰ　家庭裁判所は、次の権限を有する。

①　家事事件手続法（平成２３年法律第５２号）で定める家庭に関する事件の審判及び調停

②　人事訴訟法（平成１５年法律第１０９号）で定める人事訴訟の第一審の裁判

③　少年法（昭和２年法律第１８６号）で定める少年の保護事件の審判

Ⅱ　家庭裁判所は、この法律に定めるものの外、他の法律において特に定める権限を有する。

第３１条の４

Ⅰ　家庭裁判所は、審判又は裁判を行うときは、次項に規定する場合を除いて、１人の裁判官でその事件を取り扱う。

Ⅱ　次に掲げる事件は、裁判官の合議体でこれを取り扱う。ただし、審判を終局させる決定並びに法廷ですべき審理及び裁判を除いて、その他の事項につき他の法律に特別の定めがあるときは、その定めに従う。

　一　合議体で審判又は審理及び裁判をする旨の決定を合議体でした事件

　二　他の法律おいて合議体で審判又は審理及び裁判をすべきものと定められた事件

Ⅲ　前項の合議体の裁判官の員数は、３人とし、そのうち１人を裁判長とする。

第３１条の５

　第２７条乃至第３１条の規定は、家庭裁判所にこれを準用する。

第４章　簡易裁判所

第３２条

　各簡易裁判所に相応な員数の簡易裁判所判事を置く。

第３３条

Ⅰ　簡易裁判所は、次の事項について第１審の裁判権を有する。

① 訴訟の目的の価額が１４０万円を超えない請求（行政事件訴訟に係る請求を除く。）

② 罰金以下の刑に当たる罪、選択刑として罰金が定められている罪又は刑法第１８６条、第２５２条若しくは第２５６条の罪に係る訴訟

Ⅱ　簡易裁判所は、禁錮以上の刑を科することができない。ただし、刑法第１３０条の罪若しくはその未遂罪、同法第１８６条の罪、同法第２３５条の罪若しくはその未遂罪、同法第２５２条、第２５４条若しくは第２５６条の罪、古物営業法（昭和２４年法律第１０８号）第３１条から第３３条までの罪若しくは質屋営業法（昭和２５年法律第１５８号）第３０条から第３２条までの罪に係る事件又はこれらの罪と他の罪とにつき刑法第５４条第１項の規定によりこれらの罪の刑をもつて処断すべき事件においては、３年以下の懲役を科することができる。

Ⅲ　簡易裁判所は、前項の制限を超える刑を科するのを相当と認めるときは、訴訟法の定めるところにより事件を地方裁判所に移さなければならない。

第３４条

簡易裁判所は、この法律に定めるものの外、他の法律において特に定める権限を有する。

第３５条

簡易裁判所は、１人の裁判官でその事件を取り扱う。

第３６条

Ⅰ　簡易裁判所において裁判事務の取扱上さし迫つた必要があるときは、その所在地を管轄する地方裁判所は、その管轄区域内の他の簡易裁判所の裁判官又はその地方裁判所の判事に当該簡易裁判所の裁判官の職務を行わせることができる。

Ⅱ　前項の規定により当該簡易裁判所のさし迫つた必要をみたすことができない特別の事情があるときは、その簡易裁判所の所在地を管轄する高等裁判所は、同項に定める裁判官以外のその管轄区域内の簡易裁判所の裁判官又は地方裁判所の判事に当該簡易裁判所の裁判官の職務を行わせることができる。

第３７条

各簡易裁判所の司法行政事務は、簡易裁判所の裁判官が、１人のときは、その裁判官が、２人以上のときは、最高裁判所の指名する１人の裁判官がこれを掌理する。

第３８条

簡易裁判所において特別の事情によりその事務を取り扱うことができないときは、その所在地を管轄する地方裁判所は、その管轄区域内の他の簡易裁判所に当該簡易裁判所の事務の全部又は一部を取り扱わせることができる。

第4編　裁判所の職員及び司法修習生

第1章　裁判官

第39条

Ⅰ　最高裁判所長官は、内閣の指名に基いて、天皇がこれを任命する。

Ⅱ　最高裁判所判事は、内閣でこれを任命する。

Ⅲ　最高裁判所判事の任免は、天皇がこれを認証する。

Ⅳ　最高裁判所長官及び最高裁判所判事の任命は、国民の審査に関する法律の定めるところにより国民の審査に付される。

第40条

Ⅰ　高等裁判所長官、判事、判事補及び簡易裁判所判事は、最高裁判所の指名した者の名簿によつて、内閣でこれを任命する。

Ⅱ　高等裁判所長官の任免は、天皇がこれを認証する。

Ⅲ　第1項の裁判官は、その官に任命された日から10年を経過したときは、その任期を終えるものとし、再任されることができる。

第41条

Ⅰ　最高裁判所の裁判官は、識見の高い、法律の素養のある年齢40年以上の者の中からこれを任命し、そのうち少くとも10人は、10年以上第1号及び第2号に掲げる職の一若しくは二に在つた者又は左の各号に掲げる職の一若しくは二以上に在つてその年数を通算して20年以上になる者でなければならない。

   ① 高等裁判所長官

   ② 判事

   ③ 簡易裁判所判事

   ④ 検察官

   ⑤ 弁護士

   ⑥ 別に法律で定める大学の法律学の教授又は准教授

Ⅱ　5年以上前項第1号及び第2号に掲げる職の一若しくは二に在つた者又は10年以上同項第1号から第6号までに掲げる職の一若しくは二以上に在つた者が判事補、裁判所調査官、最高裁判所事務総長、裁判所事務官、司法研修所教官、裁判所職員総合研修所教官、法務省の事務次官、法務事務官又は法務教官の職に在つたときは、その在職は、同項の規定の適用については、これを同項第3号から第6号までに掲げる職の在職とみなす。

Ⅲ　前2項の規定の適用については、第1項第3号乃至第5号及び前項に掲げる職に在つた年数は、司法修習生の修習を終えた後の年数に限り、これを当該職に在つた年数とする。

Ⅳ　3年以上第1項第6号の大学の法律学の教授又は准教授の職に在つた者が簡易裁

判所判事、検察官又は弁護士の職に就いた場合においては、その簡易裁判所判事、検察官（副検事を除く。）又は弁護士の職に在つた年数については、前項の規定は、これを適用しない。

第42条

Ⅰ　高等裁判所長官及び判事は、次の各号に掲げる職の一又は二以上に在つてその年数を通算して10年以上になる者の中からこれを任命する。

① 判事補

② 簡易裁判所判事

③ 検察官

④ 弁護士

⑤ 裁判所調査官、司法研修所教官又は裁判所職員総合研修所教官

⑥ 前条第1項第6号の大学の法律学の教授又は准教授

Ⅱ　前項の規定の適用については、3年以上同項各号に掲げる職の一又は二以上に在つた者が裁判所事務官、法務事務官又は法務教官の職に在つたときは、その在職は、これを同項各号に掲げる職の在職とみなす。

Ⅲ　前2項の規定の適用については、第1項第2号乃至第5号及び前項に掲げる職に在つた年数は、司法修習生の修習を終えた後の年数に限り、これを当該職に在つた年数とする。

Ⅳ　3年以上前条第1項第6号の大学の法律学の教授又は准教授の職に在つた者が簡易裁判所判事、検察官又は弁護士の職に就いた場合においては、その簡易裁判所判事、検察官（副検事を除く。）又は弁護士の職に在つた年数については、前項の規定は、これを適用しない。司法修習生の修習を終えないで簡易裁判所判事又は検察官に任命された者の第66条の試験に合格した後の簡易裁判所判事、検察官（副検事を除く。）又は弁護士の職に在つた年数についても、同様とする。

第43条

判事補は、司法修習生の修習を終えた者の中からこれを任命する。

第44条

Ⅰ　簡易裁判所判事は、高等裁判所長官若しくは判事の職に在つた者又は次の各号に掲げる職の一若しくは二以上に在つてその年数を通算して3年以上になる者の中からこれを任命する。

① 判事補

② 検察官

③ 弁護士

④ 裁判所調査官、裁判所事務官、司法研修所教官、裁判所職員総合研修所教官、法務事務官又は法務教官

⑤ 第41条第1項第6号の大学の法律学の教授又は准教授

Ⅱ　前項の規定の適用については、同項第2号乃至第4号に掲げる職に在つた年数は、司法修習生の修習を終えた後の年数に限り、これを当該職に在つた年数とす

る。

Ⅲ　司法修習生の修習を終えないで検察官に任命された者の第66条の試験に合格した後の検察官（副検事を除く。）又は弁護士の職に在つた年数については、前項の規定は、これを適用しない。

第45条

Ⅰ　多年司法事務にたずさわり、その他簡易裁判所判事の職務に必要な学識経験のある者は、前条第1項に掲げる者に該当しないときでも、簡易裁判所判事選考委員会の選考を経て、簡易裁判所判事に任命されることができる。

Ⅱ　簡易裁判所判事選考委員会に関する規程は、最高裁判所がこれを定める。

第46条

他の法律の定めるところにより一般の官吏に任命されることができない者の外、左の各号の一に該当する者は、これを裁判官に任命することができない。

①　禁錮以上の刑に処せられた者

②　弾劾裁判所の罷免の裁判を受けた者

第47条

下級裁判所の裁判官の職は、最高裁判所がこれを補する。

第48条

裁判官は、公の弾劾又は国民の審査に関する法律による場合及び別に法律で定めるところにより心身の故障のために職務を執ることができないと裁判された場合を除いては、その意思に反して、免官、転官、転所、職務の停止又は報酬の減額をされることはない。

第49条

裁判官は、職務上の義務に違反し、若しくは職務を怠り、又は品位を辱める行状があつたときは、別に法律で定めるところにより裁判によつて懲戒される。

第50条

最高裁判所の裁判官は、年齢70年、高等裁判所、地方裁判所又は家庭裁判所の裁判官は、年齢65年、簡易裁判所の裁判官は、年齢70年に達した時に退官する。

第51条

裁判官の受ける報酬については、別に法律でこれを定める。

第52条

裁判官は、在任中、左の行為をすることができない。

①　国会若しくは地方公共団体の議会の議員となり、又は積極的に政治運動をすること。

②　最高裁判所の許可のある場合を除いて、報酬のある他の職務に従事すること。

③　商業を営み、その他金銭上の利益を目的とする業務を行うこと。

第２章　裁判官以外の裁判所の職員

第５３条～第６５条の２　略

第３章　司法修習生

第６６条～第６８条　略

第５編　裁判事務の取扱
第１章　法廷

第６９条
Ⅰ　法廷は、裁判所又は支部でこれを開く。
Ⅱ　最高裁判所は、必要と認めるときは、前項の規定にかかわらず、他の場所で法廷を開き、又はその指定する他の場所で下級裁判所に法廷を開かせることができる。

第７０条
　裁判所は、日本国憲法第８２条第２項の規定により対審を公開しないで行うには、公衆を退廷させる前に、その旨を理由とともに言い渡さなければならない。判決を言い渡すときは、再び公衆を入廷させなければならない。

第７１条～第７３条　略

第２章　裁判所の用語

第７４条　略

第３章　裁判所の評議

第７５条～第７８条　略

第４章　裁判所の共助

第７９条　略

第6編　司法行政

第80条

　司法行政の監督権は、左の各号の定めるところによりこれを行う。

①　最高裁判所は、最高裁判所の職員並びに下級裁判所及びその職員を監督する。

②　各高等裁判所は、その高等裁判所の職員並びに管轄区域内の下級裁判所及びその職員を監督する。

③　各地方裁判所は、その地方裁判所の職員並びに管轄区域内の簡易裁判所及びその職員を監督する。

④　各家庭裁判所は、その家庭裁判所の職員を監督する。

⑤　第37条に規定する簡易裁判所の裁判官は、その簡易裁判所の裁判官以外の職員を監督する。

第81条～第82条　略

第7編　裁判所の経費

第83条　略

判例索引

平成

事項索引

司法試験&予備試験対策シリーズ

2025年版 司法試験&予備試験 完全整理択一六法　憲法

2000年 2 月15日　　第 1 版　第 1 刷発行
2024年11月20日　　第26版　第 1 刷発行

　　　編著者●株式会社　東京リーガルマインド
　　　　　　LEC総合研究所　司法試験部

　　　発行所●株式会社　東京リーガルマインド
　　　　　　〒164-0001　東京都中野区中野4-11-10
　　　　　　アーバンネット中野ビル
　　　　　　LECコールセンター　　✉ 0570-064-464
　　　　　　　受付時間　平日9：30～19：30/土・日・祝10：00～18：00
　　　　　　　※このナビダイヤルは通話料お客様ご負担となります。
　　　　　　書店様専用受注センター　　TEL 048-999-7581 / FAX 048-999-7591
　　　　　　　受付時間　平日9：00～17：00/土・日・祝休み
　　　　　　www.lec-jp.com/

　　　カバーデザイン●桂川　潤
　　　本文デザイン●グレート・ローク・アソシエイツ
　　　印刷・製本●株式会社　シナノパブリッシングプレス

司法試験&予備試験対策テキストの決定版

4

「**短答式試験の過去問を解いてみよう**」
では実際に出題された**本試験問題を掲載**。
該当箇所とリンクしているので、効率良く学んだ
知識を確認できます。

5
巻末には「**論点一覧表**」が付
いているので、**知識の確認、
総復習**に役立ちます。

C-Bookラインナップ

今後の発刊予定は
こちらでご覧になれます（随時更新）
https://www.lec-jp.com/shihou/book/
※上記の内容は事前の告知なしに変更する場合があります。

INPUT

司法試験&予備試験対策シリーズ
司法試験&予備試験
完全整理択一六法

徹底した判例と条文の整理・理解に！
逐条型テキストの究極形『完択』シリーズ。

	定価
憲法	本体2,700円+税
民法	本体3,500円+税
刑法	本体2,700円+税
商法	本体3,500円+税
民事訴訟法	本体2,700円+税
刑事訴訟法	本体2,700円+税
行政法	本体2,700円+税

※定価は2025年版です。

司法試験&予備試験対策シリーズ
C-Book【改訂新版】

短答式・論文式試験に必要な知識を整理！
初学者にもわかりやすい法律独習用テキストの決定版。

	定価
憲法Ⅰ〈総論・人権〉	本体3,600円+税
憲法Ⅱ〈統治〉	本体3,200円+税
民法Ⅰ〈総則〉	本体3,200円+税
民法Ⅱ〈物権〉	本体3,500円+税
民法Ⅲ〈債権総論〉	本体3,200円+税
民法Ⅳ〈債権各論〉	本体3,800円+税
民法Ⅴ〈親族・相続〉	本体3,500円+税
刑法Ⅰ〈総論〉	本体3,800円+税
刑法Ⅱ〈各論〉	本体3,800円+税
会社法	[2025年5月発刊予定]

ラインナップと今後の発刊予定は
こちらでご覧になれます。（随時更新）
https://www.lec-jp.com/
shihou/book/

※画像はイメージです。※上記の内容は事前の告知なしに変更する場合があります。

OUTPUT

司法試験＆予備試験 単年度版
短答過去問題集
（法律基本科目）

短答式試験（法律基本科目のみ）
の問題と解説集。

	定価
令和元年	本体2,600円+税
令和2年	本体2,600円+税
令和3年	本体2,600円+税
令和4年	本体3,000円+税
令和5年	本体3,000円+税
令和6年	本体3,000円+税

司法試験＆予備試験
体系別短答過去問題集【第3版】

平成18年から令和5年までの
司法試験および平成23年から
令和5年までの予備試験の短
答式試験を体系別に収録。

	定価
憲法	本体3,800円+税
民法(上)総則・物権	本体3,600円+税
民法(下)債権・親族・相続	本体4,300円+税
刑法	本体4,300円+税

司法試験＆予備試験 論文過去問
再現答案から出題趣旨を読み解く。
※単年度版

出題趣旨を制することで論文式
試験を制する！
各年度再現答案を収録。

	定価
令和元年	本体3,500円+税
令和2年	本体3,500円+税
令和3年	本体3,500円+税
令和4年	本体3,500円+税
令和5年	本体3,700円+税

司法試験＆予備試験 論文5年過去問
再現答案から出題趣旨を読み解く。
※平成27年～令和元年

5年分の論文式
試験再現答案
を収録。

	定価		定価
憲法	本体2,900円+税	刑事訴訟法	本体2,900円+税
民法	本体3,500円+税	行政法	本体2,900円+税
刑法	本体2,900円+税	法律実務基礎科目・ 一般教養科目(予備試験)	本体2,900円+税
商法	本体2,900円+税		
民事訴訟法	本体2,900円+税		

【速修】矢島の速修インプット講座 Inp

講義時間数

216時間

憲法	32時間	民訴法	24時間
民法	48時間	刑訴法	24時間
刑法	40時間	行政法	24時間
会社法	24時間		

通信教材発送／Web・音声DL配信開始日

2024/9/2(月)以降、順次

Web・音声DL配信終了日

2025/9/30(火)

使用教材

矢島の体系整理テキスト2025
※レジュメのPDFデータをWebは致しませんのでご注意ください。

タイムテーブル

講義4時間	途中10分休憩あり

担当講師

矢島 純一
LEC専任講師

おためしWeb受講制度

おためしWEB受講制度をお申込みいただくと、講義の一部を無料でご受講いただけます。

詳細はこちら→

講座概要

　本講座(略称:矢島の【速修】)は、既に学習経験がある受験生や、ほとんど学習経験か ても短期間で試験対策をしたいという受験生が、**合格するために修得が必須となる事** 率よくインプット学習するための講座です。**合格に必要な重要論点や判例の分かりやす** 説により科目全体の**本質的な理解を深める講義**と、覚えるべき規範が過不足なく記載さ 然と法的三段論法を身に付けながら知識を修得できるテキストが両輪となって、本試験 応できる実力を養成できます。忙しい毎日の通勤通学などの隙間時間で講義を聴いたり、 の際にテキストだけ繰り返し読んだり、自分のペースで無理なく合格に必要な全ての 識を身に付けられるようになっています。また、本講座は**直近の試験の質に沿った学習** るよう、**テキストや講義の内容を毎年改訂**しているので、本講座を受講することで直近の 考査委員が受験生に求めている知識の質と広さを理解することができ、試験対策上、誤っ 向に行くことなく、**常に正しい方向に進んで確実に合格する力**を修得することができま

講座の特長

1 重要事項の本質を短期間で理解するメリハリある講義

　最大の特長は、**分かりやすい講義**です。全身全霊を受験指導に傾け、寝ても覚めても ことを考えている矢島講師の講義は、思わず惹き込まれるほど面白く分かりやすいので、 い方でも途中で挫折することなく受講できると好評を博しています。講義中は、日頃から 間研究をしっかりとしている矢島講師が、試験で出題されやすい事項を、試験で出題さ を踏まえて解説するため、講義を聴いているだけで**確実に合格に近づく**ことができます。

2 司法試験の合格レベルに導く質の高いテキスト

　使用する**テキスト**は、全て矢島講師が責任をもって作成しており、合格に必要な重要 体系ごとに整理されています。受験生に定評のある基本書、判例百選、重要判例集、論証 容が**コンパクト**にまとめられており、試験で出題されそうな事項を「矢島の体系整理テキ だけで学べます。矢島講師が過去問をしっかりと分析した上で、合格に必要な知識をイ トできるようにテキストを作成しているので、**試験に不必要な情報は一切なく、合格に** る知識を短時間で効率よく吸収できるテキストとなっています。すべての知識に重要度 ク付けをしているため一目で覚えるべき知識が分かり、受験生が講義を復習しやすい れています。また、テキストの改訂を毎年行い、**法改正や最新判例に完全に対応してい**

受講料

受講形態	科目	回数	講義形態	一般価格	大学生協・書籍部価格 税込(10%)	代理店書店価格	講座コード
通学 通信	一括	54	Web※1	112,200円	106,590円	109,956円	通学:LA24587 通信:LB24597
			DVD	145,750円	138,462円	142,835円	
	憲法	8	Web※1	19,250円	18,287円	18,865円	
			DVD	25,300円	24,035円	24,794円	
	民法	12	Web※1	30,800円	29,260円	30,184円	
			DVD	40,150円	38,142円	39,347円	
	刑法	10	Web※1	26,950円	25,602円	26,411円	
			DVD	35,200円	33,440円	34,496円	
	会社法/民訴法/ 刑訴法/行政法※2	各6	Web※1	15,400円	14,630円	15,092円	
			DVD	19,800円	18,810円	19,404円	

※1音声DL+スマホ視聴付き　※2いずれも1科目あたりの受講料となります

■一般価格とは、LEC本校・LEC提携校・LEC通信事業本部・LECオンライン本校にてお申込される場合の受講価格です。 ■大学生協・書籍部価格とは、LECと代理店契約を結んでいる大学内の生協、購買会、書店にてお 申込される場合の受講価格です。 ■代理店書店価格とは、LECと代理店契約を結んでいる一般書店(大学内の書店は除く)にてお申込される場合の受講価格です。 ■上記大学生協・書籍部価格は、代理店書店価格が利用される場 合は、必ず受講申込者が代理店契約をしている書店でお申込みください。

【解約・返品について】 ① 無料対応書面をご提出下さい。実施済受講料、手数料等を清算の上返金します。教材等の返送料はご負担頂きます(LEC申込規定第3条参照)。 ② 詳細はLEC申込規定(http://www.lec-jp.com/kouzamoushikomi.html)をご参照下さい。

教材のお届けについて 通信教材発送日が複数回に分けて設定されている講座について、通信教材発送日を過ぎてお申込みいただいた場合、それまでの教材をまとめてお送りするのに10日程度のお時間を頂戴しております。また、 そのお持ちいただいている場合、次回の教材発送日が近い場合、その教材は発送日送られるため、学習順序と、通信教材の到着順序が前後する場合がございます。予めご了承下さい。 ※詳細はこちらをご確認ください。
https://online.lec-jp.com/statics/guide_send.html

【論完】矢島の論文完成講座

 Input

講義時間数

120時間

憲法 16時間　民訴法 16時間
民法 20時間　刑法法 16時間
刑法 20時間　行政法 16時間
商法 16時間

配信教材発送/Web・音声DL配信開始日

2025/1/14 (火) 以降、順次

Web・音声DL配信終了日

2025/9/30 (火)

使用教材

矢島の論文メイン問題集2025
矢島の論文補強問題集2025

※レジュメのPDFデータはWebup致しませんのでご注意ください。

タイムテーブル

| 講義 4時間 | 途中休憩あり ※2回 (合計15分程度) |

担当講師

矢島 純一
LEC専任講師

講座概要

　本講座 (略称：矢島の【論完】) は、論文試験に合格するための事例分析能力、法的思考力、本番の試験で合格点を採る答案作成のコツを、短期間で修得するための講座です。講義で使用する教材は解答例を含めて全て矢島講師が責任を持って作成しており、問題文中の事実に対してどのように評価をすれば試験考査委員に高評価を受けられるかなど、合格するためには是非とも修得しておきたいことを分かりやすく講義していきます。論文試験の答案の書き方が分からないという受験生はもちろん、答案の書き方はある程度修得しているのに本試験で良い評価を受けることができないという受験生が、確実に合格答案を作成する能力を修得できるように矢島講師が分かりやすい講義をします。なお、教材及び講義の内容は、令和7年度試験の出題範囲とされている法改正や最新の判例に全て対応しているので、情報収集の時間を省略して、全ての時間をこの講座の受講と復習にかけて効率よく受験対策をすることができます。

講座の特長

1 論文対策はこの講座だけで完璧にできる

　限られた時間で論文対策をするには検討すべき問題を次年度の試験の合格に必要なものに限定する必要があります。そこで、本講座は、次年度の論文試験の合格に必要な知識や法的思考能力を効率よく修得するのに必須の司法試験の過去問、近年の試験の形式に合わせた司法試験の改問やオリジナル問題、知識の間隙を埋めることができる予備試験の過去問を、試験対策上必要な数に絞り込んで取り扱っていきます。取り扱う問題を合格に真に必要な数に絞り込んでいるので、途中で挫折せずに合格に必要な論文作成能力を確実に修得できます。

2 矢島講師が責任をもって作成した解答例

　合格者の再現答案には不正確な部分があり、こうした解答例を元に学習をすると、悪いところを良いところだと勘違いして、誤った思考方法を身につけてしまうおそれがあります。本講座で使用する解答例は、出題趣旨や採点実感を踏まえて試験考査委員が要求する合格答案となるよう、矢島講師が責任をもって作成しています。矢島講師作成の解答例は法的な正確性が高く、解答例中の法的な規範のところは、そのまま論証例として使うことができ、あてはめのところは、規範に事実を当てはめる際の事実の評価の仕方を学ぶ教材として用いることができるため、論文試験用の最強のインプット教材になること間違いなしです。矢島講師の解答例なら繰り返し復習して正しい法的思考能力を修得することができるので、余計なことを考えずに安心して受験勉強に専念できます。なお、矢島講師作成の解答例は、前年度以前の過去問について以前作成したものであっても、直近の試験で試験考査委員が受験生に求める能力を踏まえて毎年調整し直しています。

受講料

受講形態	科目	回数	講座形態	一般価格	大学生協・書籍部価格	代理店書店価格	講座コード
					税込(10%)		
通学・通信	一括	30	Web※1	112,200円	106,590円	109,956円	通学：LA24514 通信：LB24504
			DVD	145,750円	138,462円	142,835円	
	民法/刑法※2	各5	Web※1	28,600円	27,170円	28,028円	
			DVD	36,850円	35,007円	36,113円	
	憲法/商法/民訴法 刑訴法/行政法※2	各4	Web※1	20,350円	19,332円	19,943円	
			DVD	26,400円	25,080円	25,872円	

※1 音声DL+スマホ視聴付き
※2 いずれか1科目あたりの受講料となります

矢島の短答対策シリーズ

講義時間数

18時間

民事訴訟法	6時間
刑事訴訟法	6時間
商法総則・商行為・手形法	6時間

通信教材発送／Web・音声DL配信開始日

2025/2/3(月)

Web・音声DL配信終了日

2025/7/31(木)

使用教材

○民事訴訟法/刑事訴訟法/
　商法総則・商行為・手形法
【受講料込】
矢島の基本知識プラステキスト2025
※レジュメPDFデータのwebupは致しません。

担当講師

矢島 純一
LEC専任講師

講座概要

本シリーズは、短答試験でのみ出題される分野のみを集中的に学習したいという受験生の〜の講座をラインナップしたものです。特に短答試験に特有な事項が多い、民事訴訟法・刑事〜法・商法総則・商行為・手形法を扱います。矢島の速修インプット講座で論文試験や短答〜の重要基本知識の学習が終わって、いわゆる短答プロパーといわれる短答試験でのみ出題〜る分野の学習を本格的にしたいという受験生にお勧めします。

※矢島の短答対策シリーズとして以前まで実施していた「憲法統治」、「家族法」、「会社法」、「行政法」につい〜テキストの情報を整理して「矢島の速修インプット講座」のテキストに掲載しました。

講座の特長

1 民事訴訟法

管轄、移送、送達、争点整理手続、上訴、再審などの民事訴訟法の短答プロパーの他に、民〜全法や民事執行法の重要基本部分を修得できます。

2 刑事訴訟法

告訴、保釈、公訴時効、公判前整理手続、証拠調べ手続、上訴、再審などの短答プロパー〜り扱います。

3 商法総則・商行為・手形法

商法総則・商行為・手形法を取り扱います。手形法については、論文の事例処理ができ〜うにどの論点をどの順番で書けばよいのかについてもしっかりと講義していきます。

受講料

受講形態	科目		回数	講義形態	一般価格	大学生協書籍部価格	代理店書店価格	講座
					税込（10%）			
通信	一括		3	Web※1	14,600円	13,870円	14,308円	LB2
				DVD	19,400円	18,430円	19,012円	
	科目別	民事訴訟法・刑事訴訟法	各1	Web※1	5,500円	5,225円	5,390円	
				DVD	7,300円	6,935円	7,154円	
		商法総則/商行為	各1	Web※2	6,600円	6,270円	6,468円	
				DVD	8,800円	8,360円	8,624円	

※1 音声DL＋スマホ視聴付き
※2 いずれか1科目あたりの受講料となります

[スピチェ]矢島のスピードチェック講座

講座の特長

1　72時間で最重要知識が総復習できる

本講座で必修7科目の論文知識を72時間という短時間で総復習することができます。日ごろから試験考査委員が公表している出題趣旨や採点実態を分析している矢島講師が、直近の試験傾向を踏まえて本番の試験で受けがよい見解と思考方法を講義しますので、「試験直前期に最終確認しておくべき最重要知識」の総まとめには最適なものとなっています。講義時間は矢島の速修インプット講座の2分の1未満で、試験前日まで繰り返し講義を聴くことで最重要知識が修得できるため、試験が近づいてきたのに論文知識に自信がない受験生・受験生にもお勧めです。

2　情報量を絞り込み、繰り返し復習することで知識を確実に

講義時間が短いことから、隙間時間を利用して各科目の全体を試験直前期まで続けて復習することができます。全て覚えるまで復習を繰り返し、本番で重要論点を落とすミスを回避できます。矢島の速修インプット講座を受講されている方でも本講座を受講することにより短時間で論文試験の合格に必要な最重要知識を総復習して確実に合格できる力を身に付けることができます。

3　論証集としても使えるテキスト

本講座のテキストは論文知識の中でも本試験で絶対に落とせない重要度の高い論点の要件、効果及び判例ベースの規範と論証例が掲載されています。市販の論証集は読んでも意味が分からないものが多々あるといわれていますが矢島講師作成の本テキストは初学者から上級者まで誰が読んでも分かりやすい論証が掲載されている上に、講義の際に論証の使い方のポイントを説明します。市販の論証集を購入して独学しても身に付けられない論証力を短時間で修得できることをお約束します。

講義時間数

72時間

憲法　8時間	民訴法8時間
民法　16時間	刑訴法8時間
刑法　16時間	行政法8時間
会社法 8時間	

配信教材発送/Web・音声DL配信開始日

上3法:2025/4/28(月)
下4法:2025/5/12(月)

Web・音声DL配信終了日

2025/9/30(火)

使用教材

矢島の要点確認ノート2025

レジュメのPDFデータはWebにup致しませんのでご注意ください。

メインテーブル

講義4時間	途中10分休憩あり

担当講師

矢島純一
LEC専任講師

通学スケジュール

※通学講義は教室で教材を配布します（発送はございません）。

科目	回数	日程		科目	回数	日程
憲法	1	25/3/29(土)	13:00〜17:00	会社法	1	4/10(木)	13:00〜17:00
	2		18:00〜22:00		2		18:00〜22:00
民法	1	4/1(火)	13:00〜17:00	民訴法	1	4/12(土)	13:00〜17:00
	2		18:00〜22:00		2		18:00〜22:00
	3	4/3(木)	13:00〜17:00	刑訴法	1	4/15(火)	13:00〜17:00
	4		18:00〜22:00		2		18:00〜22:00
刑法	1	4/5(土)	13:00〜17:00	行政法	1	4/17(木)	13:00〜17:00
	2		18:00〜22:00		2		18:00〜22:00
	3	4/8(火)	13:00〜17:00				
	4		18:00〜22:00				※休憩時間含む

生講義実施校

水道橋本校 03-3265-5001

〒101-0061
千代田区神田三崎町2-2-15
Daiwa三崎町ビル(受付1階)

JR水道橋駅東口より徒歩3分、都営三田線水道橋駅より徒歩5分、都営新宿線・東京メトロ半蔵門線神保町駅A4出口から徒歩9分。

■窓口
平日11:00〜21:00 土・日・祝9:00〜19:00

■電話
平日9:00〜21:00 土・日・祝9:00〜20:00

[通学生限定、欠席WEBフォロー]
講義の翌々日〜通常のWEB配信開始日まで、WEB上で講義をご覧いただけます。

講義の復習にもご利用ください。

欠席WEBフォロー配信日終了後は、通常のWEB配信またはDVDにて学習してください。

受講料

受講形態	科目	回数	講義形態	一般価格	大学生協・書籍部価格	代理店書店価格	講座コード
				税込(10%)			
通学	一括	18	Web※1	56,100円	53,295円	54,978円	LA24992
			DVD	72,600円	68,970円	71,148円	LA24991
	上3法	10	Web※1	31,900円	30,305円	31,262円	LA24992
			DVD	41,250円	39,187円	40,425円	LA24991
	下4法	8	Web※1	28,600円	27,170円	28,028円	LA24992
			DVD	37,400円	35,530円	36,652円	LA24991
通信	一括	18	Web※1	56,100円	53,295円	54,978円	LB24994
			DVD	72,600円	68,970円	71,148円	
	上3法	10	Web※1	31,900円	30,305円	31,262円	
			DVD	41,250円	39,187円	40,425円	
	下4法	8	Web※1	28,600円	27,170円	28,028円	
			DVD	37,400円	35,530円	36,652円	

※音声DL＋スマホ視聴付き

【最新】矢島の最新過去問&ヤマ当て講座

講義時間数

28時間

憲法・民法・刑法・商法・民訴法・
刑訴法・行政法　（4時間／回）

通信教材発送/Web・音声DL配信開始日

上3法：2025/6/2(月)
下4法：2025/6/23(月)

Web・音声DL配信終了日

2025/9/30 (火)

使用教材

講師オリジナルレジュメ
※レジュメのPDFデータはWebup致しませんのでご注意ください。

タイムテーブル

| 講義
4時間 | 途中10分休憩あり |

担当講師

矢島純一
LEC専任講師

講座の特長

1 合格答案作成の最終イメージトレーニング

　論文試験に合格するには、法規範などの基本知識をインプットするだけでは足りず、その基礎知識を問題文で解答が求められている形式に合わせて理論構成をする能力を身に付ける必要があります。日ごろ学習した基本知識を、直近の過去問を題材に問題文の形式に合わせて理論構成することを経験して合格答案のイメージを作っておくと、試験本番で再び似たような理論構成が求められたときに、いっきに有利になります。そこで、本講座の各科目前半では「合格答案のイメージ作り」ができるように直近の論文過去問である令和6年度司法試験の論文試験の問題と矢島講師作成の解答例を用いて直近の過去問の質と傾向を踏まえた上で合格答案のイメージ作りをしていきます。本試験で求められる法的三段論法や事実の評価の仕方を試験直前期にイメージすることで本試験で未知の問題が出題されても法的三段論法を貫いて合格答案を作成できるようになります。

2 ヤマ当てを通じた効率のよい復習

　試験科目が多く、理解し記憶すべき事項が極めて多い司法試験では、直前期におさらいすることを的確に選び出す必要があります。しかし、直前期になると、あれもやらなくてはこれもやらなくてはと気が焦るばかりで、充実した学習ができない受験生も沢山いらっしゃいます。そうした不安を抱えた受験生は、過去問分析のエキスパートである矢島講師が、出題傾向を踏まえて令和7年度の論文式試験で出題されそうな事項をピックアップし、理解・記憶しやすいように解説をしていくヤマ当て講座の復習をするだけで、効率的なおさらいをすることが可能です。直前期にしっかり復習した分野から出題されると、本試験でも自信を持って書くことができます。毎年多くの予想を的中させている矢島講師のヤマ当て講座で、合格に一気に近づいてください。

　なお、司法試験と予備試験の試験考査委員は同一人が兼任していることが多いため、今期の司法試験の出題内容を予想するには、司法試験だけでなく予備試験の出題傾向を分析することで精度が上がります。本講座のヤマ当てのパートでは、こうした分析をして今期の出題を予想しています。

通学スケジュール

※通学講義は教室で教材を配布します（発送はございません）。

科目	回数	日程	
憲法	1	25/4/24(木)	
民法	1	5/1(木)	
刑法	1	5/8(木)	
商法	1	5/15(木)	18:00～22:00
民訴法	1	5/22(木)	
刑訴法	1	5/29(木)	
行政法	1	6/5(木)	

生講義実施校

水道橋本校 03-3265-5001

〒101-0061
千代田区神田三崎町2-2-15
Daiwa三崎町ビル(受付1階)

JR水道橋駅東口より徒歩3分、都営三田線
水道橋駅A1出口より徒歩5分、都営新宿線・東京メ
ト口半蔵門線神保町駅A4出口から徒歩9分。
■受付
平日11:00～21:00 土・日・祝9:00～19:00
■開館時間
平日9:00～22:00 土・日・祝9:00～20:00

【通学生限定・欠席WEBフォロー】
講義の翌々日～通常のWEB配信開始日まで、WEB上で講義をご覧いただけます。講義の復習にもご利用ください。欠席WEBフォロー配信日以降は、通常のWEB配信またはDVDにて学習してください。

受講料

受講形態	申込形態	回数	講義形態	一般価格	大学生協・書籍部価格	代理店書店価格	講座
				税込(10%)			
通学	一括	7	Web※	19,800円	18,810円	19,404円	LA24
			DVD	25,850円	24,557円	25,333円	
通信	一括	7	Web※	19,800円	18,810円	19,404円	LB24
			DVD	25,850円	24,557円	25,333円	

※音声DL＋スマホ視聴付き

矢島の法律実務基礎科目[民事・刑事]

講義時間数
24時間

通信教材発送/Web・音声DL配信開始日
2025/7/28(月)
※直前対策のため上記日程の配信日となっております。

Web・音声DL配信終了日
2026/1/31(土)

使用教材
講師オリジナルテキスト
※レジュメのpdfデータはWebUp致しません。

タイムテーブル

| 講義 4時間 | 途中休憩あり |

担当講師

矢島 純一
LEC 専任講師

講座概要

試験科目が多い予備試験に合格するには、法律実務基礎科目だけに時間をかけていられないという受験生が多いことと思います。本講座は、こうした受験生の要望に答えるために、民法・民事訴訟法・刑法・刑事訴訟法を一通り学習した上で**法律実務基礎科目の論文試験に合格するのに最低限おさえておきたい基本知識や答案作成に必要な思考方法**を、短時間で修得するための講座となっています。**口述試験で問われる事項にも対応**しているので、論文試験・口述試験を通じて、法律実務基礎科目の対策は、この講座だけで十分に実現できます。受験指導に熱心な矢島講師が受験生を最終合格に導きますので、本講座で予備試験の合格を掴み取ってください。

講座の特長

1 最新の傾向を踏まえた実践的なテキスト

本講座で用いるテキストは、最新の法律実務基礎科目の論文試験や口述試験の出題傾向を踏まえて、矢島講師が、法律実務基礎科目の論文過去問の中から今後試験に役立ちそうな設問をピックアップした上で作成した講師答案や、合格に必要な基本知識を要領よくまとめた講師テキストとなっています。一般の市販本は、文章の意味が分かりづらかったり、受験生が理解しづらい難解な用語を用いたりするものが少なくありませんが、本講座で用いるテキストは、受験生が法律実務基礎科目でつまずくことなく学習できるように十分に配慮して、基本からしっかりと理解できる表現を用いて作成しています。

2 分かりやすい講義

受験指導に熱心で数々の受験生の質問に答えてきた矢島講師は、受験生がどこでつまずくかを十分に把握しています。そのため、この講座を受講した受験生がつまずいて勉強が先に進まなくなるという事態に陥ることがないように、**合格に必要な事項を分かり易く講義**していきますので法律実務基礎科目を全くイメージできていない受験生も安心して受講できる講座となっています。また、解答例を意味も分からず暗記しても本番の試験で初見の問題に対処できないため、解答を導く思考過程を丁寧に講義することで、初見の問題に対応できる実力を修得できるようにしていきます。矢島講師の熱く分かりやすい講義に引き込まれて、この講座の受講を終えたときには、法律実務基礎科目に自信をもてるようになっているはずです。

3 得点源にしやすい分野を効率よく短期修得

本講座は、論文試験及び口述試験を通じて法律実務基礎科目で合格点を採るために必要な学力を効率よく修得することを目指しています。一例を挙げると、本試験で頻繁に問われる**法曹倫理（民事・刑事）**や民事でいえば**民事事実認定の仕方、要件事実、民事執行法・民事保全法**、刑事でいえば**刑事事実認定の仕方、公判前整理手続**をはじめとして**他にも試験で出題されやすい重要分野**を短時間で得点源にできるような講義をしていきます。

講師メッセージ

当たり前のことですが、法律実務に接したことがない受験生にとって法律実務基礎科目の試験対策を独学でするのは大変なことだと思います。そうした受験生が効率よく試験対策をできるようにするために、私が過去問を徹底的に研究した上でテキスト作成と講義を組み立てて、最近の試験傾向に適した試験対策をしていきます。また、私が責任をもって、法律実務を知らない受験生に理解しやすい講義をして、**短時間で法律実務基礎科目を得点源にできるようにしていきます**ので、この講座で合格を勝ち取ってください！

受講料 (本講座単独でのお申込みは、2025年7月より受付開始いたします。)

受講形態	講義形態	回数	一般価格	大学生協・書籍部価格	代理店書店価格	講座コード
			税込(10%)			
通信	Web※	6	24,750 円	23,512 円	24,255 円	LB24401
	DVD		31,900 円	30,305 円	31,262 円	

※ 音声DL＋スマホ視聴付き

LEC Webサイト ▷▷ **www.lec-jp.com/**

情報盛りだくさん！

資格を選ぶときも，
講座を選ぶときも，
最新情報でサポートします！

≫最新情報
各試験の試験日程や法改正情報，対策講座，模擬試験の最新情報を日々更新しています。

≫資料請求
講座案内など無料でお届けいたします。

≫受講・受験相談
メールでのご質問を随時受付けております。

≫よくある質問
LECのシステムから，資格試験についてまで，よくある質問をまとめました。疑問を今すぐ解決したいなら，まずチェック！

≫書籍・問題集（LEC書籍部）
LECが出版している書籍・問題集・レジュメをこちらで紹介しています。

充実の動画コンテンツ！

ガイダンスや講演会動画，
講義の無料試聴まで
Webで今すぐCheck！

≫動画視聴OK
パンフレットやWebサイトを見てもわかりづらいところを動画で説明。いつでもすぐに問題解決！

≫Web無料試聴
講座の第1回目を動画で無料試聴！気になる講義内容をすぐに確認できます。

LEC 全国学校案内

*講座のお問合せ，受講相談は最寄りのLEC各校へ

LEC本校

■ 北海道・東北

札 幌本校 ☎011(210)5002
〒060-0004 北海道札幌市中央区北4条西5-1　アスティ45ビル

仙 台本校 ☎022(380)7001
〒980-0022 宮城県仙台市青葉区五橋1-1-10　第二河北ビル

■ 関東

渋谷駅前本校 ☎03(3464)5001
〒150-0043 東京都渋谷区道玄坂2-6-17　渋東シネタワー

池 袋本校 ☎03(3984)5001
〒171-0022 東京都豊島区南池袋1-25-11　第15野萩ビル

水道橋本校 ☎03(3265)5001
〒101-0061 東京都千代田区神田三崎町2-2-15　Daiwa三崎町ビル

新宿エルタワー本校 ☎03(5325)6001
〒163-1518 東京都新宿区西新宿1-6-1　新宿エルタワー

早稲田本校 ☎03(5155)5501
〒162-0045 東京都新宿区馬場下町62　三朝庵ビル

中 野本校 ☎03(5913)6005
〒164-0001 東京都中野区中野4-11-10　アーバンネット中野ビル

立 川本校 ☎042(524)5001
〒190-0012 東京都立川市曙町1-14-13　立川MKビル

町 田本校 ☎042(709)0581
〒194-0013 東京都町田市原町田4-5-8　MIキューブ町田イースト

横 浜本校 ☎045(311)5001
〒220-0004 神奈川県横浜市西区北幸2-4-3　北幸GM21ビル

千 葉本校 ☎043(222)5009
〒260-0015 千葉県千葉市中央区富士見2-3-1　塚本大千葉ビル

大 宮本校 ☎048(740)5501
〒330-0802 埼玉県さいたま市大宮区宮町1-24　大宮GSビル

■ 東海

名古屋駅前本校 ☎052(586)5001
〒450-0002 愛知県名古屋市中村区名駅4-6-23　第三堀内ビル

静 岡本校 ☎054(255)5001
〒420-0857 静岡県静岡市葵区御幸町3-21　ペガサート

■ 北陸

富 山本校 ☎076(443)5810
〒930-0002 富山県富山市新富町2-4-25　カーニープレイス富山

■ 関西

梅田駅前本校 ☎06(6374)500
〒530-0013 大阪府大阪市北区茶屋町1-27　ABC-MART梅田ビ

難波駅前本校 ☎06(6646)691
〒556-0017 大阪府大阪市浪速区湊町1-4-1
大阪シティエアターミナルビル

京都駅前本校 ☎075(353)953
〒600-8216 京都府京都市下京区東洞院通七条下ル2丁目
東塩小路町680-2　木村食品ビル

四条烏丸本校 ☎075(353)253
〒600-8413 京都府京都市下京区烏丸通仏光寺下ル
大政所町680-1　第八長谷ビル

神 戸本校 ☎078(325)051
〒650-0021 兵庫県神戸市中央区三宮町1-1-2　三宮セントラルビ

■ 中国・四国

岡 山本校 ☎086(227)500
〒700-0901 岡山県岡山市北区本町10-22　本町ビル

広 島本校 ☎082(511)700
〒730-0011 広島県広島市中区基町11-13　合人社広島紙屋町アネク

山 口本校 ☎083(921)891
〒753-0814 山口県山口市吉敷下東 3-4-7　リアライズⅢ

高 松本校 ☎087(851)341
〒760-0023 香川県高松市寿町2-4-20　高松センタービル

松 山本校 ☎089(961)133
〒790-0003 愛媛県松山市三番町7-13-13　ミツネビルディング

■ 九州・沖縄

福 岡本校 ☎092(715)500
〒810-0001 福岡県福岡市中央区天神4-4-11
天神ショッパーズ福岡

那 覇本校 ☎098(867)500
〒902-0067 沖縄県那覇市安里2-9-10　丸姫産業第2ビル

■ EYE関西

EYE 大阪本校 ☎06(7222)365
〒530-0013　大阪府大阪市北区茶屋町1-27　ABC-MART梅田ビ

EYE 京都本校 ☎075(353)253
〒600-8413　京都府京都市下京区烏丸通仏光寺下ル
大政所町680-1　第八長谷ビル

LEC提携校

*提携校はLECとは別の経営母体が運営をしております。
*提携校は実施講座およびサービスにおいてLECと異なる部分がございます。

■■ 北海道・東北

八戸中央校 【提携校】 ☎0178(47)5011
〒031-0035 青森県八戸市寺横町13 第1朋友ビル
「教育センター内

弘前校 【提携校】 ☎0172(55)8831
〒036-8093 青森県弘前市城東中央1-5-2
「なびの森 弘前城東予備校内

秋田校 【提携校】 ☎018(863)9341
〒010-0964 秋田県秋田市八橋鯲沼町1-60
「式会社アキタシステムマネジメント内

■■ 関東

水戸校 【提携校】 ☎029(297)6611
〒310-0912 茨城県水戸市見川2-3079-5

所沢校 【提携校】 ☎050(6865)6996
〒359 0037 埼玉県所沢市くすのき台3-18-4 所沢K・Sビル
「同会社LPエデュケーション内

日本橋校 【提携校】 ☎03(6661)1188
〒103-0025 東京都中央区日本橋茅場町2-5-6 日本橋大江戸ビル
「式会社大江戸コンサルタント内

■■ 北陸

新潟校 【提携校】 ☎025(240)7781
〒950-0901 新潟県新潟市中央区弁天3-2-20 弁天501ビル
「式会社大江戸コンサルタント内

金沢校 【提携校】 ☎076(237)3925
〒920-8217 石川県金沢市近岡町845-1
「式会社アイ・アイ・ピー金沢内

福井南校 【提携校】 ☎0776(35)8230
〒918-8114 福井県福井市羽水2-701
「式会社ヒューマン・デザイン内

■■ 中国・四国

松江殿町校 【提携校】 ☎0852(31)1661
〒690-0887 島根県松江市殿町517 アルファステイツ殿町
山路イングリッシュスクール内

岩国駅前校 【提携校】 ☎0827(23)7424
〒740-0018 山口県岩国市麻里布町1-3-3 岡村ビル 英光学院内

新居浜駅前校 【提携校】 ☎0897(32)5356
〒792-0812 愛媛県新居浜市坂井町2-3-8
パルティフジ新居浜駅前店内

■■ 九州・沖縄

佐世保駅前校 【提携校】 ☎0956(22)8623
〒857-0862 長崎県佐世保市白南風町5-15 智翔館内

日野校 【提携校】 ☎0956(48)2239
〒858-0925 長崎県佐世保市椎木町336-1 智翔館日野校内

長崎駅前校 【提携校】 ☎095(895)5917
〒850-0057 長崎県長崎市大黒町10-10 KoKoRoビル
minatoコワーキングスペース内

高原校 【提携校】 ☎098(989)8009
〒904-2163 沖縄県沖縄市大里2-24-1
有限会社スキップヒューマンワーク内

書籍の訂正情報について

このたびは，弊社発行書籍をご購入いただき，誠にありがとうございます。
万が一誤りの箇所がございましたら，以下の方法にてご確認ください。

1 訂正情報の確認方法

書籍発行後に判明した訂正情報を順次掲載しております。
下記Webサイトよりご確認ください。

www.lec-jp.com/system/correct/

2 ご連絡方法

上記Webサイトに訂正情報の掲載がない場合は，下記Webサイトの
入力フォームよりご連絡ください。

lec.jp/system/soudan/web.html

フォームのご入力にあたりましては，「Web教材・サービスのご利用について」の
最下部の「ご質問内容」に下記事項をご記載ください。

- ・対象書籍名（○○年版，第○版の記載がある書籍は併せてご記載ください）
- ・ご指摘箇所（具体的にページ数と内容の記載をお願いいたします）

ご連絡期限は，次の改訂版の発行日までとさせていただきます。
また，改訂版を発行しない書籍は，販売終了日までとさせていただきます。

※上記「2ご連絡方法」のフォームをご利用になれない場合は，①書籍名，②発行年月日，③ご指摘箇所，を記載の上，郵送にて下記送付先にご送付ください。確認した上で，内容理解の妨げとなる誤りについては，訂正情報として掲載させていただきます。なお，郵送でご連絡いただいた場合は個別に返信しておりません。

送付先：〒164-0001 東京都中野区中野4-11-10 アーバンネット中野ビル
株式会社東京リーガルマインド 出版部 訂正情報係

- ・誤りの箇所のご連絡以外の書籍の内容に関する質問は受け付けておりません。
  また，書籍の内容に関する解説，受験指導等は一切行っておりませんので，あらかじめご了承ください。
- ・お電話でのお問合せは受け付けておりません。

講座・資料のお問合せ・お申込み

LECコールセンター 📞 0570-064-464

受付時間：平日9:30〜19:30/土・日・祝10:00〜18:00

※このナビダイヤルの通話料はお客様のご負担となります。
※このナビダイヤルは講座のお申込みや資料のご請求に関するお問合せ専用ですので，書籍の正誤に関するご質問をいただいた場合，上記「2ご連絡方法」のフォームをご案内させていただきます。